D1415001

B·F
V

STEFAN ZWEIG

AUSGEWÄHLTE NOVELLEN

1947

BERMANN-FISCHER VERLAG
STOCKHOLM

6.—10. Auflage
Printed in Sweden
Druck:
Alb. Bonniers boktryckeri
Stockholm

DER AMOKLÄUFER

Im März des Jahres 1912 ereignete sich im Hafen von Neapel bei dem Ausladen eines großen Überseedampfers ein merkwürdiger Unfall, über den die Zeitungen umfangreiche, aber sehr phantastisch ausgeschmückte Berichte brachten. Obzwar Passagier der «Oceania», war es mir ebensowenig wie den andern möglich, Zeuge jenes seltsamen Vorfalles zu sein, weil er sich zur Nachtzeit während des Kohlenladens und der Löschung der Fracht abspielte, wir aber, um dem Lärm zu entgehen, alle an Land gegangen waren und dort in Kaffeehäusern oder Theatern die Zeit verbrachten. Immerhin meine ich persönlich, daß manche Vermutungen, die ich damals nicht öffentlich äußerte, die wirkliche Aufklärung jener erregenden Szene in sich tragen, und die Ferne der Jahre erlaubt mir wohl, das Vertrauen eines Gespräches zu nutzen, das jener seltsamen Episode unmittelbar vorausging.

*

Als ich in der Schiffsagentur von Kalkutta einen Platz für die Rückreise nach Europa auf der «Oceania» bestellen wollte, zuckte der Clerk bedauernd die Schultern. Er wisse noch nicht, ob es möglich sei, mir eine Kabine zu sichern, das Schiff wäre jetzt knapp vor dem Einbruch der Regenzeit immer schon von Australien her ausverkauft, er müsse erst das Telegramm von Singapore abwarten. Am nächsten Tage teilte er mir erfreulicherweise mit, er könne mir noch einen Platz vormerken, freilich sei es nur eine wenig komfortable Kabine unter Deck und in der Mitte des Schiffes. Ich war schon ungeduldig, heimzukehren: so zögerte ich nicht lange und ließ mir den Platz zuschreiben.

Der Clerk hatte mich richtig informiert. Das Schiff war überfüllt und die Kabine schlecht, ein kleiner gepreßter, rechteckiger Winkel in der Nähe der Dampfmaschine, einzig vom trüben Blick der kreisrunden Glasscheibe erhellt. Die stockende, verdickte Luft roch nach Öl und Moder: nicht für einen Augenblick konnte man dem elektrischen Ventilator entgehen, der wie eine toll gewordene stählerne Fledermaus einem surrend über der Stirne kreiste. Von unten her ratterte und stöhnte wie ein Kohlenträger, der unablässig dieselbe Treppe hinaufkeucht, die Maschine, von oben hörte man unaufhörlich das schlurfende Hin und Her der Schritte vom Promenadendeck. So flüchtete ich, kaum daß ich den Koffer in das muffige Grab aus grauen Traversen verstaut hatte, wieder zurück auf Deck, und wie Ambra trank ich, aufsteigend aus der Tiefe, den süßlichen weichen Wind, der vom Lande her über die Wellen wehte.

Aber auch das Promenadendeck war voll Enge und Unruhe: es flatterte und flirrte von Menschen, die mit der flackernden Nervosität eingesperrter Untätigkeit unausgesetzt plaudernd auf und nieder gingen. Das zwitschernde Geschäker der Frauen, das rastlos kreisende Wandern auf dem Engpaß des Decks, wo vor den Stühlen der Schwarm in schwatzhafter Unruhe vorbeiwogte, um sich unablässig zu begegnen, tat mir irgendwie weh. Ich hatte eine neue Welt gesehen, rasch ineinanderstürzende Bilder in rasender Jagd in mich eingetrunken. Nun wollte ich mirs übersinnen, zerteilen, ordnen, nachbildend das heiß in den Blick Gedrängte gestalten, aber hier auf dem gedrängten Boulevard gab es nicht eine Minute Ruhe und Rast. Die Zeilen in einem Buch zerrannen vor den flüchtigen Schatten der Vorüberplaudernden. Es war unmöglich, mit sich selbst auf dieser schattenlosen wandernden Schiffsgasse allein zu sein.

Drei Tage lang versuchte ichs, sah resigniert auf die Menschen, auf das Meer, aber das Meer blieb immer dasselbe, blau und leer, nur im Sonnenuntergang plötzlich mit allen Farben jäh übergossen. Und die Menschen, sie kannte ich auswendig nach dreimal vierundzwanzig Stunden. Jedes Gesicht war mir vertraut bis zum Überdruß, das scharfe Lachen der Frauen reizte, das polternde Streiten zweier nachbarlicher holländischer Offiziere ärgerte nicht mehr. So blieb nur Flucht: aber die Kabine war heiß und dunstig, im Salon produzierten unablässig englische Mädchen ihr schlechtes Klavierspiel bei abgehackten Walzern. Schließlich drehte ich entschlossen die Zeitordnung um, tauchte in die Kabine schon nachmittags hinab, nachdem ich mich zuvor mit ein paar Gläsern Bier betäubt, um das Souper und den Tanzabend zu überschlafen.

Als ich aufwachte, war es ganz dunkel und dumpf in dem kleinen Sarg der Kabine. Den Ventilator hatte ich abgestellt, so schwälte die Luft fettig und feucht an die Schläfen. Meine Sinne waren irgendwie betäubt: ich brauchte Minuten, um mich an Zeit und Ort zurückzufinden. Mitternacht mußte jedenfalls schon vorbei sein, denn ich hörte weder Musik noch den rastlosen Schlurf der Schritte: nur die Maschine, das atmende Herz des Leviathans, stieß keuchend den knisternden Leib des Schiffes fort ins Unsichtbare.

Ich tastete empor auf Deck. Es war leer. Und wie ich den Blick aufhob über den dünstenden Turm des Schornsteins und die geisterhaft glänzenden Spieren, drang mit einmal magische Helle mir in die Augen. Der Himmel strahlte. Er war dunkel gegen die Sterne, die ihn weiß durchwirbelten, aber doch: er strahlte; es war, als verhüllte dort ein samtener Vorhang ungeheures Licht, als wären die sprühenden Sterne nur Luken und Ritzen, durch die jenes unbeschreiblich Helle vorglänzte. Nie hatte ich den Himmel gesehen wie in jener Nacht, so strahlend, so stahlblau hart und doch funkelnd, triefend, rauschend, quellend von Licht, das vom Mond verhangen niederschwoll und von den Sternen und das irgendwie aus einem geheimnisvollen Innen zu brennen schien. Weißer Lack, flimmerten im Monde alle Randlinien des Schiffes grell gegen das samtdunkle Meer, die Taue, die Rahen, alles Schmale, alle Konturen waren aufgelöst in diesem flutenden Glanz: gleichsam im Leeren schienen die Lichter auf den Masten und darüber das runde Auge des Ausgucks zu hängen, irdische gelbe Sterne zwischen den strahlenden des Himmels.

Gerade aber zu Häupten stand mir das magische Sternbild, das Südkreuz, mit flimmernden diamantenen Nägeln ins Unsichtbare gehämmert, schwebend scheinbar, indes nur das Schiff Bewegung schuf, das leise bebend sich mit atmender Brust nieder und auf, nieder und auf, ein gigantischer Schwimmer, durch die dunklen Wogen stieß. Ich stand und sah empor: mir war wie in einem Bade, wo Wasser warm von oben fällt, nur daß dies Licht war, das mir weiß und auch lau die Hände überspülte, die Schultern, das Haupt mild umgoß und irgendwie nach innen zu dringen schien, denn alles Dumpfe in mir war plötzlich aufgehellt. Ich atmete befreit, rein, und jäh beseligt spürte ich auf den Lippen wie ein klares Getränk die Luft, die weiche, gegorene, leicht trunken machende Luft, in der Atem von Früchten, Duft von fernen Inseln war. Nun, nun zum ersten Male, seit ich die Planken betreten, überkam mich die heilige Lust des Träumens, und jene andere sinnlichere, meinen Körper weibisch hinzugeben an dieses Weiche, das mich umdrängte. Ich wollte mich hinlegen, den Blick hinauf zu den weißen Hieroglyphen. Aber die Ruhesessel, die Deckchairs waren verräumt, nirgends fand sich auf dem leeren Promenadendeck ein Platz zu träumerischer Rast.

So tastete ich weiter, allmählich dem Vorderteil des Schiffes zu, ganz geblendet vom Licht, das immer heftiger aus den Gegenständen auf mich zu dringen schien. Fast tat es schon weh, dies kalkweiße, grell brennende Sternenlicht, ich aber hatte Verlangen, mich irgendwo im Schatten zu vergraben, hingestreckt auf eine Matte, den Glanz nicht an mir zu fühlen, sondern nur über mir, an den Dingen gespiegelt, so wie man eine Landschaft sieht aus verdunkeltem Zimmer. Endlich kam ich, über Taue stolpernd und vorbei an den eisernen Gewinden bis an den Kiel und sah hinab, wie der Bug in das Schwarze stieß und geschmolzenes Mondlicht schäumend zu beiden Seiten der Schneide aufsprühte. Immer wieder hob, immer wieder senkte sich der Pflug in die schwarzflutende Scholle, und ich fühlte alle Qual des besiegten Elements, fühlte alle Lust der irdischen Kraft in diesem funkelnden Spiel. Und im Schauen verlor ich die Zeit. War es eine Stunde, daß ich so stand, oder waren es nur Minuten: im Auf und Nieder schaukelte mich die ungeheure Wiege des Schiffes über die Zeit hinaus. Ich fühlte nur, daß in mich Müdigkeit kam, die wie eine Wollust war. Ich wollte schlafen, träumen und doch nicht weg aus dieser Magie, nicht hinab in meinen Sarg. Unwillkürlich ertastete ich mit meinem Fuß unter mir ein Bündel Taue. Ich setzte mich hin, die Augen geschlossen und doch nicht Dunkels voll, denn über sie, über mich strömte der silberne Glanz. Unten fühlte ich die Wasser leise rauschen, über mir mit unhörbarem Klang den weißen Strom dieser Welt. Und allmählich schwoll dies Rauschen mir ins Blut: ich fühlte mich selbst nicht mehr, wußte nicht, ob dies Atmen mein eigenes war oder des Schiffes fernpochendes Herz, ich strömte, verströmte in diesem ruhelosen Rauschen der mitternächtigen Welt.

*

Ein leises, trockenes Husten hart neben mir ließ mich auffahren. Ich schrak aus meiner fast schon trunkenen Träumerei. Meine Augen, geblendet vom weißen Geleucht über den bislang geschlossenen Lidern, tasteten auf: mir knapp gegenüber im Schatten der Bordwand glänzte etwas wie der Reflex einer Brille, und jetzt glühte ein dicker, runder Funke auf, die Glut einer Pfeife. Ich hatte, als ich mich hinsetzte, einzig niederblickend in die schaumige Bugschneide und empor zum Südkreuz, offenbar diesen Nachbarn nicht bemerkt, der regungslos hier die ganze Zeit gesessen haben mußte. Unwillkürlich, noch dumpf in den Sinnen, sagte ich auf deutsch: «Verzeihung!» «Oh, bitte ...» anwortete die Stimme deutsch aus dem Dunkel.

Ich kann nicht sagen, wie seltsam und schaurig das war, dies stumme Nebeneinandersitzen im Dunkeln, knapp neben einem, den man nicht sah, Unwillkürlich hatte ich das Gefühl, als starre dieser Mensch auf mich genau wie ich auf ihn starrte: aber so stark war das Licht über uns, das weißflimmernd flutende, daß keiner von keinem mehr sehen konnte als den Umriß im Schatten. Nur den Atem meinte ich zu hören und das fauchende Saugen an der Pfeife.

Das Schweigen war unerträglich. Ich wäre am liebsten weggegangen, aber das schien doch zu brüsk, zu plötzlich. Aus Verlegenheit nahm ich mir eine Zigarette heraus. Das Zündholz zischte auf, eine Sekunde lang zuckte Licht über den engen Raum. Ich sah hinter Brillengläsern ein fremdes Gesicht, das ich nie an Bord gesehen, bei keiner Mahlzeit, bei keinem Gang, und sei es, daß die plötzliche Flamme den Augen wehtat, oder war es eine Halluzination: es schien grauenhaft verzerrt, finster und koboldhaft. Aber ehe ich Einzelheiten deutlich wahrnahm, schluckte das Dunkel wieder die flüchtig erhellten Linien fort, nur den Umriß sah ich einer Gestalt, dunkel ins Dunkel gedrückt, und manchmal den kreisrunden roten Feuerring der Pfeife im Leeren. Keiner sprach, und dies Schweigen war schwül und drückend wie die tropische Luft.

Endlich ertrug ichs nicht mehr. Ich stand auf und sagte höflich «Gute Nacht».

«Gute Nacht», antwortete es aus dem Dunkel, eine heisere harte, eingerostete Stimme.

Ich stolperte mich mühsam vorwärts durch das Takelwerk an den Pfosten vorbei. Da klang ein Schritt hinter mir her, hastig und unsicher. Es war der Nachbar von vordem. Unwillkürlich blieb ich stehen. Er kam nicht ganz nah heran, durch das Dunkel fühlte ich ein Irgendetwas von Angst und Bedrücktheit in der Art seines Schrittes.

«Verzeihen Sie», sagte er dann hastig, «wenn ich eine Bitte an Sie richte. Ich ... ich ...» — er stotterte und konnte nicht gleich weitersprechen vor Verlegenheit — «ich ... ich habe private ... ganz private Gründe, mich hier zurückzuziehen ... ein Trauerfall ... ich meide die Gesellschaft an Bord ... Ich meine nicht Sie ... nein, nein ... Ich möchte nur bitten ... Sie würden mich sehr verpflichten, wenn Sie zu niemandem an Bord davon sprechen würden, daß Sie mich hier gesehen haben ... Es sind ... sozusagen private Gründe, die mich jetzt hindern, unter die Leute zu gehen ... ja ... nun ... es wäre mir peinlich, wenn Sie davon Erwähnung täten, daß jemand hier nachts ... daß ich ...» Das Wort blieb ihm wieder stecken. Ich beseitigte rasch seine Verwirrung, indem ich ihm eiligst zusicherte, seinen Wunsch zu erfüllen. Wir reichten einander die Hände. Dann ging ich in meine Kabine zurück und schlief einen dumpfen, merkwürdig verwühlten und von Bildern verwirrten Schlaf.

*

Ich hielt mein Versprechen und erzählte niemandem an Bord von der seltsamen Begegnung, obzwar die Versuchung keine geringe war. Denn auf einer Seereise wird das Kleinste zum Geschehnis, ein Segel am Horizont, ein Delphin, der aufspringt, ein neuentdeckter Flirt, ein flüchtiger Scherz. Dabei quälte mich die Neugier, mehr von diesem ungewöhnlichen Passagier zu wissen: ich durchforschte die Schiffsliste nach einem Namen, der ihm zugehören konnte, ich musterte die Leute, ob sie zu ihm in Beziehung stehen könnten: den ganzen Tag bemächtigte sich meiner eine nervöse Ungeduld, und ich wartete eigentlich nur auf den Abend, ob ich ihm wieder begegnen würde. Rätselhafte psychologische Dinge haben über mich eine geradezu beunruhigende Macht, es reizt mich bis ins Blut, Zusammenhänge aufzuspüren, und sonderbare Menschen können mich durch ihre bloße Gegenwart zu einer Leidenschaft des Erkennenwollens entzünden, die nicht viel geringer ist als jene des Besitzenwollens bei einer Frau. Der Tag wurde mir lang und zerbröckelte leer zwischen den Fingern. Ich legte mich früh ins Bett: ich wußte, ich würde um Mitternacht aufwachen, es würde mich erwecken.

Und wirklich: ich erwachte um die gleiche Stunde wie gestern. Auf dem Radiumzifferblatt der Uhr deckten sich die beiden Zeiger in einem leuchtenden Strich. Hastig stieg ich aus der schwülen Kabine in die noch schwülere Nacht.

Die Sterne strahlten wie gestern und schütteten ein diffuses Licht über das zitternde Schiff, hoch oben flammte das Kreuz des Südens. Alles war wie gestern — in den Tropen sind die Tage, die Nächte zwillingshafter als in unseren Sphären — nur in mir war nicht dies weiche, flutende, träumerische Gewiegtsein wie gestern. Irgend etwas zog mich, verwirrte mich, und ich wußte, wohin es mich zog: hin zu dem schwarzen Gewind am Kiel, ob er wieder dort starr sitze, der Geheimnisvolle. Von oben her schlug die Schiffsglocke. Dies riß mich fort. Schritt für Schritt, widerwillig und doch gezogen, gab ich mir nach. Noch war ich nicht am Steven, da zuckte plötzlich dort etwas auf wie ein rotes Auge: die Pfeife. Er saß also dort.

Unwillkürlich schreckte ich zurück und blieb stehen. Im nächsten Augenblick wäre ich gegangen. Da regte es sich drüben im Dunkel, etwas stand auf, tat zwei

Schritte, und plötzlich hörte ich knapp vor mir seine Stimme, höflich und gedrückt.

«Verzeihen Sie», sagte er, «Sie wollen offenbar wieder an Ihren Platz, und ich habe das Gefühl, Sie flüchteten zurück, als Sie mich sahen. Bitte, setzen Sie sich nur hin, ich gehe schon wieder.»

Ich eilte, ihm meinerseits zu sagen, daß er nur bleiben solle, ich sei bloß zurückgetreten, um ihn nicht zu stören. «Mich stören Sie nicht», sagte er mit einer gewissen Bitterkeit, «im Gegenteil, ich bin froh, einmal nicht allein zu sein. Seit zehn Tagen habe ich kein Wort gesprochen ... eigentlich seit Jahren nicht ... und da geht es so schwer, eben vielleicht weil man schon erstickt daran, alles in sich hineinzuwürgen ... Ich kann nicht mehr in der Kabine sitzen, in diesem ... diesem Sarg ... ich kann nicht mehr ... und die Menschen ertrage ich wieder nicht, weil sie den ganzen Tag lachen ... Das kann ich nicht ertragen jetzt ... ich höre es hinein bis in die Kabine und stopfe mir die Ohren zu ... freilich, sie wissen ja nicht, daß ... nun sie wissens eben nicht, und dann, was geht das die Fremden an ...»

Er stockte wieder. Und sagte dann ganz plötzlich und hastig: «Aber ich will Sie nicht belästigen ... verzeihen Sie meine Geschwätzigkeit.»

Er verbeugte sich und wollte fort. Aber ich widersprach ihm dringlich. «Sie belästigen mich durchaus nicht. Auch ich bin froh, hier ein paar stille Worte zu haben ... Nehmen Sie eine Zigarette?»

Er nahm eine. Ich zündete an. Wieder riß sich das Gesicht flackernd vom schwarzen Bordrand los, aber jetzt voll mir zugewandt: die Augen hinter der Brille forschten in mein Gesicht, gierig und mit einer irren

Gewalt. Ein Grauen überlief mich. Ich spürte, daß dieser Mensch sprechen wollte, sprechen mußte. Und ich wußte, daß ich schweigen müsse, um ihm zu helfen.

Wir setzten uns wieder. Er hatte einen zweiten Deckchair dort, den er mir anbot. Unsere Zigaretten funkelten, und an der Art, wie der Lichtring der seinen unruhig im Dunkel zitterte, sah ich, daß seine Hand bebte. Aber ich schwieg, und er schwieg. Dann fragte plötzlich seine Stimme leise:

«Sind Sie sehr müde?»

«Nein, durchaus nicht.»

Die Stimme aus dem Dunkel zögerte wieder. «Ich möchte Sie gerne um etwas fragen... das heißt, ich möchte Ihnen etwas erzählen. Ich weiß, ich weiß genau, wie absurd das ist, mich an den ersten zu wenden, der mir begegnet, aber... ich bin... ich bin in einer furchtbaren psychischen Verfassung... ich bin an einem Punkt, wo ich unbedingt mit jemandem sprechen muß... ich gehe sonst zugrunde... Sie werden das schon verstehen, wenn ich... ja, wenn ich Ihnen eben erzähle... Ich weiß, daß Sie mir nicht werden helfen können... aber ich bin irgendwie krank von diesem Schweigen... und ein Kranker ist immer lächerlich für die andern...»

Ich unterbrach ihn und bat ihn, sich doch nicht zu quälen. Er möge mir nur erzählen... ich könne ihm natürlich nichts versprechen, aber man habe doch die Pflicht, seine Bereitwilligkeit anzubieten. Wenn man jemanden in einer Bedrängnis sehe, da ergebe sich doch natürlich die Pflicht zu helfen...

«Die Pflicht... seine Bereitwilligkeit anzubieten... die Pflicht, den Versuch zu machen... Sie meinen also auch, Sie auch, man habe die Pflicht ... die Pflicht, seine Bereitwilligkeit anzubieten.»

Dreimal wiederholte er den Satz. Mir graute vor dieser stumpfen, verbissenen Art des Wiederholens. War dieser Mensch wahnsinnig? War er betrunken?

Aber als ob ich die Vermutung laut mit den Lippen ausgesprochen hätte, sagte er plötzlich mit einer ganz andern Stimme: «Sie werden mich vielleicht für irr halten oder für betrunken. Nein, das bin ich nicht — noch nicht. Nur das Wort, das Sie sagten, hat mich so merkwürdig berührt ... so merkwürdig, weil es gerade das ist, was mich jetzt quält, nämlich ob man die Pflicht hat ... die Pflicht ...»

Er begann wieder zu stottern. Dann brach er kurz ab und begann mit einem neuen Ruck.

«Ich bin nämlich Arzt. Und da gibt es oft solche Fälle, solche verhängnisvolle ... ja, sagen wir Grenzfälle, wo man nicht weiß, ob man die Pflicht hat ... nämlich, es gibt ja nicht nur eine Pflicht, die gegen den andern, sondern eine für sich selbst und eine für den Staat und eine für die Wissenschaft ... Man soll helfen, natürlich, dazu ist man doch da ... aber solche Maximen sind immer nur theoretisch ... Wie weit soll man denn helfen? ... Da sind Sie, ein fremder Mensch, und ich bin Ihnen fremd, und ich bitte Sie, zu schweigen darüber, daß Sie mich gesehen haben ... gut, Sie schweigen, Sie erfüllen diese Pflicht ... Ich bitte Sie, mit mir zu sprechen, weil ich krepiere an meinem Schweigen ... Sie sind bereit, mir zuzuhören ... gut ... Aber das ist ja leicht ... Wenn ich Sie aber bitten würde, mich zu packen und über Bord zu werfen ... da hört sich doch die Gefälligkeit, die Hilfsbereitschaft auf. Irgendwo endets doch ... dort, wo man anfängt mit seinem eigenen Leben, seiner eigenen Verantwortung ... irgendwo muß es doch enden ... irgendwo muß diese Pflicht doch aufhören ... Oder vielleicht soll sie gerade beim Arzt nicht aufhören dürfen? Muß der ein Heiland, ein Allerweltshelfer sein, bloß weil er ein Diplom mit lateinischen Worten hat, muß der wirklich sein Leben hinwerfen und sich Wasser ins Blut schütten, wenn irgendeine ... irgendeiner kommt und will, daß er edel sei, hilfreich und gut? Ja, irgendwo hört die Pflicht auf ... dort, wo man nicht mehr kann, gerade dort ...»

Er hielt wieder inne und riß sich auf.

«Verzeihen Sie ... ich rede gleich so erregt ... aber ich bin nicht betrunken ... noch nicht betrunken ... auch das kommt jetzt oft bei mir vor, ich gestehe es Ihnen ruhig ein, in dieser höllischen Einsamkeit ... Bedenken Sie, ich habe sieben Jahre fast nur zwischen Eingeborenen und Tieren gelebt ... da verlernt man das ruhige Reden. Wenn man sich dann auftut, flutets gleich über ... Aber warten Sie ... ja, ich weiß schon ... ich wollte Sie fragen, wollte Ihnen so einen Fall vorlegen, ob man die Pflicht habe zu helfen ... so ganz engelhaft rein zu helfen, ob man ... Übrigens ich fürchte, es wird lang werden. Sind Sie wirklich nicht müde?»

«Nein, durchaus nicht.»

«Ich ... ich danke Ihnen ... Nehmen Sie nicht?»

Er hatte irgendwo hinter sich ins Dunkel getappt. Etwas klirrte gegeneinander, zwei, drei, jedenfalls mehrere Flaschen, die er neben sich gestellt. Er bot mir ein Glas Whisky, an dem ich flüchtig nippte, während er mit einem Ruck das seine hinabgoß. Einen Augenblick stand Schweigen zwischen uns. Da schlug die Glocke: halb eins.

*

«Also ... ich möchte Ihnen einen Fall erzählen. Nehmen Sie an, ein Arzt in einer ... einer kleineren Stadt ... oder eigentlich am Lande ... ein Arzt, der ... ein Arzt, der ...»

Er stockte wieder. Dann riß er sich plötzlich den Sessel heran zu mir.

«So geht es nicht. Ich muß Ihnen alles direkt erzählen, von Anfang an, sonst verstehen Sie es nicht ... Das, das läßt sich nicht als Exempel, als Theorie entwickeln ... ich muß Ihnen meinen Fall erzählen. Da gibt es keine Scham, kein Verstecken ... vor mir ziehen sich auch die Leute nackt aus und zeigen mir ihren Grind, ihren Harn und ihre Exkremente ... wenn man geholfen haben will, darf man nicht herumreden und nichts verschweigen ... Also ich werde Ihnen keinen Fall erzählen von einem sagenhaften Arzt ... ich ziehe mich nackt aus und sage: ich ... das Schämen habe ich verlernt in dieser dreckigen Einsamkeit, in diesem verfluchten Land, das einem die Seele ausfrißt und das Mark aus den Lenden saugt.»

Ich mußte irgendeine Bewegung gemacht haben, denn er unterbrach sich.

«Ach, Sie protestieren ... ich verstehe, Sie sind begeistert von Indien, von den Tempeln und den Palmenbäumen, von der ganzen Romantik einer Zweimonatsreise. Ja, so sind sie zauberhaft, die Tropen, wenn man sie in der Eisenbahn, im Auto, in der Rikscha durchstreift: ich habe das auch nicht anders gefühlt, als ich zum erstenmal herüber kam vor sieben Jahren. Was träumte ich da nicht alles, die Sprachen wollte ich lernen und die heiligen Bücher im Urtext lesen, die Krankheiten studieren, wissenschaftlich arbeiten, die Psyche der Eingeborenen ergründen — so sagt man ja im europäischen Jargon —

ein Missionar der Menschlichkeit, der Zivilisation werden. Alle, die kommen, träumen denselben Traum. Aber in diesem unsichtbaren Glashaus dort geht einem die Kraft aus, das Fieber — man kriegts ja doch, mag man noch so viel Chinin in sich fressen — greift einem ans Mark, man wird schlapp und faul, wird weich, eine Qualle. Irgendwie ist man als Europäer von seinem wahren Wesen abgeschnitten, wenn man aus den großen Städten weg in so eine verfluchte Sumpfstation kommt: auf kurz oder lang hat jeder seinen Knax weg, die einen saufen, die andern rauchen Opium, die dritten prügeln und werden Bestien — irgendeinen Schuß Narrheit kriegt jeder ab. Man sehnt sich nach Europa, träumt davon, wieder einen Tag auf einer Straße zu gehen, in einem hellen steinernen Zimmer unter weißen Menschen zu sitzen, Jahr um Jahr träumt man davon, und kommt dann die Zeit, wo man Urlaub hätte, so ist man schon zu träge, um zu gehen. Man weiß, drüben ist man vergessen, fremd, eine Muschel in diesem Meer, auf die jeder tritt. So bleibt man und versumpft und verkommt in diesen heißen, nassen Wäldern. Es war ein verfluchter Tag, an dem ich mich in dieses Drecknest verkauft habe...

Übrigens: ganz so freiwillig war das ja auch nicht. Ich hatte in Deutschland studiert, war recte Mediziner geworden, ein guter Arzt sogar, mit einer Anstellung an der Leipziger Klinik; irgendwo in einem verschollenen Jahrgang der Medizinischen Blätter haben sie damals viel Aufhebens gemacht von einer neuen Injektion, die ich als erster praktiziert hatte. Da kam eine Weibergeschichte, eine Person, die ich im Krankenhaus kennen lernte: sie hatte ihren Geliebten so toll gemacht, daß er sie mit dem

Revolver anschoß, und bald war ich ebenso toll wie er. Sie hatte eine Art, hochmütig und kalt zu sein, die mich rasend machte — mich hatten immer schon Frauen in der Faust, die herrisch und frech waren, aber diese bog mich zusammen, daß mir die Knochen brachen. Ich tat, was sie wollte, ich — nun, warum soll ichs nicht sagen, es sind acht Jahre her — ich tat für sie einen Griff in die Spitalskasse, und als die Sache aufflog, war der Teufel los. Ein Onkel deckte noch den Abgang, aber mit der Karriere war es vorbei. Damals hörte ich gerade, die holländische Regierung werbe Ärzte an für die Kolonien und biete ein Handgeld. Nun, ich dachte gleich, es müßte ein sauberes Ding sein, für das man Handgeld biete, ich wußte, daß die Grabkreuze auf diesen Fieberplantagen dreimal so schnell wachsen als bei uns, aber wenn man jung ist, glaubt man, das Fieber und der Tod springt immer nur auf die andern. Nun, ich hatte da nicht viel Wahl, ich fuhr nach Rotterdam, verschrieb mich auf zehn Jahre, bekam ein ganz nettes Bündel Banknoten, die Hälfte schickte ich nach Hause an den Onkel, die andere Hälfte jagte mir eine Person dort im Hafenviertel ab, die alles von mir herauskriegte, nur weil sie jener verfluchten Katze so ähnlich war. Ohne Geld, ohne Uhr, ohne Illusionen bin ich dann abgesegelt von Europa und war nicht sonderlich traurig, als wir aus dem Hafen steuerten. Und dann saß ich so auf Deck wie Sie, wie alle saßen, und sah das Südkreuz und die Palmen, das Herz ging mir auf — ah, Wälder, Einsamkeit, Stille, träumte ich! Nun — an Einsamkeit bekam ich gerade genug. Man setzte mich nicht nach Batavia oder Surabaya, in eine Stadt, wo es Menschen gibt und Klubs und Golf und Bücher und Zeitungen, sondern — nun, der

Name tut ja nichts zur Sache — in irgendeine der Distriktstationen, zwei Tagereisen von der nächsten Stadt. Ein paar langweilige, verdorrte Beamte, ein paar Halfcast, das war meine ganze Gesellschaft, sonst weit und breit nur Wald, Plantagen, Dickicht und Sumpf.

Im Anfang wars noch erträglich. Ich trieb allerhand Studien; einmal, als der Vizeresident auf der Inspektionsreise mit dem Automobil umgeworfen und sich ein Bein zerschmettert hatte, machte ich ohne Gehilfen eine Operation, über die viel geredet wurde, ich sammelte Gifte und Waffen der Eingeborenen, ich beschäftigte mich mit hundert kleinen Dingen, um mich wach zu halten. Aber all dies ging nur, solang die Kraft von Europa her in mir noch funktionierte: dann trocknete ich ein. Die paar Europäer langweilten mich, ich brach den Verkehr ab, trank und träumte in mich hinein. Ich hatte ja nur noch zwei Jahre, dann war ich frei mit Pension, konnte nach Europa zurückkehren, noch einmal ein Leben anfangen. Eigentlich tat ich nichts mehr als warten, stilliegen und warten. Und so säße ich heute noch, wenn nicht sie ... wenn das nicht gekommen wäre.»

*

Die Stimme im Dunkeln hielt inne. Auch die Pfeife glimmte nicht mehr. So still war es, daß ich mit einem Male wieder das Wasser hörte, das sich schäumend am Kiel brach, und den fernen, dumpfen Herzstoß der Maschine. Ich hätte mir gern eine Zigarette angezündet, aber ich hatte Furcht vor dem grellen Aufschlag des Zündholzes und dem Reflex in seinem Gesicht. Er schwieg und schwieg. Ich wußte nicht, ob er zu Ende sei, ob er duselte, ob er schlief, so tot war sein Schweigen.

Da schlug die Schiffsglocke einen geraden, kräftigen Schlag: ein Uhr. Er fuhr auf: ich hörte wieder das Glas klingen. Offenbar tastete die Hand suchend zum Whisky hinab. Ein Schluck gluckste leise — dann plötzlich begann die Stimme wieder, aber jetzt gleichsam gespannter, leidenschaftlicher.

«Ja also ... warten Sie ... ja also, das war so. Ich sitze da droben in meinem verfluchten Nest, sitze wie die Spinne im Netz regungslos seit Monaten schon. Es war gerade nach der Regenzeit, Wochen und Wochen hatte es auf das Dach geplätschert, kein Mensch war gekommen, kein Europäer, täglich, täglich hatte ich dagesessen mit meinen gelben Weibern im Haus und meinem guten Whisky. Ich war damals gerade ganz ‚down', ganz europakrank: wenn ich irgendeinen Roman las von hellen Straßen und weißen Frauen, begannen mir die Finger zu zittern. Ich kann Ihnen den Zustand nicht ganz schildern, es ist eine Art Tropenkrankheit, eine wütige, fiebrige und doch kraftlose Nostalgie, die einen manchmal packt. So saß ich damals, ich glaube über einem Atlas, und träumte mir Reisen aus. Da klopft es aufgeregt an die Tür, der Boy steht draußen und eines von den Weibern, beide haben die Augen ganz aufgerissen vor Erstaunen. Sie machen große Gebärden: eine Dame sei hier, eine Lady, eine weiße Frau.

Ich fahre auf. Ich habe keinen Wagen kommen gehört, kein Automobil. Eine weiße Frau hier in dieser Wildnis?

Ich will die Treppe hinab, reiße mich aber noch zurück. Ein Blick in den Spiegel, hastig richte ich mich ein wenig zurecht. Ich bin nervös, unruhig, irgendwie gequält von unangenehmem Vorgefühl, denn ich weiß niemanden auf der Welt, der aus Freundschaft zu mir käme. Endlich gehe ich hinunter.

Im Vorraum wartet die Dame und kommt mir hastig entgegen. Ein dicker Automobilschleier verhüllt ihr Gesicht. Ich will sie begrüßen, aber sie fängt mir rasch das Wort ab. ‚Guten Tag, Doktor', sagte sie auf englisch in einer fließenden (etwas zu leicht fließenden und wie im voraus eingelernten) Art. ‚Verzeihen Sie, daß ich Sie überfalle. Aber wir waren gerade in der Station, unser Auto hält drüben' — warum fährt sie nicht bis vors Haus, schießt es mir blitzschnell durch den Kopf — ‚da erinnerte ich mich, daß Sie hier wohnen. Ich habe schon so viel von Ihnen gehört, Sie haben ja eine wirkliche Zauberei mit dem Vizeresidenten gemacht, sein Bein ist wieder tadellos allright, er spielt Golf wie früher. Ah, ja, alles spricht noch davon drunten bei uns, und wir wollten alle unseren brummigen Surgeon und noch die zwei andern hergeben, wenn Sie zu uns kämen. Überhaupt, warum sieht man Sie nie drunten, Sie leben ja wie ein Joghi . . .'

Und so plappert sie weiter, hastig und immer hastiger, ohne mich zu Worte kommen zu lassen. Etwas Nervöses und Fahriges ist in diesem talkigen Geschwätz, und ich werde selbst unruhig davon. Warum spricht sie so viel, frage ich mich innerlich, warum stellt sie sich nicht vor, warum nimmt sie den Schleier nicht ab? Hat sie Fieber? Ist sie krank? Ist sie toll? Ich werde immer nervöser, weil ich die Lächerlichkeit empfinde, so stumm vor ihr zu stehen, übergossen von ihrer prasselnden Geschwätzigkeit. Endlich stoppt sie ein wenig, und ich kann sie hinaufbitten. Sie macht dem Boy eine Bewegung, zurückzubleiben, und geht vor mir die Treppe empor.

‚Nett haben Sie es hier', sagt sie, in meinem Zimmer sich umsehend. ‚Ah, die schönen Bücher! die möchte ich alle lesen!' Sie tritt an das Regal und mustert die Büchertitel. Zum erstenmal, seit ich ihr entgegengetreten, schweigt sie für eine Minute.

‚Darf ich Ihnen einen Tee anbieten?' fragte ich.

Sie wendet sich nicht um und sieht nur auf die Büchertitel. ‚Nein, danke, Doktor ... wir müssen gleich wieder weiter ... ich habe nicht viel Zeit ... war ja nur ein kleiner Ausflug ... Ach, da haben Sie auch den Flaubert, den liebe ich so sehr ... wundervoll, ganz wundervoll, die ‚Education sentimentale' ... ich sehe, Sie lesen auch französisch ... Was Sie alles können! ... ja, die Deutschen, die lernen alles auf der Schule ... Wirklich großartig, so viel Sprachen zu können! ... Der Vizeresident schwört auf Sie, sagt immer, Sie seien der einzige, dem er unter das Messer ginge ... unter guter Surgeon drüben taugt gerade zum Bridgespiel ... Übrigens wissen Sie — (sie wendete sich noch immer nicht um) heute kams mir selbst in den Sinn, ich sollte Sie einmal konsultieren ... und weil wir eben vorüberfuhren, dachte ich ... nun, Sie haben jetzt wohl zu tun ... ich komme lieber ein andermal.'

‚Deckst du endlich die Karten auf!' dachte ich mir sofort. Aber ich ließ nichts merken, sondern versicherte ihr, es würde mir nur eine Ehre sein, jetzt und wann immer sie wolle, ihr zu dienen.

‚Es ist nichts Ernstes', sagte sie, sich halb umwendend und gleichzeitig in einem Buch blätternd, das sie vom Regal genommen hatte, ‚nichts Ernstes ... Kleinigkeiten ... Weibersachen ... Schwindel, Ohnmachten. Heute früh schlug ich, als wir eine Kurve machten, plötzlich hin, raide morte ... der Boy mußte mich aufrichten im Auto und Wasser holen ... nun, vielleicht ist der Chauffeur zu rasch gefahren ... meinen Sie nicht, Doktor?'

,Ich kann das so nicht beurteilen. Haben Sie öfter derlei Ohnmachten?'

,Nein..., das heißt ja... in der letzten Zeit... gerade in der allerletzten Zeit... ja... solche Ohnmachten und Übelkeiten'.

Sie steht schon wieder vor dem Bücherschrank, tut das Buch hinein, nimmt ein anderes heraus und blättert darin. Merkwürdig, warum blättert sie immer so ... so nervös, warum schaut sie unter dem Schleier nicht auf? Ich sage mit Absicht nichts. Es reizt mich, sie warten zu lassen. Endlich fängt sie wieder an in ihrer nonchalanten, plapperigen Art.

,Nicht wahr, Doktor, nichts Bedenkliches das? Keine Tropensache ... nichts Gefährliches ...'

,Ich müßte erst sehen, ob Sie Fieber haben. Darf ich um Ihren Puls bitten ...'

Ich gehe auf sie zu. Sie weicht leicht zur Seite.

,Nein, nein, ich habe kein Fieber ... gewiß, ganz gewiß nicht ... ich habe mich selbst gemessen jeden Tag, seit ... seit diese Ohnmachten kamen. Nie Fieber, immer tadellos 36,4 auf den Strich. Auch mein Magen ist gesund.'

Ich zögere einen Augenblick. Die ganze Zeit schon prickelt in mir ein Argwohn: ich spüre, diese Frau will etwas von mir, man kommt nicht in eine Wildnis, um über Flaubert zu sprechen. Eine, zwei Minuten lasse ich sie warten. ,Verzeihen Sie', sage ich dann geradewegs, ,darf ich einige Fragen ganz frei stellen?'

,Gewiß, Doktor! Sie sind doch Arzt', antwortet sie, aber schon wendet sie mir wieder den Rücken und spielt mit den Büchern.

,Haben Sie Kinder gehabt?'

,Ja, einen Sohn.'

,Und haben Sie ... haben Sie vorher ... ich meine damals ... haben Sie da ähnliche Zustände gehabt?'

,Ja.'

Ihre Stimme ist jetzt ganz anders. Ganz klar, ganz bestimmt, gar nicht mehr plapprig, gar nicht mehr nervös. ,Und wäre es möglich, daß Sie ... verzeihen Sie die Frage ... daß Sie jetzt in einem ähnlichen Zustande sind?'

,Ja.'

Wie ein Messer scharf und schneidend läßt sie das Wort fallen. In ihrem abgewandten Kopf zuckt nicht eine Linie.

,Vielleicht wäre es da am besten, gnädige Frau, ich nehme eine allgemeine Untersuchung vor ... darf ich Sie vielleicht bitten, sich ... sich in das andere Zimmer hinüber zu bemühen?'

Da wendet sie sich plötzlich um. Durch den Schleier fühle ich einen kalten, entschlossenen Blick mir gerade entgegen.

,Nein ... das ist nicht nötig ... ich habe volle Gewißheit über meinen Zustand.'»

*

Die Stimme zögert einen Augenblick. Wieder blinkert im Dunkel das gefüllte Glas.

«Also hören Sie ... aber versuchen Sie zuerst einen Augenblick sich das zu überdenken. Da drängt sich zu einem, der in seiner Einsamkeit vergeht, eine Frau herein, die erste weiße Frau betritt seit Jahren das Zimmer ... und plötzlich spüre ichs, es ist etwas Böses im Zimmer, eine Gefahr. Irgendwie überliefs mich: mir graute vor der stählernen Entschlossenheit dieses Weibes, die da mit plapprigen Reden hereingekommen war und dann mit einemmal ihre Forderung zückt, wie ein Messer. Denn was sie von mir wollte, wußte ich ja, wußte ich sofort — es war nicht das erstemal, daß Frauen so etwas von mir verlangten, aber sie kamen anders, kamen verschämt oder flehend, kamen mit Tränen und Beschwörungen. Hier aber war eine ... ja, eine stählerne, eine männliche Entschlossenheit ... von der ersten Sekunde spürte ichs, daß diese Frau stärker war als ich ... daß sie mich in ihren Willen zwingen konnte, wie sie wollte... Aber ... aber ... es war auch etwas Böses in mir ... der Mann, der sich wehrte, irgendeine Erbitterung, denn ... ich sagte es ja schon ... von der ersten Sekunde, ja, noch ehe ich sie gesehen, empfand ich diese Frau als Feind.

Ich schwieg zunächst. Schwieg hartnäckig und erbittert. Ich spürte, daß sie mich unter dem Schleier ansah — gerade und fordernd ansah, daß sie mich zwingen wollte zu sprechen. Aber ich gab nicht so leicht nach. Ich begann zu sprechen, aber ... ausweichend ... ja unbewußt ahmte ich ihre plapprige, gleichgültige Art nach. Ich tat, als ob ich sie nicht verstünde, denn — ich weiß nicht, ob Sie das nachfühlen können — ich wollte sie zwingen, deutlich zu werden, ich wollte nicht anbieten, sondern... gebeten sein ... gerade von ihr, weil sie so herrisch kam ... und weil ich wußte, daß ich bei Frauen nichts so unterliege als dieser hochmütigen kalten Art.

Ich redete also herum, dies sei ganz unbedenklich, solche Ohnmachten gehörten zum regulären Lauf der Dinge, im Gegenteil, sie verbürgten beinahe eine gute Entwicklung. Ich zitierte Fälle aus den klinischen Zeitungen ... ich sprach, ich sprach, lässig und leicht, immer die Angelegenheit ganz wie eine Banalität betrachtend, und . . . wartete immer, daß sie mich unterbrechen würde. Denn ich wußte, sie würde es nicht ertragen.

Da fuhr sie schon scharf dazwischen, mit einer Handbewegung gleichsam das ganze beruhigende Gerede wegstreifend.

‚Das ist es nicht, Doktor, was mich unsicher macht. Damals, als ich meinen Buben bekam, war ich in besserer Verfassung . . . aber jetzt bin ich nicht mehr allright . . . ich habe Herzzustände . . .'

‚Ach, Herzzustände', wiederholte ich, scheinbar beunruhigt, ‚da will ich doch gleich nachsehen'. Und ich machte eine Bewegung, als ob ich aufstehen und das Hörrohr holen wollte.

Aber schon fuhr sie dazwischen. Die Stimme war jetzt ganz scharf und bestimmt — wie am Kommandoplatz.

‚Ich *habe* Herzzustände, Doktor, und ich muß Sie bitten, zu glauben, was ich Ihnen sage. Ich möchte nicht viel Zeit mit Untersuchungen verlieren — Sie könnten mir, meine ich, etwas mehr Vertrauen entgegenbringen. Ich wenigstens habe mein Vertrauen zu Ihnen genug bezeugt.'

Jetzt war es schon Kampf, offene Herausforderung. Und ich nahm sie an.

‚Zum Vertrauen gehört Offenheit, rückhaltlose Offenheit. Reden sie klar, ich bin Arzt. Und vor allem, nehmen Sie den Schleier ab, setzen Sie sich her, lassen Sie die Bücher und die Umwege. Man kommt nicht zum Arzt im Schleier.'

Sie sah mich an, aufrecht und stolz. Einen Augenblick zögerte sie. Dann setzte sie sich nieder, zog den Schleier hoch. Ich sah ein Gesicht, ganz so wie ich es — gefürchtet hatte, ein undurchdringliches Gesicht, hart, beherrscht, von einer alterslosen Schönheit, ein Gesicht mit grauen englischen Augen, in denen alles Ruhe schien und hinter die man doch alles Leidenschaftliche träumen konnte. Dieser schmale, verpreßte Mund gab kein Geheimnis her, wenn er nicht wollte. Eine Minute lang sahen wir einander an — sie befehlend und fragend zugleich, mit einer so kalten, stählernen Grausamkeit, daß ich es nicht ertrug und unwillkürlich zur Seite blickte.

Sie klopfte leicht mit dem Knöchel auf den Tisch. Also auch in ihr war Nervosität. Dann sagte sie plötzlich rasch:

‚Wissen Sie, Doktor, was ich von Ihnen will, oder wissen Sie es nicht?‘

‚Ich glaube es zu wissen. Aber seien wir lieber ganz deutlich. Sie wollen Ihrem Zustand ein Ende bereiten ... Sie wollen, daß ich Sie von Ihrer Ohnmacht, Ihren Übelkeiten befreie, indem ich ... indem ich die Ursache beseitige. Ist es das?‘

‚Ja.‘

Wie ein Fallbeil zuckte das Wort.

‚Wissen Sie auch, daß solche Versuche gefährlich sind ... für beide Teile ...?‘

‚Ja.‘

‚Daß es gesetzlich mir untersagt ist?‘

‚Es gibt Möglichkeiten, wo es nicht untersagt, sondern sogar geboten ist.‘

‚Aber diese erfordern eine ärztliche Indikation.‘

‚So werden Sie diese Indikation finden. Sie sind Arzt.‘

Klar, starr, ohne zu zucken, blickten mich ihre Augen dabei an. Es war ein Befehl, und ich Schwächling bebte in Bewunderung vor der dämonischen Herrischkeit ihres Willens. Aber ich krümmte mich noch, ich wollte nicht zeigen, daß ich schon zertreten war. — ,Nur nicht zu rasch! Umstände machen! Sie zur Bitte zwingen', funkelte in mir irgendein Gelüst.

,Das liegt nicht immer im Willen des Arztes. Aber ich bin bereit, mit einem Kollegen im Krankenhaus ...'

,Ich will Ihren Kollegen nicht ... ich bin zu Ihnen gekommen.'

,Darf ich fragen, warum gerade zu mir?'

Sie sah mich kalt an.

,Ich habe kein Bedenken, es Ihnen zu sagen. Weil Sie abseits wohnen, weil Sie mich nicht kennen — weil Sie ein guter Arzt sind, und weil Sie ...' jetzt zögerte sie zum ersten Male — ,wohl nicht mehr lange in dieser Gegend bleiben werden, besonders wenn Sie ... wenn Sie eine größere Summe nach Hause bringen können.'

Mich überliefs kalt. Diese eherne, diese Merchant-, diese Kaufmannsklarheit der Berechnung betäubte mich. Bisher hatte sie ihre Lippen noch nicht zur Bitte aufgetan — aber alles längst auskalkuliert, mich erst umlauert und dann aufgespürt. Ich spürte, wie das Dämonische ihres Willens in mich eindrang, aber ich wehrte mich mit all meiner Erbitterung. Noch einmal zwang ich mich, sachlich — ja fast ironisch zu sein.

,Und diese größere Summe würden Sie ... würden Sie mir zur Verfügung stellen?'

,Für Ihre Hilfe und sofortige Abreise.'

,Wissen Sie, daß ich dadurch meine Pension verliere?'

,Ich werde sie Ihnen entschädigen.'

,Sie sind sehr deutlich ... Aber ich will noch mehr Deutlichkeit. Welche Summe haben Sie als Honorar in Aussicht genommen?'

,Zwölftausend Gulden, zahlbar auf Scheck in Amsterdam.'

Ich ... zitterte ... ich zitterte vor Zorn und ... ja auch vor Bewunderung. Alles hatte sie berechnet, die Summe und die Art der Zahlung, durch die ich zur Abreise genötigt war, sie hatte mich eingeschätzt und gekauft, ohne mich zu kennen, hatte über mich verfügt im Vorgefühl ihres Willens. Am liebsten hätte ich ihr ins Gesicht geschlagen ... Aber wie ich zitternd aufstand — auch sie war aufgestanden — und ihr gerade Auge in Auge starrte, da überkam mich plötzlich bei dem Blick auf diesen verschlossenen Mund, der nicht bitten, auf ihre hochmütige Stirn, die sich nicht beugen wollte ... eine ... eine Art gewalttätiger Gier. Sie mußte irgend etwas davon fühlen, denn sie spannte ihre Augenbrauen hoch, wie wenn man jemand Lästigen wegweisen will: der Haß zwischen uns war plötzlich nackt. Ich wußte, sie haßte mich, weil sie mich brauchte, und ich haßte sie, weil ... weil sie nicht bitten wollte. Diese eine, diese eine Sekunde Schweigen sprachen wir zum erstenmal ganz aufrichtig zueinander. Dann biß sich plötzlich wie ein Reptil mir ein Gedanke ein, und ich sagte ihr ... ich sagte ihr ...

Aber warten Sie, so würden Sie es falsch verstehen, was ich tat ... was ich sagte ... ich muß Ihnen erst erklären, wie ... wieso dieser wahnsinnige Gedanke in mich kam ...»

*

Wieder klirrte leise im Dunkel das Glas. Und die Stimme wurde erregter.

«Nicht daß ich mich entschuldigen will, mich rechtfertigen, mich reinwaschen ... Aber Sie verstehen es sonst nicht ... Ich weiß nicht, ob ich je so etwas wie ein guter Mensch gewesen bin, aber ... ich glaube, hilfreich war ich immer ... In dem dreckigen Leben da drüben war das ja die einzige Freude, die man hatte, mit der Handvoll Wissenschaft, die man sich ins Hirn gepreßt, irgendeinem Stück Leben den Atem erhalten zu können ... so eine Art Herrgottsfreude ... Wirklich, es waren meine schönsten Augenblicke, wenn so ein gelber Bursch kam, blauweiß vor Schrecken, einen Schlangenbiß im hochgeschwollenen Fuß, und schon heulte, man solle ihm das Bein nicht abschneiden, und ich kriegte es noch fertig, ihn zu retten. Stundenweit bin ich gefahren, wenn irgendein Weib im Fieber lag — auch so wie diese es wollte, habe ich geholfen, schon in Europa drüben an der Klinik. Aber da spürte mans wenigstens, daß dieser Mensch einen *brauchte,* da wußte mans, daß man jemand vom Tode rettete oder vor der Verzweiflung — und das braucht man eben selbst zum Helfen, dies Gefühl, daß der andere einen braucht.

Aber diese Frau — ich weiß nicht, ob ich es Ihnen schildern kann — sie regte mich auf, reizte mich von dem Augenblick, da sie scheinbar promenierend hereinkam, durch ihren Hochmut zu einem Widerstand, sie reizte alles — wie soll ichs sagen ... sie reizte alles Gedrückte, alles Versteckte, alles Böse in mir zur Gegenwehr. Daß sie Lady spielte, unnahbar kühl ein Geschäft entrierte, wo es um Tod und Leben ging, das machte mich toll ... Und dann ... dann ... schließlich wird man doch nicht schwanger vom Golfspielen ... ich wußte ... das heißt, ich mußte plötzlich mit einer — und das war jener Gedanke — mit einer entsetzlichen Deutlichkeit mich daran erinnern, daß diese Kühle, diese Hochmütige, diese Kalte, die steil die Augenbrauen über ihre stählernen Augen hochzog, als ich sie nur abwehrend ... ja fast wegstoßend anblickte, daß die sich zwei oder drei

Monate vorher heiß im Bett mit einem Mann gewälzt hatte, nackt wie ein Tier und vielleicht stöhnend vor Lust, die Körper ineinander verbissen wie zwei Lippen... Das, das war der brennende Gedanke, der mich überfiel, als sie mich so hochmütig, so unnahbar kühl, ganz wie ein englischer Offizier anblickte... und da, da spannte sich alles in mir... ich war besessen von der Idee, sie zu erniedrigen... von dieser Sekunde sah ich durch das Kleid ihren Körper nackt... von dieser Sekunde an lebte ich nur im Gedanken, sie zu besitzen, ein Stöhnen aus ihren harten Lippen zu pressen, diese Kalte, diese Hochmütige in Wollust zu fühlen so wie jener, jener andere, den ich nicht kannte. Das... das wollte ich Ihnen erklären... Ich habe nie, so verkommen ich war, sonst als Arzt die Situation zu nutzen gesucht... Aber diesmal war es ja nicht Geilheit, nicht Brunst, nichts Sexuelles, wahrhaftig nicht... ich würde es ja eingestehen... nur die Gier, eines Hochmuts Herr zu werden... Herr als Mann... Ich sagte es Ihnen, glaube ich, schon, daß hochmütige, scheinbar kühle Frauen von je über mich Macht hatten... aber jetzt, jetzt kam noch dies dazu, daß ich sieben Jahre hier lebte, ohne eine weiße Frau gehabt zu haben, daß ich Widerstand nicht kannte... Denn diese Mädchen hier, diese zwitschernden kleinen zierlichen Tierchen, die zittern ja vor Ehrfurcht, wenn ein Weißer, ein ‚Herr', sie nimmt... sie löschen aus in Demut, immer sind sie einem offen, immer bereit, mit ihrem leisen, glucksenden Lachen einem zu dienen... aber gerade diese Unterwürfigkeit, dieses Sklavische verschweint einem den Genuß... Verstehen Sie jetzt, verstehen Sie es, wie das dann auf mich hinschmetternd wirkte, wenn da plötzlich eine Frau kam, voll von Hochmut und Haß, verschlossen bis an die Fingerspitzen, zugleich funkelnd von Geheimnis und beladen mit früherer Leidenschaft... wenn eine solche Frau in den Käfig eines solchen Mannes, einer so vereinsamten, verhungerten, abgesperrten Menschenbestie frech eintritt... Das... das wollte ich nur sagen, damit Sie das andere verstehen... das, was jetzt kam. Also... voll von irgendeiner bösen Gier, vergiftet von dem Gedanken an sie, nackt, sinnlich, hingegeben, ballte ich mich gleichsam zusammen und täuschte Gleichgültigkeit vor. Ich sagte kühl: ‚Zwölftausend Gulden?... Nein, dafür werde ich es nicht tun.‘

Sie sah mich an, ein wenig blaß. Sie spürte wohl schon, daß in diesem Widerstand nicht Geldgier war. Aber doch sagte sie:

‚Was verlangen Sie also?‘

Ich ging auf den kühlen Ton nicht mehr ein. ‚Spielen wir mit offenen Karten. Ich bin kein Geschäftsmann... ich bin nicht der arme Apotheker aus Romeo und Julia, der für ‚corrupted gold‘ sein Gift verkauft... ich bin vielleicht das Gegenteil eines Geschäftsmannes... auf diesem Wege werden Sie Ihren Wunsch nicht erfüllt sehen.‘

‚Sie wollen es also nicht tun?‘

‚Nicht für Geld.‘

Es wurde ganz still für eine Sekunde zwischen uns. So still, daß ich sie zum erstenmal atmen hörte.

‚Was können Sie denn sonst wünschen?‘

Jetzt hielt ich mich nicht mehr.

‚Ich wünsche zuerst, daß Sie... daß Sie zu mir nicht wie zu einem Krämer reden, sondern wie zu einem Menschen. Daß Sie, wenn Sie Hilfe brauchen, nicht... nicht gleich mit Ihrem schändlichen Geld kommen... sondern bitten... mich, den Menschen, bitten, Ihnen, dem Menschen, zu helfen ... Ich bin nicht nur Arzt, ich habe nicht nur Sprechstunden ... ich habe auch andere Stunden ... vielleicht sind Sie in eine solche Stunde gekommen ...‘

Sie schweigt einen Augenblick. Dann krümmt sich ihr Mund ganz leicht, zittert und sagt rasch:

‚Also wenn ich Sie bitten würde ... dann würden Sie es tun?‘

‚Sie wollen schon wieder ein Geschäft machen — Sie wollen nur bitten, wenn ich erst verspreche. Erst müssen Sie mich bitten — dann werde ich Ihnen antworten.‘

Sie wirft den Kopf hoch wie ein trotziges Pferd. Zornig sieht sie mich an.

‚Nein — ich werde Sie nicht bitten. Lieber zugrunde gehen!‘

Da packt mich der Zorn, der rote, sinnlose Zorn.

‚Dann werde ich fordern, wenn Sie nicht bitten wollen. Ich glaube, ich muß nicht erst deutlich sein — Sie wissen, was ich von Ihnen begehre. Dann — dann werde ich Ihnen helfen.‘

Einen Augenblick starrte sie mich an. Dann — o ich kann, ich kann nicht sagen, wie entsetzlich das war — dann spannten sich ihre Züge, und dann ... dann *lachte* sie mit einem Male ... lachte sie mir mit einer unsagbaren Verächtlichkeit ins Gesicht ... mit einer Verächtlichkeit, die mich zerstäubte ... und die mich berauschte zugleich ... Es war wie eine Explosion, so plötzlich, so aufspringend, so mächtig losgesprengt von einer ungeheuren Kraft, dieses Lachen der Verächtlichkeit, daß ich ... ja, daß ich hätte zu Boden sinken können und ihr die Füße küssen. Eine Sekunde dauerte es nur ... es war wie ein Blitz, und ich hatte das Feuer im ganzen Körper ... da wandte sie sich schon und ging hastig auf die Tür zu.

Unwillkürlich wollte ich ihr nach ... mich entschuldigen ... sie anflehen ... meine Kraft war ja ganz zerbrochen ... da kehrte sie sich noch einmal um und sagte ... nein, sie *befahl:*

,Unterstehen Sie sich nicht, mir zu folgen oder nachzuspüren ... Sie würden es bereuen.'

Und schon krachte hinter ihr die Türe zu.»

*

Wieder ein Zögern. Wieder ein Schweigen ... Wieder nur dies Rauschen, als ob das Mondlicht strömte. Und dann endlich wieder die Stimme.

«Die Tür schlug zu ... aber ich stand unbeweglich an der Stelle ... ich war gleichsam hypnotisiert von dem Befehl ... ich hörte sie die Treppe hinabsteigen, die Haustür zumachen ... ich hörte alles, und mein ganzer Wille drängte ihr nach ... sie ... ich weiß nicht was ... sie zurückzurufen, oder zu schlagen oder zu erdrosseln ... aber ihr nach ... ihr nach ... Und doch konnte ich nicht. Meine Glieder waren gleichsam gelähmt wie von einem elektrischen Schlag ... ich war eben getroffen, getroffen bis ins Mark hinein von dem herrischen Blitz dieses Blikkes ... Ich weiß, das ist nicht zu erklären, nicht zu erzählen ... es mag lächerlich klingen, aber ich stand und stand ... ich brauchte Minuten, vielleicht fünf, vielleicht zehn Minuten, ehe ich einen Fuß wegreißen konnte von der Erde ...

Aber kaum daß ich einen Fuß gerührt, war ich schon heiß, war ich schon rasch ... im Nu eilte ich die Treppe hinab ... Sie konnte ja nur die Straße hinabgegangen sein zur Zivilstation ... ich stürze in den Schuppen, das Rad zu holen, sehe, daß ich den Schlüssel vergessen habe, reiße den Verschlag auf, daß der Bambus splittert und kracht ... und schon schwinge ich mich auf das Rad und sause ihr nach ... ich muß sie ... ich muß sie erreichen, ehe sie zu ihrem Automobil gelangt ... ich muß sie sprechen ...

Die Straße staubt an mir vorbei ... jetzt merke ich erst, wie lange ich oben starr gestanden haben mußte ... da ... auf der Kurve im Wald knapp vor der Station sehe ich sie, wie sie hastig mit steifem geradem Schritt hineilt, begleitet von dem Boy ... Aber auch sie muß mich gesehen haben, denn sie spricht jetzt mit dem Boy, der zurückbleibt, und geht allein weiter ... Was will sie tun? Warum will sie allein sein? ... Will sie mit mir sprechen, ohne daß er es hört? ... Blindwütig trete ich in die Pedale hinein ... Da springt mir plötzlich quer von der Seite etwas über den Weg ... der Boy ... ich kann gerade noch das Rad zur Seite reißen und krache hin ...

Ich stehe fluchend auf ... unwillkürlich hebe ich die Faust, um dem Tölpel eins hinzuknallen, aber er springt zur Seite ... Ich rüttle mein Fahrrad hoch, um wieder aufzusteigen ... Aber da springt der Halunke vor, faßt das Rad und sagt in seinem erbärmlichen Englisch: ‚You remain here'.

Sie haben nicht in den Tropen gelebt ... Sie wissen nicht, was das für eine Frechheit ist, wenn ein solcher gelber Halunke einem weißen ‚Herrn' das Rad faßt und ihm, dem ‚Herrn', befiehlt, dazubleiben. Statt aller Antwort schlage ich ihm die Faust ins Gesicht ... er taumelt, aber er hält das Rad fest ... seine Augen, seine engen, feigen Augen sind weit aufgerissen in sklavischer Angst ... aber er hält die Stange, hält sie teuflisch fest ... ‚You remain here', stammelt er noch einmal. Zum Glück hatte ich keinen Revolver bei mir. Ich hätte ihn sonst niedergeknallt. ‚Weg, Kanaille!' sage ich nur. Er starrt mich geduckt an, läßt aber die Stange nicht los. Ich schlage ihm noch einmal auf den Schädel, er läßt noch immer nicht. Da faßt mich die Wut ... ich sehe, daß sie schon fort, vielleicht schon entkommen ist ... und versetze ihm einen regelrechten Boxerschlag unters Kinn, daß er hinwirbelt. Jetzt habe ich wieder mein Rad ... aber wie ich aufspringe, stockt der Lauf ... bei dem gewaltsamen Zerren hat sich die Speiche verbogen ... Ich versuche mit fiebernden Händen sie geradezudrehen... Es geht nicht... so schmeiße ich das Rad quer auf den Weg neben den Halunken hin, der blutend aufsteht und zur Seite weicht... Und dann — nein, Sie können nicht fühlen, wie lächerlich das dort vor allen Menschen ist, wenn ein Europäer ... nun, ich wußte nicht mehr, was ich tat ... ich hatte nur den einen Gedanken: ihr nach, sie erreichen ... und so *lief* ich, lief wie ein Rasender die Landstraße entlang vorbei an den Hütten, wo das gelbe Gesindel staunend sich vordrängte, einen weißen Mann, den Doktor, *laufen* zu sehen.

Schweißtriefend kam ich in der Station an ... Meine erste Frage: Wo ist das Auto? ... Eben weggefahren ... Verwundert sehen mich die Leute an: als Rasender muß ich ihnen erscheinen, wie ich da naß und schmierig ankam, die Frage voranschreiend, ehe ich noch stand ... Unten an der Straße sehe ich weiß den Qualm des Autos wirbeln ... es ist ihr gelungen ... gelungen, wie alles ihrer harten, grausam harten Berechnung gelingen muß.

Aber die Flucht hilft ihr nichts ... In den Tropen gibt es kein Geheimnis unter den Europäern ... einer kennt den andern, alles wird zum Ereignis ... Nicht umsonst ist ihr Chauffeur eine Stunde im Bungalow der Regierung gestanden ... in einigen Minuten weiß ich alles ... Weiß, wer sie ist ... daß sie unten in — nun in der Regierungsstadt wohnt, acht Eisenbahnstunden von hier ... daß sie — nun sagen wir, die Frau eines Großkaufmannes ist, rasend reich, vornehm, eine Engländerin ... ich weiß, daß ihr Mann jetzt fünf Monate in Amerika war und nächster Tage eintreffen soll, um sie mit nach Europa zu nehmen ...

Sie aber — und wie Gift brennt sich mir der Gedanke in die Adern hinein — sie kann höchstens zwei oder drei Monate in andern Umständen sein ...»

*

«Bisher konnte ich Ihnen noch alles begreiflich machen... vielleicht nur deshalb, weil ich bis zu diesem Augenblicke mich noch selbst verstand ... mir als Arzt immer die Diagnose meines Zustandes selbst stellte. Aber von da an begann es wie ein Fieber in mir ... ich verlor die Kontrolle über mich ... das heißt, ich wußte genau, wie sinnlos alles war, was ich tat; aber ich hatte keine Macht mehr über mich ... ich verstand mich selbst nicht mehr ... ich lief nur in der Besessenheit meines Ziels vorwärts ... Übrigens warten Sie ... vielleicht kann ich es Ihnen doch begreiflich machen ... Wissen Sie, was Amok ist?»

«Amok? ... ich glaube mich zu erinnern ... eine Art Trunkenheit bei den Malaien ...»

«Es ist mehr als Trunkenheit ... es ist Tollheit, eine Art menschlicher Hundswut ... ein Anfall mörderischer, sinnloser Monomanie, der sich mit keiner andern alkoholischen Vergiftung vergleichen läßt ... ich habe selbst während meines Aufenthaltes einige Fälle studiert — für andere ist man ja immer sehr klug und sehr sachlich — ohne aber je das furchtbare Geheimnis ihres Ursprungs freilegen zu können... Irgendwie hängt es mit dem Klima zusammen, mit dieser schwülen, geballten Atmosphäre, die auf die Nerven wie ein Gewitter drückt, bis sie einmal losspringen ... Also Amok ... ja, Amok, das ist so: Ein Malaie, irgendein ganz einfacher, ganz gutmütiger Mensch, trinkt sein Gebräu in sich hinein ... er sitzt da, stumpf, gleichgültig, matt ... so wie ich in meinem Zimmer saß ... und plötzlich springt er auf, faßt den Dolch und rennt auf die Straße ... rennt geradeaus, immer nur geradeaus ... ohne zu wissen wohin ... Was ihm in den Weg tritt, Mensch oder Tier, das stößt er nieder mit seinem Kris, und der Blutrausch macht ihn nur noch hitziger ... Schaum tritt dem Laufenden vor die Lippen, er heult wie ein Rasender ... aber er rennt, rennt, rennt, sieht nicht mehr nach rechts, sieht nicht nach links, rennt nur mit seinem gellen Schrei, seinem blutigen Kris in dieses entsetzliche Geradeaus ... Die Leute in den Dörfern wissen, daß keine Macht einen Amokläufer aufhalten kann ... so brüllen sie warnend voraus, wenn er kommt: ‚Amok! Amok!‘, und alles flüchtet ... er aber rennt, ohne zu hören, rennt, ohne zu sehen, stößt nieder, was ihm begegnet ... bis man ihn totschießt wie einen tollen Hund oder er selbst schäumend zusammenbricht ...

Einmal habe ich das gesehen, vom Fenster meines Bungalow aus...es war grauenhaft...aber nur dadurch, daß ichs gesehen habe, begreife ich mich selbst in jenen Tagen ... denn so, genau so, mit diesem furchtbaren Blick geradeaus, ohne nach rechts oder links zu sehen, mit dieser Besessenheit stürmte ich los ... dieser Frau nach ... Ich weiß nicht mehr, wie ich alles tat, in so rasendem Lauf, in so unsinniger Geschwindigkeit flog es vorbei ... Zehn Minuten, nein, fünf, nein zwei ... nachdem ich alles von dieser Frau wußte, ihren Namen, ihr Haus, ihr Schicksal, jagte ich schon auf einem rasch geborgten Rad in mein Haus zurück, warf einen Anzug in den Koffer, steckte Geld zu mir und fuhr zur Station der Eisenbahn mit meinem Wagen ... fuhr, ohne mich abzumelden beim Distriktsbeamten ... ohne einen Vertreter zu ernennen, ließ das Haus offen stehen und liegen, wie es war ... Um mich standen Diener, die Weiber staunten und fragten, ich antwortete nicht, wandte mich nicht um ... fuhr zur Eisenbahn und mit dem nächsten Zug hinab in die Stadt ... Eine Stunde im ganzen, nachdem diese Frau in mein Zimmer getreten, hatte ich meine Existenz hinter mich geworfen und rannte Amok ins Leere hinein ...

Geradeaus rannte ich, mit dem Kopf gegen die Wand ... um sechs Uhr abends war ich angekommen ... um sechs Uhr zehn war ich in ihrem Haus und ließ mich melden ... Es war ... Sie werden es verstehen ... das Sinnloseste, das Stupideste, was ich tun konnte ... aber der Amokläufer rennt ja mit leeren Augen, er sieht nicht, wohin er rennt ... Nach einigen Minuten kam der Diener zurück ... höflich und kühl ... die gnädige Frau sei nicht wohl und könne nicht empfangen.

Ich taumelte die Türe hinaus ... Eine Stunde schlich ich noch um das Haus herum, besessen von der wahnwitzigen Hoffnung, sie würde vielleicht nach mir suchen ... dann nahm ich mir erst ein Zimmer im Strandhotel und zwei Flaschen Whisky auf das Zimmer ... die und eine doppelte Dosis Veronal halfen mir ... ich schlief endlich ein ... und dieser dumpfe, schlammige Schlaf war die einzige Pause in diesem Rennen zwischen Leben und Tod.»

*

Die Schiffsglocke klang. Zwei harte, volle Schläge, die noch im weichen Teich der fast reglosen Luft zitternd weiterschwangen und dann verebbten in das leise, unaufhörliche Rauschen, das unter dem Kiele und zwischen der leidenschaftlichen Rede beharrlich mitlief. Der Mensch im Dunkeln mir gegenüber mußte erschreckt aufgefahren sein, seine Rede stockte. Wieder hörte ich die Hand hinab zur Flasche fingern, wieder das leise Glucksen. Dann begann er, gleichsam beruhigt, mit einer festeren Stimme.

«Die Stunden von diesem Augenblick an kann ich Ihnen kaum erzählen. Ich glaube heute, daß ich damals Fieber hatte, jedenfalls war ich in einer Art Überreiztheit, die an Tollheit grenzte — ein Amokläufer, wie ich Ihnen sagte. Aber vergessen Sie nicht, es war Dienstag nachts, als ich ankam, Samstag aber sollte — dies hatte ich inzwischen erfahren — ihr Gatte mit dem P. & O.-Dampfer von Yokohama eintreffen, es blieben also nur drei Tage, drei knappe Tage für den Entschluß und für die Hilfe. Verstehen Sie das: ich wußte, daß ich ihr sofort helfen mußte, und konnte doch kein Wort zu ihr sprechen. Und gerade dieses Bedürfnis, mein lächerliches, mein tollwütiges Benehmen zu entschuldigen, das hetzte mich weiter. Ich wußte um die Kostbarkeit jedes Augenblickes, ich wußte, daß es für sie um Leben und Tod ginge, und hatte doch keine Möglichkeit, mich nur mit einem Flüstern, mit einem Zeichen ihr zu nähern, denn gerade das Stürmische, das Tölpische meines Nachrennens hatte sie erschreckt. Es war ... ja, warten Sie ... es war, wie wenn einer einem nachrennt, um ihn zu warnen vor einem Mörder, und der andere hält ihn selbst für den Mörder, und so rennt er weiter in sein Verderben ... sie sah nur den Amokläufer in mir, der sie verfolgte, um sie zu demütigen, aber ich ... das war ja der entsetzliche Widersinn ... ich dachte gar nicht mehr an das ... ich war ja schon ganz vernichtet, ich wollte ihr nur helfen, ihr nur dienen ... einen Mord hätte ich getan, ein Verbrechen, um ihr zu helfen ... Aber sie, sie verstand es nicht. Als ich morgens aufwachte und gleich wieder hinlief zu ihrem Haus, stand der Boy vor der Tür, derselbe Boy, den ich ins Gesicht geschlagen, und wie er mich von ferne sah — er mußte auf mich gewartet haben —, huschte er hinein in die Tür. Vielleicht tat er es nur, um mich im geheimen anzumelden ... vielleicht ... ah, diese Ungewißheit, wie peinigt sie mich jetzt ... vielleicht war schon alles bereit, mich zu empfangen ... aber da, wie ich ihn sah, mich erinnerte an meine Schmach, da war ich es wieder, der nicht wagte, noch einmal den Besuch zu wiederholen ... Die Knie zitterten mir. Knapp vor der Schwelle drehte ich mich um und ging wieder fort ... ging fort, während sie vielleicht in ähnlicher Qual auf mich wartete.

Ich wußte jetzt nicht mehr, was tun in der fremden Stadt, die an meinen Fersen wie Feuer glühte ... Plötzlich fiel mir etwas ein, schon rief ich einen Wagen und fuhr zum Vizeresidenten, zu demselben, dem ich damals in meiner Station geholfen, und ließ mich melden ... Irgend etwas muß schon in meinem äußern Wesen befremdend gewesen sein, denn er sah mich mit einem gleichsam erschreckten Blick an, und seine Höflichkeit hatte etwas Beunruhigtes ... vielleich erkannte er schon den Amokläufer in mir . . . Ich sagte ihm kurz entschlossen, ich erbäte meine Versetzung in die Stadt, ich könne auf meinem Posten nicht mehr länger existieren... ich müsse sofort übersiedeln . . . Er sah mich . . . ich kann Ihnen nicht sagen, wie er mich ansah . . . so wie eben ein Arzt einen Kranken ansieht . . . ‚Ein Nervenzusammenbruch, lieber Doktor', sagte er dann, ‚ich verstehe das nur zu gut. Nun, es wird sich schon richten lassen; aber warten Sie . . . sagen wir vier Wochen . . . ich muß erst einen Ersatz finden.' ‚Ich kann nicht warten, nicht einen Tag', antwortete ich. Wieder kam dieser merkwürdige Blick. ‚Es muß gehen, Doktor', sagte er ernst, ‚wir dürfen die Station nicht ohne Arzt lassen. Aber ich verspreche Ihnen, daß ich noch heute alles einleite.' Ich blieb stehen, mit verbissenen Zähnen: zum erstenmal spürte ich deutlich, daß ich ein verkaufter Mensch, ein Sklave sei. Schon ballte sich alles zu einem Trotz zusammen, aber er, der Geschmeidige, kam mir zuvor: ‚Sie sind menschenentwöhnt, Doktor, und das wird schließlich eine Krankheit. Wir haben uns alle gewundert, daß Sie nie herkamen, nie Urlaub nahmen. Sie brauchen mehr Geselligkeit, mehr Anregung. Kommen Sie doch wenigstens diesen Abend, wir haben heute Empfang bei der Regierung, Sie finden die ganze Kolonie, und manche mochten Sie längst kennen lernen, haben oft nach Ihnen gefragt und sie hiehergewünscht.'

Das letzte Wort riß mich auf. Nach mir gefragt? Sollte sie es gewesen sein? Ich war plötzlich ein anderer: sofort dankte ich ihm höflichst für seine Einladung und sicherte mein Kommen pünktlich zu. Und ich war auch pünktlich, viel zu pünktlich. Muß ich Ihnen erst sagen, daß ich, von meiner Ungeduld gejagt, der erste in dem großen Saale des Regierungsgebäudes war, schweigend umgeben von den gelben Dienern, die mit ihren nackten Sohlen wippend hin und her eilten und mich — wie mir in meinem verwirrten Bewußtsein dünkte — hinterrücks belächelten. Eine Viertelstunde war ich der einzige Europäer inmitten all der geräuschlosen Vorbereitungen und so allein mit mir, daß ich das Ticken der Uhr in meiner Westentasche hörte. Dann kamen endlich ein paar Regierungsbeamte mit ihren Familien, schließlich auch der Gouverneur, der mich in ein längeres Gespräch zog, in dem ich beflissen und, wie ich glaube, geschickt antwortete, bis... bis ich plötzlich, von einer geheimnisvollen Nervosität befallen, alle Geschmeidigkeit verlor und zu stammeln begann. Obzwar mit dem Rücken gegen die Saaltür gelehnt, spürte ich mit einem Male, daß sie eingetreten, daß sie anwesend sein müßte: ich könnte Ihnen nicht sagen, wieso mich diese plötzliche Gewißheit verwirrend faßte, aber noch während ich mit dem Gouverneur sprach, den Klang seiner Worte im Ohr, spürte ich im Rücken irgendwo ihre Gegenwart. Glücklicherweise endete der Gouverneur bald das Gespräch — ich glaube, ich hätte mich sonst plötzlich brüsk umgewandt, so stark war dieses geheimnisvolle Ziehen in meinen Nerven, so brennend gereizt meine Begier. Und wirklich, kaum daß ich mich umwandte, sah ich sie schon ganz genau an jener Stelle, wo sie unbewußt mein Gefühl geahnt. Sie stand in einem gelben Ballkleid, das ihre schmalen, reinen Schultern wie mattes Elfenbein vorleuchten ließ, plaudernd inmitten einer Gruppe. Sie lächelte, aber doch, mir war, als hätte ihr Gesicht einen gespannten Zug. Ich trat näher — sie konnte mich nicht sehen oder wollte mich nicht sehen — und blickte in dieses Lächeln, das gefällig und höflich um die schmalen Lippen zitterte. Und dieses Lächeln berauschte mich von neuem, weil es ... nun weil ich wußte, daß es Lüge war, Kunst oder Technik, Meisterschaft der Verstellung. Mittwoch ist heute, fuhr mir durch den Kopf, Samstag kommt das Schiff mit dem Gatten ... wie kann sie so lächeln, so ... so sicher, so sorglos lächeln und den Fächer lässig in der Hand spielen lassen, statt ihn zu zerkrampfen in Angst? Ich ... ich, der Fremde ... ich zitterte seit zwei Tagen vor jener Stunde ... ich, der Fremde, lebte ihre Angst, ihr Entsetzen mit allen Exzessen des Gefühls mit ... und sie ging auf den Ball und lächelte, lächelte, lächelte ...

Rückwärts setzte die Musik ein. Der Tanz begann. Ein älterer Offizier hatte sie aufgefordert, sie ließ mit einer Entschuldigung den plaudernden Kreis und schritt an seinem Arm gegen den andern Saal zu, an mir vorbei. Wie sie mich erblickte, spannte sich plötzlich ihr Gesicht gewaltsam zusammen — aber nur eine Sekunde lang, dann nickte sie mir mit einem höflichen Erkennen (ehe ich mich noch zu grüßen oder nichtgrüßen entschlossen hatte) wie einem zufälligen Bekannten zu: ‚Guten Abend, Doktor' und war schon vorbei. Niemand hätte ahnen können, was in diesem graugrünen Blick verborgen war, und ich, ich selbst wußte es nicht. Warum grüßte sie ... warum erkannte sie mich nun mit einmal an? ... War das Abwehr, war es Annäherung, war es nur die Verlegenheit der Überraschung? Ich kann Ihnen nicht schildern, in welcher Erregtheit ich zurückblieb, alles war aufgewühlt, war explosiv in mir zusammengepreßt, und wie ich sie so sah, lässig walzend am Arme des Offiziers, auf der Stirne den kühlen Glanz der Sorglosigkeit, indes ich doch wußte, daß sie ... daß sie so wie ich nur *daran* ...

daran dachte . . . daß wir zwei hier allein ein furchtbares Geheimnis gemeinsam hatten . . . und sie walzte . . . in diesen Sekunden wurde meine Angst, meine Gier und meine Bewunderung noch mehr Leidenschaft als jemals. Ich weiß nicht, ob mich jemand beobachtet hat, aber gewiß verriet ich mich in meinem Verhalten noch viel mehr, als sie sich verbarg — ich konnte eben nicht in eine andere Richtung schauen, ich mußte . . . ja, ich mußte sie ansehen, ich sog, ja ich zerrte von ferne an ihrem verschlossenen Gesicht, ob die Maske nicht für eine Sekunde fallen wollte. Und sie mußte diesen starren Blick unangenehm empfunden haben. Als sie am Arme ihres Tänzers zurückschritt, sah sie mich im Blitzlicht einer Sekunde an, scharf befehlend, wie wegweisend: wieder spannte sich jene kleine Falte des hochmütigen Zornes, die ich schon von damals kannte, böse über ihrer Stirn.

Aber . . . aber . . . ich sagte es Ihnen ja . . . ich lief Amok, ich sah nicht nach rechts und nicht nach links. Ich verstand sie sofort — dieser Blick hieß: sei nicht auffällig! bezähme dich! — ich wußte, daß sie . . . wie soll ich es sagen? . . . daß sie Diskretion des Benehmens hier im offenen Saal von mir wollte . . . ich verstand, daß, wenn ich jetzt heimginge, ich morgen gewiß sein könne, von ihr empfangen zu werden . . . daß sie es nur jetzt, nur jetzt vermeiden wollte, meiner auffälligen Vertraulichkeit ausgesetzt zu sein, daß sie — und wie sehr mit Recht — von meinem Ungeschick eine Szene fürchtete . . . Sie sehen . . . ich wußte alles, ich verstand diesen befehlenden grauen Blick, aber . . . aber es war zu stark in mir, ich mußte sie sprechen. Und so schwankte ich hin zu der Gruppe, in der sie plaudernd stand, schob mich — obwohl ich nur einige der Anwesenden kannte — ganz an den lockeren Kreis heran nur aus Begier, sie sprechen zu hören, und doch immer scheu mich duckend wie ein geprügelter Hund vor ihrem Blick, wenn er kalt an mir vorbeistreifte, als sei ich eine der Leinenportieren, an der ich lehnte, oder die Luft, die sie leicht bewegte. Aber ich stand, durstig nach einem Wort, das sie zu mir sprechen sollte, nach einem Zeichen des Einverständnisses, stand und stand starren Blickes inmitten des Geplauders wie ein Block. Unbedingt mußte es schon auffällig geworden sein, unbedingt, denn keiner richtete ein Wort an mich, und sie mußte leiden unter meiner lächerlichen Gegenwart.

Wie lange ich so gestanden hätte, ich weiß es nicht ... eine Ewigkeit vielleicht ... ich *konnte* ja nicht fort aus dieser Bezauberung des Willens. Gerade die Hartnäckigkeit meiner Wut lähmte mich ... Aber sie ertrug es nicht länger ... plötzlich wandte sie sich mit der prachtvollen Leichtigkeit ihres Wesens gegen die Herren und sagte: ‚Ich bin ein wenig müde ... ich will heute einmal früher zu Bett gehen ... Gute Nacht!' ... und schon streifte sie mit einem gesellschaftlich fremden Kopfnicken an mir vorbei ... ich sah noch die hochgezogene Falte auf der Stirn und dann nur mehr den Rücken, den weißen, kühlen, nackten Rücken. Eine Sekunde lang dauerte es, bevor ich begriff, daß sie fortging ... daß ich sie nicht mehr sehen, nicht mehr sprechen könnte diesen Abend, diesen letzten Abend der Rettung ... einen Augenblick lang also stand ich noch starr, bis ichs begriff ... dann ... dann ...

Aber warten Sie ... warten Sie ... Sie werden sonst das Sinnlose, das Stupide meiner Tat nicht verstehen ... ich muß Ihnen erst den ganzen Raum schildern ... Es war der große Saal des Regierungsgebäudes, ganz von

Lichtern erhellt und fast leer, der ungeheure Saal ... die Paare waren zum Tanz gegangen, die Herren zum Spiel... nur an den Ecken plauderten einige Gruppen ... der Saal war also leer, jede Bewegung auffällig und im grellen Licht sichtbar ... und diesen großen weiten Saal schritt sie langsam und leicht mit ihren hohen Schultern durch, ab und zu einen Gruß mit ihrer unbeschreiblichen Haltung erwidernd . . . mit dieser herrlichen erfrorenen hoheitlichen Ruhe, die mich an ihr so entzückte ... Ich... ich war zurückgeblieben, ich sagte es Ihnen ja, ich war gleichsam gelähmt, bevor ich es begriff, daß sie fortging ... und da, als ich es begriff, war sie schon am andern Ende des Saals knapp vor der Türe ... Da ... oh, ich schäme mich jetzt noch, es zu denken ... da packte es mich plötzlich an und ich *lief* — hören Sie: ich lief ... ich ging nicht, ich *lief* mit polternden Schuhen, die laut widerhallten, quer durch den Saal ihr nach ... Ich hörte meine Schritte, ich sah alle Blicke erstaunt auf mich gerichtet ... ich hätte vergehen können vor Scham ... noch während ich lief, war mir schon der Wahnsinn bewußt.. aber ich konnte ... ich konnte nicht mehr zurück ... Bei der Tür holte ich sie ein ... Sie wandte sich um ... ihre Augen stießen wie ein grauer Stahl in mich hinein, ihre Nasenflügel zitterten vor Zorn . . . ich wollte eben zu stammeln anfangen ... da ... da ... *lachte* sie plötzlich hellauf ... ein helles, unbesorgtes, herzliches Lachen, und sagte laut ... so laut, daß es alle hören konnten ... ‚Ach, Doktor, jetzt fällt Ihnen erst das Rezept für meinen Buben ein ... ja, die Herren der Wissenschaft ...' Ein paar, die in der Nähe standen, lachten gutmütig mit ... ich begriff, ich taumelte unter der Meisterschaft, mit der sie die Situation gerettet hatte ... griff in die Brieftasche und riß ein leeres Blatt vom Block, das sie lässig nahm, ehe sie . . . noch einmal mit einem kalten, dankenden Lächeln . . . ging . . . Mir war leicht in der ersten Sekunde . . . ich sah, daß mein Irrsinn durch ihre Meisterschaft gutgemacht, die Situation gewonnen . . . aber ich wußte auch sofort, daß alles für mich verloren sei, daß diese Frau mich um meiner hitzigen Narrheit haßte . . . haßte mehr als den Tod . . . daß ich nun hundertmal und hundertmal vor ihre Tür kommen könnte und sie mich wegweisen würde wie einen Hund.

Ich taumelte durch den Saal . . . ich merkte, daß die Leute auf mich blickten . . . ich muß irgendwie sonderbar ausgesehen haben . . . Ich ging zum Büfett, trank zwei, drei, vier Gläser Kognak hintereinander . . . das rettete mich vor dem Umsinken . . . meine Nerven konnten schon nicht mehr, sie waren wie durchgerissen . . . Dann schlich ich bei einer Nebentür hinaus, heimlich wie ein Verbrecher . . . Um kein Fürstentum der Welt hätte ich jenen Saal nochmals durchschreiten können, wo ihr Lachen noch gell an allen Wänden klebte . . . ich ging . . . genau weiß ichs nicht mehr zu sagen, wohin ich ging . . . in ein paar Kneipen und soff mich an . . . soff mich an wie einer, der sich alles Wache wegsaufen will . . . aber . . . es ward mir nicht dumpf in den Sinnen . . . das Lachen stak in mir, schrill und böse . . . das Lachen, dieses verfluchte Lachen konnte ich nicht betäuben . . . Ich irrte dann noch am Hafen herum . . . meinen Revolver hatte ich zu Hause gelassen, sonst hätte ich mich erschossen. Ich dachte an nichts anderes, und mit diesem Gedanken ging ich auch heim . . . nur mit diesem Gedanken an das Schubfach links im Kasten, wo mein Revolver lag . . . nur mit diesem einen Gedanken.

Daß ich mich dann nicht erschoß... ich schwöre Ihnen, das war nicht Feigheit... es wäre für mich eine Erlösung gewesen, den schon gespannten kalten Hahn abzudrükken... aber wie soll ich es Ihnen erklären... ich fühlte noch eine Pflicht in mir... ja, jene Pflicht, zu helfen, jene verfluchte Pflicht... mich machte der Gedanke wahnsinnig, daß sie mich noch brauchen könnte, daß sie mich brauchte... es war ja schon Donnerstag morgens, als ich heimkam, und Samstag... ich sagte es Ihnen ja... Samstag kam das Schiff, und daß *diese* Frau, diese hochmütige, stolze Frau die Schande vor ihrem Gatten, vor der Welt nicht überleben würde, das wußte ich... Ah, wie mich solche Gedanken gemartert haben an die sinnlos vertane kostbare Zeit, an meine irrwitzige Übereilung, die jede rechtzeitige Hilfe vereitelt hatte... stundenlang, ja stundenlang, ich schwöre es Ihnen, bin ich im Zimmer niedergegangen, auf und ab, und habe mir das Hirn zermartert, wie ich mich ihr nähern, wie ich alles gutmachen, wie ich ihr helfen könnte... denn daß sie mich nicht mehr vorlassen würde in ihrem Haus, das war mir gewiß... ich hatte das Lachen noch in allen Nerven und das Zucken des Zornes um ihre Nasenflügel... stundenlang, wirklich stundenlang bin ich so die drei Meter des schmalen Zimmers auf und ab gerannt... es war schon Tag, es war schon Vormittag...

Und plötzlich schmiß es mich hin zu dem Tisch... ich riß ein Bündel Briefblätter heraus und begann ihr zu schreiben... alles zu schreiben... einen hündisch winselnden Brief, in dem ich sie um Vergebung bat, in dem ich mich einen Wahnsinnigen, einen Verbrecher nannte... in dem ich sie beschwor, sich mir anzuvertrauen... Ich schwor, in der nächsten Stunde zu verschwinden, aus der

Stadt, aus der Kolonie, wenn sie wollte: aus der Welt... nur verzeihen sollte sie mir und mir vertrauen, sich helfen lassen in der letzten, der allerletzten Stunde... Zwanzig Seiten fieberte ich so hinunter... es muß ein toller, ein unbeschreiblicher Brief wie aus einem Delirium gewesen sein, denn als ich aufstand vom Tisch, war ich in Schweiß gebadet... das Zimmer schwankte, ich mußte ein Glas Wasser trinken... Dann erst versuchte ich den Brief noch einmal zu überlesen, aber mir graute nach den ersten Worten... zitternd faltete ich ihn zusammen, faßte schon ein Kuvert... Da plötzlich fuhrs mich durch. Mit einem Male wußte ich das wahre, das entscheidende Wort. Und ich riß noch einmal die Feder zwischen die Finger und schrieb auf das letzte Blatt: ‚Ich warte hier im Strandhotel auf ein Wort der Verzeihung. Wenn ich bis sieben Uhr keine Antwort habe, erschieße ich mich.'

Dann nahm ich den Brief, schellte einem Boy und hieß ihn das Schreiben sofort überbringen. Endlich war alles gesagt — alles!»

*

Etwas klirrte und kollerte neben uns. Mit einer heftigen Bewegung hatte er die Whiskyflasche umgestoßen; ich hörte, wie seine Hand ihr suchend am Boden nachtastete und sie dann mit einem plötzlichen Schwung faßte: in weitem Bogen warf er die geleerte Flasche über Bord. Einige Minuten schwieg die Stimme, dann fieberte er wieder fort, noch erregter und hastiger als zuvor.

«Ich bin kein gläubiger Christ mehr... für mich gibt es keinen Himmel und keine Hölle... und wenn es eine gibt, so fürchte ich sie nicht, denn sie kann nicht ärger sein als jene Stunden, die ich von vormittag bis abends erlebte ... Denken Sie sich ein kleines Zimmer, heiß in der Sonne, immer glühender im Mittagsbrand ... ein kleines Zimmer, nur Tisch und Stuhl und Bett ... Und auf diesem Tisch nichts als eine Uhr und einen Revolver und vor dem Tisch einen Menschen ... einen Menschen, der nichts tut als immer auf diesen Tisch, auf den Sekundenzeiger der Uhr starren ... einen Menschen, der nicht ißt und nicht trinkt und nicht raucht und sich nicht regt ... der immer nur ... hören Sie: immer nur, drei Stunden lang ... auf den weißen Kreis des Zifferblattes starrt und auf den Zeiger, der tickend den Kreis umläuft ... So ... so ... habe ich diesen Tag verbracht, nur gewartet, gewartet, gewartet ... aber gewartet wie ... wie eben ein Amokläufer etwas tut, sinnlos, tierisch, mit dieser rasenden, geradlinigen Beharrlichkeit.

Nun ... ich werde Ihnen diese Stunden nicht schildern ... das läßt sich nicht schildern ... ich verstehe ja selbst nicht mehr, wie man das erleben kann ohne ... ohne wahnsinnig zu werden ... Also ... um drei Uhr zweiundzwanzig Minuten ... ich weiß es genau, ich starrte ja auf die Uhr ... klopft es plötzlich an die Tür ... Ich springe auf ... springe, wie ein Tiger auf seine Beute springt, mit einem Ruck durch das ganze Zimmer zur Tür, reiße sie auf ... ein ängstlicher kleiner Chinesenjunge steht draußen, einen zusammengefalteten Zettel in der Hand, und während ich gierig darnach greife, huscht er schon weg und ist verschwunden.

Ich reiße den Zettel auf, will ihn lesen ... und kann ihn nicht lesen ... Mir schwankt es rot vor den Augen ... denken Sie die Qual, ich habe endlich, habe endlich das Wort von ihr ... und nun zittert und tanzt es mir vor den Pupillen ... Ich tauche den Kopf ins Wasser ...

nun wirds mir klarer ... Nochmals nehme ich den Zettel und lese:

‚Zu spät! Aber warten Sie zu Hause. Vielleicht rufe ich Sie noch.‘

Keine Unterschrift auf dem zerknüllten Papier, das von irgendeinem alten Prospekt abgefetzt war ... hastige, verworrene Bleistiftzüge einer sonst sicheren Schrift ... ich weiß nicht, warum mich das Blatt so erschütterte ... Irgend etwas von Grauen, von Geheimnis haftete ihm an, es war wie auf einer Flucht geschrieben, stehend an einer Fensternische oder in einem fahrenden Wagen ... Etwas Unbeschreibliches von Angst, von Hast, von Entsetzen schlug kalt von diesem heimlichen Zettel mir in die Seele ... und doch ... und doch, ich war glücklich: sie hatte mir geschrieben, ich mußte noch nicht sterben, ich durfte ihr helfen ... vielleicht ... ich durfte ... oh, ich verlor mich ganz in den wahnwitzigsten Konjekturen und Hoffnungen ... Hundertemal, tausendemal habe ich den kleinen Zettel gelesen, ihn geküßt ... ihn durchforscht nach irgendeinem vergessenen, übersehenen Wort ... immer tiefer, immer verworrener wurde meine Träumerei, ein phantastischer Zustand von Schlaf mit offenen Augen ... eine Art Lähmung, irgend etwas ganz Dumpfes und doch Bewegtes zwischen Schlaf und Wachsein, das vielleicht Viertelstunden dauerte, vielleicht Stunden ...

Plötzlich schreckte ich auf ... Hatte es nicht geklopft? ... Ich hielt den Atem an ... eine Minute, zwei Minuten reglose Stille ... Und dann wieder ganz leise, so wie eine Maus knabbert, ein leises aber heftiges Pochen ... Ich sprang auf, noch ganz taumelig, riß die Tür auf — draußen stand der Boy, ihr Boy, derselbe, dem ich den Mund damals mit der Faust zerschlagen ... sein braunes Gesicht war aschfahl, sein verwirrter Blick sagte Unglück ... Sofort spürte ich Grauen ... ‚Was ... was ist geschehen?' konnte ich noch stammeln. ‚Come quickly', sagte er ... sonst nichts ... sofort raste ich die Treppe herunter, er mir nach ... Ein Sado, so ein kleiner Wagen, stand bereit, wir stiegen ein ... ‚Was ist geschehen?' fragte ich ihn ... Er sah mich zitternd an und schwieg mit verbissenen Lippen ... Ich fragte nochmals — er schwieg und schwieg ... Ich hätte ihm am liebsten wieder ins Gesicht geschlagen mit der Faust, aber ... gerade seine hündische Treue zu ihr rührte mich ... so fragte ich nicht mehr ... Das Wägelchen trabte so hastig durch das Gewirr, daß die Menschen fluchend auseinanderstoben, lief aus dem Europäerviertel am Strand in die niedere Stadt und weiter, weiter ins schreiende Gewirr der Chinesenstadt ... Endlich kamen wir in eine enge Gasse, ganz abseits lag sie ... vor einem niedern Haus hielt er an ... Es war schmutzig und wie in sich zusammengekrochen, vorne ein kleiner Laden mit einem Talglicht ... irgendeine dieser Buden, in die sich die Opiumhäuser oder Bordelle verstecken, ein Diebsnest oder ein Hehlerkeller ... Hastig klopfte der Boy an ... Hinter dem Türspalt zischelte eine Stimme, fragte und fragte ... Ich konnte es nicht mehr ertragen, sprang vom Sitz, stieß die angelehnte Tür auf ... ein altes chinesisches Weib flüchtete mit einem kleinen Schrei zurück ... hinter mir kam der Boy, führte mich durch den Gang ... klinkte eine andere Tür auf ... eine andere Türe in einen dunklen Raum, der übel roch von Branntwein und gestocktem Blut ... Irgend etwas stöhnte darin ... ich tappte hin ...»

*

Wieder stockte die Stimme. Und was dann ausbrach, war mehr ein Schluchzen als ein Sprechen.

«Ich ... ich tappte hin ... und dort ... dort lag auf einer schmutzigen Matte ... verkrümmt vor Schmerz ... ein stöhnendes Stück Mensch ... dort lag sie ...

Ich konnte ihr Gesicht nicht sehen im Dunkel ... Meine Augen waren noch nicht gewöhnt ... so tastete ich nur hin ... ihre Hand ... heiß ... brennend heiß ... Fieber, hohes Fieber ... und ich schauerte ... ich wußte sofort alles ... sie war hierher geflüchtet vor mir ... hatte sich verstümmeln lassen von irgendeiner schmutzigen Chinesin, nur weil sie hier mehr Schweigsamkeit erhoffte ... hatte sich morden lassen von irgendeiner teuflischen Hexe, lieber als mir zu vertrauen ... nur weil ich Wahnsinniger ... weil ich ihren Stolz nicht geschont, ihr nicht gleich geholfen hatte ... weil sie den Tod weniger fürchtete als mich ...

Ich schrie nach Licht. Der Boy sprang: die abscheuliche Chinesin brachte mit zitternden Händen eine rußende Petroleumlampe ... ich mußte mich halten, um der gelben Kanaille nicht an die Gurgel zu springen ... sie stellten die Lampe auf den Tisch ... der Lichtschein fiel gelb und hell über den gemarterten Leib ... Und plötzlich ... plötzlich war alles weg von mir, alle Dumpfheit, aller Zorn, all diese unreine Jauche von aufgehäufter Leidenschaft ... ich war nur mehr Arzt, helfender, spürender, wissender Mensch ... ich hatte mich vergessen ... ich kämpfte mit wachen, klaren Sinnen gegen das Entsetzliche ... Ich fühlte den nackten Leib, den ich in meinen Träumen begehrt, nur mehr als ... wie soll ich es sagen ... als Materie, als Organismus ... ich spürte nicht mehr sie, sondern nur das Leben, das sich gegen den Tod wehrte, den Menschen, der sich krümmte in mörderischer Qual... Ihr Blut, ihr heißes, heiliges Blut überströmte meine Hände, aber ich spürte es nicht in Lust und nicht in Grauen... ich war nur Arzt... ich sah nur das Leiden... und sah...

Und sah sofort, daß alles verloren war, wenn nicht ein Wunder geschehe... sie war verletzt und halb verblutet unter der verbrecherisch ungeschickten Hand... und ich hatte nichts, um das Blut zu stillen in dieser stinkenden Höhle, nicht einmal reines Wasser... alles, was ich anrührte, starrte von Schmutz...

‚Wir müssen sofort ins Spital', sagte ich. Aber kaum daß ichs gesagt, bäumte sich krampfig der gemarterte Leib auf. ‚Nein... nein... lieber sterben... niemand es erfahren... niemand es erfahren... nach Hause... nach Hause...'

Ich verstand... nur mehr um das Geheimnis, um ihre Ehre rang sie... nicht um ihr Leben... Und — ich gehorchte... Der Boy brachte eine Sänfte... wir betteten sie hinein... und so... wie eine Leiche schon, matt und fiebernd... trugen wir sie durch die Nacht... nach Hause... die fragende, erschreckte Dienerschaft abwehrend... wie Diebe trugen wir sie hinein in ihr Zimmer und sperrten die Türen... Und dann... dann begann der Kampf, der lange Kampf gegen den Tod...»

*

Plötzlich krampfte sich eine Hand in meinen Arm, daß ich fast aufschrie vor Schreck und Schmerz. Im Dunkeln war mir das Gesicht mit einemmal fratzenhaft nah, ich sah die weißen Zähne, wie sie sich bleckten in plötzlichem Ausbruch, sah die Augengläser im fahlen Reflex des

Mondlichts wie zwei riesige Katzenaugen glimmen. Und jetzt sprach er nicht mehr — er schrie, geschüttelt von einem heulenden Zorn:

«Wissen Sie denn, Sie fremder Mensch, der Sie hier lässig auf einem Deckstuhl sitzen, ein Spazierfahrer durch die Welt, wissen Sie, wie das ist, wenn ein Mensch stirbt? Sind Sie schon einmal dabeigewesen, haben Sie es gesehen, wie der Leib sich aufkrümmt, die blauen Nägel ins Leere krallen, wie die Kehle röchelt, jedes Glied sich wehrt, jeder Finger sich stemmt gegen das Entsetzliche, und wie das Auge aufspringt in einem Grauen, für das es keine Worte gibt? Haben Sie das schon einmal erlebt, Sie Müßiggänger, Sie Weltfahrer, Sie, der Sie vom Helfen reden als von einer Pflicht? Ich habe es oft gesehen als Arzt, habe es gesehen als ... als klinischen Fall, als Tatsache ... habe es sozusagen studiert — aber *erlebt* habe ichs nur einmal, miterlebt, mitgestorben bin ich nur damals in jener Nacht ... in jener entsetzlichen Nacht, wo ich saß und mir das Hirn zerpreßte, um etwas zu wissen, etwas zu finden, zu erfinden gegen das Blut, das rann und rann und rann, gegen das Fieber, das sie vor meinen Augen verbrannte... gegen den Tod, der immer näher kam und den ich nicht wegdrängen konnte vom Bett. Verstehen Sie, was das heißt, Arzt zu sein, alles wissen gegen alle Krankheiten — die Pflicht haben, zu helfen, wie Sie so weise sagen — und doch ohnmächtig bei einer Sterbenden zu sitzen, wissend und doch ohne Macht ... nur dies eine, dies Entsetzliche wissend, daß man nicht helfen kann, ob man sich auch jede Ader in seinem Körper aufreißen möchte... einen geliebten Körper zu sehen, wie er elend verblutet, gemartert von Schmerzen, einen Puls zu fühlen, der fliegt und zugleich verlischt ... der einem wegfließt unter den Fingern ... Arzt zu sein und nichts zu wissen, nichts, nichts, nichts ... nur dazusitzen und irgendein Gebet stammeln wie ein Hutzelweib in der Kirche, und dann wieder die Fäuste ballen gegen einen erbärmlichen Gott, von dem man weiß, daß es ihn nicht gibt ... Verstehen Sie das ? Verstehen Sie das ? ... Ich ... ich verstehe nur eines nicht, wie ... wie man es macht, daß man nicht mitstirbt in solchen Sekunden ... daß man dann noch am nächsten Morgen von einem Schlaf aufsteht und sich die Zähne putzt und eine Krawatte umbindet ... daß man noch leben kann, wenn man das miterlebte, was ich fühlte, wie dieser Atem, dieser erste Mensch, um den ich rang und kämpfte, den ich halten wollte mit allen Kräften meiner Seele ... wie der wegglitt unter mir ... irgendwohin, immer rascher wegglitt, Minute um Minute, und ich nichts wußte in meinem fiebernden Gehirn, um diesen, diesen einen Menschen festzuhalten ...

Und dazu, um teuflisch noch meine Qual zu verdoppeln, dazu noch dies ... Während ich an ihrem Bett saß — ich hatte ihr Morphium eingegeben, um die Schmerzen zu lindern, und sah sie liegen, mit heißen Wangen, heiß und fahl — ja ... während ich so saß, spürte ich vom Rücken her immer zwei Augen auf mich gerichtet mit einem fürchterlichen Ausdruck der Spannung ... Der Boy saß dort auf den Boden gekauert und murmelte leise irgendwelche Gebete ... Wenn mein Blick den seinen traf, so ... nein, ich kann es nicht schildern ... so kam etwas so Flehendes, so ... so Dankbares in seinen hündischen Blick, und gleichzeitig hob er die Hände zu mir, als wollte er mich beschwören, sie zu retten ... verstehen Sie: zu mir, zu mir hob er die Hände wie zu einem Gott ... zu mir ... dem ohnmächtigen Schwächling, der wußte, daß alles verloren ... daß ich hier so unnötig sei wie eine Ameise, die am Boden raschelt ... Ah, dieser Blick, wie er mich quälte, diese fanatische, diese tierische Hoffnung auf meine Kunst ... ich hätte ihn anschreien können und mit dem Fuß treten, so weh tat er mir ... und doch, ich spürte, wie wir beide zusammenhingen durch unsere Liebe zu ihr ... durch das Geheimnis ... Ein lauerndes Tier, ein dumpfes Knäuel, saß er zusammengeballt knapp hinter mir ... kaum daß ich etwas verlangte, sprang er auf mit seinen nackten lautlosen Sohlen und reichte es zitternd ... erwartungsvoll her, als sei das die Hilfe ... die Rettung ... Ich weiß, er hätte sich die Adern aufgeschnitten, um ihr zu helfen ... so war diese Frau, solche Macht hatte sie über Menschen ... und ich ... ich hatte nicht Macht, ein Quentchen Blut zu retten ... O diese Nacht, diese entsetzliche Nacht, diese unendliche Nacht zwischen Leben und Tod!

Gegen Morgen ward sie noch einmal wach ... sie schlug die Augen auf ... jetzt waren sie nicht mehr hochmütig und kalt ... ein Fieber glitzerte feucht darin, als sie, gleichsam fremd, das Zimmer abtasteten ... Dann sah sie mich an: sie schien nachzudenken, sich erinnern zu wollen an mein Gesicht ... und plötzlich ... ich sah es ... erinnerte sie sich ... denn irgendein Schreck, eine Abwehr ... etwas ... etwas Feindliches, Entsetztes spannte ihr Gesicht ... sie arbeitete mit den Armen, als wollte sie flüchten ... weg, weg, weg von mir ... ich sah, sie dachte an *das* ... an die Stunde von damals ... Aber dann kam ein Besinnen ... sie sah mich ruhiger an, atmete schwer ... ich fühlte, sie wollte sprechen, etwas sagen ... Wieder begannen die Hände sich zu spannen ... sie wollte sich aufheben, aber sie war zu schwach ... Ich beruhigte sie, beugte mich nieder ... da sah sie mich an mit einem langen, gequälten Blick ... ihre Lippen regten sich leise ... es war nur ein letzter erlöschender Laut, wie sie sagte ...

,Wird es niemand erfahren? ... Niemand?'

,Niemand', sagte ich mit aller Kraft der Überzeugung, ,ich verspreche es Ihnen'.

Aber ihr Auge war noch unruhig ... Mit fiebriger Lippe ganz undeutlich arbeitete sie's heraus.

,Schwören Sie mir ... niemand erfahren ... schwören.'

Ich hob die Finger wie zum Eid. Sie sah mich an ... mit einem ... einem unbeschreiblichen Blick ... weich war er, warm, dankbar ... ja, wirklich, wirklich dankbar ... Sie wollte noch etwas sprechen, aber es ward ihr zu schwer. Lang lag sie, ganz matt von der Anstrengung, mit geschlossenen Augen. Dann begann das Entsetzliche ... das Entsetzliche ... eine ganze schwere Stunde kämpfte sie noch: erst morgens war es zu Ende ...»

*

Er schwieg lange. Ich merkte es nicht eher, als vom Mitteldeck die Glocke in die Stelle schlug, ein, zwei, drei harte Schläge — drei Uhr. Das Mondlicht war matter geworden, aber irgendeine andere gelbe Helle zitterte schon unsicher in der Luft, und Wind flog manchmal leicht wie eine Brise her. Eine halbe, eine Stunde mehr, und dann war es Tag, war dies Grauen ausgelöscht im klaren Licht. Ich sah seine Züge jetzt deutlicher, da die Schatten nicht mehr so dicht und schwarz in unsern Winkel fielen — er hatte die Kappe abgenommen, und unter dem blanken Schädel schien sein verquältes Gesicht noch schreckhafter. Aber schon wandten sich die glitzernden

Brillengläser wieder mir zu, er straffte sich zusammen, und seine Stimme hatte einen höhnischen, scharfen Ton.

«Mit ihr wars nun zu Ende — aber nicht mit mir. Ich war allein mit der Leiche — aber allein in einem fremden Haus, allein in einer Stadt, die kein Geheimnis duldete, und ich ... ich hatte das Geheimnis zu hüten ... Ja, denken Sie sich das nur aus, die ganze Situation: eine Frau aus der besten Gesellschaft der Kolonie, vollkommen gesund, die noch abends zuvor auf dem Regierungsball getanzt hat, liegt plötzlich tot in ihrem Bett ... ein fremder Arzt ist bei ihr, den angeblich ihr Diener gerufen ... niemand im Haus hat gesehen, wann und woher er kam ... man hat sie nachts auf einer Sänfte hereingetragen und dann die Türen geschlossen ... und morgens ist sie tot ... dann erst hat man die Diener gerufen, und plötzlich gellt das Haus von Geschrei ... im Nu wissen es die Nachbarn, die ganze Stadt ... und nur einer ist da, der das alles erklären soll ... ich, der fremde Mensch, der Arzt aus einer entlegenen Station ... Eine erfreuliche Situation, nicht wahr? ...

Ich wußte, was mir bevorstand. Glücklicherweise war der Boy bei mir, der brave Bursche, der mir jeden Wink von den Augen las — auch dieses gelbe dumpfe Tier verstand, daß hier noch ein Kampf ausgetragen werden müsse. Ich hatte ihm nur gesagt: ‚Die Frau will, daß niemand erfährt, was geschehen ist.' Er sah mir in die Augen mit seinem hündisch feuchten und doch entschlossenen Blick: ‚Yes, Sir', mehr sagte er nicht. Aber er wusch die Blutspuren vom Boden, richtete alles in beste Ordnung — und gerade seine Entschlossenheit gab mir die meine wieder.

Nie im Leben, das weiß ich, habe ich eine ähnlich zusammengeballte Energie gehabt, nie werde ich sie wieder haben. Wenn man alles verloren hat, dann kämpft man um das Letzte wie ein Verzweifelter — und das Letzte war ihr Vermächtnis, das Geheimnis. Ich empfing voll Ruhe die Leute, erzählte ihnen allen die gleiche erdichtete Geschichte, wie der Boy, den sie um den Arzt gesandt hatte, mich zufällig auf dem Wege traf. Aber während ich scheinbar ruhig redete, wartete . . . wartete ich immer auf das Entscheidende . . . auf den Totenbeschauer, der erst kommen mußte, ehe wir sie in den Sarg verschließen konnten und das Geheimnis mit ihr . . . Es war, vergessen Sie nicht, Donnerstag, und Samstag kam ihr Gatte . . .

Um neun Uhr hörte ich endlich, wie man den Amtsarzt anmeldete. Ich hatte ihn rufen lassen — er war mein Vorgesetzter im Rang und gleichzeitig mein Konkurrent, derselbe Arzt, von dem sie seinerzeit so verächtlich gesprochen und der offenbar meinen Wunsch nach Versetzung bereits erfahren hatte. Bei seinem ersten Blick spürte ichs schon: er war mir Feind. Aber gerade das straffte meine Kraft.

Im Vorzimmer fragte er schon: ‚Wann ist Frau . . . — er nannte ihren Namen — gestorben?‘

‚Um sechs Uhr morgens.‘

‚Wann sandte sie zu Ihnen?‘

‚Um elf Uhr abends.‘

‚Wußten Sie, daß ich ihr Arzt war?‘

‚Ja, aber es tat Eile not . . . und dann . . . die Verstorbene hatte ausdrücklich mich verlangt. Sie hatte verboten, einen andern Arzt rufen zu lassen.‘

Er starrte mich an: in seinem bleichen, etwas verfetteten Gesicht flog eine Röte hoch, ich spürte, daß er erbittert war. Aber gerade das brauchte ich — alle meine

Energien drängten sich zu rascher Entscheidung, denn ich spürte, lange hielten es meine Nerven nicht mehr aus. Er wollte etwas Feindliches erwidern, dann sagte er lässig: ‚Wenn Sie schon meinen, mich entbehren zu können, so ist es doch meine amtliche Pflicht, den Tod zu konstatieren und . . . wie er eingetreten ist.‘

Ich antwortete nicht und ließ ihn vorangehen. Dann trat ich zurück, schloß die Tür und legte den Schlüssel auf den Tisch. Überrascht zog er die Augenbrauen hoch: ‚Was bedeutet das?‘

Ich stellte mich ruhig ihm gegenüber:

‚Es handelt sich hier nicht darum, die Todesursache festzustellen, sondern — eine andere zu finden. Diese Frau hat mich gerufen, um sie nach . . . nach den Folgen eines verunglückten Eingriffes zu behandeln . . . ich konnte sie nicht mehr retten, aber ich habe ihr versprochen, ihre Ehre zu retten, und das werde ich tun. Und ich bitte Sie darum, mir zu helfen!‘

Seine Augen waren ganz weit geworden vor Erstaunen. ‚Sie wollen doch nicht etwa sagen‘, stammelte er dann, ‚daß ich, der Amtsarzt, hier ein Verbrechen decken soll?‘

‚Ja, das will ich, das muß ich wollen.‘

‚Für Ihr Verbrechen soll ich . . .‘

‚Ich habe Ihnen gesagt, daß ich diese Frau nicht berührt habe, sonst . . . sonst stünde ich nicht vor Ihnen, sonst hätte ich längst mit mir Schluß gemacht. Sie hat ihr Vergehen — wenn Sie es so nennen wollen — gebüßt, die Welt braucht davon nichts zu wissen. Und ich werde es nicht dulden, daß die Ehre dieser Frau jetzt noch unnötig beschmutzt wird.‘

Mein entschlossener Ton reizte ihn nur noch mehr auf. ‚Sie werden nicht dulden . . . so . . . nun, Sie sind ja mein

Vorgesetzter ... oder glauben es wenigstens schon zu sein ... Versuchen Sie nur, mir zu befehlen ... ich habe mirs gleich gedacht, da ist Schmutziges im Spiel, wenn man Sie aus ihrem Winkel herruft ... eine saubere Praxis, die Sie da anfangen, ein sauberes Probestück ... Aber jetzt werde *ich* untersuchen, *ich,* und Sie können sich darauf verlassen, daß ein Protokoll, unter dem mein Name steht, richtig sein wird. Ich werde keine Lüge unterschreiben.‘

Ich war ganz ruhig.

‚Ja — das müssen Sie diesmal doch. Denn früher werden Sie das Zimmer nicht verlassen.‘

Ich griff dabei in die Tasche — meinen Revolver hatte ich nicht bei mir. Aber er zuckte zusammen. Ich trat einen Schritt auf ihn zu und sah ihn an.

‚Hören Sie, ich werde Ihnen etwas sagen ... damit es nicht zum Äußersten kommt. Mir liegt an meinem Leben nichts ... nichts an dem eines andern — ich bin nun schon einmal soweit ... mir liegt einzig daran, mein Versprechen einzulösen, daß die Art dieses Todes geheim bleibt ... Hören Sie: ich gebe Ihnen mein Ehrenwort, daß, wenn Sie das Zertifikat unterfertigen, diese Frau sei an ... nun an einer Zufälligkeit gestorben, daß ich dann noch im Laufe dieser Woche die Stadt und Indien verlasse ... daß ich, wenn Sie es verlangen, meinen Revolver nehme und mich niederschieße, sobald der Sarg in der Erde ist und ich sicher sein kann, daß niemand ... Sie verstehen: *niemand* — mehr nachforschen kann. Das wird Ihnen wohl genügen — das *muß* Ihnen genügen.‘

Es muß etwas Drohendes, etwas Gefährliches in meiner Stimme gewesen sein, denn wie ich unwillkürlich nähertrat, wich er zurück mit jenem aufgerissenen Entsetzen, wie ... wie eben Menschen vor dem Amokläufer flüchten, wenn er rasend hinrennt mit geschwungenem Kris ... Und mit einemmal war er anders ... irgendwie geduckt und gelähmt ... seine harte Haltung brach ein. Er murmelte mit einem letzten ganz weichen Widerstand: ‚Es wäre das erstemal in meinem Leben, daß ich ein falsches Zertifikat unterzeichnete ... immerhin, es wird sich schon eine Form finden lassen ... man weiß ja auch, was vorkommt ... Aber ich durfte doch nicht so ohne weiteres ...‘

‚Gewiß durften Sie nicht‘, half ich ihm, um ihn zu bestärken — (‚Nur rasch! nur rasch!‘ tickte es mir in den Schläfen) — ‚aber jetzt, da Sie wissen, daß Sie nur einen Lebenden kränken würden und einer Toten ein Entsetzliches täten, werden Sie doch gewiß nicht zögern.‘

Er nickte. Wir traten zum Tisch. Nach einigen Minuten war das Attest fertig (das dann auch in der Zeitung veröffentlicht wurde und glaubhaft eine Herzlähmung schilderte). Dann stand er auf, sah mich an:

‚Sie reisen noch diese Woche, nicht wahr?‘

‚Mein Ehrenwort.‘

Er sah mich wieder an. Ich merkte, er wollte streng, wollte sachlich erscheinen. ‚Ich besorge sofort einen Sarg‘, sagte er, um seine Verlegenheit zu decken. Aber was war das in mir, das mich so ... so furchtbar ... so gequält machte — plötzlich streckte er mir die Hand hin und schüttelte sie mit einer aufspringenden Herzlichkeit. ‚Überstehen Sie's gut‘, sagte er — ich wußte nicht, was er meinte. War ich krank? War ich ... wahnsinnig? Ich begleitete ihn zur Tür, schloß auf — aber das war meine letzte Kraft, die hinter ihm die Tür schloß. Dann kam dies Ticken wieder in die Schläfen, alles schwankte und kreiste: und gerade vor ihrem Bett fiel ich zusammen ... so ... so wie der Amokläufer am Ende seines Laufs sinnlos niederfällt mit zersprengten Nerven.»

*

Wieder hielt er inne. Irgendwie fröstelte michs: war das erster Schauer des Morgenwinds, der jetzt leise sausend über das Schiff lief? Aber das gequälte Gesicht — nun schon halb erhellt vom Widerschein der Frühe — spannte sich wieder zusammen:

«Wie lang ich so auf der Matte gelegen hatte, weiß ich nicht. Da führte michs an. Ich fuhr auf. Es war der Boy, der zaghaft mit seiner devoten Geste vor mir stand und mir unruhig in den Blick sah.

‚Es will jemand herein ... will sie sehen ...'

‚Niemand darf herein.'

‚Ja ... aber ...'

Seine Augen waren erschreckt. Er wollte etwas sagen und wagte es doch nicht. Das treue Tier litt irgendwie eine Qual.

‚Wer ist es?'

Er sah mich zitternd an wie in Furcht vor einem Schlag. Und dann sagte er — er nannte keinen Namen ... woher ist in solch einem niedern Wesen mit einmal so viel Wissen, wie kommt es, daß in manchen Sekunden ein unbeschreibliches Zartgefühl derlei ganz dumpfe Menschen beseelt? ... dann sagte er ... ganz, ganz ängstlich ...

‚*Er* ist es.'

Ich fuhr auf, verstand sofort und war sofort ganz Gier, ganz Ungeduld nach diesem Unbekannten. Denn sehen

Sie, wie sonderbar ... inmitten all dieser Qual, in diesem Fieber von Verlangen, von Angst und Hast hatte ich ganz an ‚ihn' vergessen ... vergessen, daß da noch ein Mann im Spiele war ... der Mann, den diese Frau geliebt, dem sie leidenschaftlich das gegeben, was sie mir verweigert ... Vor zwölf, vor vierundzwanzig Stunden hätte ich diesen Mann noch gehaßt, ihn noch zerfleischen können ... Jetzt ... ich kann, ich kann Ihnen nicht schildern, wie es mich jagte, ihn zu sehen ... ihn ... zu lieben, weil sie ihn geliebt.

Mit einem Ruck war ich bei der Tür. Ein junger, ganz junger blonder Offizier stand dort, sehr linkisch, sehr schmal, sehr blaß. Wie ein Kind sah er aus, so ... so rührend jung ... und unsäglich erschütterte michs gleich, wie er sich mühte, Mann zu sein, Haltung zu zeigen ... seine Erregung zu verbergen ... Ich sah sofort, daß seine Hände zitterten, als er zur Mütze fuhr ... Am liebsten hätte ich ihn umarmt ... weil er ganz so war, wie ich mirs wünschte, daß der Mann sein sollte, der diese Frau besessen ... kein Verführer, kein Hochmütiger ... nein, ein halbes Kind, ein reines, zärtliches Wesen, dem sie sich geschenkt.

Ganz befangen stand der junge Mensch vor mir. Mein gieriger Blick, mein leidenschaftlicher Aufsprung machten ihn noch mehr verwirrt. Das kleine Schnurrbärtchen über der Lippe zuckte verräterisch ... dieser junge Offizier, dies Kind mußte sich bezwingen, um nicht herauszuschluchzen.

‚Verzeihen Sie', sagte er dann endlich, ‚ich hätte gerne Frau ... gerne noch ... gesehen.'

Unbewußt, ganz ohne es zu wollen, legte ich ihm, dem Fremden, meinen Arm um die Schulter, führte ihn, wie man einen Kranken führt. Er sah mich erstaunt an mit einem unendlich warmen und dankbaren Blick ... irgendein Verstehen unserer Gemeinschaft war schon in dieser Sekunde zwischen uns beiden ... Wir gingen zu der Toten ... Sie lag da, weiß, in den weißen Linnen — ich spürte, daß meine Nähe ihn noch bedrückte ... so trat ich zurück, um ihn allein zu lassen mit ihr. Er ging langsam näher mit ... mit so zuckenden, ziehenden Schritten ... an seinen Schultern sah ichs, wie es in ihm wühlte und riß ... er ging so wie ... wie einer, der gegen einen ungeheuren Sturm geht ... Und plötzlich brach er vor dem Bett in die Knie ... genau so, wie ich hingebrochen war.

Ich sprang sofort vor, hob ihn empor und führte ihn zu einem Sessel. Er schämte sich nicht mehr, sondern schluchzte seine Qual heraus. Ich vermochte nichts zu sagen — nur mit der Hand strich ich ihm unbewußt über sein blondes, kindlich weiches Haar. Er griff nach meiner Hand ... ganz lind und doch ängstlich ... und mit einemmal fühlte ich seinen Blick an mir hängen ...

‚Sagen Sie mir die Wahrheit, Doktor‘, stammelte er, ‚hat sie selbst Hand an sich gelegt?‘

‚Nein‘, sagte ich.

‚Und ist ... ich meine ... ist irgend ... irgend jemand schuld an ihrem Tode?‘

‚Nein‘, sagte ich wieder, obwohl mirs aufquoll in der Kehle, ihm entgegenzuschreien: ‚Ich! Ich! Ich! ... Und du! ... Wir beide! Und ihr Trotz, ihr unseliger Trotz!‘ Aber ich hielt mich zurück. Ich wiederholte noch einmal: ‚Nein ... niemand hat schuld daran ... es war ein Verhängnis!‘

‚Ich kann es nicht glauben‘, stöhnte er, ‚ich kann es nicht glauben. Sie war noch vorgestern auf dem Balle, sie lächelte, sie winkte mir zu. Wie ist das möglich, wie konnte das geschehen?‘

Ich erzählte eine lange Lüge. Auch ihm verriet ich ihr Geheimnis nicht. Wie zwei Brüder sprachen wir zusammen alle diese Tage, gleichsam überstrahlt von dem Gefühl, das uns verband ... und das wir einander nicht anvertrauten, aber wir spürten einer vom andern, daß unser ganzes Leben an dieser Frau hing ... Manchmal drängte sich's mir würgend an die Lippen, aber dann biß ich die Zähne zusammen — nie hat er erfahren, daß sie ein Kind von ihm trug ... daß ich das Kind, sein Kind, hätte töten sollen, und daß sie es mit sich selbst in den Abgrund gerissen. Und doch sprachen wir nur von ihr in diesen Tagen, während derer ich mich bei ihm verbarg ... denn — das hatte ich vergessen, Ihnen zu sagen — man suchte nach mir ... Ihr Mann war gekommen, als der Sarg schon geschlossen war ... er wollte den Befund nicht glauben ... die Leute munkelten allerlei ... und er suchte mich ... Aber ich konnte es nicht ertragen, ihn zu sehen, ihn, von dem ich wußte, daß sie unter ihm gelitten ... ich verbarg mich ... vier Tage ging ich nicht aus dem Hause, gingen wir beide nicht aus der Wohnung ... ihr Geliebter hatte mir unter einem falschen Namen einen Schiffsplatz genommen, damit ich flüchten könne ... wie ein Dieb bin ich nachts auf das Deck geschlichen, daß niemand mich erkennt ... Alles habe ich zurückgelassen, was ich besitze ... mein Haus mit der ganzen Arbeit dieser sieben Jahre, mein Hab und Gut, alles steht offen für jeden, der es haben will ... und die Herren von der Regierung haben mich wohl schon gestrichen, weil ich ohne Urlaub meinen Posten verließ ... Aber ich konnte nicht leben mehr in diesem Haus, in dieser Stadt ... in dieser Welt, wo alles mich an sie erinnert ... wie ein Dieb bin ich geflohen in der Nacht ... nur ihr zu entrinnen ... nur zu vergessen ...

Aber ... wie ich an Bord kam ... nachts ... mitternachts ... mein Freund war mit mir ... da ... da ... zogen sie gerade am Kran etwas herauf ... rechteckig, schwarz ... ihren Sarg ... hören Sie: ihren Sarg ... sie hat mich hierher verfolgt, wie ich sie verfolgte ... und ich mußte dabeistehen, mich fremd stellen, denn er, ihr Mann, war mit ... er begleitet ihn nach England ... vielleicht will er dort eine Autopsie machen lassen ... er hat sie an sich gerissen ... jetzt gehört sie wieder ihm ... nicht uns mehr, uns ... uns beiden ... Aber ich bin noch da ... ich gehe mit bis zur letzten Stunde ... er wird, er darf es nie erfahren ... ich werde ihr Geheimnis zu verteidigen wissen gegen jeden Versuch ... gegen diesen Schurken, vor dem sie in den Tod gegangen ist ... Nichts, nichts wird er erfahren ... ihr Geheimnis gehört mir, nur mir allein ...

Verstehen Sie jetzt ... verstehen Sie jetzt ... warum ich die Menschen nicht sehen kann ... ihr Gelächter nicht hören ... wenn sie flirten und sich paaren ... denn da drunten ... drunten im Lagerraum zwischen Teeballen und Paranüssen steht der Sarg verstaut ... Ich kann nicht hin, der Raum ist versperrt ... aber ich weiß es mit allen meinen Sinnen, weiß es in jeder Sekunde ... auch wenn sie hier Walzer spielen und Tango ... es ist ja dumm, das Meer da schwemmt über Millionen Tote, auf jedem Fußbreit Erde, den man tritt, fault eine Leiche ... aber doch, ich kann es nicht ertragen, ich kann es nicht ertragen, wenn sie Maskenbälle geben und so geil lachen ... diese Tote, ich spüre sie, und ich weiß, was sie von mir will ... ich weiß es, ich habe noch eine Pflicht ... ich bin noch nicht zu Ende ... noch ist ihr Geheimnis nicht gerettet ... sie gibt mich noch nicht frei ...»

*

Vom Mittelschiff kamen schlurfende Schritte, klatschende Laute: Matrosen begannen das Deck zu scheuern. Er fuhr auf wie ertappt: sein zerspanntes Gesicht bekam einen ängstlichen Zug. Er stand auf und murmelte: «Ich gehe schon ... ich gehe schon.»

Es war eine Qual, ihn anzuschauen: seinen verwüsteten Blick, die gedunsenen Augen, rot von Trinken oder Tränen. Er wich meiner Anteilnahme aus: ich spürte aus seinem geduckten Wesen Scham, unendliche Scham, sich verraten zu haben an mich, an diese Nacht. Unwillkürlich sagte ich:

«Darf ich vielleicht nachmittags zu Ihnen in die Kabine kommen ...»

Er sah mich an — ein höhnischer, harter, zynischer Zug zerrte an seinen Lippen, etwas Böses stieß und verkrümmte jedes Wort.

«Aha ... Ihre famose Pflicht, zu helfen ... aha ... Mit der Maxime haben Sie mich ja glücklich zum Schwatzen gebracht. Aber nein, mein Herr, ich danke. Glauben Sie ja nicht, daß mir jetzt leichter sei, seit ich mir die Eingeweide vor Ihnen aufgerissen habe bis zum Kot in meinen Därmen. Mein verpfuschtes Leben kann mir keiner mehr zusammenflicken ... ich habe eben umsonst der verehrlichen holländischen Regierung gedient ... die Pension ist futsch, ich komme als armer Hund nach Europa zurück ... ein Hund, der hinter einem Sarg herwinselt ... man läuft nicht lange ungestraft Amok, am Ende schlägts einen doch nieder, und ich hoffe, ich bin bald am Ende... Nein, danke, mein Herr, für Ihren gütigen Besuch ... ich habe schon in der Kabine meine Gefährten ... ein paar gute alte Flaschen Whisky, die trösten mich manchmal, und dann meinen Freund von damals, an den ich mich leider nicht rechtzeitig gewandt habe, meinen braven Browning ... der hilft schließlich besser als alles Geschwätz ... Bitte, bemühen Sie sich nicht ... das einzige Menschenrecht, das einem bleibt, ist doch: zu krepieren wie man will ... und dabei ungeschoren zu bleiben von fremder Hilfe.»

Er sah mich noch einmal höhnisch ... ja herausfordernd an, aber ich spürte: es war nur Scham, grenzenlose Scham. Dann duckte er die Schultern, wandte sich um, ohne zu grüßen, und ging merkwürdig schief und schlurfend über das schon helle Verdeck den Kabinen zu. Ich habe ihn nicht mehr gesehen. Vergebens suchte ich ihn nachts und die nächste Nacht an der gewohnten Stelle. Er blieb verschwunden, und ich hätte an einen Traum geglaubt oder an eine phantastische Erscheinung, wäre mir nicht inzwischen unter den Passagieren ein anderer aufgefallen mit einem Trauerflor um den Arm, ein holländischer Großkaufmann, der, wie man mir bestätigte, eben seine Frau an einer Tropenkrankheit verloren hatte. Ich sah ihn ernst und gequält abseits von den andern auf und ab gehen, und der Gedanke, daß ich um seine geheimste Sorge wußte, gab mir eine geheimnisvolle Scheu: ich bog immer zur Seite, wenn er vorüberkam, um nicht mit einem Blick zu verraten, daß ich mehr von seinem Schicksal wußte als er selbst.

*

Im Hafen von Neapel ereignete sich dann jener merkwürdige Unfall, dessen Deutung ich in der Erzählung des Fremden zu finden glaube. Die meisten Passagiere waren abends von Bord gegangen, ich selbst in die Oper und dann noch in eines der hellen Cafés an der Via Roma. Als wir mit einem Ruderboot zu dem Dampfer zurückkehrten, fiel mir schon auf, daß einige Boote mit Fackeln und Azetylenlampen das Schiff suchend umkreisten, und oben am dunklen Bord war ein geheimnisvolles Gehen und Kommen von Karabinieris und Gendarmerie. Ich fragte einen Matrosen, was geschehen sei. Er wich in einer Weise aus, die sofort zeigte, daß Auftrag zum Schweigen gegeben sei, und auch am nächsten Tage, als das Schiff wieder friedfertig und ohne Spur eines Zwischenfalles nach Genua weiterfuhr, war nichts an Bord zu erfahren. Erst in den italienischen Zeitungen las ich dann, romantisch ausgeschmückt, von jenem angeblichen Unfall im Hafen von Neapel. In jener Nacht sollte, so schrieben sie, in unbelebter Stunde, um die Passagiere nicht durch den Anblick zu beunruhigen, der Sarg einer vornehmen Dame aus den holländischen Kolonien von Bord des Schiffes auf ein Boot gebracht werden, und man ließ ihn eben in Gegenwart des Gatten die Strickleiter herab, als irgend etwas Schweres vom hohen Bord niederstürzte und den Sarg mit den Trägern und dem Gatten, die ihn gemeinsam niederhißten, mit sich in die Tiefe riß. Eine Zeitung behauptete, es sei ein Irrsinniger gewesen, der sich die Treppe hinab auf die Strickleiter gestürzt habe, eine andere beschönigte, die Leiter sei von selbst unter dem übergroßen Gewicht gerissen: jedenfalls schien die Schiffahrtsgesellschaft alles getan zu haben, um den genauen Sachverhalt zu verschleiern. Man rettete nicht ohne Mühe die Träger und den Gatten der Verstorbenen mit Booten aus dem Wasser, der Bleisarg aber ging sofort in die Tiefe und konnte nicht mehr geborgen werden. Daß gleichzeitig in einer andern Notiz kurz erwähnt wurde, es sei die Leiche eines etwa vierzigjährigen Mannes im Hafen angeschwemmt worden, schien für die Öffentlichkeit in keinem Zusammenhang mit dem romantisch reportierten Unfall zu stehen; mir aber war, kaum daß ich die flüchtige Zeile gelesen, als starre plötzlich hinter dem papierenen Blatt das mondweiße Antlitz mit den glitzernden Brillengläsern mir noch einmal gespenstisch entgegen.

BRIEF EINER UNBEKANNTEN

Als der bekannte Romanschriftsteller R. frühmorgens von dreitätigem erfrischendem Ausflug ins Gebirge wieder nach Wien zurückkehrte und am Bahnhof eine Zeitung kaufte, wurde er, kaum daß er das Datum überflog, erinnernd gewahr, daß heute sein Geburtstag sei. Der einundvierzigste, besann er sich rasch, und diese Feststellung tat ihm nicht wohl und nicht weh. Flüchtig überblätterte er die knisternden Seiten der Zeitung und fuhr mit einem Mietautomobil in seine Wohnung. Der Diener meldete aus der Zeit seiner Abwesenheit zwei Besuche sowie einige Telephonanrufe und überbrachte auf einem Tablett die angesammelte Post. Lässig sah er den Einlauf an, riß ein paar Kuverts auf, die ihn durch ihre Absender interessierten; einen Brief, der fremde Schriftzüge trug und zu umfangreich schien, schob er zunächst beiseite. Inzwischen war der Tee aufgetragen worden, bequem lehnte er sich in den Fauteuil, durchblätterte noch einmal die Zeitung und einige Drucksachen; dann zündete er sich eine Zigarre an und griff nun nach dem zurückgelegten Briefe.

Es waren etwa zwei Dutzend hastig beschriebene Seiten in fremder, unruhiger Frauenschrift, ein Manuskript eher als ein Brief. Unwillkürlich betastete er noch einmal das Kuvert, ob nicht darin ein Begleitschreiben vergessen geblieben wäre. Aber der Umschlag war leer und trug so wenig wie die Blätter selbst eine Absenderadresse oder eine Unterschrift. Seltsam, dachte er, und nahm das

Schreiben wieder zur Hand. «*Dir, der Du mich nie gekannt*», stand oben als Anruf, als Überschrift. Verwundert hielt er inne: galt das ihm, galt das einem erträumten Menschen? Seine Neugier war plötzlich wach. Und er begann zu lesen:

*

Mein Kind ist gestern gestorben — drei Tage und drei Nächte habe ich mit dem Tode um dies kleine, zarte Leben gerungen, vierzig Stunden bin ich, während die Grippe seinen armen, heißen Leib im Fieber schüttelte, an seinem Bette gesessen. Ich habe Kühles um seine glühende Stirn getan, ich habe seine unruhigen, kleinen Hände gehalten Tag und Nacht. Am dritten Abend bin ich zusammengebrochen. Meine Augen konnten nicht mehr, sie fielen zu, ohne daß ich es wußte. Drei Stunden oder vier war ich auf dem harten Sessel eingeschlafen, und indes hat der Tod ihn genommen. Nun liegt er dort, der süße, arme Knabe, in seinem schmalen Kinderbett, ganz so wie er starb; nur die Augen hat man ihm geschlossen, seine klugen, dunkeln Augen, die Hände über dem weißen Hemd hat man ihm gefaltet, und vier Kerzen brennen hoch an den vier Enden des Bettes. Ich wage nicht hinzusehen, ich wage nicht mich zu rühren, denn wenn sie flackern, die Kerzen, huschen Schatten über sein Gesicht und den verschlossenen Mund, und es ist dann so, als regten sich seine Züge, und ich könnte meinen, er sei nicht tot, er würde wieder erwachen und mit seiner hellen Stimme etwas Kindlich-Zärtliches zu mir sagen. Aber ich weiß es, er ist tot, ich will nicht hinsehen mehr, um nicht noch einmal zu hoffen, nicht noch einmal enttäuscht zu sein. Ich weiß es, ich weiß es, mein Kind ist gestern gestorben — jetzt habe ich nur Dich mehr auf der Welt, nur Dich, der Du von mir nichts weißt, der Du indes ahnungslos spielst oder mit Dingen und Menschen tändelst. Nur Dich, der Du mich nie gekannt und den ich immer geliebt.

Ich habe die fünfte Kerze genommen und hier zu dem Tisch gestellt, auf dem ich an Dich schreibe. Denn ich kann nicht allein sein mit meinem toten Kinde, ohne mir die Seele auszuschreien, und zu wem sollte ich sprechen in dieser entsetzlichen Stunde, wenn nicht zu Dir, der Du mir alles warst und alles bist! Vielleicht kann ich nicht ganz deutlich zu Dir sprechen, vielleicht verstehst Du mich nicht — mein Kopf ist ja ganz dumpf, es zuckt und hämmert mir an den Schläfen, meine Glieder tun so weh. Ich glaube, ich habe Fieber, vielleicht auch schon die Grippe, die jetzt von Tür zu Tür schleicht, und das wäre gut, denn dann ginge ich mit meinem Kinde und müßte nichts tun wider mich. Manchmal wirds mir ganz dunkel vor den Augen, vielleicht kann ich diesen Brief nicht einmal zu Ende schreiben — aber ich will alle Kraft zusammentun, um einmal, nur dieses eine Mal zu Dir zu sprechen, Du mein Geliebter, der Du mich nie erkannt.

Zu Dir allein will ich sprechen, Dir zum erstenmal alles sagen; mein ganzes Leben sollst Du wissen, das immer das Deine gewesen und um das Du nie gewußt. Aber Du sollst mein Geheimnis nur kennen, wenn ich tot bin, wenn Du mir nicht mehr Antwort geben mußt, wenn das, was mir die Glieder jetzt so kalt und heiß schüttelt, wirklich das Ende ist. Muß ich weiterleben, so zerreiße ich diesen Brief und werde weiter schweigen, wie ich immer schwieg. Hältst Du ihn aber in Händen, so weißt Du, daß hier eine Tote Dir ihr Leben erzählt, ihr Leben, das das Deine war von ihrer ersten bis zu ihrer letzten wachen Stunde. Fürchte Dich nicht vor meinen Worten; eine Tote will nichts mehr, sie will nicht Liebe und nicht Mitleid und nicht Tröstung. Nur dies eine will ich von Dir, daß Du mir alles glaubst, was mein zu Dir hinflüchtender Schmerz Dir verrät. Glaube mir alles, nur dies eine bitte ich Dich: man lügt nicht in der Sterbestunde eines einzigen Kindes.

Mein ganzes Leben will ich Dir verraten, dies Leben, das wahrhaft erst begann mit dem Tage, da ich dich kannte. Vorher war bloß etwas Trübes und Verworrenes, in das mein Erinnern nie mehr hinabtauchte, irgendein Keller von verstaubten, spinnverwebten, dumpfen Dingen und Menschen, von denen mein Herz nichts mehr weiß. Als Du kamst, war ich dreizehn Jahre und wohnte im selben Hause, wo Du jetzt wohnst, in demselben Hause, wo Du diesen Brief, meinen letzten Hauch Leben, in Händen hältst, ich wohnte auf demselben Gange, gerade der Tür Deiner Wohnung gegenüber. Du erinnerst Dich gewiß nicht mehr an uns, an die ärmliche Rechnungsratswitwe (sie ging immer in Trauer) und das halbwüchsige, magere Kind — wir waren ja ganz still, gleichsam hinabgetaucht in unsere kleinbürgerliche Dürftigkeit — Du hast vielleicht nie unseren Namen gehört, denn wir hatten kein Schild auf unserer Wohnungstür, und niemand kam, niemand fragte nach uns. Es ist ja auch schon so lange her, fünfzehn, sechzehn Jahre, nein, Du weißt es gewiß nicht mehr, mein Geliebter, ich aber, oh, ich erinnere mich leidenschaftlich an jede Einzelheit, ich weiß noch wie heute den Tag, nein, die Stunde, da ich zum erstenmal von Dir hörte, Dich zum erstenmal sah, und wie sollte ichs auch nicht, denn damals begann ja die Welt für mich. Dulde, Geliebter, daß ich Dir alles, alles von Anfang erzähle, werde, ich bitte Dich, die eine Viertelstunde von mir zu hören nicht müde, die ich ein Leben lang Dich zu lieben nicht müde geworden bin.

Ehe Du in unser Haus einzogst, wohnten hinter Deiner Tür häßliche, böse, streitsüchtige Leute. Arm wie sie waren, haßten sie am meisten die nachbarliche Armut, die unsere, weil sie nichts gemein haben wollte mit ihrer herabgekommenen, proletarischen Roheit. Der Mann war ein Trunkenbold und schlug seine Frau; oft wachten wir auf in der Nacht vom Getöse fallender Stühle und zerklirrter Teller, einmal lief sie, blutig geschlagen, mit zerfetzten Haaren auf die Treppe, und hinter ihr grölte der Betrunkene, bis die Leute aus den Türen kamen und ihn mit der Polizei bedrohten. Meine Mutter hatte von Anfang an jeden Verkehr mit ihnen vermieden und verbot mir, zu den Kindern zu sprechen, die sich dafür bei jeder Gelegenheit an mir rächten. Wenn sie mich auf der Straße trafen, riefen sie schmutzige Worte hinter mir her und schlugen mich einmal so mit harten Schneeballen, daß mir das Blut von der Stirne lief. Das ganze Haus haßte mit einem gemeinsamen Instinkt diese Menschen, und als plötzlich einmal etwas geschehen war — ich glaube, der Mann wurde wegen eines Diebstahls eingesperrt — und sie mit ihrem Kram ausziehen mußten, atmeten wir alle auf. Ein paar Tage hing der Vermietungszettel am Haustore, dann wurde er heruntergenommen, und durch den Hausmeister verbreitete es sich rasch, ein Schriftsteller, ein einzelner, ruhiger Herr, habe die Wohnung genommen. Damals hörte ich zum erstenmal Deinen Namen.

Nach ein paar Tagen schon kamen Maler, Anstreicher, Zimmerputzer, Tapezierer, die Wohnung nach ihren schmierigen Vorbesitzern reinzufegen, es wurde gehämmert, geklopft, geputzt und gekratzt, aber die Mutter war nur zufrieden damit, sie sagte, jetzt werde endlich die unsaubere Wirtschaft drüben ein Ende haben. Dich selbst bekam ich, auch während der Übersiedlung, noch nicht zu Gesicht: alle diese Arbeiten überwachte Dein Diener, dieser kleine, ernste, grauhaarige Herrschaftsdiener, der alles mit einer leisen, sachlichen Art von oben herab dirigierte. Er imponierte uns allen sehr, erstens, weil in unserem Vorstadthaus ein Herrschaftsdiener etwas ganz Neuartiges war, und dann, weil er zu allen so ungemein höflich war, ohne sich deshalb mit den Dienstboten auf eine Stufe zu stellen und in kameradschaftliche Gespräche einzulassen. Meine Mutter grüßte er vom ersten Tage an respektvoll als eine Dame, sogar zu mir Fratzen war er immer zutraulich und ernst. Wenn er Deinen Namen nannte, so geschah das immer mit einer gewissen Ehrfurcht, mit einem besonderen Respekt — man sah gleich, daß er Dir weit über das Maß des gewohnten Dienens anhing. Und wie habe ich ihn dafür geliebt, den guten alten Johann, obwohl ich ihn beneidete, daß er immer um Dich sein durfte und Dir dienen.

Ich erzähle Dir all das, Du Geliebter, all diese kleinen, fast lächerlichen Dinge, damit Du verstehst, wie Du von Anfang an schon eine solche Macht gewinnen konntest über das scheue, verschüchterte Kind, das ich war. Noch ehe Du selbst in mein Leben getreten, war schon ein Nimbus um Dich, eine Sphäre von Reichtum, Sonderbarkeit und Geheimnis — wir alle in dem kleinen Vorstadthaus (Menschen, die ein enges Leben haben, sind ja immer neugierig auf alles Neue vor ihren Türen) warteten schon ungeduldig auf Deinen Einzug. Und diese Neugier nach Dir, wie steigerte sie sich erst bei mir, als ich eines Nachmittags von der Schule nach Hause kam und der Möbelwagen vor dem Hause stand. Das meiste, die schweren Stücke, hatten die Träger schon hinaufbefördert, nun trug man einzeln kleinere Sachen hinauf; ich blieb an der Tür stehen, um alles bestaunen zu können, denn alle Deine Dinge waren so seltsam anders, wie ich sie nie gesehen; es gab da indische Götzen, italienische Skulpturen, ganz grelle, große Bilder, und dann zum Schluß kamen Bücher, so viele und so schöne, wie ich es nie für möglich gehalten. An der Tür wurden sie alle aufgeschichtet, dort übernahm sie der Diener und schlug mit Stock und Wedel sorgfältig den Staub aus jedem einzelnen. Ich schlich neugierig um den immer wachsenden Stoß herum, der Diener wies mich nicht weg, aber er ermutigte mich auch nicht; so wagte ich keines anzurühren, obwohl ich das weiche Leder von manchen gern befühlt hätte. Nur die Titel sah ich scheu von der Seite an: es waren französische, englische darunter und manche in Sprachen, die ich nicht verstand. Ich glaube, ich hätte sie stundenlang alle angesehen: da rief mich die Mutter hinein.

Den ganzen Abend dann mußte ich an Dich denken; noch ehe ich Dich kannte. Ich besaß selbst nur ein Dutzend billige, in zerschlissene Pappe gebundene Bücher, die ich über alles liebte und immer wieder las. Und nun bedrängte mich dies, wie der Mensch sein müßte, der all diese vielen herrlichen Bücher besaß und gelesen hatte, der alle diese Sprachen wußte, der so reich war und so gelehrt zugleich. Eine Art überirdischer Ehrfurcht verband sich mir mit der Idee dieser vielen Bücher. Ich suchte Dich mir im Bilde vorzustellen: Du warst ein alter Mann mit einer Brille und einem weißen langen Bart, ähnlich wie unser Geographieprofessor, nur viel gütiger, schöner und milder — ich weiß nicht, warum ich damals schon gewiß war, Du müßtest schön sein, wo ich noch an Dich wie einen alten Mann dachte. Damals in jener Nacht und noch ohne Dich zu kennen, habe ich das erstemal von Dir geträumt.

Am nächsten Tage zogst Du ein, aber trotz allen Spähens konnte ich Dich nicht zu Gesicht bekommen — das steigerte nur meine Neugier. Endlich, am dritten Tage, sah ich Dich, und wie erschütternd war die Überraschung für mich, daß Du so anders warst, so ganz ohne Beziehung zu dem kindlichen Gottvaterbilde. Einen bebrillten gütigen Greis hatte ich mir geträumt, und da kamst Du — Du, ganz so, wie Du noch heute bist, Du Unwandelbarer, an dem die Jahre lässig abgleiten! Du trugst eine hellbraune, entzückende Sportdreß und liefst in Deiner unvergleichlich leichten knabenhaften Art die Treppe hinauf, immer zwei Stufen auf einmal nehmend. Den Hut trugst Du in der Hand, so sah ich mit einem gar nicht zu schildernden Erstaunen Dein helles, lebendiges Gesicht mit dem jungen Haar: wirklich, ich erschrak vor Erstaunen, wie jung, wie hübsch, wie federndschlank und elegant Du warst. Und ist es nicht seltsam: in dieser ersten Sekunde empfand ich ganz deutlich das, was ich und alle andern an Dir als so einzig mit einer Art Überraschung immer wieder empfinden: daß Du irgendein zwiefacher Mensch bist, ein heißer, leichtlebiger, ganz dem Spiel und dem Abenteuer hingegebener Junge, und gleichzeitig in Deiner Kunst ein unerbittlich ernster, pflichtbewußter, unendlich belesener und gebildeter Mann. Unbewußt empfand ich, was dann jeder bei Dir spürte, daß Du ein Doppelleben führst, ein Leben mit einer hellen, der Welt offen zugekehrten Fläche, und einer ganz dunkeln, die Du nur allein kennst — diese tiefste Zweiheit, das Geheimnis Deiner Existenz, sie fühlte ich, die Dreizehnjährige, magisch angezogen, mit meinem ersten Blick.

Verstehst Du nun schon, Geliebter, was für ein Wunder, was für eine verlockende Rätselhaftigkeit Du für mich, das Kind, sein mußtest! Einen Menschen, vor dem man Ehrfurcht hatte, weil er Bücher schrieb, weil er berühmt war in jener andern großen Welt, plötzlich als einen jungen, eleganten, knabenhaft heiteren, fünfundzwanzigjährigen Mann zu entdecken! Muß ich Dir noch sagen, daß von diesem Tage an in unserem Hause, in meiner ganzen armen Kinderwelt mich nichts interessierte als Du, daß ich mit dem ganzen Starrsinn, der ganzen bohrenden Beharrlichkeit einer Dreizehnjährigen nur mehr um Dein Leben, um Deine Existenz herumging. Ich beobachtete Dich, ich beobachtete Deine Gewohnheiten, beobachtete die Menschen, die zu Dir kamen, und all das vermehrte nur, statt sie zu mindern, meine Neugier nach Dir selbst, denn die ganze Zwiefältigkeit Deines Wesens drückte sich in der Verschiedenheit dieser Besuche aus. Da kamen junge Menschen, Kameraden von Dir, mit denen Du lachtest und übermütig warst, abgerissene Studenten, und dann wieder Damen, die in Autos vorfuhren, einmal der Direktor der Oper, der große Dirigent, den ich ehrfürchtig nur am Pulte von fern gesehen, dann wieder kleine Mädel, die noch in die Handelsschule gingen und verlegen in die Tür hineinhuschten, überhaupt viel, sehr viel Frauen. Ich dachte mir nichts Besonderes dabei, auch nicht, als ich eines Morgens, wie ich zur Schule ging, eine Dame ganz verschleiert von Dir weggehen sah — ich war ja erst dreizehn Jahre alt, und die leidenschaftliche Neugier, mit der ich Dich umspähte und belauerte, wußte im Kinde noch nicht, daß sie schon Liebe war.

Aber ich weiß noch genau, mein Geliebter, den Tag und die Stunde, wann ich ganz und für immer an Dich verloren war. Ich hatte mit einer Schulfreundin einen Spaziergang gemacht, wir standen plaudernd vor dem Tor. Da kam ein Auto angefahren, hielt an, und schon sprangst Du mit Deiner ungeduldigen, elastischen Art, die mich noch heute an Dir immer hinreißt, vom Trittbrett und wolltest in die Tür. Unwillkürlich zwang es mich, Dir die Tür aufzumachen, und so trat ich Dir in den Weg, daß wir fast zusammengerieten. Du sahst mich an mit jenem warmen, weichen, einhüllenden Blick, der wie eine Zärtlichkeit war, lächeltest mir — ja, ich kann es nicht anders sagen als: zärtlich zu und sagtest mit einer ganz leisen und fast vertraulichen Stimme: «Danke vielmals, Fräulein.»

Das war alles, Geliebter; aber von dieser Sekunde, seit ich diesen weichen, zärtlichen Blick gespürt, war ich Dir verfallen. Ich habe ja später, habe es bald erfahren, daß Du diesen umfangenden, an Dich ziehenden, diesen umhüllenden und doch zugleich entkleidenden Blick, diesen Blick des geborenen Verführers, jeder Frau hingibst, die an Dich streift, jedem Ladenmädchen, das Dir verkauft, jedem Stubenmädchen, das Dir die Tür öffnet, daß dieser Blick bei Dir gar nicht bewußt ist als Wille und Neigung, sondern daß Deine Zärtlichkeit zu Frauen ganz unbewußt Deinen Blick weich und warm werden läßt, wenn er sich ihnen zuwendet. Aber ich, das dreizehnjährige Kind, ahnte das nicht: ich war wie in Feuer getaucht. Ich glaubte, die Zärtlichkeit gelte nur mir, nur mir allein, und in dieser einen Sekunde war die Frau in mir, der Halbwüchsigen, erwacht und war diese Frau Dir für immer verfallen.

«Wer war das?» fragte meine Freundin. Ich konnte ihr nicht gleich antworten. Es war mir unmöglich, Deinen Namen zu nennen: schon in dieser einen, dieser einzigen Sekunde war er mir heilig, war er mein Geheimnis geworden. «Ach, irgendein Herr, der hier im Hause wohnt», stammelte ich dann ungeschickt heraus. «Aber warum bist du denn so rot geworden, wie er dich angeschaut hat», spottete die Freundin mit der ganzen Bosheit eines neugierigen Kindes. Und eben weil ich fühlte, daß sie an mein Geheimnis spottend rühre, fuhr mir das Blut noch heißer in die Wangen. Ich wurde grob aus Verlegenheit. «Blöde Gans», sagte ich wild: am liebsten hätte ich sie erdrosselt. Aber sie lachte nur noch lauter und höhnischer, bis ich fühlte, daß mir die Tränen in die Augen schossen vor ohnmächtigem Zorn. Ich ließ sie stehen und lief hinauf.

Von dieser Sekunde an habe ich Dich geliebt. Ich weiß, Frauen haben Dir, dem Verwöhnten, oft dieses Wort gesagt. Aber glaube mir, niemand hat Dich so sklavisch, so hündisch, so hingebungsvoll geliebt wie dieses Wesen, das ich war und das ich für Dich immer geblieben bin, denn nichts auf Erden gleicht der unbemerkten Liebe eines Kindes aus dem Dunkel, weil sie so hoffnungslos, so dienend, so unterwürfig, so lauernd und leidenschaftlich ist, wie niemals die begehrende und unbewußt doch fordernde Liebe einer erwachsenen Frau. Nur einsame Kinder können ganz ihre Leidenschaft zusammenhalten: die andern zerschwätzen ihr Gefühl in Geselligkeit, schleifen es ab in Vertraulichkeiten, sie haben von Liebe viel gehört und gelesen und wissen, daß sie ein gemeinsames Schicksal ist. Sie spielen damit, wie mit einem Spielzeug, sie prahlen damit, wie Knaben mit ihrer ersten Zigarette. Aber ich, ich hatte ja niemand, um mich anzuvertrauen, war von keinem belehrt und gewarnt, war unerfahren und ahnungslos: ich stürzte hinein in mein Schicksal wie in einen Abgrund. Alles, was in mir wuchs und aufbrach, wußte nur Dich, den Traum von Dir, als Vertrauten: mein Vater war längst gestorben, die Mutter mir fremd in ihrer ewig unheiteren Bedrücktheit und Pensionistenängstlichkeit, die halbverdorbenen Schulmädchen stießen mich ab, weil sie so leichtfertig mit dem spielten, was mir letzte Leidenschaft war — so warf ich alles, was sich sonst zersplittert und verteilt, warf ich mein ganzes zusammengepreßtes und immer wieder ungeduldig aufquellendes Wesen Dir entgegen. Du warst mir — wie soll ich es Dir sagen? jeder einzelne Vergleich ist zu gering — Du warst eben alles, mein ganzes Leben. Alles existierte nur insofern, als es Bezug hatte auf Dich, alles in meiner Existenz hatte nur Sinn, wenn es mit Dir verbunden war. Du verwandeltest mein ganzes Leben. Bisher gleichgültig und mittelmäßig in der Schule, wurde ich plötzlich die Erste, ich las tausend Bücher bis tief in die Nacht, weil ich wußte, daß Du die Bücher liebtest, ich begann, zum Erstaunen meiner Mutter, plötzlich mit fast störrischer Beharrlichkeit Klavier zu üben, weil ich glaubte, Du liebest Musik. Ich putzte und nähte an meinen Kleidern, nur um gefällig und proper vor Dir auszusehen, und daß ich an meiner alten Schulschürze (sie war ein zugeschnittenes Hauskleid meiner Mutter) links einen eingesetzten viereckigen Fleck hatte, war mir entsetzlich. Ich fürchtete, Du könntest ihn bemerken und mich verachten; darum drückte ich immer die Schultasche darauf, wenn ich die Treppen hinauflief, zitternd vor Angst, Du würdest ihn sehen. Aber wie töricht war das: Du hast mich ja nie, fast nie mehr angesehen.

Und doch: ich tat eigentlich den ganzen Tag nichts als auf Dich warten und Dich belauern. An unserer Tür war ein kleines messingenes Guckloch, durch dessen kreisrunden Ausschnitt man hinüber auf Deine Tür sehen konnte. Dieses Guckloch — nein, lächle nicht, Geliebter, noch heute, noch heute schäme ich mich jener Stunden nicht! — war mein Auge in die Welt hinaus, dort, im eiskalten Vorzimmer, scheu vor dem Argwohn der Mutter, saß ich in jenen Monaten und Jahren, ein Buch in der Hand, ganze Nachmittage auf der Lauer, gespannt wie eine Saite und klingend, wenn Deine Gegenwart sie berührte. Ich war immer um Dich, immer in Spannung und Bewegung; aber Du konntest es so wenig fühlen wie die Spannung der Uhrfeder, die Du in der Tasche trägst und die geduldig im Dunkel Deine Stunden zählt und mißt, Deine Wege mit unhörbarem Herzpochen begleitet und auf die nur einmal in Millionen tickender Sekunden Dein hastiger Blick fällt. Ich wußte alles von Dir, kannte jede Deiner Gewohnheiten, jede Deiner Krawatten, jeden Deiner Anzüge, ich kannte und unterschied bald Deine einzelnen Bekannten und teilte sie in solche, die mir lieb, und solche, die mir widrig waren: von meinem dreizehnten bis zu meinem sechzehnten Jahre habe ich jede Stunde in Dir gelebt. Ach, was für Torheiten habe ich begangen! Ich küßte die Türklinke, die Deine Hand berührt hatte, ich stahl einen Zigarrenstummel, den Du vor dem Eintreten weggeworfen hattest, und er war mir heilig, weil Deine Lippen daran gerührt. Hundertmal lief ich abends unter irgendeinem Vorwand hinab auf die Gasse, um zu sehen, in welchem Deiner Zimmer Licht brenne, und so Deine Gegenwart, Deine unsichtbare, wissender zu fühlen. Und in den Wochen, wo Du verreist warst — mir stockte immer das Herz vor Angst, wenn ich den guten Johann Deine gelbe Reisetasche hinabtragen sah —, in diesen Wochen war mein Leben tot und ohne Sinn. Mürrisch, gelangweilt, böse ging ich herum und mußte nur immer achtgeben, daß die Mutter an meinen verweinten Augen nicht meine Verzweiflung merke.

Ich weiß, das sind alles groteske Überschwänge, kindische Torheiten, die ich Dir da erzähle. Ich sollte mich ihrer schämen, aber ich schäme mich nicht, denn nie war meine Liebe zu Dir reiner und leidenschaftlicher als in diesen kindlichen Exzessen. Stundenlang, tagelang könnte ich Dir erzählen, wie ich damals mit Dir gelebt, der Du mich kaum von Angesicht kanntest, denn begegnete ich Dir auf der Treppe und gab es kein Ausweichen, so lief ich, aus Furcht vor Deinem brennenden Blick, mit gesenktem Kopf an Dir vorbei wie einer, der ins Wasser stürzt, nur daß mich das Feuer nicht versenge. Stundenlang, tagelang könnte ich Dir von jenen Dir längst entschwundenen Jahren erzählen, den ganzen Kalender Deines Lebens aufrollen; aber ich will Dich nicht langweilen, will Dich nicht quälen. Nur das schönste Erlebnis meiner Kindheit will ich Dir noch anvertrauen, und ich bitte Dich, nicht zu spotten, weil es ein so Geringes ist, denn mir, dem Kinde, war es eine Unendlichkeit. An einem Sonntag muß es gewesen sein. Du warst verreist, und Dein Diener schleppte die schweren Teppiche, die er geklopft hatte, durch die offene Wohnungstür. Er trug schwer daran, der Gute, und in einem Anfall von Verwegenheit ging ich zu ihm und fragte, ob ich ihm nicht helfen könnte. Er war erstaunt, aber ließ mich gewähren, und so sah ich — vermöchte ich Dirs doch nur zu sagen, mit welcher ehrfürchtigen, ja frommen Verehrung! — Deine Wohnung von innen, Deine Welt, den Schreibtisch, an dem Du zu sitzen pflegtest und auf dem in einer blauen Kristallvase ein paar Blumen standen, Deine Schränke, Deine Bilder, Deine Bücher. Nur ein flüchtiger, diebischer Blick war es in Dein Leben, denn Johann, der Getreue, hätte mir gewiß genaue Betrachtung gewehrt, aber ich sog mit diesem einen Blick die ganze Atmosphäre ein und hatte Nahrung für meine unendlichen Träume von Dir im Wachen und Schlaf.

Dies, diese rasche Minute, sie war die glücklichste meiner Kindheit. Sie wollte ich Dir erzählen, damit Du, der Du mich nicht kennst, endlich zu ahnen beginnst, wie ein Leben an Dir hing und verging. Sie wollte ich Dir erzählen und jene andere noch, die fürchterlichste Stunde, die jener leider so nachbarlich war. Ich hatte — ich sagte es Dir ja schon — um Deinetwillen an alles vergessen, ich hatte auf meine Mutter nicht acht und kümmerte mich um niemanden. Ich merkte nicht, daß ein älterer Herr, ein Kaufmann aus Innsbruck, der mit meiner Mutter entfernt verschwägert war, öfter kam und länger blieb, ja, es war mir nur angenehm, denn er führte Mama manchmal in das Theater, und ich konnte allein bleiben, an Dich denken, auf Dich lauern, was ja meine höchste, meine einzige Seligkeit war. Eines Tages nun rief mich die Mutter mit einer gewissen Umständlichkeit in ihr Zimmer; sie hätte ernst mit mir zu sprechen. Ich wurde blaß und hörte mein Herz plötzlich hämmern: sollte sie etwas geahnt, etwas erraten haben? Mein erster Gedanke warst Du, das Geheimnis, das mich mit der Welt verband. Aber die Mutter war selbst verlegen, sie küßte mich (was sie sonst nie tat) zärtlich ein- und zweimal, zog mich auf das Sofa zu sich und begann dann zögernd und verschämt zu erzählen, ihr Verwandter, der Witwer sei, habe ihr einen Heiratsantrag gemacht, und sie sei, hauptsächlich um meinetwillen, entschlossen, ihn anzunehmen. Heißer stieg mir das Blut zum Herzen: nur ein Gedanke antwortete von innen, der Gedanke an Dich. «Aber wir bleiben Doch hier?» konnte ich gerade noch stammeln. «Nein, wir ziehen nach Innsbruck, dort hat Ferdinand eine schöne Villa.» Mehr hörte ich nicht. Mir ward schwarz vor den Augen. Später wußte ich, daß ich in Ohnmacht gefallen war; ich sei, hörte ich die Mutter dem Stiefvater leise erzählen, der hinter der Tür gewartet hatte, plötzlich mit aufgespreizten Händen zurückgefahren und dann hingestürzt wie ein Klumpen Blei. Was dann in den nächsten Tagen geschah, wie ich mich, ein machtloses Kind, wehrte gegen ihren übermächtigen Willen, das kann ich Dir nicht schildern: noch jetzt zittert mir, da ich daran denke, die Hand im Schreiben. Mein wirkliches Geheimnis konnte ich nicht verraten, so schien meine Gegenwehr bloß Starrsinn, Bosheit und Trotz. Niemand sprach mehr mit mir, alles geschah hinterrücks. Man nutzte die Stunden, da ich in der Schule war, um die Übersiedlung zu fördern:

kam ich dann nach Hause, so war immer wieder ein anderes Stück verräumt oder verkauft. Ich sah, wie die Wohnung und damit mein Leben verfiel, und einmal, als ich zum Mittagessen kam, waren die Möbelpacker dagewesen und hatten alles weggeschleppt. In den leeren Zimmern standen die gepackten Koffer und zwei Feldbetten für die Mutter und mich: da sollten wir noch eine Nacht schlafen, die letzte, und morgen nach Innsbruck reisen.

An diesem letzten Tag fühlte ich mit plötzlicher Entschlossenheit, daß ich nicht leben konnte ohne Deine Nähe. Ich wußte keine andere Rettung als Dich. Wie ich mirs dachte und ob ich überhaupt klar in diesen Stunden der Verzweiflung zu denken vermochte, das werde ich nie sagen können, aber plötzlich — die Mutter war fort — stand ich auf im Schulkleid, wie ich war, und ging hinüber zu Dir. Nein, ich ging nicht: es stieß mich mit steifen Beinen, mit zitternden Gelenken magnetisch fort zu Deiner Tür. Ich sagte Dir schon, ich wußte nicht deutlich, was ich wollte: Dir zu Füßen fallen und Dich bitten, mich zu behalten als Magd, als Sklavin, und ich fürchte, Du wirst lächeln über diesen unschuldigen Fanatismus einer Fünfzehnjährigen, aber — Geliebter, Du würdest nicht mehr lächeln, wüßtest Du, wie ich damals draußen im eiskalten Gange stand, starr vor Angst und doch vorwärts gestoßen von einer unfaßbaren Macht, und wie ich den Arm, den zitternden, mir gewissermaßen vom Leib losriß, daß er sich hob und — es war ein Kampf durch die Ewigkeit entsetzlicher Sekunden — den Finger auf den Knopf der Türklinke drückte. Noch heute gellts mir im Ohr, dies schrille Klingelzeichen, und dann die Stille danach, wo mir das Herz stillstand, wo mein ganzes Blut anhielt und nur lauschte, ob Du kämest.

Aber Du kamst nicht. Niemand kam. Du warst offenbar fort an jenem Nachmittage und Johann auf Besorgung; so tappte ich, den toten Ton der Klingel im dröhnenden Ohr, in unsere zerstörte, ausgeräumte Wohnung zurück und warf mich erschöpft auf einen Plaid, müde von den vier Schritten, als ob ich stundenlang durch tiefen Schnee gegangen sei. Aber unter dieser Erschöpfung glühte noch unverlöscht die Entschlossenheit, Dich zu sehen, Dich zu sprechen, ehe sie mich wegrissen. Es war, ich schwöre es Dir, kein sinnlicher Gedanke dabei, ich war noch unwissend, eben weil ich an nichts dachte als an Dich: nur sehen wollte ich Dich, einmal noch sehen, mich anklammern an Dich. Die ganze Nacht, die ganze lange, entsetzliche Nacht habe ich dann, Geliebter, auf Dich gewartet. Kaum daß die Mutter sich in ihr Bett gelegt hatte und eingeschlafen war, schlich ich in das Vorzimmer hinaus, um zu horchen, wann Du nach Hause kämest. Die ganze Nacht habe ich gewartet, und es war eine eisige Januarnacht. Ich war müde, meine Glieder schmerzten mich, und es war kein Sessel mehr, mich hinzusetzen: so legte ich mich flach auf den kalten Boden, über den der Zug von der Tür hinstrich. Nur in meinem dünnen Kleide lag ich auf dem schmerzenden kalten Boden, denn ich nahm keine Decke; ich wollte es nicht warm haben, aus Furcht, einzuschlafen und Deinen Schritt zu überhören. Es tat weh, meine Füße preßte ich im Krampfe zusammen, meine Arme zitterten: ich mußte immer wieder aufstehen, so kalt war es im entsetzlichen Dunkel. Aber ich wartete, wartete, wartete auf Dich wie auf mein Schicksal.

Endlich — es muß schon zwei oder drei Uhr morgens gewesen sein — hörte ich unten das Haustor aufsperren und dann Schritte die Treppe hinauf. Wie abgesprungen war die Kälte von mir, heiß überflogs mich, leise machte ich die Tür auf, um Dir entgegenzustürzen, Dir zu Füßen zu fallen... Ach, ich weiß ja nicht, was ich törichtes Kind damals getan hätte. Die Schritte kamen näher, Kerzenlicht flackte herauf. Zitternd hielt ich die Klinke. Warst Du es, der da kam?

Ja, Du warst es, Geliebter — aber Du warst nicht allein. Ich hörte ein leises, kitzliches Lachen, irgendein streifendes seidenes Kleid und leise Deine Stimme — Du kamst mit einer Frau nach Hause...

Wie ich diese Nacht überleben konnte, weiß ich nicht. Am nächsten Morgen, um acht Uhr, schleppten sie mich nach Innsbruck; ich hatte keine Kraft mehr, mich zu wehren.

*

Mein Kind ist gestern nacht gestorben — nun werde ich wieder allein sein, wenn ich wirklich weiterleben muß. Morgen werden sie kommen, fremde, schwarze, ungeschlachte Männer, und einen Sargen bringen, werden es hineinlegen, mein armes, mein einziges Kind. Vielleicht kommen auch Freunde und bringen Kränze, aber was sind Blumen auf einem Sarg? Sie werden mich trösten und mir irgendwelche Worte sagen, Worte, Worte; aber was können sie mir helfen? Ich weiß, ich muß dann doch wieder allein sein. Und es gibt nichts Entsetzlicheres, als Alleinsein unter den Menschen. Damals habe ich es erfahren, damals in jenen unendlichen zwei Jahren in Innsbruck, jenen Jahren von meinem sechzehnten bis zu meinem achtzehnten, wo ich wie eine

Gefangene, eine Verstoßene zwischen meiner Familie lebte. Der Stiefvater, ein sehr ruhiger, wortkarger Mann, war gut zu mir, meine Mutter schien, wie um ein unbewußtes Unrecht zu sühnen, allen meinen Wünschen bereit, junge Menschen bemühten sich um mich, aber ich stieß sie alle in einem leidenschaftlichen Trotz zurück. Ich wollte nicht glücklich, nicht zufrieden leben abseits von Dir, ich grub mich selbst in eine finstere Welt von Selbstqual und Einsamkeit. Die neuen, bunten Kleider, die sie mir kauften, zog ich nicht an, ich weigerte mich, in Konzerte, in Theater zu gehen oder Ausflüge in heiterer Gesellschaft mitzumachen. Kaum daß ich je die Gasse betrat: würdest Du es glauben, Geliebter, daß ich von dieser kleinen Stadt, in der ich zwei Jahre gelebt, keine zehn Straßen kenne? Ich trauerte und ich wollte trauern, ich berauschte mich an jeder Entbehrung, die ich mir zu der Deines Anblicks noch auferlegte. Und dann: ich wollte mich nicht ablenken lassen von meiner Leidenschaft, nur in Dir zu leben. Ich saß allein zu Hause, stundenlang, tagelang, und tat nichts, als an Dich zu denken, immer wieder, immer wieder die hundert kleinen Erinnerungen an Dich, jede Begegnung, jedes Warten, mir zu erneuern, mir diese kleinen Episoden vorzuspielen wie im Theater. Und darum, weil ich jede der Sekunden von einst mir unzähligemale wiederholte, ist auch meine ganze Kindheit mir in so brennender Erinnerung geblieben, daß ich jede Minute jener vergangenen Jahre so heiß und springend fühle, als wäre sie gestern durch mein Blut gefahren.

Nur in Dir habe ich damals gelebt. Ich kaufte mir alle Deine Bücher; wenn Dein Name in der Zeitung stand, war es ein festlicher Tag. Willst Du es glauben, daß ich jede Zeile aus Deinen Büchern auswendig kann, so oft habe ich sie gelesen? Würde mich einer nachts aus dem Schlaf aufwecken und eine losgerissene Zeile aus ihnen mir vorsprechen, ich könnte sie heute noch, heute noch nach dreizeln Jahren, weitersprechen wie im Traum: so war jedes Wort von Dir mir Evangelium und Gebet. Die ganze Welt, sie existierte nur in Beziehung auf Dich: ich las in den Wiener Zeitungen die Konzerte, die Premieren nach nur mit dem Gedanken, welche Dich davon interessieren möchten, und wenn es Abend wurde, begleitete ich Dich von ferne: jetzt tritt er in den Saal, jetzt setzt er sich nieder. Tausendmal träumte ich das, weil ich Dich ein einziges Mal in einem Konzert gesehen.

Aber wozu all dies erzählen, diesen rasenden, gegen sich selbst wütenden, diesen so tragischen hoffnungslosen Fanatismus eines verlassenen Kindes, wozu es einem erzählen, der es nie geahnt, der es nie gewußt? Doch war ich damals wirklich noch ein Kind? Ich wurde siebzehn, wurde achtzehn Jahre — die jungen Leute begannen sich auf der Straße nach mir umzublicken, doch sie erbitterten mich nur. Denn Liebe oder auch nur ein Spiel mit Liebe im Gedanken an jemanden andern als an Dich, das war mir so unerfindlich, so unausdenklich fremd, ja die Versuchung schon wäre mir als ein Verbrechen erschienen. Meine Leidenschaft zu Dir blieb dieselbe, nur daß sie anders ward mit meinem Körper, mit meinen wacheren Sinnen, glühender, körperlicher, frauenhafter. Und was das Kind in seinem dumpfen unbelehrten Willen, das Kind, das damals die Klingel Deiner Türe zog, nicht ahnen konnte, das war jetzt mein einziger Gedanke: mich Dir zu schenken, mich Dir hinzugeben.

Die Menschen um mich vermeinten mich scheu, nannten mich schüchtern (ich hatte mein Geheimnis verbissen hinter den Zähnen). Aber in mir wuchs ein eiserner Wille. Mein ganzes Denken und Trachten war in eine Richtung gespannt: zurück nach Wien, zurück zu Dir. Und ich erzwang meinen Willen, so unsinnig, so unbegreiflich er den andern scheinen mochte. Mein Stiefvater war vermögend, er betrachtete mich als sein eigenes Kind. Aber ich drang in erbittertem Starrsinn darauf, ich wolle mir mein Geld selbst verdienen, und erreichte es endlich, daß ich in Wien zu einem Verwandten als Angestellte eines großen Konfektionsgeschäftes kam.

Muß ich Dir sagen, wohin mein erster Weg ging, als ich an einem nebligen Herbstabend — endlich! endlich! — in Wien ankam? Ich ließ die Koffer an der Bahn, stürzte mich in eine Straßenbahn — wie langsam schien sie mir zu fahren, jede Haltestelle erbitterte mich — und lief vor das Haus. Deine Fenster waren erleuchtet, mein ganzes Herz klang. Nun erst lebte die Stadt, die mich so fremd, so sinnlos umbraust hatte, nun erst lebte ich wieder, da ich Dich nahe ahnte, Dich, meinen ewigen Traum. Ich ahnte ja nicht, daß ich in Wirklichkeit Deinem Bewußtsein ebenso ferne war hinter Tälern, Bergen und Flüssen als nun, da nur die dünne leuchtende Glasscheibe Deines Fensters zwischen Dir war und meinem aufstrahlenden Blick. Ich sah nur empor und empor: da war Licht, da war das Haus, da warst Du, da war meine Welt. Zwei Jahre hatte ich von dieser Stunde geträumt, nun war sie mir geschenkt. Ich stand den langen, weichen, verhangenen Abend vor Deinen Fenstern, bis das Licht erlosch. Dann suchte ich erst mein Heim.

Jeden Abend stand ich dann so vor Deinem Haus. Bis

sechs Uhr hatte ich Dienst im Geschäft, harten, anstrengenden Dienst, aber er war mir lieb, denn diese Unruhe ließ mich die eigene nicht so schmerzhaft fühlen. Und geradewegs, sobald die eisernen Rollbalken hinter mir niederdröhnten, lief ich zu dem geliebten Ziel. Nur Dich einmal sehen, nur einmal Dir begegnen, das war mein einziger Wille, nur wieder einmal mit dem Blick Dein Gesicht umfassen dürfen von ferne. Etwa nach einer Woche geschahs dann endlich, daß ich Dir begegnete, und zwar gerade in einem Augenblick, wo ichs nicht vermutete: während ich eben hinauf zu Deinen Fenstern spähte, kamst Du quer über die Straße. Und plötzlich war ich wieder das Kind, das dreizehnjährige, ich fühlte, wie das Blut mir in die Wangen schoß; unwillkürlich, wider meinen innersten Drang, der sich sehnte, Deine Augen zu fühlen, senkte ich den Kopf und lief blitzschnell wie gehetzt an Dir vorbei. Nachher schämte ich mich dieser schulmädelhaften scheuen Flucht, denn jetzt war mein Wille mir doch klar: ich wollte Dir ja begegnen, ich suchte Dich, ich wollte von Dir erkannt sein nach all den sehnsüchtig verdämmerten Jahren, wollte von Dir beachtet, wollte von Dir geliebt sein.

Aber Du bemerktest mich lange nicht, obzwar ich jeden Abend, auch bei Schneegestöber und in dem scharfen, schneidenden Wiener Wind in Deiner Gasse stand. Oft wartete ich stundenlang vergebens, oft gingst Du dann endlich vom Hause in Begleitung von Bekannten fort, zweimal sah ich Dich auch mit Frauen, und nun empfand ich mein Erwachsensein, empfand das Neue, Andere meines Gefühls zu Dir an dem plötzlichen Herzzucken, das mir quer die Seele zerriß, als ich eine fremde Frau so sicher Arm in Arm mit Dir hingehen sah. Ich war nicht überrascht, ich kannte ja diese Deine ewigen Besucherinnen aus meinen Kindertagen schon, aber jetzt tat es mit einmal irgendwie körperlich weh, etwas spannte sich in mir, gleichzeitig feindlich und mitverlangend gegen diese offensichtliche, diese fleischliche Vertrautheit mit einer andern. Einen Tag blieb ich, kindlich stolz wie ich war und vielleicht jetzt noch geblieben bin, von Deinem Hause weg: aber wie entsetzlich war dieser leere Abend des Trotzes und der Auflehnung. Am nächsten Abend stand ich schon wieder demütig vor Deinem Hause wartend, wartend, wie ich mein ganzes Schicksal lang vor Deinem verschlossenen Leben gestanden bin.

Und endlich, an einem Abend bemerktest Du mich. Ich hatte Dich schon von ferne kommen sehen und straffte meinen Willen zusammen, Dir nicht auszuweichen. Der Zufall wollte, daß durch einen abzuladenden Wagen die Straße verengert war und Du ganz an mir vorbei mußtest. Unwillkürlich streifte mich Dein zerstreuter Blick, um sofort, kaum daß er der Aufmerksamkeit des meinen begegnete — wie erschrak die Erinnerung in mir! —, jener Dein Frauenblick, jener zärtliche, hüllende und gleichzeitig enthüllende, jener umfangende und schon fassende Blick zu werden, der mich, das Kind, zum erstenmal zur Frau, zur Liebenden erweckt. Ein, zwei Sekunden lang hielt dieser Blick so den meinen, der sich nicht wegreißen konnte und wollte — dann warst Du an mir vorbei. Mir schlug das Herz: unwillkürlich mußte ich meinen Schritt verlangsamen, und wie ich aus einer nicht zu bewingenden Neugier mich umwandte, sah ich, daß Du stehengeblieben warst und mir nachsahst. Und an der Art, wie Du neugierig interessiert mich beobachtetest, wußte ich sofort: Du erkanntest mich nicht.

Du erkanntest mich nicht, damals nicht, nie, nie hast Du mich erkannt. Wie soll ich Dir, Geliebter, die Enttäuschung jener Sekunde schildern — damals war es ja das erstemal, daß ichs erlitt, dies Schicksal, von Dir nicht erkannt zu sein, das ich ein Leben durchlebt habe, und mit dem ich sterbe; unerkannt, immer noch unerkannt von Dir. Wie soll ich sie Dir schildern, diese Enttäuschung! Denn sieh, in diesen zwei Jahren in Innsbruck, wo ich jede Stunde an Dich dachte und nichts tat, als mir unsere erste Wiederbegegnung in Wien auszudenken, da hatte ich die wildesten Möglichkeiten neben den seligsten, je nach dem Zustand meiner Laune, ausgeträumt. Alles war, wenn ich so sagen darf, durchgeträumt; ich hatte mir in finstern Momenten vorgestellt, Du würdest mich zurückstoßen, würdest mich verachten, weil ich zu gering, zu häßlich, zu aufdringlich sei. Alle Formen Deiner Mißgunst, Deiner Kälte, Deiner Gleichgültigkeit, sie alle hatte ich durchgewandelt in leidenschaftlichen Visionen — aber dies, dies eine hatte ich in keiner finstern Regung des Gemüts, nicht im äußersten Bewußtsein meiner Minderwertigkeit in Betracht zu ziehen gewagt, dies Entsetzlichste: daß Du überhaupt von meiner Existenz nichts bemerkt hattest. Heute verstehe ich es ja — ach, Du hast michs verstehen gelehrt! —, daß das Gesicht eines Mädchens, einer Frau etwas ungemein Wandelhäftes sein muß für einen Mann, weil es meist nur Spiegel ist, bald einer Leidenschaft, bald einer Kindlichkeit, bald eines Müdeseins, und so leicht verfließt wie ein Bildnis im Spiegel, daß also ein Mann leichter das Antlitz einer Frau verlieren kann, weil das Alter darin durchwandelt mit Schatten und Licht, weil die Kleidung es von einemmal zum andern anders rahmt. Die Resignierten, sie sind ja erst die wahren Wissenden. Aber ich, das Mädchen von damals, ich konnte Deine Vergeßlichkeit noch nicht fassen, denn irgendwie war aus meiner maßlosen, unaufhörlichen Beschäftigung mit Dir der Wahn in mich gefahren, auch Du müßtest meiner oft gedenken und auf mich warten; wie hätte ich auch nur atmen können mit der Gewißheit, ich sei Dir nichts, nie rühre ein Erinnern an mich Dich leise an! Und dies Erwachen vor Deinem Blick, der mir zeigte, daß nichts in Dir mich mehr kannte, kein Spinnfaden Erinnerung von Deinem Leben hinreiche zu meinem, das war ein erster Sturz hinab in die Wirklichkeit, eine erste Ahnung meines Schicksals.

Du erkanntest mich nicht damals. Und als zwei Tage später Dein Blick mit einer gewissen Vertrautheit bei erneuter Begegnung mich umfing, da erkanntest Du mich wiederum nicht als die, die Dich geliebt und die Du erweckt, sondern bloß als das hübsche achtzehnjährige Mädchen, das Dir vor zwei Tagen an der gleichen Stelle entgegengetreten. Du sahst mich freundlich überrascht an, ein leichtes Lächeln umspielte Deinen Mund. Wieder gingst Du an mir vorbei und wieder den Schritt sofort verlangsamend: ich zitterte, ich jauchzte, ich betete, Du würdest mich ansprechen. Ich fühlte, daß ich zum erstenmal für Dich lebendig war: auch ich verlangsamte den Schritt, ich wich Dir nicht aus. Und plötzlich spürte ich Dich hinter mir, ohne mich umzuwenden, ich wußte, nun würde ich zum erstenmal Deine geliebte Stimme an mich gerichtet hören. Wie eine Lähmung war die Erwartung in mir, schon fürchtete ich stehenbleiben zu müssen, so hämmerte mir das Herz — da tratest Du an meine Seite. Du sprachst mich an mit Deiner leichten heitern Art, als wären wir lange befreundet — ach, Du ahntest mich ja nicht, nie hast Du etwas von meinem Leben geahnt! — so zauberhaft unbefangen sprachst Du mich an, daß ich Dir sogar zu antworten vermochte. Wir gingen zusammen die ganze Gasse entlang. Dann fragtest Du mich, ob wir gemeinsam speisen wollten. Ich sagte ja. Was hätte ich Dir gewagt zu verneinen?

Wir speisten zusammen in einem kleinen Restaurant — weist Du noch, wo es war? Ach nein, Du unterscheidest es gewiß nicht mehr von andern solchen Abenden, denn wer war ich Dir? Eine unter Hunderten, ein Abenteuer in einer ewig tortgeknüpften Kette. Was sollte Dich auch an mich erinnern: ich sprach ja wenig, weil es mir so unendlich beglückend war, Dich nahe zu haben, Dich zu mir sprechen zu hören. Keinen Augenblick davon wollte ich durch eine Frage, durch ein törichtes Wort vergeuden. Nie werde ich Dir von dieser Stunde dankbar vergessen, wie voll Du meine leidenschaftliche Ehrfurcht erfülltest, wie zart, wie leicht, wie taktvoll Du warst, ganz ohne Zudringlichkeit, ganz ohne jene eiligen karessanten Zärtlichkeiten, und vom ersten Augenblick von einer so sicheren freundschaftlichen Vertrautheit, daß Du mich auch gewonnen hättest, wäre ich nicht schon längst mit meinem ganzen Willen und Wesen Dein gewesen. Ach, Du weißt ja nicht, ein wie Ungeheures Du erfülltest, indem Du mir fünf Jahre kindischer Erwartung nicht enttäuschtest!

Es wurde spät, wir brachen auf. An der Tür des Restaurants fragtest Du mich, ob ich eilig wäre oder noch Zeit hätte. Wie hätte ichs verschweigen können, daß ich Dir bereit sei! Ich sagte, ich hätte noch Zeit. Dann fragtest Du, ein leises Zögern rasch überspringend, ob ich nicht noch ein wenig zu Dir kommen wollte, um zu plaudern. «Gerne», sagte ich ganz aus der Selbstverständlichkeit meines Fühlens heraus und merkte sofort, daß Du von der Raschheit meiner Zusage irgendwie peinlich oder freudig berührt warst, jedenfalls aber sichtlich überrascht. Heute verstehe ich ja dies Dein Erstaunen; ich weiß, es ist bei Frauen üblich, auch wenn das Verlangen nach Hingabe in einer brennend ist, diese Bereitschaft zu verleugnen, ein Erschrecken vorzutäuschen oder eine Entrüstung, die durch eindringliche Bitte, durch Lügen, Schwüre und Versprechen erst beschwichtigt sein will. Ich weiß, daß vielleicht nur die Professionellen der Liebe, die Dirnen, eine solche Einladung mit einer so vollen freudigen Zustimmung beantworten, oder ganz naive, ganz halbwüchsige Kinder. In mir aber war es — und wie konntest Du das ahnen — nur der wortgewordene Wille, die geballt vorbrechende Sehnsucht von tausend einzelnen Tagen. Jedenfalls aber: Du warst frappiert, ich begann Dich zu interessieren. Ich spürte, daß Du, während wir gingen, von der Seite her während des Gespräches mich irgendwie erstaunt mustertest. Dein Gefühl, Dein in allem Menschlichen so magisch sicheres Gefühl witterte hier sogleich ein Ungewöhnliches, ein Geheimnis in diesem hübschen zutunlichen Mädchen. Der Neugierige in Dir war wach, und ich merkte, aus der umkreisenden, spürenden Art der Fragen, wie Du nach dem Geheimnis tasten wolltest. Aber ich wich Dir aus: ich wollte lieber töricht erscheinen als Dir mein Geheimnis verraten.

Wir gingen zu Dir hinauf. Verzeih, Geliebter, wenn ich Dir sage, daß Du es nicht verstehen kannst, was dieser Gang, diese Treppe für mich waren, welcher Taumel, welche Verwirrung, welch ein rasendes, quälendes, fast tödliches Glück. Jetzt noch kann ich kaum ohne Tränen daran denken, und ich habe keine mehr. Aber fühl es nur aus, daß jeder Gegenstand dort gleichsam durchdrungen war von meiner Leidenschaft, jeder ein Symbol meiner Kindheit, meiner Sehnsucht: das Tor, vor dem ich tausende Male auf Dich gewartet, die Treppe, von der ich immer Deinen Schritt erhorcht und wo ich Dich zum erstenmal gesehen, das Guckloch, aus dem ich mir die Seele gespäht, der Türvorleger vor Deiner Tür, auf dem ich einmal gekniet, das Knacken des Schlüssels, bei dem ich immer aufgesprungen von meiner Lauer. Die ganze Kindheit, meine ganze Leidenschaft, da nistete sie ja in diesen paar Metern Raum, hier war mein ganzes Leben, und jetzt fiel es nieder auf mich wie ein Sturm, da alles, alles sich erfüllte und ich mit Dir ging, ich mit Dir, in Deinem, in unserem Hause. Bedenke — es klingt ja banal, aber ich weiß es nicht anders zu sagen —, daß bis zu Deiner Tür alles Wirklichkeit, dumpfe tägliche Welt ein Leben lang gewesen war, und dort das Zauberreich des Kindes begann, Aladins Reich, bedenke, daß ich tausendmal mit brennenden Augen auf diese Tür gestarrt, die ich jetzt taumelnd durchschritt, und Du wirst ahnen — aber nur ahnen, niemals ganz wissen, mein Geliebter! —, was diese stürzende Minute von meinem Leben wegtrug.

Ich blieb damals die ganze Nacht bei Dir. Du hast es nicht geahnt, daß vordem noch nie ein Mann mich berührt, noch keiner meinen Körper gefühlt oder gesehen. Aber wie konntest Du es auch ahnen, Geliebter, denn ich bot Dir ja keinen Widerstand, ich unterdrückte jedes Zögern der Scham, nur damit Du nicht das Geheimnis meiner Liebe zu Dir erraten könntest, das Dich gewiß erschreckt hätte — denn Du liebst ja nur das Leichte, das Spielende, das Gewichtlose, Du hast Angst, in ein Schicksal einzugreifen. Verschwenden willst Du Dich, Du, an alle, an die Welt, und willst kein Opfer. Wenn ich Dir jetzt sage, Geliebter, daß ich mich jungfräulich Dir gab, so flehe ich Dich an: mißversteh mich nicht! Ich klage Dich ja nicht an, Du hast mich nicht gelockt, nicht belogen, nicht verführt — ich, ich selbst drängte zu Dir, warf mich an Deine Brust, warf mich in mein Schicksal. Nie, nie werde ich Dich anklagen, nein, nur immer Dir danken, denn wie reich, wie funkelnd von Lust, wie schwebend von Seligkeit war für mich diese Nacht. Wenn ich die Augen auftat im Dunkeln und Dich fühlte an meiner Seite, wunderte ich mich, daß nicht die Sterne über mir waren, so sehr fühlte ich Himmel — nein, ich habe niemals bereut, mein Geliebter, niemals um dieser Stunde willen. Ich weiß noch: als Du schliefst, als ich Deinen Atem hörte, Deinen Körper fühlte und mich selbst Dir so nah, da habe ich im Dunkeln geweint vor Glück.

Am Morgen drängte ich frühzeitig schon fort. Ich mußte in das Geschäft und wollte auch gehen, ehe der Diener käme: er sollte mich nicht sehen. Als ich angezogen vor Dir stand, nahmst Du mich in den Arm, sahst mich lange an; war es ein Erinnern, dunkel und fern, das in Dir wogte, oder schien ich Dir nur schön, beglückt, wie ich war? Dann küßtest Du mich auf den Mund. Ich machte mich leise los und wollte gehen. Da fragtest Du: «Willst Du nicht ein paar Blumen mitnehmen?» Ich sagte ja. Du nahmst vier weiße Rosen aus der blauen Kristallvase am Schreibtisch (ach, ich kannte sie von jenem einzigen diebischen Kindheitsblick) und gabst sie mir. Tagelang habe ich sie noch geküßt.

Wir hatten zuvor einen andern Abend verabredet. Ich kam, und wieder war es wunderbar. Noch eine dritte Nacht hast Du mir geschenkt. Dann sagtest Du, Du müßtest verreisen — oh, wie haßte ich diese Reisen von meiner Kindheit her! — und versprachst mir, mich sofort nach Deiner Rückkehr zu verständigen. Ich gab Dir eine Poste restante-Adresse — meinen Namen wollte ich Dir nicht sagen. Ich hütete mein Geheimnis. Wieder gabst Du mir ein paar Rosen zum Abschied — zum Abschied.

Jeden Tag während zweier Monate fragte ich ... aber nein, wozu diese Höllenqual der Erwartung, der Verzweiflung Dir schildern. Ich klage Dich nicht an, ich liebe Dich als den, der Du bist, heiß und vergeßlich, hingebend und untreu, ich liebe Dich so, nur so, wie Du immer gewesen und wie Du jetzt noch bist. Du warst längst zurück, ich sah es an Deinen erleuchteten Fenstern, und hast mir nicht geschrieben. Keine Zeile habe ich von Dir in meinen letzten Stunden, keine Zeile von Dir, dem ich mein Leben gegeben. Ich habe gewartet, ich habe gewartet wie eine Verzweifelte. Aber Du hast mich nicht gerufen, keine Zeile hast Du mir geschrieben ... keine Zeile ...

*

Mein Kind ist gestern gestorben — es war auch Dein Kind. Es war auch Dein Kind, Geliebter, das Kind einer jener drei Nächte, ich schwöre es Dir, und man lügt nicht im Schatten des Todes. Es war unser Kind, ich schwöre es Dir, denn kein Mann hat mich berührt von jenen Stunden, da ich mich Dir hingegeben, bis zu jenen andern, da es aus meinem Leib gerungen wurde. Ich war mir heilig durch Deine Berührung: wie hätte ich es vermocht, mich zu teilen an Dich, der mir alles gewesen, und an andere, die an meinem Leben nur leise anstreiften? Es war unser Kind, Geliebter, das Kind meiner wissenden Liebe und Deiner sorglosen, verschwenderischen, fast unbewußten Zärtlichkeit, unser Kind, unser Sohn, unser einziges Kind. Aber Du fragst nun — vielleicht erschreckt, vielleicht bloß erstaunt —, Du fragst nun, mein Geliebter, warum ich dies Kind Dir alle diese langen Jahre verschwiegen und erst heute von ihm spreche, da es hier im Dunkel schlafend, für immer schlafend liegt, schon bereit fortzugehen und nie mehr wiederzukehren, nie mehr! Doch wie hätte ich es Dir sagen können? Nie hättest Du mir, der Fremden, der allzu Bereitwilligen dreier Nächte, die sich ohne Widerstand, ja begehrend, Dir aufgetan, nie hättest Du ihr, der Namenlosen einer flüchtigen Begegnung, geglaubt, daß sie Dir die Treue hielt, Dir, dem Untreuen — nie ohne Mißtrauen dies Kind als das Deine erkannt! Nie hättest Du, selbst wenn mein Wort Dir Wahrscheinlichkeit geboten, den heimlichen Verdacht abtun können, ich versuchte, Dir, dem Begüterten, das Kind fremder Stunde unterzuschieben. Du hättest mich beargwohnt, ein Schatten wäre geblieben, ein fliegender, scheuer Schatten von Mißtrauen zwischen Dir und mir. Das wollte ich nicht. Und dann, ich kenne Dich; ich kenne Dich so gut, wie Du kaum selber Dich kennst, ich weiß, es wäre Dir, der Du das Sorglose, das Leichte, das Spielende liebst in der Liebe, peinlich gewesen, plötzlich Vater, plötzlich verantwortlich zu sein für ein Schicksal. Du hättest Dich, Du, der Du nur in Freiheit atmen kannst, Dich irgendwie verbunden gefühlt mit mir. Du hättest mich — ja, ich weiß es, daß Du es getan hättest, wider Deinen eigenen wachen Willen —, Du hättest mich gehaßt für dieses

Verbundensein. Vielleicht nur stundenlang, vielleicht nur flüchtige Minuten lang wäre ich Dir lästig gewesen, wäre ich Dir verhaßt worden — ich aber wollte in meinem Stolze, Du solltest an mich ein Leben lang ohne Sorge denken. Lieber wollte ich alles auf mich nehmen als Dir eine Last werden, und einzig die sein unter allen Deinen Frauen, an die Du immer mit Liebe, mit Dankbarkeit denkst. Aber freilich, Du hast nie an mich gedacht, Du hast mich vergessen.

Ich klage Dich nicht an, mein Geliebter, nein, ich klage Dich nicht an. Verzeih mirs, wenn mir manchmal ein Tropfen Bitternis in die Feder fließt, verzeih mirs — mein Kind, unser Kind liegt ja da tot unter den flackernden Kerzen; ich habe zu Gott die Fäuste geballt und ihn Mörder genannt, meine Sinne sind trüb und verwirrt. Verzeih mir die Klage, verzeihe sie mir! Ich weiß ja, daß Du gut bist und hilfreich im tiefsten Herzen, Du hilfst jedem, hilfst auch dem Fremdesten, der Dich bittet. Aber Deine Güte ist so sonderbar, sie ist eine, die offen liegt für jeden, daß er nehmen kann, soviel seine Hände fassen, sie ist groß, unendlich groß, Deine Güte, aber sie ist — verzeih mir — sie ist träge. Sie will gemahnt, will genommen sein. Du hilfst, wenn man Dich ruft, Dich bittet, hilfst aus Scham, aus Schwäche und nicht aus Freudigkeit. Du hast — laß es Dir offen sagen — den Menschen in Notdurft und Qual nicht lieber als den Bruder im Glück. Und Menschen, die so sind wie Du, selbst die Gütigsten unter ihnen, sie bittet man schwer. Einmal, ich war noch ein Kind, sah ich durch das Guckloch an der Tür, wie Du einem Bettler, der bei Dir geklingelt hatte, etwas gabst. Du gabst ihm rasch und sogar viel, noch ehe er Dich bat, aber Du reichtest es ihm mit einer gewissen Angst und Hast hin, er möchte nur bald wieder fortgehen, es war, als hättest Du Furcht, ihm ins Auge zu sehen. Diese Deine unruhige, scheue, vor der Dankbarkeit flüchtende Art des Helfens habe ich nie vergessen. Und deshalb habe ich mich nie an Dich gewandt. Gewiß, ich weiß, Du hättest mir damals zur Seite gestanden auch ohne die Gewißheit, es sei Dein Kind, Du hättest mich getröstet, mir Geld gegeben, reichlich Geld, aber immer nur mit der geheimen Ungeduld, das Unbequeme von Dir wegzuschieben; ja, ich glaube, Du hättest mich sogar beredet, das Kind vorzeitig abzutun. Und dies fürchtete ich vor allem — denn was hätte ich nicht getan, so Du es begehrtest, wie hätte ich Dir etwas zu verweigern vermocht! Aber dieses Kind war alles für mich, war es doch von Dir, nochmals Du, aber nun nicht mehr Du, der Glückliche, der Sorglose, den ich nicht zu halten vermochte, sondern Du für immer — so meinte ich — mir gegeben, verhaftet in meinem Leibe, verbunden in meinem Leben. Nun hatte ich Dich ja endlich gefangen, ich konnte Dich, Dein Leben wachsen spüren in meinen Adern, Dich nähren, Dich tränken, Dich liebkosen, Dich küssen, wenn mir die Seele danach brannte. Siehst Du, Geliebter, darum war ich so selig, als ich wußte, daß ich ein Kind von Dir hatte, darum verschwieg ich Dirs: denn nun konntest Du mir nicht mehr entfliehen.

Freilich, Geliebter, es waren nicht nur so selige Monate, wie ich sie voraus fühlte in meinen Gedanken, es waren auch Monate voll von Grauen und Qual, voll Ekel vor der Niedrigkeit der Menschen. Ich hatte es nicht leicht. In das Geschäft konnte ich während der letzten Monate nicht mehr gehen, damit es den Verwandten nicht auffällig werde und sie nicht nach Hause berichteten. Von der Mutter wollte ich kein Geld erbitten — so fristete ich mir mit dem Verkauf von dem bißchen Schmuck, den ich hatte, die Zeit bis zur Niederkunft. Eine Woche vorher wurden mir aus einem Schranke von einer Wäscherin die letzten paar Kronen gestohlen, so mußte ich in die Gebärklinik. Dort, wo nur die ganz Armen, die Ausgestoßenen und Vergessenen sich in ihrer Not hinschleppen, dort, mitten im Abhub des Elends, dort ist das Kind, Dein Kind geboren worden. Es war zum Sterben dort: fremd, fremd, fremd war alles, fremd wir einander, die wir da lagen, einsam und voll Haß eine auf die andere, nur vom Elend, von der gleichen Qual in diesen dumpfen, von Chloroform und Blut, von Schrei und Stöhnen vollgepreßten Saal gestoßen. Was die Armut an Erniedrigung, an seelischer und körperlicher Schande zu ertragen hat, ich habe es dort gelitten an dem Beisammensein mit Dirnen und mit Kranken, die aus der Gemeinsamkeit des Schicksals eine Gemeinheit machten, an der Zynik der jungen Ärzte, die mit einem ironischen Lächeln der Wehrlosen das Bettuch aufstreiften und sie mit falscher Wissenschaftlichkeit antasteten, an der Habsucht der Wärterinnen — oh, dort wird die Scham eines Menschen gekreuzigt mit Blicken und gegeißelt mit Worten. Die Tafel mit deinem Namen, das allein bist dort noch du, denn was im Bette liegt, ist bloß ein zuckendes Stück Fleisch, betastet von Neugierigen, ein Objekt der Schau und des Studierens — ah, sie wissen es nicht, die Frauen, die ihrem Mann, dem zärtlich wartenden, in seinem Hause Kinder schenken, was es heißt, allein, wehrlos, gleichsam am Versuchstisch, ein Kind zu gebären! Und lese ich noch heute in einem Buche das Wort Hölle, so denke ich plötzlich wider meinen bewußten Willen an jenen vollgepfropften, dünstenden, von Seufzer, Gelächter und blutigem Schrei erfüllten Saal, in dem ich gelitten habe, an dieses Schlachthaus der Scham.

Verzeih, verzeih mirs, daß ich davon spreche. Aber nur dieses eine Mal rede ich davon, nie mehr, nie mehr wieder. Elf Jahre habe ich geschwiegen davon, und werde bald stumm sein in alle Ewigkeit: einmal mußte ichs ausschreien, einmal ausschreien, wie teuer ich es erkaufte, dies Kind, das meine Seligkeit war und das nun dort ohne Atem liegt. Ich hatte sie schon vergessen, diese Stunden, längst vergessen im Lächeln, in der Stimme des Kindes, in meiner Seligkeit; aber jetzt, da es tot ist, wird die Qual wieder lebendig, und ich mußte sie mir von der Seele schreien, dieses eine, dieses eine Mal. Aber nicht Dich klage ich an, nur Gott, nur Gott, der sie sinnlos machte, diese Qual. Nicht Dich klage ich an, ich schwöre es Dir, und nie habe ich mich im Zorn erhoben gegen Dich. Selbst in der Stunde, da mein Leib sich krümmte in den Wehen, da mein Körper vor Scham brannte unter den tastenden Blicken der Studenten, selbst in der Sekunde, da der Schmerz mir die Seele zerriß, habe ich Dich nicht angeklagt vor Gott; nie habe ich jene Nächte bereut, nie meine Liebe zu Dir gescholten, immer habe ich Dich geliebt, immer die Stunde gesegnet, da Du mir begegnet bist. Und müßte ich noch einmal durch die Hölle jener Stunden und wüßte vordem, was mich erwartet, ich täte es noch einmal, mein Geliebter, noch einmal und tausendmal!

*

Unser Kind ist gestern gestorben — Du hast es nie gekannt. Niemals, auch in der flüchtigen Begegnung des Zufalles, hat dies blühende, kleine Wesen, Dein Wesen, im Vorübergehen Deinen Blick gestreift. Ich hielt mich lange verborgen vor Dir, sobald ich dies Kind hatte; meine Sehnsucht nach Dir war weniger schmerzhaft geworden, ja ich glaube, ich liebte Dich weniger leidenschaftlich, zumindest litt ich nicht so an meiner Liebe, seit es mir geschenkt war. Ich wollte mich nicht zerteilen zwischen Dir und ihm; so gab ich mich nicht an Dich, den Glücklichen, der an mir vorbeilebte, sondern an dies Kind, das mich brauchte, das ich nähren mußte, das ich küssen konnte und umfangen. Ich schien gerettet vor meiner Unruhe nach Dir, meinem Verhängnis, gerettet durch dies Dein anderes Du, das aber wahrhaft mein war — selten nur mehr, ganz selten drängte mein Gefühl sich demütig heran an Dein Haus. Nur eines tat ich: zu Deinem Geburtstag sandte ich Dir immer ein Bündel weiße Rosen, genau dieselben, wie Du sie mir damals geschenkt nach unserer ersten Liebesnacht. Hast Du je in diesen zehn, in diesen elf Jahren Dich gefragt, wer sie sandte? Hast Du Dich vielleicht an die erinnert, der Du einst solche Rosen geschenkt? Ich weiß es nicht und werde Deine Antwort nicht wissen. Nur aus dem Dunkel sie Dir hinzureichen, einmal im Jahre die Erinnerung aufblühen zu lassen an jene Stunde — das war mir genug.

Du hast es nie gekannt, unser armes Kind — heute klage ich mich an, daß ich es Dir verbarg, denn Du hättest es geliebt. Nie hast Du ihn gekannt, den armen Knaben, nie ihn lächeln gesehen, wenn er leise die Lider aufhob und dann mit seinen dunklen klugen Augen — Deinen Augen! — ein helles, frohes Licht warf über mich, über die ganze Welt. Ach, er war so heiter, so lieb: die ganze Leichtigkeit Deines Wesens war in ihm kindlich wiederholt, deine rasche, bewegte Phantasie in ihm erneuert: stundenlang konnte er verliebt mit Dingen spielen, so wie Du mit dem Leben spielst, und dann wieder ernst mit hochgezogenen Brauen vor seinen Büchern sitzen. Er wurde immer mehr Du; schon begann sich auch in ihm jene Zwiefältigkeit von Ernst und Spiel, die Dir eigen ist, sichtbar zu entfalten, und je ähnlicher er Dir ward, desto mehr liebte ich ihn. Er hat gut gelernt, er plauderte Französisch wie eine kleine Elster, seine Hefte waren die saubersten der Klasse, und wie hübsch war er dabei, wie elegant in seinem schwarzen Samtkleid oder dem weißen Matrosenjäckchen. Immer war er der Eleganteste von allen, wohin er auch kam; in Grado am Strande, wenn ich mit ihm ging, blieben die Frauen stehen und streichelten sein langes blondes Haar, auf dem Semmering, wenn er im Schlitten fuhr, wandten sich bewundernd die Leute nach ihm um. Er war so hübsch, so zart, so zutunlich: als er im letzten Jahre ins Internat des Theresianums kam, trug er seine Uniform und den kleinen Degen wie ein Page aus dem achtzehnten Jahrhundert — nun hat er nichts als sein Hemdchen an, der Arme, der dort liegt mit blassen Lippen und eingefalteten Händen.

Aber Du fragst mich vielleicht, wie ich das Kind so im Luxus erziehen konnte, wie ich es vermochte, ihm dies helle, dies heitere Leben der obern Welt zu vergönnen. Liebster, ich spreche aus dem Dunkel zu Dir; ich habe keine Scham, ich will es Dir sagen, aber erschrick nicht, Geliebter — ich habe mich verkauft. Ich wurde nicht gerade das, was man ein Mädchen von der Straße nennt, eine Dirne, aber ich habe mich verkauft. Ich hatte reiche

Freunde, reiche Geliebte: zuerst suchte ich sie, dann suchten sie mich, denn ich war — hast Du es je bemerkt? — sehr schön. Jeder, dem ich mich gab, gewann mich lieb, alle haben mir gedankt, alle an mir gehangen, alle mich geliebt — nur Du nicht, nur Du nicht, mein Geliebter!

Verachtest Du mich nun, weil ich Dir es verriet, daß ich mich verkauft habe? Nein, ich weiß, Du verachtest mich nicht, ich weiß, Du verstehst alles und wirst auch verstehen, daß ich es nur für Dich getan, für Dein anderes Ich, für Dein Kind. Ich hatte einmal in jener Stube der Gebärklinik an das Entsetzliche der Armut gerührt, ich wußte, daß in dieser Welt der Arme immer der Getretene, der Erniedrigte, das Opfer ist, und ich wollte nicht, um keinen Preis, daß Dein Kind, Dein helles, schönes Kind da tief unten aufwachsen sollte im Abhub, im Dumpfen, im Gemeinen der Gasse, in der verpesteten Luft eines Hinterhausraumes. Sein zarter Mund sollte nicht die Sprache des Rinnsteins kennen, sein weißer Leib nicht die dumpfige, verkrümmte Wäsche der Armut — Dein Kind sollte alles haben, allen Reichtum, alle Leichtigkeit der Erde, es sollte wieder aufsteigen zu Dir, in Deine Sphäre des Lebens.

Darum, nur darum, mein Geliebter, habe ich mich verkauft. Es war kein Opfer für mich, denn was man gemeinhin Ehre und Schande nennt, das war mir wesenlos: Du liebtest mich nicht, Du, der Einzige, dem mein Leib gehörte, so fühlte ich es als gleichgültig, was sonst mit meinem Körper geschah. Die Liebkosungen der Männer, selbst ihre innerste Leidenschaft, sie rührten mich im Tiefsten nicht an, obzwar ich manche von ihnen sehr achten mußte und mein Mitleid mit ihrer unerwiderten

Liebe in Erinnerung eigenen Schicksals mich oft erschütterte. Alle waren sie gut zu mir, die ich kannte, alle haben sie mich verwöhnt, alle achteten sie mich. Da war vor allem einer, ein älterer, verwitweter Reichsgraf, derselbe, der sich die Füße wundstand an den Türen, um die Aufnahme des vaterlosen Kindes, Deines Kindes, im Theresianum durchzudrücken — der liebte mich wie eine Tochter. Dreimal, viermal machte er mir den Antrag, mich zu heiraten — ich könnte heute Gräfin sein, Herrin auf einem zauberischen Schloß in Tirol, könnte sorglos sein, denn das Kind hätte einen zärtlichen Vater gehabt, der es vergötterte, und ich einen stillen, vornehmen, gütigen Mann an meiner Seite — ich habe es nicht getan, so sehr, so oft er auch drängte, so sehr ich ihm wehe tat mit meiner Weigerung. Vielleicht war es eine Torheit, denn sonst lebte ich jetzt irgendwo still und geborgen, und dies Kind, das geliebte, mit mir, aber — warum soll ich Dir es nicht gestehen — ich wollte mich nicht binden, ich wollte Dir frei sein in jeder Stunde. Innen im Tiefsten, im Unbewußten meines Wesens lebte noch immer der alte Kindertraum, Du würdest vielleicht noch einmal mich zu Dir rufen, sei es nur für eine Stunde lang. Und für diese eine mögliche Stunde habe ich alles weggestoßen, nur um Dir frei zu sein für Deinen ersten Ruf. Was war mein ganzes Leben seit dem Erwachen aus der Kindheit denn anders als ein Warten, ein Warten auf Deinen Willen!

Und diese Stunde, sie ist wirklich gekommen. Aber Du weißt sie nicht, Du ahnst sie nicht, mein Geliebter! Auch in ihr hast Du mich nicht erkannt — nie, nie, nie hast Du mich erkannt! Ich war Dir ja schon früher oft begegnet, in den Theatern, in den Konzerten, im Prater, auf der Straße. — jedesmal zuckte mir das Herz, aber Du sahst an mir vorbei: ich war ja äußerlich eine ganz andere, aus dem scheuen Kinde war eine Frau geworden, schön, wie sie sagten, in kostbare Kleider gehüllt, umringt von Verehrern: wie konntest Du in mir jenes schüchterne Mädchen im dämmerigen Licht Deines Schlafraumes vermuten! Manchmal grüßte Dich einer der Herren, mit denen ich ging, Du danktest und sahst auf zu mir: aber Dein Blick war höfliche Fremdheit, anerkennend, aber nie erkennend, fremd, entsetzlich fremd. Einmal, ich erinnere mich noch, ward mir dieses Nichterkennen, an das ich fast schon gewohnt war, zu brennender Qual: ich saß in einer Loge der Oper mit einem Freunde und Du in der Nachbarloge. Die Lichter erloschen bei der Ouvertüre, ich konnte Dein Antlitz nicht mehr sehen, nur Deinen Atem fühlte ich so nah neben mir, wie damals in jener Nacht, und auf der samtenen Brüstung der Abteilung unserer Logen lag Deine Hand aufgestützt, Deine feine, zarte Hand. Und unendlich überkam mich das Verlangen, mich niederzubeugen und diese fremde, diese so geliebte Hand demütig zu küssen, deren zärtliche Umfassung ich einst gefühlt. Um mich wogte aufwühlend die Musik, immer leidenschaftlicher wurde das Verlangen, ich mußte mich ankrampfen, mich gewaltsam aufreißen, so gewaltsam zog es meine Lippen hin zu Deiner geliebten Hand. Nach dem ersten Akt bat ich meinen Freund, mit mir fortzugehen. Ich ertrug es nicht mehr, Dich so fremd und so nah neben mir zu haben im Dunkel.

Aber die Stunde kam, sie kam noch einmal, ein letztes Mal in mein verschüttetes Leben. Fast genau vor einem Jahr ist es gewesen, am Tage nach Deinem Geburtstage. Seltsam: ich hatte alle die Stunden an Dich gedacht, denn Deinen Geburtstag, ihn feierte ich immer wie ein Fest.

Ganz frühmorgens schon war ich ausgegangen und hatte die weißen Rosen gekauft, die ich Dir wie alljährlich senden ließ zur Erinnerung an eine Stunde, die Du vergessen hattest. Nachmittags fuhr ich mit dem Buben aus, führte ihn zu Demel in die Konditorei und abends ins Theater, ich wollte, auch er sollte diesen Tag, ohne seine Bedeutung zu wissen, irgendwie als einen mystischen Feiertag von Jugend her empfinden. Am nächsten Tage war ich dann mit meinem damaligen Freunde, einem jungen, reichen Brünner Fabrikanten, mit dem ich schon seit zwei Jahren zusammenlebte, der mich vergötterte, verwöhnte und mich ebenso heiraten wollte wie die andern und dem ich mich ebenso scheinbar grundlos verweigerte wie den andern, obwohl er mich und das Kind mit Geschenken überschüttete und selbst liebenswert war in seiner ein wenig dumpfen, knechtischen Güte. Wir gingen zusammen in ein Konzert, trafen dort heitere Gesellschaft, soupierten in einem Ringstraßenrestaurant, und dort, mitten im Lachen und Schwätzen, machte ich den Vorschlag, noch in ein Tanzlokal, in den Tabarin, zu gehen. Mir waren diese Art Lokale mit ihrer systematischen und alkoholischen Heiterkeit wie jede «Drahrerei» sonst immer widerlich, und ich wehrte mich sonst immer gegen derlei Vorschläge, diesmal aber — es war wie eine unergründliche magische Macht in mir, die mich plötzlich unbewußt den Vorschlag mitten in die freudig zustimmende Erregung der andern werfen ließ — hatte ich plötzlich ein unerklärliches Verlangen, als ob dort irgend etwas Besonderes mich erwarte. Gewohnt, mir gefällig zu sein, standen alle rasch auf, wir gingen hinüber, tranken Champagner, und in mich kam mit einemmal eine ganz rasende, ja fast schmerzhafte Lustigkeit, wie ich sie nie gekannt. Ich trank und trank, sang die kitschigen Lieder mit und hatte fast den Zwang, zu tanzen oder zu jubeln. Aber plötzlich — mir war, als hätte etwas Kaltes oder etwas Glühendheißes sich mir jäh aufs Herz gelegt — riß es mich auf: am Nachbartisch saßest Du mit einigen Freunden und sahst mich an mit einem bewundernden und begehrenden Blick, mit jenem Blicke, der mir immer den ganzen Leib von innen aufwühlte. Zum erstenmal seit zehn Jahren sahst Du mich wieder an mit der ganzen unbewußt-leidenschaftlichen Macht Deines Wesens. Ich zitterte. Fast wäre mir das erhobene Glas aus den Händen gefallen. Glücklicherweise merkten die Tischgenossen nicht meine Verwirrung: sie verlor sich in dem Dröhnen von Gelächter und Musik.

Immer brennender wurde Dein Blick und tauchte mich ganz in Feuer. Ich wußte nicht: hattest Du mich endlich, endlich erkannt, oder begehrtest Du mich neu, als eine andere, als eine Fremde? Das Blut flog mir in die Wangen, zerstreut antwortete ich den Tischgenossen: Du mußtest es merken, wie verwirrt ich war von Deinem Blick. Unmerklich für die übrigen machtest Du mit einer Bewegung des Kopfes ein Zeichen, ich möchte für einen Augenblick hinauskommen in den Vorraum. Dann zahltest Du ostentativ, nahmst Abschied von Deinen Kameraden und gingst hinaus, nicht ohne zuvor noch einmal angedeutet zu haben, daß Du draußen auf mich warten würdest. Ich zitterte wie im Frost, wie im Fieber, ich konnte nicht mehr Antwort geben, nicht mehr mein aufgejagtes Blut beherrschen. Zufälligerweise begann gerade in diesem Augenblick ein Negerpaar mit knatternden Absätzen und schrillen Schreien einen absonderlichen neuen Tanz: alles starrte ihnen zu, und diese Sekunde nützte ich. Ich stand auf, sagte meinem Freunde, daß ich gleich zurückkäme und ging Dir nach.

Draußen im Vorraum vor der Garderobe standest Du, mich erwartend: Dein Blick ward hell, als ich kam. Lächelnd eiltest Du mir entgegen; ich sah sofort, Du erkanntest mich nicht, erkanntest nicht das Kind von einst und nicht das Mädchen, noch einmal griffest Du nach mir als einem Neuen, einem Unbekannten. «Haben Sie auch für mich einmal eine Stunde», fragtest Du vertraulich — ich fühlte an der Sicherheit Deiner Art, Du nahmst mich für eine dieser Frauen, für die Käufliche eines Abends. «Ja», sagte ich, dasselbe zitternde und doch selbstverständliche einwilligende Ja, das Dir das Mädchen vor mehr als einem Jahrzehnt auf der dämmernden Straße gesagt. «Und wann könnten wir uns sehen?» fragtest Du. «Wann immer Sie wollen», anwortete ich — vor Dir hatte ich keine Scham. Du sahst mich ein wenig verwundert an, mit derselben mißtrauisch-neugierigen Verwunderung wie damals, als Dich gleichfalls die Raschheit meines Einverständnisses erstaunt hatte. «Könnten Sie jetzt?» fragtest Du, ein wenig zögernd. «Ja», sagte ich, «gehen wir».

Ich wollte zur Garderobe, meinen Mantel holen.

Da fiel mir ein, daß mein Freund den Garderobenzettel hatte für unsere gemeinsam abgegebenen Mäntel. Zurückzugehen und ihn verlangen, wäre ohne umständliche Begründung nicht möglich gewesen, anderseits die Stunde mit Dir preisgeben, die seit Jahren ersehnte, dies wollte ich nicht. So habe ich keine Sekunde gezögert: ich nahm nur den Schal über das Abendkleid und ging hinaus in die nebelfeuchte Nacht, ohne mich um den Mantel zu kümmern, ohne mich um den guten, zärtlichen Menschen zu kümmern, von dem ich seit Jahren lebte und den ich vor seinen Freunden zum lächerlichsten Narren erniedrigte, zu einem, dem seine Geliebte nach Jahren wegläuft auf den ersten Pfiff eines fremden Mannes. Oh, ich war mir ganz der Niedrigkeit, der Undankbarkeit, der Schändlichkeit, die ich gegen einen ehrlichen Freund beging, im Tiefsten bewußt, ich fühlte, daß ich lächerlich handelte und mit meinem Wahn einen gütigen Menschen für immer tödlich kränkte, fühlte, daß ich mein Leben mitten entzweiriß — aber was war mir Freundschaft, was meine Existenz gegen die Ungeduld, wieder einmal deine Lippen zu fühlen, Dein Wort weich gegen mich gesprochen zu hören. So habe ich Dich geliebt, nun kann ich es Dir sagen, da alles vorbei ist und vergangen. Und ich glaube, riefest Du mich von meinem Sterbebette, so käme mir plötzlich die Kraft, aufzustehen und mit Dir zu gehen.

Ein Wagen stand vor dem Eingang, wir fuhren zu Dir. Ich hörte wieder Deine Stimme, ich fühlte Deine zärtliche Nähe und war genau so betäubt, so kindisch-selig verwirrt wie damals. Wie stieg ich, nach mehr als zehn Jahren, zum erstenmal wieder die Treppe empor — nein, nein, ich kann Dirs nicht schildern, wie ich alles immer doppelt fühlte in jenen Sekunden, vergangene Zeit und Gegenwart, und in allem und allem immer nur Dich. In Deinem Zimmer war weniges anders, ein paar Bilder mehr, und mehr Bücher, da und dort fremde Möbel, aber alles doch grüßte mich vertraut. Und am Schreibtisch stand die Vase mit den Rosen darin — mit meinen Rosen, die ich Dir tags vorher zu Deinem Geburtstag geschickt als Erinnerung an eine, an die Du Dich doch nicht erinnertest, die Du doch nicht erkanntest, selbst jetzt, da sie Dir nahe war, Hand in Hand und Lippe an Lippe.

Aber doch: es tat mir wohl, daß Du die Blumen hegtest: so war doch ein Hauch meines Wesens, ein Atem meiner Liebe um Dich.

Du nahmst mich in Deine Arme. Wieder blieb ich bei Dir eine ganze herrliche Nacht. Aber auch im nackten Leibe erkanntest Du mich nicht. Selig erlitt ich Deine wissenden Zärtlichkeiten und sah, daß Deine Leidenschaft keinen Unterschied macht zwischen einer Geliebten und einer Käuflichen, daß Du Dich ganz gibst an Dein Begehren mit der unbedachten verschwenderischen Fülle Deines Wesens. Du warst so zärtlich und lind zu mir, der vom Nachtlokal Geholten, so vornehm und so herzlichachtungsvoll und doch gleichzeitig so leidenschaftlich im Genießen der Frau; wieder fühlte ich, taumelig vom alten Glück, diese einzige Zweiheit Deines Wesens, die wissende, die geistige Leidenschaft in der sinnlichen, die schon das Kind Dir hörig gemacht. Nie habe ich bei einem Manne in der Zärtlichkeit solche Hingabe an den Augenblick gekannt, ein solches Ausbrechen und Entgegenleuchten des tiefsten Wesens — freilich um dann hinzulöschen in eine unendliche, fast unmenschliche Vergeßlichkeit. Aber auch ich vergaß mich selbst: wer war ich nun im Dunkel neben Dir? War ichs, das brennende Kind von einst, war ichs, die Mutter Deines Kindes, war ichs, die Fremde? Ach, es war so vertraut, so erlebt alles, und alles wieder so rauschend neu in dieser leidenschaftlichen Nacht. Und ich betete, sie möchte kein Ende nehmen.

Aber der Morgen kam, wir standen spät auf, Du ludest mich ein, noch mit Dir zu frühstücken. Wir tranken zusammen den Tee, den eine unsichtbar dienende Hand diskret in dem Speisezimmer bereitgestellt hatte, und plauderten. Wieder sprachst Du mit der ganzen offenen, herzlichen Vertraulichkeit Deines Wesens zu mir und wieder ohne alle indiskreten Fragen, ohne alle Neugier nach dem Wesen, das ich war. Du fragtest nicht nach meinem Namen, nicht nach meiner Wohnung: ich war Dir wiederum nur das Abenteuer, das Namenlose, die heiße Stunde, die im Rauch des Vergessens spurlos sich löst. Du erzähltest, daß Du jetzt weit weg reisen wolltest, nach Nordafrika für zwei oder drei Monate; ich zitterte mitten in meinem Glück, denn schon hämmerte es mir in den Ohren: vorbei, vorbei und vergessen! Am liebsten wäre ich hin zu Deinen Knien gestürzt und hätte geschrien: «Nimm mich mit, damit Du mich endlich erkennst, endlich, endlich nach so vielen Jahren!» Aber ich war ja so scheu, so feige, so sklavisch, so schwach vor Dir. Ich konnte nur sagen: «Wie schade.» Du sahst mich lächelnd an: «Ist es Dir wirklich leid?»

Da faßte es mich wie eine plötzliche Wildheit. Ich stand auf, sah Dich an, lange und fest. Dann sagte ich: «Der Mann, den ich liebte, ist auch immer weggereist.» Ich sah Dich an, mitten in den Stern Deines Auges. «Jetzt, jetzt wird er mich erkennen!» zitterte, drängte alles in mir. Aber du lächeltest mir entgegen und sagtest tröstend: «Man kommt ja wieder zurück.» «Ja», antwortete ich, «man kommt zurück, aber dann hat man vergessen».

Es muß etwas Absonderliches, etwas Leidenschaftliches in der Art gewesen sein, wie ich Dir das sagte. Denn auch Du standest auf und sahst mich an, verwundert und sehr liebevoll. Du nahmst mich bei den Schultern: «Was gut ist, vergißt sich nicht, Dich werde ich nicht vergessen», sagtest Du, und dabei senkte sich Dein Blick ganz in mich hinein, als wollte er dies Bild sich festprägen. Und wie ich diesen Blick in mich eindringen fühlte, suchend, spürend, mein ganzes Wesen an sich saugend, da glaubte ich endlich, endlich den Bann der Blindheit gebrochen. Er wird mich erkennen, er wird mich erkennen! Meine ganze Seele zitterte in dem Gedanken.

Aber Du erkanntest mich nicht. Nein, Du erkanntest mich nicht, nie war ich Dir fremder jemals als in dieser Sekunde, denn sonst — sonst hättest Du nie tun können, was Du wenige Minuten später tatest. Du hattest mich geküßt, noch einmal leidenschaftlich geküßt. Ich mußte mein Haar, das sich verwirrt hatte, wieder zurechtrichten, und während ich vor dem Spiegel stand, da sah ich durch den Spiegel — und ich glaubte hinsinken zu müssen vor Scham und Entsetzen — da sah ich, wie Du in diskreter Art ein paar größere Banknoten in meinen Muff schobst. Wie habe ichs vermocht, nicht aufzuschreien, Dir nicht ins Gesicht zu schlagen in dieser Sekunde — mich, die ich Dich liebte von Kindheit an, die Mutter Deines Kindes, mich zahltest Du für diese Nacht! Eine Dirne aus dem Tabarin war ich Dir, nicht mehr — bezahlt, bezahlt hattest Du mich! Es war nicht genug, von Dir vergessen, ich mußte noch erniedrigt sein.

Ich tastete rasch nach meinen Sachen. Ich wollte fort, rasch fort. Es tat mir zu weh. Ich griff nach meinem Hut, er lag auf dem Schreibtisch, neben der Vase mit den weißen Rosen, meinen Rosen. Da erfaßte es mich mächtig, unwiderstehlich: noch einmal wollte ich es versuchen, Dich zu erinnern. «Möchtest Du mir nicht von Deinen weißen Rosen eine geben?» «Gern», sagtest Du und nahmst sie sofort. «Aber sie sind Dir vielleicht von einer Frau gegeben, von einer Frau, die Dich liebt?» sagte ich. «Vielleicht», sagtest Du, «ich weiß es nicht. Sie sind mir gegeben und ich weiß nicht von wem; darum liebe ich sie so.» Ich sah Dich an. «Vielleicht sind sie auch von einer, die Du vergessen hast!»

Du blicktest erstaunt. Ich sah Dich fest an. «Erkenne mich, erkenne mich endlich!» schrie mein Blick. Aber Dein Auge lächelte freundlich und unwissend. Du küßtest mich noch einmal. Aber Du erkanntest mich nicht.

Ich ging rasch zur Tür, denn ich spürte, daß mir Tränen in die Augen schossen, und das solltest Du nicht sehen. Im Vorzimmer — so hastig war ich hinausgeeilt — stieß ich mit Johann, Deinem Diener, fast zusammen. Scheu und eilfertig sprang er zur Seite, riß die Haustür auf, um mich hinauszulassen, und da — in dieser einen, hörst Du? in dieser einen Sekunde, da ich ihn ansah, mit tränenden Augen ansah, den gealterten Mann, da zuckte ihm plötzlich ein Licht in den Blick. In dieser einen Sekunde, hörst Du? in dieser einen Sekunde, hat der alte Mann mich erkannt, der mich seit meiner Kindheit nicht gesehen. Ich hätte hinknien können vor ihm für dieses Erkennen und ihm die Hände küssen. So riß ich nur die Banknoten, mit denen Du mich gegeißelt, rasch aus dem Muff und steckte sie ihm zu. Er zitterte, sah erschreckt zu mir auf — in dieser Sekunde hat er vielleicht mehr geahnt von mir als Du in Deinem ganzen Leben. Alle, alle Menschen haben mich verwöhnt, alle waren zu mir gütig — nur Du, nur Du, Du hast mich vergessen, nur Du, nur Du hast mich nie erkannt!

*

Mein Kind ist gestorben, unser Kind — jetzt habe ich niemanden mehr in der Welt, ihn zu lieben, als Dich. Aber wer bist Du mir, Du, der Du mich niemals, niemals erkennst, der an mir vorübergeht wie an einem Wasser, der auf mich tritt wie auf einen Stein, der immer geht und weiter geht und mich läßt in ewigem Warten? Einmal vermeinte ich Dich zu halten, Dich, den Flüchtigen, in dem Kinde. Aber es war Dein Kind: über Nacht ist es grausam von mir gegangen, eine Reise zu tun, es hat mich vergessen und kehrt nie zurück. Ich bin wieder allein, mehr allein als jemals, nichts habe ich, nichts von Dir — kein Kind mehr, kein Wort, keine Zeile, kein Erinnern, und wenn jemand meinen Namen nennen würde vor Dir, Du hörtest an ihm fremd vorbei. Warum soll ich nicht gerne sterben, da ich Dir tot bin, warum nicht weitergehen, da Du von mir gegangen bist? Nein, Geliebter, ich klage nicht wider Dich, ich will Dir nicht meinen Jammer hinwerfen in Dein heiteres Haus. Fürchte nicht, daß ich Dich weiter bedränge — verzeih mir, ich mußte mir einmal die Seele ausschreien in dieser Stunde, da das Kind dort tot und verlassen liegt. Nur dies eine Mal mußte ich sprechen zu Dir — dann gehe ich wieder stumm in mein Dunkel zurück, wie ich immer stumm neben Dir gewesen. Aber Du wirst diesen Schrei nicht hören, solange ich lebe — nur wenn ich tot bin, empfängst Du dies Vermächtnis von mir, von einer, die Dich mehr geliebt als alle und die Du nie erkannt, von einer, die immer auf Dich gewartet und die Du nie gerufen. Vielleicht, vielleicht wirst Du mich dann rufen, und ich werde Dir ungetreu sein zum erstenmal, ich werde Dich nicht mehr hören aus meinem Tod: kein Bild lasse ich Dir und kein Zeichen, wie Du mir nichts gelassen; nie wirst Du mich erkennen, niemals. Es war mein Schicksal im Leben, es sei es auch in meinem Tod. Ich will Dich nicht rufen in meine letzte Stunde, ich gehe fort, ohne daß Du meinen

Namen weißt und mein Antlitz. Ich sterbe leicht, denn Du fühlst es nicht von ferne. Täte es Dir weh, daß ich sterbe, so könnte ich nicht sterben.

Ich kann nicht mehr weiter schreiben ... mir ist so dumpf im Kopfe ... die Glieder tun mir weh, ich habe Fieber ... ich glaube, ich werde mich gleich hinlegen müssen. Vielleicht ist es bald vorbei, vielleicht ist mir einmal das Schicksal gütig, und ich muß es nicht mehr sehen, wie sie das Kind wegtragen ... Ich kann nicht mehr schreiben. Leb wohl, Geliebter, leb wohl, ich danke Dir ... Es war gut, wie es war, trotz alledem ... ich will Dirs danken bis zum letzten Atemzug. Mir ist wohl: ich habe Dir alles gesagt, Du weißt nun, nein, Du ahnst nur, wie sehr ich Dich geliebt, und hast doch von dieser Liebe keine Last. Ich werde Dir nicht fehlen — das tröstet mich. Nichts wird anders sein in Deinem schönen, hellen Leben ... ich tue Dir nichts mit meinem Tod ... das tröstet mich, Du Geliebter.

Aber wer ... wer wird Dir jetzt immer die weißen Rosen senden zu Deinem Geburtstag? Ach, die Vase wird leer sein, der kleine Atem, der kleine Hauch von meinem Leben, der einmal im Jahre um Dich wehte, auch er wird verwehen! Geliebter, höre, ich bitte Dich ... es ist meine erste und letzte Bitte an Dich ... tu mirs zuliebe, nimm an jedem Geburtstag — es ist ja ein Tag, wo man an sich denkt — nimm da Rosen und tu sie in die Vase. Tu's, Geliebter, tu es so, wie andere einmal im Jahre eine Messe lesen lassen für eine liebe Verstorbene. Ich aber glaube nicht an Gott mehr und will keine Messe, ich glaube nur an Dich, ich liebe nur Dich und will nur in Dir noch weiterleben ... ach, nur einen Tag im Jahr, ganz, ganz still nur, wie ich neben Dir gelebt ... Ich bitte

Dich, tu es, Geliebter . . . es ist meine erste Bitte an Dich und die letzte . . . ich danke Dir . . . ich liebe Dich, ich liebe Dich . . . lebe wohl . . .

*

Er legte den Brief aus den zitternden Händen. Dann sann er lange nach. Verworren tauchte irgendein Erinnern auf an ein nachbarliches Kind, an ein Mädchen, an eine Frau im Nachtlokal, aber ein Erinnern, undeutlich und verworren, so wie ein Stein flimmert und formlos zittert am Grunde fließenden Wassers. Schatten strömten zu und fort, aber es wurde kein Bild. Er fühlte Erinnerungen des Gefühls und erinnerte sich doch nicht. Ihm war, als ob er von all diesen Gestalten geträumt hätte, oft und tief geträumt, aber doch nur geträumt.

Da fiel sein Blick auf die blaue Vase vor ihm auf dem Schreibtisch. Sie war leer, zum erstenmal leer seit Jahren an seinem Geburtstag. Er schrak zusammen: ihm war, als sei plötzlich eine Tür unsichtbar aufgesprungen, und kalte Zugluft ströme aus anderer Welt in seinen ruhenden Raum. Er spürte einen Tod und spürte unsterbliche Liebe: innen brach etwas auf in seiner Seele, und er dachte an die Unsichtbare körperlos und leidenschaftlich wie an eine ferne Musik.

VIERUNDZWANZIG STUNDEN AUS DEM LEBEN EINER FRAU

In der kleinen Pension an der Riviera, wo ich damals, zehn Jahre vor dem Kriege, wohnte, war eine heftige Diskussion an unserem Tische ausgebrochen, die unvermutet zu rabiater Auseinandersetzung, ja sogar zu Gehässigkeit und Beleidigung auszuarten drohte. Die meisten Menschen sind von stumpfer Phantasie. Was sie nicht unmittelbar anrührt, nicht aufdringlich spitzen Keil bis hart an ihre Sinne treibt, vermag sie kaum zu entfachen; geschieht aber einmal knapp vor ihren Augen, in unmittelbarer Tastnähe des Gefühls auch nur ein Geringes, sogleich regt es in ihnen übermäßige Leidenschaft. Sie ersetzen dann gewissermaßen die Seltenheit ihrer Anteilnahme durch eine unangebrachte und übertriebene Vehemenz.

So auch diesmal in unserer durchaus bürgerlichen Tischgesellschaft, die sonst friedlich small talk und untiefe, kleine Späßchen untereinander übte und meist gleich nach aufgehobener Mahlzeit auseinanderbröckelte: das deutsche Ehepaar zu Ausflügen und Amateurphotographieren, der behäbige Däne zu langweiligem Fischfang, die vornehme englische Dame zu ihren Büchern, das italienische Ehepaar zu Eskapaden nach Monte Carlo und ich zu Faulenzerei im Gartenstuhl oder Arbeit. Diesmal aber blieben wir alle durch die erbitterte Diskussion vollkommen ineinander verhakt; und wenn einer von uns plötzlich aufsprang, so geschah es nicht, wie sonst, zu höflichem Abschied, sondern in hitzköpfiger Erbitterung, die, wie ich bereits vorwegerzählte, geradezu rabiate Formen annahm.

Das Begebnis nun, das dermaßen unsere kleine Tafelrunde aufgezäumt hatte, war allerdings sonderbar genug. Die Pension, in der wir sieben wohnten, bot sich nach außen hin zwar als abgesonderte Villa dar — ach, wie wunderbar ging der Blick von den Fenstern auf den felsenzerzackten Strand! —, aber eigentlich war sie nichts als die wohlfeilere Dependance des großen Palace Hotels und ihm durch den Garten unmittelbar verbunden, so daß wir Nebenwohner doch mit seinen Gästen in ständigem Zusammenhang lebten. Dieses Hotel nun hatte am vorhergegangenen Tage einen tadellosen Skandal zu verzeichnen gehabt. Es war nämlich mit dem Mittagszuge um 12 Uhr 20 Minuten (ich kann nicht umhin, die Zeit so genau wiederzugeben, weil sie ebenso für diese Episode wie als Thema jener erregten Unterhaltung wichtig ist) ein junger Franzose angekommen und hatte ein Strandzimmer mit Ausblick nach dem Meer gemietet: das deutete an sich schon auf eine gewisse Behäbigkeit der Verhältnisse. Aber nicht nur seine diskrete Eleganz machte ihn angenehm auffällig, sondern vor allem seine außerordentliche und durchaus sympathische Schönheit: inmitten eines schmalen Mädchengesichtes umschmeichelte ein seidigblonder Schnurrbart sinnlich warme Lippen, über die weiße Stirn lockte sich weiches, braungewelltes Haar, weiche Augen liebkosten mit jedem Blick — alles war weich, schmeichlerisch, liebenswürdig in seinem Wesen, aber doch ohne alle Künstlichkeit und Geziertheit. Erinnerte er auch von fern zuvörderst ein wenig an jene rosafarbenen, eitel hingelehnten Wachsfiguren, wie sie in den Auslagen großer Modegeschäfte mit dem Zierstock in der Hand das Ideal männlicher Schönheit darstellen, so schwand doch bei näherem Zusehen jeder geckige Eindruck, denn hier war (seltenster Fall!) die Liebenswürdigkeit eine natürlich angeborene, gleichsam aus der Haut gewachsene. Er grüßte vorübergehend jeden einzelnen in einer gleichzeitig bescheidenen und herzlichen Weise, und es war wirklich angenehm, zu beobachten, wie seine immer sprungbereite Grazie sich bei jedem Anlaß ungezwungen offenbarte. Er eilte auf, wenn eine Dame zur Garderobe ging, ihren Mantel zu holen, hatte für jedes Kind einen freundlichen Blick oder ein Scherzwort, erwies sich umgänglich und diskret zugleich — kurz, er schien einer jener gesegneten Menschen, die aus dem erprobten Gefühl heraus, andern Menschen durch ihr helles Gesicht und ihren jugendlichen Charme angenehm zu sein, diese Sicherheit neuerlich in Anmut verwandeln. Unter den meist älteren und kränklichen Gästen des Hotels wirkte seine Gegenwart wie eine Wohltat, und mit jenem sieghaften Schritt der Jugend, jenem Sturm von Leichtigkeit und Lebensfrische, wie sie Anmut so herrlich manchem Menschen zuteilt, war er unwiderstehlich in die Sympathie aller vorgedrungen. Zwei Stunden nach seiner Ankunft spielte er bereits Tennis mit den beiden Töchtern des breiten, behäbigen Fabrikanten aus Lyon, der zwölfjährigen Annette und der dreizehnjährigen Blanche, und ihre Mutter, die feine, zarte und ganz in sich zurückhaltende Madame Henriette, sah leise lächelnd zu, wie unbewußt kokett die beiden unflüggen Töchterchen mit dem jungen Fremden flirteten. Am Abend kiebitzte er uns eine Stunde am Schachtisch, erzählte zwischendurch in unaufdringlicher Weise ein paar nette Anekdoten, ging neuerdings mit Madame Henriette, während ihr Gatte wie immer mit einem Geschäftsfreunde Domino spielte, auf der Terrasse lange auf und ab; spät abends beobachtete ich ihn dann noch mit der Sekretärin des Hotels im Schatten des Bureaus in verdächtig vertrautem Gespräch. Am nächsten Morgen begleitete er meinen dänischen Partner zum Fischfang, zeigte dabei erstaunliche Kenntnis, unterhielt sich nachher lange mit dem Fabrikanten aus Lyon über Politik, wobei er gleichfalls als guter Unterhalter sich erwies, denn man hörte das breite Lachen des dicken Herrn über die Brandung herübertönen. Nach Tisch — es ist durchaus für das Verständnis der Situation nötig, daß ich alle diese Phasen seiner Zeiteinteilung so genau berichte — saß er nochmals mit Madame Henriette beim schwarzen Kaffee eine Stunde allein im Garten, spielte wiederum Tennis mit ihren Töchtern, konversierte mit dem deutschen Ehepaar in der Halle. Um sechs Uhr traf ich ihn dann, als ich einen Brief aufzugeben ging, an der Bahn. Er kam mir eilig entgegen und erzählte, als müsse er sich entschuldigen, man habe ihn plötzlich abberufen, aber er kehre in zwei Tagen zurück. Abends fehlte er tatsächlich im Speisesaale, aber nur mit seiner Person, denn an allen Tischen sprach man einzig von ihm und rühmte seine angenehme, heitere Lebensart.

Nachts, es mochte gegen elf Uhr sein, saß ich in meinem Zimmer, um ein Buch zu Ende zu lesen, als ich plötzlich durch das offene Fenster im Garten unruhiges Schreien und Rufen hörte und sich drüben im Hotel eine sichtliche Bewegung kundgab. Eher beunruhigt als neugierig, eilte ich sofort die fünfzig Schritte hinüber und fand Gäste und Personal in durcheinanderstürmender Erregung. Frau Henriette war, während ihr Mann in gewohnter Pünktlichkeit mit seinem Freunde aus Namur Domino spielte, von ihrem allabendlichen Spaziergang an der Strandterrasse nicht zurückgekehrt, so daß man einen Unglücksfall befürchtete. Wie ein Stier rannte der sonst so behäbige schwerfällige Mann immer wieder gegen den Strand, und wenn er mit seiner vor Erregung verzerrten Stimme «Henriette! Henriette!» in die Nacht hinausschrie, so hatte dieser Laut etwas von dem Schreckhaften und Urweltlichen eines zu Tode getroffenen riesigen Tieres. Kellner und Boys hetzten aufgeregt treppauf, treppab, man weckte alle Gäste und telephonierte an die Gendarmerie. Mitten hindurch aber stolperte und stapfte immer dieser dicke Mann mit offener Weste, ganz sinnlos den Namen «Henriette! Henriette!» in die Nacht hinaus schluchzend und schreiend. Inzwischen waren oben die Kinder wach geworden und riefen in ihren Nachtkleidern vom Fenster herunter nach der Mutter; der Vater eilte nun wieder zu ihnen hinauf, sie zu beruhigen.

Und dann geschah etwas so Furchtbares, daß es kaum wiederzuerzählen ist, weil die gewaltsam aufgespannte Natur in den Augenblicken des Übermaßes der Haltung des Menschen oft einen dermaßen tragischen Ausdruck gibt, daß ihn weder ein Bild noch ein Wort mit der gleichen blitzhaft einschlagenden Macht wiederzugeben vermag. Plötzlich kam der schwere, breite Mann die ächzenden Stufen herab mit einem veränderten, ganz müden und doch grimmigen Gesicht. Er hatte einen Brief in der Hand. «Rufen Sie alle zurück!» sagte er mit gerade noch verständlicher Stimme zu dem Chef des Personals: «Rufen Sie alle Leute zurück, es ist nicht nötig. Meine Frau hat mich verlassen.»

Es war Haltung in dem Wesen dieses tödlich getroffenen Mannes, eine übermenschlich gespannte Haltung vor all diesen Leuten ringsum, die neugierig gedrängt auf ihn sahen und jetzt plötzlich, jeder erschreckt, beschämt, verwirrt, sich von ihm abwandten. Gerade genug Kraft blieb ihm noch, an uns vorbeizuwanken, ohne einen einzigen anzusehen, und im Lesezimmer das Licht abzudrehen; dann hörte man, wie sein schwerer, massiger Körper dumpf in einen Fauteuil fiel, und hörte ein wildes, tierisches Schluchzen, wie nur ein Mann weinen kann, der noch nie geweint hat. Und dieser elementare Schmerz hatte über jeden von uns, auch den Geringsten, eine Art betäubender Gewalt. Keiner der Kellner, keiner der aus Neugierde herbeigeschlichenen Gäste wagte ein Lächeln oder anderseits ein Wort des Bedauerns. Wortlos, einer nach dem andern, wie beschämt von dieser zerschmetternden Explosion des Gefühls, schlichen wir in unsere Zimmer zurück, und nur drinnen in dem dunklen Raume zuckte und schluchzte dieses hingeschlagene Stück Mensch mit sich urallein in dem langsam auslöschenden, flüsternden, zischelnden, leise raunenden und wispernden Hause.

Man wird verstehen, daß ein solches blitzschlaghaftes, knapp vor unseren Augen und Sinnen niedergefahrenes Ereignis wohl geeignet war, die sonst nur an Langeweile und sorglosen Zeitvertreib gewöhnten Menschen mächtig zu erregen. Aber jene Diskussion, die dann so vehement an unserem Tische ausbrach und knapp bis an die Grenze der Tätlichkeiten emporstürmte, hatte zwar diesen erstaunlichen Zwischenfall zum Ausgangspunkt, war aber im Wesen eher eine grundsätzliche Erörterung, ein zorniges Gegeneinander feindlicher Lebensauffassungen. Durch die Indiskretion eines Dienstmädchens, die jenen Brief gelesen — der ganz in sich zusammengestürzte Gatte hatte ihn irgendwohin auf den Boden in ohnmächtigem Zorn hingeknüllt —, war nämlich rasch bekannt geworden, daß sich Frau Henriette nicht allein, sondern einverständlich mit dem jungen Franzosen entfernt hatte (für den die Sympathie der meisten nun rapid zu schwinden begann). Nun, das wäre auf den ersten Blick hin vollkommen verständlich gewesen, daß diese kleine Madame Bovary ihren behäbigen, provinzlerischen Gatten für einen eleganten, jungen Hübschling eintauschte. Aber was alle am Hause dermaßen erregte, war der Umstand, daß weder der Fabrikant, noch seine Töchter, noch auch Frau Henriette jemals diesen Lovelace vordem gesehen, daß also jenes zweistündige abendliche Gespräch auf der Terrasse und jener einstündige schwarze Kaffee im Garten genügt haben sollten, um eine etwa dreiunddreißigjährige, untadelige Frau zu bewegen, ihren Mann und ihre zwei Kinder über Nacht zu verlassen und einem wildfremden jungen Elegant auf das Geratewohl zu folgen. Diesen scheinbar offenkundigen Tatbestand lehnte nun unsere Tischrunde einhellig als perfide Täuschung und listiges Manöver des Liebespaares ab: selbstverständlich sei Frau Henriette längst mit dem jungen Mann in heimlichen Beziehungen gestanden und der Rattenfänger nur noch hierhergekommen, um die letzten Einzelheiten der Flucht zu bestimmen, denn — so folgerten sie — es sei vollkommen unmöglich, daß eine anständige Frau, nach bloß zweistündiger Bekanntschaft, einfach auf den ersten Pfiff davonlaufe Nun machte es mir Spaß, anderer Ansicht zu sein, und ich verteidigte energisch derartige Möglichkeit, ja sogar Wahrscheinlichkeit bei einer Frau, die durch eine jahrelang enttäuschende, langweilige Ehe jedem energischen Zugriff innerlich zubereitet war. Durch meine unerwartete Opposition wurde die Diskussion rasch allgemein und vor allem dadurch erregt, daß die beiden Ehepaare, das deutsche sowohl als das italienische, die Existenz des coup de foudre als eine Narrheit und abgeschmackte Romanphantasie mit geradezu beleidigender Verächtlichkeit ablehnten.

Nun, es ist ja hier ohne Belang, den stürmischen Ablauf eines Streits zwischen Suppe und Pudding in allen Einzelheiten nachzukäuen: nur Professionals der Table d'hote sind geistreich, und Argumente, zu denen man in der Hitzigkeit eines zufälligen Tischstreites greift, meist banal, weil bloß eilig mit der linken Hand aufgerafft. Schwer auch zu erklären, wieso unsere Diskussion dermaßen rasch beleidigende Formen annahm; die Gereiztheit, glaube ich, begann damit, daß unwillkürlich beide Ehemänner ihre eigenen Frauen von der Möglichkeit solcher Untiefen und Fährlichkeiten ausgenommen wissen wollten. Leider fanden sie dafür keine glücklichere Form, als mir entgegenzuhalten, so könne nur jemand reden, der die weibliche Psyche nach den zufälligen und allzubilligen Eroberungen von Junggesellen beurteile: das reizte mich schon einigermaßen, und als dann noch die deutsche Dame diese Lektion mit dem lehrhaften Senf bestrich, es gäbe einerseits wirkliche Frauen und anderseits «Dirnennaturen», deren ihrer Ansicht nach Frau Henriette eine gewesen sein mußte, da riß mir die Geduld vollends, ich wurde meinerseits aggressiv. All dies Abwehren der offenbaren Tatsache, daß eine Frau in manchen Stunden ihres Lebens jenseits ihres Willens und Wissens geheimnisvollen Mächten ausgeliefert sei, verberge nur Furcht vor dem eigenen Instinkt, vor dem

Dämonischen unserer Natur, und es scheine eben manchen Menschen Vergnügen zu machen, sich stärker, sittlicher und reinlicher zu empfinden als die «leicht Verführbaren». Ich persönlich wieder fände es ehrlicher, wenn eine Frau ihrem Instinkt frei und leidenschaftlich folge, statt, wie allgemein üblich, ihren Mann in seinen eigenen Armen mit geschlossenen Augen zu betrügen. So sagte ich ungefähr, und je mehr in dem nun aufknisternden Gespräch die andern die arme Frau Henriette angriffen, um so leidenschaftlicher verteidigte ich sie (in Wahrheit weit über mein inneres Gefühl hinaus). Diese Begeisterung war nun — wie man in der Studentensprache sagt — Tusch für die beiden Ehepaare, und sie fuhren, ein wenig harmonisches Quartett, derart solidarisch erbittert auf mich los, daß der alte Däne, der mit jovialem Gesicht und gleichsam, die Stoppuhr in der Hand wie bei einem Fußballmatch, als Schiedsrichter dasaß, ab und zu mit dem Knöchel mahnend auf den Tisch klopfen mußte: «Gentlemen, please.» Aber das half immer nur für einen Augenblick. Dreimal bereits war der eine Herr vom Tisch mit rotem Kopf aufgesprungen und nur mühsam von seiner Frau beschwichtigt worden — kurz, ein Dutzend Minuten noch, und unsere Diskussion hätte in Tätlichkeiten geendet, wenn nicht plötzlich Mrs. C. wie ein mildes Öl die aufschäumenden Wogen des Gesprächs geglättet hätte.

Mrs. C., die weißhaarige, vornehme, alte englische Dame, war die ungewählte Ehrenpräsidentin unseres Tisches. Aufrecht sitzend an ihrem Platze, in immer gleichmäßiger Freundlichkeit jedem zugewandt, schweigsam und dabei von angenehmster Interessiertheit des Zuhörens, bot sie rein physisch schon einen wohltätigen Anblick: eine wunderbare Zusammengefaßtheit und Ruhe strahlte von ihrem aristokratisch verhaltenen Wesen. Sie hielt sich jedem einzelnen fern bis zu einem gewissen Grade, obwohl sie jedem mit feinem Takt eine besondere Freundlichkeit zu erweisen wußte: meist saß sie mit Büchern im Garten, manchmal spielte sie Klavier, selten nur sah man sie in Gesellschaft oder in intensivem Gespräch. Man bemerkte sie kaum, und doch hatte sie eine sonderbare Macht über uns alle. Denn kaum daß sie jetzt zum erstenmal in unser Gespräch eingriff, überkam uns einhellig das peinliche Gefühl, allzu laut und unbeherrscht gewesen zu sein.

Mrs. C. hatte die ärgerliche Pause benützt, die durch das brüske Aufspringen und wieder sachte an den Tisch Zurückgeführtsein des deutschen Herrn entstanden war. Unvermutet hob sie ihr klares, graues Auge, sah mich einen Augenblick unentschlossen an, um dann mit beinahe sachlicher Deutlichkeit das Thema in ihrem Sinne aufzunehmen.

«Sie glauben also, wenn ich Sie recht verstanden habe, daß Frau Henriette, daß eine Frau unschuldig in ein plötzliches Abenteuer geworfen werden kann, daß es Handlungen gibt, die eine solche Frau eine Stunde vorher selbst für unmöglich gehalten hätte und für die sie kaum verantwortlich gemacht werden kann?»

«Ich glaube unbedingt daran, gnädige Frau.»

«Damit wäre doch jedes moralische Urteil vollkommen sinnlos und jede Überschreitung im Sittlichen gerechtfertigt. Wenn Sie wirklich annehmen, daß das crime passionnel, wie es die Franzosen nennen, kein crime ist, wozu noch eine staatliche Justiz überhaupt? Es gehört ja nicht viel guter Wille dazu — und Sie haben erstaunlich viel guten Willen», fügte sie leicht lächelnd hinzu —, «um dann in jedem Verbrechen eine Leidenschaft zu finden und dank dieser Leidenschaft zu entschuldigen».

Der klare und zugleich fast heitere Ton ihrer Worte berührte mich ungemein wohltätig, und unwillkürlich ihre sachliche Art nachahmend, antwortete ich gleichfalls halb im Scherz und halb im Ernst: «Die staatliche Justiz entscheidet über diese Dinge sicherlich strenger als ich; ihr obliegt die Pflicht, mitleidslos die allgemeine Sitte und Konvention zu schützen: das nötigt sie, zu verurteilen statt zu entschuldigen. Ich als Privatperson aber sehe nicht ein, warum ich freiwillig die Rolle des Staatsanwaltes übernehmen sollte: ich ziehe es vor, Verteidiger von Beruf zu sein. Mir persönlich macht es mehr Freude, Menschen zu verstehen, als sie zu richten.»

Mrs. C. sah mich eine Zeitlang senkrecht mit ihren klaren, grauen Augen an und zögerte. Schon fürchtete ich, sie hätte mich nicht recht verstanden, und bereitete mich vor, ihr nun auf englisch das Gesagte zu wiederholen. Aber mit einem merkwürdigen Ernst, gleichsam wie bei einer Prüfung, stellte sie weiter ihre Fragen.

«Finden Sie es nicht doch verächtlich oder häßlich, daß eine Frau ihren Mann und ihre zwei Kinder verläßt, um irgendeinem Menschen zu folgen, von dem sie noch gar nicht wissen kann, ob er ihrer Liebe wert ist? Können Sie wirklich ein so fahrlässiges und leichtfertiges Verhalten bei einer Frau entschuldigen, die doch immerhin nicht zu den Jüngsten zählt und sich zur Selbstachtung schon um ihrer Kinder willen erzogen haben müßte?»

«Ich wiederhole Ihnen, gnädige Frau», beharrte ich, «daß ich mich weigere, in diesem Falle zu urteilen oder zu verurteilen. Vor Ihnen kann ich es ruhig bekennen, daß ich vorhin ein wenig übertrieben habe — diese arme Frau Henriette ist gewiß keine Heldin, nicht einmal eine Abenteurernatur und am wenigsten eine grande amoureuse. Sie scheint mir, soweit ich sie kenne, nichts als eine mittelmäßige, schwache Frau, für die ich ein wenig Respekt habe, weil sie mutig ihrem Willen gefolgt ist, aber noch mehr Bedauern, weil sie gewiß morgen, wenn nicht schon heute, tief unglücklich sein wird. Dumm vielleicht, gewiß übereilt mag sie gehandelt haben, aber keineswegs niedrig und gemein, und nach wie vor bestreite ich jedermann das Recht, diese arme, unglückliche Frau zu verachten.»

«Und Sie selbst, haben Sie noch genau denselben Respekt und dieselbe Achtung für sie? Machen Sie gar keinen Unterschied zwischen der Frau, mit der Sie vorgestern als einer ehrbaren Frau beisammen waren, und jener andern, die gestern mit einem wildfremden Menschen davongelaufen ist?»

«Gar keinen. Nicht den geringsten, nicht den allergeringsten.»

«Is that so?» Unwillkürlich sprach sie englisch: das ganze Gespräch schien sie merkwürdig zu beschäftigen. Und nach einem kurzen Augenblick des Nachdenkens hob sich ihr klarer Blick mir nochmals fragend entgegen.

«Und wenn Sie morgen Madame Henriette, sagen wir in Nizza, begegnen würden, am Arme dieses jungen Mannes, würden Sie sie noch grüßen?»

«Selbstverständlich.»

«Und mit ihr sprechen?»

«Selbstverständlich.»

«Würden Sie — wenn Sie ... wenn Sie verheiratet

wären, eine solche Frau Ihrer Frau vorstellen, genau so, als ob nichts vorgefallen wäre?»

«Selbstverständlich.»

«Would you really?» sagte sie wiederum englisch, voll ungläubigen, verwunderten Erstaunens.

«Surely I would», antwortete ich unbewußt gleichfalls englisch.

Mrs. C. schwieg. Sie schien noch immer angestrengt nachzudenken, und plötzlich sagte sie, während sie mich, gleichsam über ihren eigenen Mut erstaunt, ansah: «I don't know, if I would. Perhaps I might do it also.» Und mit jener unbeschreiblichen Sicherheit, wie nur Engländer ein Gespräch endgültig und doch ohne grobe Brüskerie abzuschließen wissen, stand sie auf und bot mir freundlich die Hand. Durch ihre Einwirkung war die Ruhe wieder eingekehrt, und wir dankten ihr innerlich alle, daß wir, eben noch Gegner, nun mit leidlicher Höflichkeit einander grüßten und die schon gefährlich gespannte Atmosphäre sich an ein paar leichten Scherzworten wieder auflockerte.

*

Obwohl unsere Diskussion schließlich in ritterlicher Weise ausgetragen schien, blieb von jener aufgereizten Erbitterung dennoch eine leichte Entfremdung zwischen meinen Widerpartnern und mir zurück. Das deutsche Ehepaar verhielt sich reserviert, während sich das italienische darin gefiel, mich in den nächsten Tagen immer wieder spöttelnd zu fragen, ob ich etwas von der «cara signora Henrietta» gehört hätte. So urban unsere Formen auch schienen, irgend etwas von der loyalen und unbetonten Geselligkeit unseres Tisches war doch unwiderruflich zerstört.

Um so auffälliger wurde für mich aber die ironische Kühle meiner damaligen Gegner durch die ganz besondere Freundlichkeit, die mir seit jener Diskussion Mrs. C. erwies. Sonst doch von äußerster Zurückhaltung und kaum je außerhalb der Mahlzeiten zu einem Gespräch mit den Tischgenossen geneigt, fand sie nun mehreremal Gelegenheit, mich im Garten anzusprechen und — fast möchte ich sagen: auszuzeichnen, denn ihre vornehm zurückhaltende Art ließ ein privates Gespräch schon als besondere Gunst erscheinen. Ja, um aufrichtig zu sein, muß ich berichten, daß sie mich geradezu suchte und jeden Anlaß benützte, um mit mir ins Gespräch zu kommen, und dies in einer so unverkennbaren Weise, daß ich auf eitle und seltsame Gedanken hätte kommen können, wäre sie nicht eine alte weißhaarige Frau gewesen. Plauderten wir aber dann zusammen, so kehrte unsere Unterhaltung unvermeidlich und unablenkbar zu jenem Ausgangspunkt zurück, zu Madame Henriette: es schien ihr ein ganz geheimnisvolles Vergnügen zu bereiten, die Pflichtvergessene einer seelischen Haltlosigkeit und Unzuverlässigkeit zu beschuldigen. Aber gleichzeitig schien sie sich der Unerschütterlichkeit zu freuen, mit der meine Sympathien auf der Seite dieser zarten, feinen Frau verblieben, und daß nichts mich jemals bestimmen konnte, diese Sympathie zu verleugnen. Immer wieder lenkte sie unsere Gespräche in dieser Richtung, schließlich wußte ich nicht mehr, was ich von dieser sonderbaren, beinahe spleenigen Beharrlichkeit denken sollte.

Das ging so einige Tage, fünf oder sechs, ohne daß sie mit einem Wort verraten hätte, warum diese Art des Gesprächs für sie eine gewisse Wichtigkeit gewonnen hätte. Daß dem aber so war, wurde mir unverkennbar, als ich bei einem Spaziergang gelegentlich erwähnte, meine Zeit sei hier zu Ende und ich gedächte, übermorgen abzureisen. Da bekam ihr sonst so wellenloses Gesicht plötzlich einen merkwürdig gespannten Ausdruck, wie Wolkenschatten flog es über ihre meergrauen Augen hin: «Wie schade! Ich hätte noch so viel mit Ihnen zu besprechen.» Und von diesem Augenblick an verriet eine gewisse Fahrigkeit und Unruhe, daß sie während ihrer Worte an etwas anderes dachte, das sie gewaltsam beschäftigte und ablenkte. Schließlich schien diese Abgelenktheit sie selbst zu stören, denn quer über ein plötzlich eingetretenes Schweigen hinweg bot sie mir unvermutet die Hand:

«Ich sehe, ich kann nicht klar aussprechen, was ich Ihnen eigentlich sagen möchte. Ich will Ihnen lieber schreiben.» Und rascheren Schrittes, als ich es sonst an ihr gewöhnt war, ging sie gegen das Haus zu.

Tatsächlich fand ich am Abend, knapp vor dem Dinner, in meinem Zimmer einen Brief in ihrer energischen, offenen Handschrift. Nun bin ich leider mit den schriftlichen Dokumenten meiner Jugendjahre ziemlich leichtfertig umgegangen, so daß ich nicht den Wortlaut wiedergeben und nur das Tatsächliche ihrer Anfrage, ob sie mir aus ihrem Leben etwas erzählen dürfte, im ungefähren Inhalt andeuten kann. Jene Episode liege so weit zurück, schrieb sie, daß sie eigentlich kaum mehr zu ihrem gegenwärtigen Leben gehöre, und daß ich übermorgen schon abreise, mache ihr leichter, über etwas zu sprechen, was sie seit mehr als zwanzig Jahren innerlich quäle und beschäftige. Falls ich also ein solches Gespräch nicht als Zudringlichkeit empfände, so würde sie mich gern um diese Stunde bitten.

Der Brief, von dem ich hier nur das rein Inhaltliche aufzeichne, faszinierte mich ungemein: das Englische allein gab ihm einen hohen Grad von Klarheit und Entschlossenheit. Dennoch wurde mir die Antwort nicht ganz leicht, ich zerriß drei Entwürfe, ehe ich antwortete:

«Es ist mir eine Ehre, daß Sie mir so viel Vertrauen schenken, und ich verspreche Ihnen, ehrlich zu antworten, falls Sie dies von mir fordern. Ich darf Sie natürlich nicht bitten, mir mehr zu erzählen, als Sie innerlich wollen. Aber was Sie erzählen, erzählen Sie sich und mir ganz wahr. Bitte, glauben Sie mir, daß ich Ihr Vertrauen als eine besondere Ehre empfinde.»

Der Zettel wanderte abends in ihr Zimmer, am nächsten Morgen fand ich die Antwort:

«Sie haben vollkommen recht: die halbe Wahrheit ist nichts wert, immer nur die ganze. Ich werde alle Kraft zusammennehmen, um nichts gegen mich selbst oder gegen Sie zu verschweigen. Kommen Sie nach dem Dinner in mein Zimmer — mit siebenundsechzig Jahren habe ich keine Mißdeutung zu fürchten. Denn im Garten oder in der Nähe von Menschen kann ich nicht sprechen. Sie dürfen mir glauben, es war nicht leicht, mich überhaupt zu entschließen.»

Bei Tag trafen wir uns noch bei Tisch und konversierten artig über gleichgültige Dinge. Aber im Garten schon wich sie, mir begegnend, mit sichtlicher Verwirrung aus, und ich empfand es als peinlich und rührend zugleich, wie diese alte weißhaarige Dame mädchenscheu in eine Pinienallee vor mir flüchtete.

Am Abend, zur vereinbarten Stunde, klopfte ich an, mir wurde sofort aufgetan: das Zimmer lag in einem matten Zwielicht, nur die kleine Leselampe auf dem Tisch warf einen gelben Kegel in den sonst dämmerhaft dunklen Raum. Ganz ohne Befangen trat Mrs. C. auf mich zu, bot mir einen Fauteuil und setzte sich mir gegenüber: jede dieser Bewegungen, spürte ich, war innerlich bereitgestellt, aber doch kam eine Pause, offenbar wider ihren Willen, eine Pause des schweren Entschlusses, die lange und immer länger wurde, die ich aber nicht wagte mit einem Wort zu brechen, weil ich spürte, daß hier ein starker Wille gewaltsam mit einem starken Widerstand rang. Vom Konversationszimmer unten kreiselten manchmal matt die abgerissenen Töne eines Walzers herauf, ich hörte angespannt hin, gleichsam um dem Stillesein etwas von seinem lastenden Druck zu nehmen. Auch sie schien das unnatürlich Gespannte dieses Schweigens schon peinlich zu empfinden, denn plötzlich raffte sie sich zum Absprung und begann:

«Nur das erste Wort ist schwer. Ich habe mich seit zwei Tagen darauf vorbereitet, ganz klar und wahr zu sein: hoffentlich wird es mir gelingen. Vielleicht verstehen Sie jetzt noch nicht, daß ich Ihnen, einem Fremden, all dies erzähle, aber es vergeht kein Tag, kaum eine einzige Stunde, wo ich nicht an dieses bestimmte Geschehnis denke, und Sie können mir alten Frau glauben, daß es unerträglich ist, sein ganzes Leben lang auf einen einzigen Punkt seines Lebens zu starren, auf einen einzigen Tag. Denn alles, was ich Ihnen erzählen will, umspannt einen Zeitraum von bloß vierundzwanzig Stunden innerhalb von siebenundsechzig Jahren, und ich habe mir selbst bis zum Irrsinn oft gesagt, was bedeutets, wenn man da einmal einen Augenblick unsinnig gehandelt hätte. Aber man wird das nicht los, was wir mit einem sehr unsicheren Ausdruck Gewissen nennen, und ich habe mir damals, als ich Sie so sachlich über den Fall Henriette reden hörte, gedacht, vielleicht würde dieses sinnlose Zurückdenken und unablässige Sich-selbst-Anklagen ein Ende haben, könnte ich mich einmal entschließen, vor irgendeinem Menschen frei über diesen einen Tag meines Lebens zu sprechen. Wäre ich nicht anglikanischer Konfession, sondern Katholikin, so hätte mir längst die Beichte Gelegenheit geboten, dies Verschwiegene im Wort zu erlösen — aber diese Tröstung ist uns versagt, und so mache ich heute diesen sonderbaren Versuch, mich selbst freizusprechen, indem ich zu Ihnen spreche. Ich weiß, das alles ist sehr sonderbar, aber Sie sind ohne Zögern auf meinen Vorschlag eingegangen, und ich danke Ihnen dafür.

Also, ich sagte ja schon, daß ich Ihnen nur einen einzigen Tag aus meinem Leben erzählen möchte — alles übrige scheint mir bedeutungslos und für jeden andern langweilig. Was bis zu meinem zweiundvierzigsten Jahre geschah, geht mit keinem Schritt über das Gewöhnliche hinaus. Meine Eltern waren reiche Landlords in Schottland, wir besaßen große Fabriken und Pachten und lebten nach landesüblicher Adelsart den größten Teil des Jahres auf unseren Gütern, während der Season in London. Mit achtzehn Jahren lernte ich in einer Gesellschaft meinen Mann kennen, er war ein zweiter Sohn aus der bekannten Familie der R... und hatte zehn Jahre in Indien bei der Armee gedient. Wir heirateten rasch und führten das sorglose Leben unserer Gesellschaftskreise, ein Vierteljahr in London, ein Vierteljahr auf unsern Gütern, die übrige Zeit hotelabstreifend in Italien, Spanien und Frankreich. Nie hat der leiseste Schatten unsere Ehe getrübt, die beiden Söhne, die uns geboren wurden, sind heute schon erwachsen. Als ich vierzig Jahre alt war, starb plötzlich mein Mann. Er hatte sich von seinen Tropenjahren ein Leberleiden mitgebracht: ich verlor ihn innerhalb zweier entsetzlicher Wochen. Mein älterer Sohn war damals schon im Dienst, der jüngere im College — so stand ich über Nacht vollkommen im Leeren, und dieses Alleinsein war mir, die ich zärtliche Gemeinschaft gewohnt war, fürchterliche Qual. In dem verlassenen Hause, das mit jedem Gegenstand mich an den tragischen Verlust meines geliebten Mannes erinnerte, auch nur noch einen Tag länger zu bleiben, schien mir unmöglich: so entschloß ich mich, die nächsten Jahre, solange meine Söhne nicht verheiratet waren, viel auf Reisen zu gehen.

Im Grunde betrachtete ich mein Leben von diesem Augenblick an als vollkommen sinnlos und unnütz. Der Mann, mit dem ich durch dreiundzwanzig Jahre jede Stunde und jeden Gedanken geteilt hatte, war tot, meine Kinder brauchten mich nicht, ich fürchtete, ihre Jugend zu verstören mit meiner Verdüsterung und Melancholie — für mich selbst aber wollte ich und begehrte ich nichts mehr. Ich übersiedelte zunächst nach Paris, ging dort aus Langeweile in die Geschäfte und Museen; aber die Stadt und die Dinge standen fremd um mich herum, und Menschen wich ich aus, weil ich ihre höflich bedauernden Blicke auf meine Trauerkleider nicht vertrug. Wie diese Monate stumpfen blicklosen Zigeunerns vergangen sind, wüßte ich nicht mehr zu erzählen: ich weiß nur, ich hatte immer den Wunsch, zu sterben, nur nicht die Kraft, selbst dies schmerzlich Ersehnte zu beschleunigen.

Im zweiten Trauerjahr, also im zweiundvierzigsten meines Lebens, war ich auf dieser uneingestandenen

Flucht vor einer wertlos gewordenen und nicht zu erdrückenden Zeit im letzten Märzmonat nach Monte Carlo geraten. Aufrichtig gesagt: es geschah aus Langeweile, aus jener peinigenden, wie eine Übelkeit aufquellenden Leere des Innern, die sich wenigstens mit kleinen äußern Reizmitteln füttern will. Je weniger in mir selbst sich gefühlshaft regte, um so stärker drängte michs hin, wo der Lebenskreisel sich am geschwindesten dreht: für den Erlebnislosen ist ja leidenschaftliche Unruhe der andern noch ein Nervenerlebnis wie Schauspiel oder Musik.

Darum ging ich auch öfters ins Kasino. Es reizte mich, auf den Gesichtern anderer Menschen Beglückung oder Bestürzung unruhig hin und her wogen zu sehen, indes in mir selbst diese entsetzliche Ebbe lag. Zudem war mein Mann, ohne leichtfertig zu sein, gern gelegentlich Gast des Spielsaals gewesen, und ich lebte mit einer gewissen unabsichtlichen Pietät alle seine früheren Gewohnheiten getreulich weiter. Und dort begannen jene vierundzwanzig Stunden, die erregender waren als alles Spiel und mein Schicksal auf Jahre hinaus verstörten.

Zu Mittag hatte ich mit der Herzogin von M., einer Verwandten meiner Familie, diniert, nach dem Souper fühlte ich mich noch nicht müde genug, um schlafen zu gehen. So trat ich in den Spielsaal, schlenderte, ohne selbst zu spielen, zwischen den Tischen hin und her und sah mir die zusammengemengte Partnerschaft in besonderer Weise an. Ich sage: in besonderer Weise, auf eine nämlich, die mich mein verstorbener Mann einmal gelehrt hatte, als ich, des Zuschauens müde, klagte, es sei mir langweilig, immer dieselben Gesichter anzugaffen, die alten, verhutzelten Frauen, die da stundenlang sitzen auf ihren Sesseln, ehe sie ein Jeton wagen, die abgefeimten Professionals und Kartenspielkokotten, jene ganze fragwürdige, zusammengeschneite Gesellschaft, die, Sie wissens ja, bedeutend weniger pittoresk und romantisch ist, als sie in den elenden Romanen immer gemalt wird, gleichsam als fleur d'élégance und Aristokratie Europas. Und dabei war ja das Kasino vor zwanzig Jahren, als noch bares sinnlich sichtbares Geld umrollte, die knisternden Noten, die goldenen Napoleons, die patzigen Fünffrankenstücke durcheinanderwirbelten, unendlich anziehender als heute, da in der modisch neugebauten pomphaften Spielburg ein verbürgertes Cook-Reisepublikum seine charakterlosen Spielmarken langweilig verpulvert. Doch schon damals fand ich zu wenig Reiz an diesem Einerlei gleichgültiger Gesichter, bis mir dann einmal mein Mann, dessen private Leidenschaft die Chiromantie, die Händedeutung, war, eine ganz besondere Art des Zusehens zeigte, in der Tat viel interessanter, viel aufregender und spannender als das lässige Herumstehen, nämlich: niemals auf ein Gesicht zu sehen, sondern einzig auf das Viereck des Tisches und dort wieder nur auf die Hände der Menschen, nur auf ihr besonderes Benehmen. Ich weiß nicht, ob Sie zufälligerweise einmal selber bloß die grünen Tische ins Auge gefaßt haben, nur das grüne Karree allein, wo in der Mitte die Kugel wie ein Betrunkener von Zahl zu Zahl taumelt und innerhalb der viereckig abgegrenzten Felder wirbelnde Fetzen von Papier, runde Stücke Silber und Gold hinfallen wie eine Saat, die dann der Rechen des Croupiers sensenscharf mit einem Riß wegmäht oder als Garbe dem Gewinner zuschaufelt. Das einzig Wandelhafte werden bei einer solchen perspektivischen Einstellung dann die Hände — die vielen hellen, bewegten, wartenden Hände rings um den grünen

Tisch, alle aus der immer andern Höhle eines Ärmels vorlugend, jede ein Raubtier, zum Sprung bereit, jede anders geformt und gefärbt, manche nackt, andere mit Ringen und klirrenden Ketten aufgezäumt, manche behaart wie wilde Tiere, manche feucht und aalhaft gekrümmt, alle aber angespannt und vibrierend von einer ungeheuren Ungeduld. Unwillkürlich mußte ich dann immer an einen Rennplatz denken, wo im Start die aufgeregten Pferde mit Mühe zurückgehalten werden, damit sie nicht vorzeitig losprellen: genau so zittern und heben und bäumen sie sich. Alles erkennt man an diesen Händen, an der Art, wie sie warten, wie sie greifen und stocken: den Habsüchtigen an der krallenden, den Verschwender an der lockeren Hand, den Berechnenden am ruhigen, den Verzweifelten am zitternden Gelenk; hundert Charaktere verraten sich blitzhaft schnell in der Geste des Geldanfassens, ob einer es knüllt oder nervös krümelt oder erschöpft, mit müden Handballen, während des Umlaufs liegen läßt. Der Mensch verrät sich im Spiele, ein Dutzendwort, ich weiß; ich aber sage: noch deutlicher verrät ihn während des Spiels seine eigene Hand. Denn alle oder fast alle Hasardeure haben bald gelernt, ihr Gesicht zu bezähmen — oben, über dem Hemdkragen tragen sie die kalte Maske der impassibilité —, sie zwingen die Falten um den Mund herab und stoßen ihre Erregung unter die verbissenen Zähne, sie verweigern ihren eigenen Augen die sichtliche Unruhe, sie glätten die aufspringenden Muskeln des Gesichtes zu einer künstlichen, auf vornehm hin stilisierten Gleichgültigkeit. Aber gerade, weil alle ihre Aufmerksamkeit sich krampfig konzentriert, ihr Gesicht als das Sichtbarste ihres Wesens zu bemeistern, vergessen sie ihre Hände und vergessen, daß es Menschen gibt, die nur diese Hände beobachten und von ihnen alles erraten, was oben die lächelnd gekräuselte Lippe, die absichtlich indifferenten Blicke verschweigen wollen. Aber die Hand tut indes ihr Geheimstes ganz schamlos auf. Denn ein Augenblick kommt unweigerlich, der alle diese mühsam beherrschten, scheinbar schlafenden Finger aus ihrer vornehmen Nachlässigkeit aufreißt: in der prallen Sekunde, wo die Roulettekugel in ihr kleines Becken fällt und die Gewinstzahl aufgerufen wird, da, in dieser Sekunde macht jede dieser hundert oder fünfhundert Hände unwillkürlich eine ganz persönliche, ganz individuelle Bewegung urtümlichen Instinkts. Und wenn man, wie ich, durch jene Liebhaberei meines Gatten besonders belehrt, diese Arena der Hände zu beobachten gewohnt ist, wirkt der immer andre, immer unerwartete Ausbruch der immer andersartigen Temperamente aufregender als Theater oder Musik: ich kann es Ihnen gar nicht schildern, wieviel tausend Spielarten von Händen es gibt, wilde Bestien mit haarigen, gekrümmten Fingern, die spinnenhaft das Geld einkrallen, und nervöse, zittrige, mit blassen Nägeln, die es kaum anzufassen wagen, noble und niedrige, brutale und schüchterne, listige und gleichsam stammelnde — aber jede wirkt anders, denn jedes dieser Händepaare drückt ein besonderes Leben aus, mit Ausnahme jener vier oder fünf der Croupiers. Die sind ganz Maschinen, sie funktionieren mit ihrer sachlichen, geschäftlichen, völlig unbeteiligten Präzision gegenüber den gesteigert lebendigen wie die stählern klappernden Schließen eines Zählapparats. Aber selbst diese nüchternen Hände wirken wiederum erstaunlich durch ihren Gegensatz zwischen ihren jagdhaften und leidenschaftlichen Brüdern:

sie stehen, möchte ich sagen, anders uniformiert, wie Polizisten inmitten eines wogenden und begeisterten Volksaufruhrs. Dazu kommt noch der persönliche Anreiz, nach einigen Tagen mit den vielen Gewohnheiten und Leidenschaften einzelner Hände bereits vertraut zu sein; nach ein paar Tagen hatte ich immer schon Bekannte unter ihnen und teilte sie ganz wie Menschen in sympathische und feindselige ein: manche waren mir so widerlich in ihrer Unart und Gier, daß ich immer den Blick von ihnen wegwandte wie von einer Unanständigkeit. Jede neue Hand am Tisch aber war mir Erlebnis und Neugier: oft vergaß ich, das Gesicht darüber anzusehen, das, hoch oben in einen Kragen geschnürt, als kalte gesellschaftliche Maske über einem Smokinghemd oder einem leuchtenden Busen unbewegt aufgepflanzt stand.

Als ich nun an jenem Abend eintrat, an zwei überfüllten Tischen vorbei zu dem dritten hin, und einige Goldstücke schon vorbereitete, hörte ich überrascht in jener ganz wortlosen, ganz gespannten, vom Schweigen gleichsam dröhnenden Pause, die immer eintritt, wenn die Kugel, schon selbst tödlich ermattet, nur noch zwischen zwei Nummern hintorkelt, da hörte ich also ein ganz sonderbares Geräusch gerade gegenüber, ein Krachen und Knacken, wie von brechenden Gelenken. Unwillkürlich staunte ich hinüber. Und da sah ich — wirklich, ich erschrak! — zwei Hände, wie ich sie noch nie gesehen, eine rechte und eine linke, die wie verbissene Tiere ineinandergekrampft waren und in so aufgebäumter Spannung sich ineinander und gegeneinander dehnten und krallten, daß die Fingergelenke krachten mit jenem trokkenen Ton einer aufgeknackten Nuß. Es waren Hände von ganz seltener Schönheit, ungewöhnlich lang, ungewöhnlich schmal, und doch von Muskeln straf durchspannt — sehr weiß und die Nägel an ihren Spitzen blaß, mit zart gerundeten perlmutternen Schaufeln. Ich habe sie den ganzen Abend dann noch angesehen — ja angestaunt, diese außerordentlichen, geradewegs einzigen Hände — was mich aber zunächst so schreckhaft überraschte, war ihre Leidenschaft, ihr irrwitzig passionierter Ausdruck, dies krampfige Ineinanderringen und Sichgegenseitighalten. Hier drängte ein ganzer übervoller Mensch, sofort wußte ichs, seine Leidenschaft in die Fingerspitzen zusammen, um nicht selbst von ihr auseinandergesprengt zu werden. Und jetzt ... in der Sekunde, da die Kugel mit trockenem dürrem Ton in die Schüssel fiel und der Croupier die Zahl ausrief ..., in dieser Sekunde fielen plötzlich die beiden Hände auseinander wie zwei Tiere, die eine einzige Kugel durchschossen. Sie fielen nieder, alle beide, wirklich tot und nicht nur erschöpft, sie fielen nieder mit einem so plastischen Ausdruck von Schlaffheit, von Enttäuschung, von Blitzgetroffenheit, von Zuendesein, wie ich ihn nicht mit Worten ausdrücken kann. Denn noch nie und seitdem niemals mehr habe ich so sprechende Hände gesehen, wo jeder Muskel ein Mund war und die Leidenschaft fühlbar fast aus den Poren brach. Einen Augenblick lang lagen sie beide dann auf dem grünen Tisch wie ausgeworfene Quallen am Wasserrand, flach und tot. Dann begann die eine, die rechte, mühsam wieder sich von den Fingerspitzen her aufzurichten, sie zitterte, zog sich zurück, rotierte um sich selbst, schwankte, kreiselte und griff schließlich nervös nach einem Jeton, das sie zwischen der Spitze des Daumens und des zweiten Fingers unschlüssig rollte wie ein kleines Rad. Und plötzlich beugte sie sich mit einem Katzenbuckel pantherhaft auf und schnellte, ja spie geradezu das Hundertfrancsjeton mitten auf das schwarze Feld. Sofort bemächtigte sich, wie auf ein Signal hin, Erregung auch der untätig schlafenden linken Hand; sie stand auf, schlich, ja kroch heran zu der zitternden, vom Wurfe gleichsam ermüdeten Bruderhand, und beide lagen jetzt schauernd beisammen, beide schlugen mit dem Gelenk, wie Zähne im Frostfieber leicht aneinanderklappern, lautlos an den Tisch — nein, nie, noch niemals hatte ich Hände mit so ungeheuerlich redendem Ausdruck gesehen, eine derart spasmatische Form von Erregung und Spannung. Alles andere in diesem wölbigen Raum, das Gesurr aus den Sälen, das marktschreierische Rufen der Croupiers, das Hin und Her der Menschen und jenes der Kugel selbst, die jetzt, aus der Höhe geschleudert, in ihrem runden, parkettglatten Käfig besessen sprang — alle diese grell über die Nerven flitzende Vielheit von flirrenden und schwirrenden Impressionen schien mir plötzlich tot und starr neben diesen beiden zitternden, atmenden, keuchenden, wartenden, frierenden, schauernden, neben diesen beiden unerhörten Händen, auf die hinzustarren ich irgendwie verzaubert war.

Aber endlich hielt es mich nicht länger: ich mußte den Menschen, mußte das Gesicht sehen, dem diese magischen Hände zugehörten, und ängstlich — ja, wirklich ängstlich, denn ich fürchtete mich vor diesen Händen! — schraubte mein Blick sich langsam die Ärmel, die schmalen Schultern empor. Und wieder schrak ich zusammen, denn dieses Gesicht sprach dieselbe zügellose, phantastisch überspannte Sprache wie die Hände, es teilte die gleiche entsetzliche Verbissenheit des Ausdrucks mit derselben zarten und fast weibischen Schönheit. Nie hatte ich ein solches Gesicht gesehen, ein dermaßen aus sich herausgebogenes, ganz von sich selbst weggerissenes Gesicht, und mir war volle Gelegenheit geboten, es wie eine Maske, wie eine augenlose Plastik gemächlich zu betrachten: nicht zur Rechten, nicht zur Linken hin wandte sich nur für eine Sekunde dies besessene Auge: starr, schwarz, eine tote Glaskugel, stand die Pupille unter den aufgerissenen Lidern, spiegelnder Widerschein jener andern mahagonifarbenen, die närrisch und übermütig im runden Roulettekästchen kollerte und sprang. Nie, ich muß es noch einmal sagen, hatte ich ein so gespanntes, ein dermaßen faszinierendes Gesicht gesehen. Es gehörte einem jungen, etwa vierundzwanzigjährigen Menschen, war schmal, zart, ein wenig länglich und dadurch so ausdrucksvoll. Genau wie die Hände, wirkte es nicht ganz männlich, sondern eher einem leidenschaftlich spielenden Knaben zugehörig — aber all das bemerkte ich erst später, denn jetzt verging dieses Gesicht vollkommen hinter einem vorbrechenden Ausdruck von Gier und Raserei. Der schmale Mund, lechzend aufgetan, entblößte halbwegs die Zähne: im Abstand von zehn Schritten konnte man sehen, wie sie fieberhaft aneinanderschlugen, indes die Lippen starr offen blieben. Feucht klebte eine lichtblonde Haarsträhne sich an die Stirn, vornübergefallen wie bei einem Stürzenden, und um die Nasenflügel flakkerte ununterbrochenes Zucken hin und her, als wogten dort kleine Wellen unsichtbar unter der Haut. Und dieser ganze vorgebeugte Kopf schob sich unbewußt immer mehr nach vorne, man hatte das Gefühl, er würde mitgerissen in den Wirbel der kleinen Kugel; und nun verstand ich erst das krampfige Drücken der Hände: nur durch dieses Gegendrücken, nur durch diesen Krampf hielt der aus dem Zentrum stürzende Körper sich noch im Gleichgewicht.

Nie hatte ich — ich muß es immer wieder sagen — ein Gesicht gesehen, in dem Leidenschaft dermaßen offen, so tierisch, so schamlos nackt vorbrach, und ich starrte es an, dieses Gesicht . . ., genau so fasziniert, so festgebannt von seiner Besessenheit, wie jene Blicke vom Sprung und Zucken der kreisenden Kugel. Von dieser Sekunde an merkte ich nichts anderes mehr im Saale, alles schien mir matt, dumpf und verschwommen, dunkel im Vergleich mit dem ausbrechenden Feuer dieses Gesichtes, und über alle Menschen hinweg beobachtete ich vielleicht eine Stunde lang nur diesen einen Menschen und jede seiner Gesten: wie grelles Licht seine Augen überfunkelte, der krampfige Knäuel der Hände jetzt gleichsam von einer Explosion aufgerissen ward und die Finger zitternd wegsprengte, als der Croupier ihrem gierigen Zugriff jetzt zwanzig Goldstücke zuschob. In dieser Sekunde wurde das Gesicht plötzlich lichthaft und ganz jung, die Falten fielen flach auseinander, die Augen begannen zu erglänzen, der vorgekrampfte Körper stieg hell und leicht empor — locker wie ein Reiter saß er mit einemmal da, getragen vom Gefühl des Triumphes, die Finger klimperten eitel und verliebt mit den runden Münzen, schnippten sie gegeneinander, ließen sie tanzen und spielartig klingeln. Dann wandte er wieder unruhig den Kopf, überflog den grünen Tisch gleichsam mit schnuppernden Nüstern eines jungen Jagdhundes, der die richtige Fährte sucht, um plötzlich mit einem raschen Ruck das ganze Büschel Goldstücke über eines der Vierecke hinzuschütten. Und sofort begann wieder dieses Lauern, dieses Gespanntsein. Wieder krochen von den Lippen jene elektrisch zuckenden Wellenschläge, wieder verkrampften sich die Hände, das Knabengesicht verschwand hinter lüsterner Erwartung, bis explosiv die zuckende Spannung in einer Enttäuschung auseinanderfiel: das Gesicht, das eben noch knabenhaft erregte, welkte, wurde fahl und alt, die Augen stumpf und ausgebrannt, und alles dies innerhalb einer einzigen Sekunde, im Hinsturz der Kugel auf eine fehlgemeinte Zahl. Er hatte verloren: ein paar Sekunden starrte er hin, beinahe blöden Blickes, als ob er nicht verstanden hätte; sofort aber bei dem ersten aufpeitschenden Ruf des Croupiers krallten die Finger wieder ein paar Goldstücke heran. Aber die Sicherheit war verloren, erst postierte er die Münzen auf das eine Feld, dann, anders besonnen, auf ein zweites, und als die Kugel schon im Rollen war, schleuderte er mit zitternder Hand, einer plötzlichen Neigung folgend, noch zwei zerknüllte Banknoten rasch in das Karree nach.

Dieses zuckende Auf und Ab von Verlust und Gewinn dauerte pausenlos ungefähr eine Stunde, und während dieser Stunde wandte ich nicht einen Atemzug lang meinen faszinierten Blick von diesem fortwährend verwandelten Gesicht, über das alle Leidenschaften strömten und ebbten; ich ließ sie nicht los mit den Augen, diese magischen Hände, die mit jedem Muskel die ganze springbrunnenhaft steigende und stürzende Skala der Gefühle plastisch wiedergaben. Nie im Theater habe ich so angespannt auf das Gesicht eines Schauspielers gesehen, wie in dieses eine Antlitz hinein, über das, wie Licht und Schatten über eine Landschaft, unaufhörlicher Wechsel aller Farben und Empfindungen ruckhaft hinging. Nie war ich mit meinem ganzen Anteil so innen in einem

Spiel gewesen als im Widerschein dieser fremden Erregung. Hätte mich jemand in diesem Moment beobachtet, so hätte er mein stählernes Hinstarren für eine Hypnose halten müssen, und irgendwie ähnlich war ja auch mein Zustand vollkommener Benommenheit — ich konnte einfach nicht wegsehen von diesem Mienenspiel, und alles andere, was im Raum an Lichtern, Lachen, Menschen und Blicken durcheinanderging, umschwebte mich nur formlos, ein gelber Rauch, inmitten dessen dieses Gesicht stand, Flamme zwischen Flammen. Ich hörte nichts, ich spürte nichts, ich merkte nicht Menschen neben mir vordrängen, andere Hände wie Fühler sich plötzlich vorstrecken, Geld hinwerfen oder einkarren; ich sah die Kugel nicht und nicht die Stimme des Croupiers und sah doch alles wie im Traum, was geschah, an diesen Händen hohlspiegelhaft übersteigert durch Erregung und Übermaß. Denn ob die Kugel auf Rot fiel oder auf Schwarz, rollte oder stockte, das zu wissen, mußte ich nicht auf das Roulette blicken: jede Phase ging, Verlust und Gewinn, Erwartung und Enttäuschung, feurigen Risses durch Nerv und Geste dieses von Leidenschaft überwogten Gesichts.

Aber dann kam ein furchtbarer Augenblick — ein Augenblick, den ich in mir die ganze Zeit hindurch dumpf schon gefürchtet hatte, der über meinen gespannten Nerven wie ein Gewitter hing und plötzlich sie mittendurch riß. Wieder war die Kugel mit jenem kleinen, klapprigen Knacks in ihre Rundung zurückgestürzt, wieder zuckte jene Sekunde, wo zweihundert Lippen den Atem verhielten, bis die Stimme des Croupiers — diesmal: ‚Zéro' — ankündigte, indes schon sein eilfertiger Rechen von allen Seiten die klirrenden Münzen und das knisternde Papier zusammenscharrte. In diesem Augenblick nun machten die beiden verkrampften Hände eine besonders schreckhafte Bewegung, sie sprangen gleichsam auf, um etwas zu haschen, was nicht da war, und fielen dann, nichts in sich als zurückflutende Schwerkraft, wie tödlich ermattet, nieder auf den Tisch. Dann aber wurden sie pötzlich noch einmal lebendig, fieberhaft liefen sie vom Tisch zurück auf den eigenen Leib, kletterten wie wilde Katzen den Stamm des Körpers entlang, oben, unten, rechts und links, nervös in alle Taschen fahrend, ob nicht irgendwo noch ein vergessenes Geldstück sich verkrümelt habe. Aber immer kamen sie wieder leer zurück, immer hitziger erneuten sie dieses sinnlose, nutzlose Suchen, indes schon die Roulettescheibe wieder umkreiselte, das Spiel der andern weiterging. Münzen klirrten, Sessel rückten, und die kleinen hundertfältig zusammengesetzten Geräusche surrend den Saal füllten. Ich zitterte, von Grauen geschüttelt: so deutlich mußte ich all das mitfühlen, als wärens meine eigenen Finger, die da verzweifelt nach irgendeinem Stück Geld in den Taschen und Wülsten des zerknitterten Kleides wühlten. Und plötzlich, mit einem einzigen Ruck stand der Mensch mir gegenüber auf — ganz so, wie jemand aufsteht, dem unvermutet unwohl geworden ist, und sich hochwirft, um nicht zu ersticken; hinter ihm polterte der Stuhl krachend zu Boden. Aber ohne es nur zu bemerken, ohne der Nachbarn zu achten, die scheu und erstaunt dem Schwankenden auswichen, tappte er weg von dem Tisch.

Ich war bei diesem Anblick wie versteinert. Denn ich verstand sofort, wohin dieser Mensch ging: in den Tod. Wer so aufstand, ging nicht in einen Gasthof zurück, in eine Weinstube, zu einer Frau, in ein Eisenbahncoupé, in irgendeine Form des Lebens, sondern stürzte geradaus ins Bodenlose. Selbst der Abgebrühteste in diesem Höllensaale hätte erkennen müssen, daß dieser Mensch nicht noch irgendwo zu Hause oder in der Bank oder bei Verwandten einen Rückhalt hatte, sondern mit seinem letzten Geld, mit seinem Leben als Einsatz hier gesessen hatte und nun hinstolperte, irgendwo anders hin, aber unbedingt aus diesem Leben hinaus. Immer hatte ich gefürchtet, vom ersten Augenblick an magisch gefühlt, daß hier ein Höheres im Spiele sei als Gewinn und Verlust, und doch schlug es nun in mich hinein, ein schwarzer Blitz, als ich sah, wie das Leben aus seinen Augen plötzlich ausrann und der Tod dies eben noch überlebendige Gesicht fahl überstrich. Unwillkürlich — so ganz war ich durchdrungen von seinen plastischen Gesten — mußte ich mich mit der Hand ankrampfen, während dieser Mensch von seinem Platz sich losrang und taumelte, denn dieses Taumeln drang jetzt in meinen eigenen Körper aus seiner Gebärde hinüber, so wie vordem seine Spannung in Ader und Nerv. Aber dann *riß* es mich fort, ich mußte ihm nach: ohne daß ich es wollte, schob sich mein Fuß. Es geschah vollkommen unbewußt, ich tat es gar nicht selbst, sondern es geschah mit mir, daß ich, ohne auf irgend jemanden zu achten, ohne mich selbst zu fühlen, in den Korridor zum Ausgang hinlief.

Er stand bei der Garderobe, der Diener hatte ihm den Mantel gebracht. Aber die eigenen Arme gehorchten nicht mehr: so half ihm der Beflissene wie einem Gelähmten mühsam in die Ärmel. Ich sah, wie er mechanisch in die Westentasche griff, jenem ein Trinkgeld zu geben, aber die Finger tasteten leer wieder heraus. Da schien er sich plötzlich wieder an alles zu erinnern, stammelte verlegen irgendein Wort dem Diener zu und gab sich genau wie vordem einen plötzlichen Ruck nach vorwärts, ehe er ganz wie ein Trunkener die Stufen des Kasinos hinabstolperte, von dem der Diener mit einem erst verächtlichen und dann erst begreifenden Lächeln ihm noch einen Augenblick lang nachsah.

Diese Geste war so erschütternd, daß mich das Zusehen beschämte. Unwillkürlich wandte ich mich zur Seite, geniert, einer fremden Verzweiflung wie von der Rampe eines Theaters zugeschaut zu haben — dann aber stieß mich plötzlich wieder jene unverständliche Angst von mir fort. Rasch ließ ich mir meine Garderobe reichen, und ohne etwas Bestimmtes zu denken, ganz mechanisch, ganz triebhaft, hastete ich diesem fremden Menschen nach in das Dunkel.»

*

Mrs. C. unterbrach ihre Erzählung für einen Augenblick. Sie hatte mir unbewegt gegenüber gesessen und mit jener ihr eigenen Ruhe und Sachlichkeit fast pausenlos gesprochen, wie eben nur jemand spricht, der sich innerlich vorbereitet und die Geschehnisse sorgfältig geordnet hat. Nun stockte sie zum erstenmal, zögerte und wandte sich dann plötzlich aus ihrer Erzählung heraus direkt mir zu:

«Ich habe Ihnen und mir selbst versprochen», begann sie etwas unruhig, «alles Tatsächliche mit äußerster Aufrichtigkeit zu erzählen. Aber ich muß nun verlangen, daß Sie dieser meiner Aufrichtigkeit auch vollen Glauben schenken und nicht meiner Handlungsweise verschwiegene Motive unterlegen, deren ich mich vielleicht heute nicht schämen würde, die aber in diesem Falle vollkommen falsch vermutet wären. Ich muß also betonen, daß, wenn ich diesem zusammengebrochenen Spieler auf der Straße nacheilte, ich durchaus nicht etwa verliebt in diesen jungen Menschen war — ich dachte gar nicht an ihn als an einen Mann, und tatsächlich hat für mich, die damals mehr als vierzigjährige Frau, nach dem Tod meines Gemahls niemals mehr ein Blick irgendeinem Manne gegolten. Das war für mich *endgültig* vorbei: ich sage Ihnen das ausdrücklich und muß es Ihnen sagen, weil alles Spätere Ihnen sonst nicht in seiner ganzen Furchtbarkeit verständlich würde. Freilich, es wäre mir anderseits schwer, das Gefühl deutlich zu benennen, das mich damals so zwanghaft jenem Unglücklichen nachzog: es war Neugier darin, vor allem aber eine entsetzliche Angst oder besser gesagt Angst *vor* etwas Entsetzlichem, das ich unsichtbar von der ersten Sekunde an um diesen jungen Menschen wie eine Wolke gefühlt hatte. Aber solche Empfindungen kann man ja nicht zergliedern und zerlegen, vor allem schon darum nicht, weil sie zu zwanghaft, zu rasch, zu spontan durcheinanderschießen — wahrscheinlich tat ich nichts anderes als die durchaus instinktive Geste der Hilfeleistung, mit der man ein Kind zurückreißt, das auf der Straße in ein Automobil hineinrennen will. Oder läßt es sich vielleicht erklären, daß Menschen, die selbst nicht schwimmen können, von einer Brücke her einem Ertrinkenden nachspringen? Es zieht sie einfach magisch nach, ein Wille stößt sie hinab, ehe sie Zeit haben, sich schlüssig zu werden über die sinnlose Kühnheit ihres Unterfangens; und genau so, ohne zu denken, ohne bewußt wache Überlegung, bin ich damals jenem Unglücklichen aus dem Spielsaal zum Ausgang und vom Ausgang auf die Terrasse nachgegangen.

Und ich bin gewiß, weder Sie noch irgendein mit wachen Augen fühlender Mensch hätte sich dieser angstvollen Neugier entziehen können, denn ein unheimlicherer Anblick war nicht zu denken als jener junge Mann von höchstens vierundzwanzig Jahren, der mühsam wie ein Greis, schlenkernd wie ein Betrunkener, mit abgelösten, zerbrochenen Gelenken von der Treppe zur Straßenterrasse sich weiterschleppte. Dort fiel er plumpig wie ein Sack mit dem Körper auf eine Bank. Wieder spürte ich schaudernd an dieser Bewegung: dieser Mensch war zu Ende. So fällt nur ein Toter hin oder einer, in dem kein Muskel mehr sich ans Leben hält. Der Kopf war, schief gelehnt, zurück über die Lehne gesunken, die Arme hingen schlaff und formlos zu Boden, im Halbdunkel der trübe flackernden Laternen hätte jeder Vorübergehende ihn für einen Erschossenen halten müssen. Und so — ich kann es nicht erklären, wieso diese Vision plötzlich in mir ward, aber plötzlich stand sie da, greifbar plastisch, schauervoll und entsetzlich wahr —, so, als Erschossenen, sah ich ihn vor mir in dieser Sekunde, und unweigerlich war in mir die Gewißheit, daß er einen Revolver in der Tasche trage und man morgen diese Gestalt auf dieser Bank oder irgendeiner andern hingestreckt finden würde, leblos und mit Blut überströmt. Denn sein Niederfallen war durchaus das eines Steines, der in eine Tiefe fällt und nicht früher haltmacht, ehe er seinen Abgrund erreicht hat: nie habe ich einen ähnlichen Ausdruck von Müdigkeit und Verzweiflung in körperlicher Geste ausgedrückt gesehen.

Und nun denken Sie sich meine Situation: ich stand zwanzig oder dreißig Schritte hinter jener Bank mit dem reglosen, zusammengebrochenen Menschen, ahnungslos, was beginnen, vorgetrieben einerseits vom Willen, zu helfen, zurückgedrängt von der anerzogenen, angeerbten Scheu, einen fremden Mann auf der Straße anzusprechen. Die Gaslaternen flackerten trüb in den umwölkten Himmel, ganz selten nur hastete eine Gestalt vorbei, denn es war nahe an Mitternacht und ich fast ganz allein im Park mit dieser selbstmörderischen Gestalt. Fünfmal, zehnmal hatte ich mich schon zusammengerafft und war auf ihn zugegangen, immer riß mich Scham zurück oder vielleicht jener Instinkt tieferer Ahnung, daß Stürzende gern den Helfenden mit sich reißen — und mitten in diesem Hin und Wider fühlte ich selbst deutlich das Sinnlose, das Lächerliche der Situation. Dennoch vermochte ich weder zu sprechen noch wegzugehen, weder etwas zu tun noch ihn zu verlassen. Und ich hoffe, Sie glauben mir, wenn ich Ihnen sage, daß ich vielleicht eine Stunde lang, eine unendliche Stunde, während tausend und tausend kleine Wellenschläge des unsichtbaren Meeres die Zeit zerrissen, auf dieser Terrasse unschlüssig umherwanderte; so sehr erschütterte und hielt mich dies Bild der vollkommenen Zernichtung eines Menschen.

Aber doch, ich fand nicht den Mut eines Worts, einer Tat, und ich hätte die halbe Nacht noch so wartend gestanden, oder vielleicht hätte mich schließlich klügere Selbstsucht bewogen, nach Hause zu gehen, ja ich glaube sogar, daß ich bereits entschlossen war, dieses Bündel Elend in seiner Ohnmacht liegen zu lassen — aber da entschied ein Übermächtiges gegen meine Unentschlossenheit. Es begann nämlich zu regnen. Den ganzen Abend schon hatte der Wind über dem Meer schwere, dampfende Frühlingswolken zusammengeschoben, man spürte mit der Lunge, mit dem Herzen, daß der Himmel ganz tief herabdrückte — plötzlich begann ein Tropfen niederzuklatschen, und schon prasselte in schweren, nassen, vom Wind gejagten Strähnen ein massiger Regen herab. Unwillkürlich flüchtete ich unter den Vorsprung eines Kioskes, und obwohl ich den Schirm aufspannte, schütteten doch die springenden Böen nasse Büschel Wassers an mein Kleid. Bis hinauf ins Gesicht und die Hände spürte ich sprühend den kalten Staub der am Boden knallend zerklatschenden Tropfen.

Aber — und das war ein so entsetzlicher Anblick, daß mir heute noch, nach zwei Jahrzehnten, die Erinnerung die Kehle klemmt — in diesem stürzenden Wolkenbruch blieb der Unglückliche reglos auf seiner Bank sitzen und rührte sich nicht. Von allen Traufen triefte und gluckerte das Wasser, aus der Stadt her hörte man Wagen donnern, rechts und links flüchteten Gestalten mit aufgestülpten Mänteln; was Leben in sich hatte, alles duckte sich scheu, flüchtete, floh, suchte Unterschlupf, überall bei Mensch und Tier spürte man die Angst vor dem stürzenden Element — nur dieses schwarze Knäuel Mensch dort auf der Bank rührte und regte sich nicht. Ich sagte Ihnen schon früher, daß es diesem Menschen magisch gegeben war, jedes seiner Gefühle durch Bewegung und Geste plastisch zu machen; aber nichts, nichts auf Erden konnte Verzweiflung, vollkommene Selbstaufgabe, lebendiges Gestorbensein dermaßen erschütternd ausdrücken, als diese Unbeweglichkeit, dieses reglose, fühllose Dasitzen im prasselnden Regen, dieses Zumüdesein, um sich aufzuheben und die paar Schritte zu gehen bis zum schützenden Dach, diese letzte Gleichgültigkeit gegen das eigene Sein. Kein Bildhauer, kein Dichter, nicht Michelangelo und Dante hat mir jemals die Geste der letzten

Verzweiflung, das letzte Elend der Erde so hinreißend fühlsam gemacht wie dieser lebendige Mensch, der sich überschütten ließ vom Element, schon zu lässig, zu müde, durch eine einzige Bewegung sich zu schützen.

Das riß mich weg, ich konnte nicht anders. Mit einem Ruck durchlief ich die nasse Spießrutenreihe des Regens und rüttelte das triefende Bündel Mensch von der Bank. ‚Kommen Sie!‘ Ich packte seinen Arm. Irgend etwas starrte mühsam empor. Irgendeine Bewegung schien langsam aus ihm wachsen zu wollen, aber er verstand nicht. ‚Kommen Sie!‘ zerrte ich nochmals den nassen Ärmel, nun schon beinahe zornig. Da stand er langsam auf, willenlos und schwankend. ‚Was wollen Sie?‘ fragte er, und ich hatte darauf keine Antwort, denn ich wußte selbst nicht, wohin mit ihm: nur weg aus dem kalten Guß, aus diesem sinnlosen, selbstmörderischen Dasitzen äußerster Verzweiflung. Ich ließ den Arm nicht los, sondern zog den ganz Willenlosen weiter, bis hin zu dem Verkaufskiosk, wo das schmale vorspringende Dach ihn wenigstens einigermaßen vor dem wütigen Überfall des vom Wind wild geschwenkten Elements schützte. Weiter wußte ich nichts, wollte ich nichts. Nur ins Trockene, nur unter ein Dach diesen Menschen ziehen: weiter hatte ich zunächst nicht gedacht.

Und so standen wir beide nebeneinander in dem schmalen Streifen Trockenheit, hinter uns die verschlossene Wand der Verkaufsbude, über uns einzig das zu kleine Schutzdach, unter dem heimtückisch durchgreifend der unersättliche Regen uns mit plötzlichen Böen immer wieder lose Fetzen nasser Kälte über die Kleider und ins Gesicht schlug. Die Situation wurde unerträglich. Ich konnte doch nicht länger stehenbleiben neben diesem triefenden fremden Menschen. Und anderseits, ich konnte ihn, nachdem ich ihn hierhergezogen, nicht ohne ein Wort einfach stehenlassen. Irgend etwas mußte geschehen; allmählich zwang ich mich zu geradem klaren Denken. Am besten, dachte ich, ihn in einem Wagen nach Hause bringen und dann selbst nach Hause: morgen wird er schon für sich Hilfe wissen. Und so fragte ich den reglos neben mir Stehenden, der starr hinaus in die jagende Nacht blickte: ‚Wo wohnen Sie?‘

‚Ich habe keine Wohnung ... ich bin erst abends von Nizza gekommen ... zu mir kann man nicht gehen.‘

Den letzten Satz verstand ich nicht gleich. Erst später wurde mir klar, daß dieser Mensch mich für ... für eine Kokotte hielt, für eines der Weiber, wie sie nachts hier massenhaft um das Kasino streichen, weil sie hoffen, glücklichen Spielern oder Betrunkenen noch etwas Geld abzujagen. Schließlich, was sollte er anderes auch denken, denn erst jetzt, da ich es Ihnen wiedererzähle, spüre ich das ganz Unwahrscheinliche, ja Phantastische meiner Situation — was sollte er anderes von mir meinen, war doch die Art, wie ich ihn von der Bank weggezogen und selbstverständlich mitgeschleppt, wahrhaftig nicht die einer Dame. Aber dieser Gedanke kam mir nicht gleich. Erst später, zu spät schon dämmerte mir das grauenvolle Mißverständnis auf, in dem er sich über meine Person befand. Denn sonst hätte ich niemals die nächsten Worte gesprochen, die seinen Irrtum nur bestärken mußten. Ich sagte nämlich: ‚So wird man eben ein Zimmer in einem Hotel nehmen. Hier dürfen Sie nicht bleiben. Sie müssen jetzt irgendwo unterkommen.‘

Aber sofort wurde ich jetzt seines peinlichen Irrtums gewahr, denn er wandte sich gar nicht mir zu und wehrte nur mit einem gewissen höhnischen Ausdruck ab: ‚Nein, ich brauche kein Zimmer, ich brauche gar nichts mehr. Gib dir keine Mühe, aus mir ist nichts zu holen. Du hast dich an den Unrichtigen gewandt, ich habe kein Geld.‘

Das war wieder so furchtbar gesagt, mit einer so erschütternden Gleichgültigkeit; und sein Dastehen, dies schlaffe An-der-Wand-Lehnen eines triefenden, nassen, von innen her erschöpften Menschen erschütterte mich derart, daß ich gar nicht Zeit hatte für ein kleines, dummes Beleidigtsein. Ich empfand nur, was ich vom ersten Augenblick an, da ich ihn aus dem Saal taumeln sah, und während dieser unwahrscheinlichen Stunde ununterbrochen empfunden: daß hier ein Mensch, ein junger, lebendiger, atmender Mensch, knapp vor dem Tode stände und daß ich ihn retten *mußte*. Ich trat näher.

‚Kümmern Sie sich nicht um Geld und kommen Sie! Hier dürfen Sie nicht bleiben, ich werde Sie schon unterbringen. Kümmern Sie sich um gar nichts, kommen Sie nur jetzt!‘

Er wandte den Kopf, ich spürte, wie er, indes der Regen dumpf um uns trommelte und die Traufe klatschendes Wasser zu unseren Füßen hinwarf, wie er da mitten im Dunkel zum erstenmal sich bemühte, mein Gesicht zu sehen. Auch der Körper schien langsam aus seiner Lethargie zu erwachen.

‚Nun, wie du willst‘, sagte er nachgebend. ‚Mir ist alles einerlei ... Schließlich warum nicht? Gehen wir‘. Ich spannte den Schirm auf, er trat an meine Seite und faßte mich unter dem Arm. Diese plötzliche Vertraulichkeit war mir unangenehm, ja sie entsetzte mich, ich erschrak bis hinab in das Unterste meines Herzens. Aber ich hatte nicht den Mut, ihm etwas zu verbieten; denn stieß ich ihn jetzt zurück, so fiel er ins Bodenlose, und alles war vergeblich, was ich bisher versucht. Wir gingen die wenigen Schritte gegen das Kasino zurück. Jetzt fiel mir erst ein, daß ich nicht wußte, was mit ihm anfangen. Am besten, überlegte ich rasch, ihn zu einem Hotel führen, ihm dort Geld in die Hand drücken, daß er übernachten und morgen heimreisen kann: weiter dachte ich nicht. Und wie jetzt die Wagen hastig vor das Kasino vorfuhren, rief ich einen an, wir stiegen ein. Als der Kutscher fragte, wohin, wußte ich zunächst keine Antwort. Aber mich plötzlich erinnernd, daß der gänzlich durchnäßte, triefende Mensch neben mir in keinem der guten Hotels Aufnahme finden könnte — anderseits aber auch als wahrhaft unerfahrene Frau an ein Zweideutiges gar nicht denkend, rief ich dem Kutscher nur zu: ‚In irgendein einfaches Hotel!'

Der Kutscher, gleichmütig, regenübergossen, trieb die Pferde an. Der fremde Mensch neben mir sprach kein Wort, die Räder rasselten, und der Regen klatschte in wuchtigem Niederschlag gegen die Scheiben: mir war in diesem dunklen, lichtlosen, sarghaften Viereck zumute, als ob ich mit einer Leiche führe. Ich versuchte nachzudenken, irgendein Wort zu finden, um das Sonderbare und Grauenvolle dieses stummen Beisammenseins abzuschwächen, aber mir fiel nichts ein. Nach einigen Minuten hielt der Wagen, ich stieg zuerst aus, entlohnte den Kutscher, indes jener gleichsam schlaftrunken den Schlag zuklinkte. Wir standen jetzt vor der Tür eines kleinen, fremden Hotels, über uns wölbte ein gläsernes Vordach sein winziges Stück geschützten Raumes gegen den Regen, der ringsum mit gräßlicher Monotonie die undurchdringliche Nacht zerfranste.

Der fremde Mensch, seiner Schwere nachgebend, hatte sich unwillkürlich an die Wand gelehnt, es tropfte und triefte von seinem nassen Hut, seinen zerdrückten Kleidern. Wie ein Ertrunkener, den man aus dem Fluß geholt mit noch benommenen Sinnen, so stand er da, und um den kleinen Fleck, wo er lehnte, bildete sich ein Rinnsal von niederrieselndem Wasser. Aber er machte nicht die geringste Anstrengung, sich abzuschütteln, den Hut wegzuschwenken, von dem Tropfen immer wieder über Stirn und Gesicht niederliefen. Er stand vollkommen teilnahmslos, und ich kann Ihnen nicht sagen, wie diese Zerbrochenheit mich erschütterte.

Aber jetzt mußte etwas geschehen. Ich griff in meine Tasche: ‚Da haben Sie hundert Franken', sagte ich, ‚nehmen Sie sich damit ein Zimmer und fahren Sie morgen nach Nizza zurück'.

Er sah erstaunt auf.

‚Ich habe Sie im Spielsaale beobachtet', drängte ich, sein Zögern bemerkend. ‚Ich weiß, daß Sie alles verloren haben, und fürchte, Sie sind auf dem besten Wege, eine Dummheit zu machen. Es ist keine Schande, sich helfen zu lassen . . . Da, nehmen Sie !'

Aber er schob meine Hand zurück mit einer Energie, die ich ihm nicht zugetraut hätte. ‚Du bist ein guter Kerl', sagte er, ‚aber vertu dein Geld nicht. Mir ist nicht mehr zu helfen. Ob ich diese Nacht noch schlafe oder nicht, ist vollkommen gleichgültig. Morgen ist ohnehin alles zu Ende. Mir ist nicht zu helfen.'

‚Nein, Sie müssen es nehmen', drängte ich, ‚morgen werden Sie anders denken. Gehen Sie jetzt erst einmal hinauf, überschlafen Sie alles. Bei Tag haben die Dinge ein anderes Gesicht.'

Doch er stieß, da ich ihm neuerdings das Geld aufdrängte, beinahe heftig meine Hand weg. ‚Laß das', wiederholte er nochmals dumpf, ‚es hat keinen Sinn. Besser, ich tue das draußen ab, als den Leuten hier ihr Zimmer mit Blut schmutzig zu machen. Mir ist mit hundert Franken nicht zu helfen und mit tausend auch nicht. Ich würde doch morgen wieder mit den letzten paar Franken in den Spielsaal gehen und nicht früher aufhören, als bis alles weg ist. Wozu nochmals anfangen, ich habe genug.'

Sie können nicht ermessen, wie mir dieser dumpfe Ton bis in die Seele drang; aber denken Sie sich das aus: zwei Zoll von Ihnen steht ein junger, heller, lebendiger, atmender Mensch, und man weiß, wenn man nicht alle Kräfte aufrafft, wird dieses denkende, sprechende, atmende Stück Jugend in zwei Stunden eine Leiche sein. Und nun wurde es für mich gleichsam eine Wut, ein Zorn, diesen sinnlosen Widerstand zu besiegen. Ich packte seinen Arm: ‚Schluß mit diesen Dummheiten! Sie werden jetzt hinaufgehen und sich ein Zimmer nehmen, und morgen früh komme ich und schaffe Sie an die Bahn. Sie müssen fort von hier, Sie müssen noch morgen nach Hause fahren, und ich werde nicht früher rasten, ehe ich Sie nicht selbst mit der Fahrkarte im Zuge sehe. Man wirft sein Leben nicht weg, wenn man jung ist, nur weil man gerade ein paar hundert oder tausend Franken verloren hat. Das ist Feigheit, eine dumme Hysterie von Zorn und Erbitterung. Morgen werden Sie mir selbst recht geben!'

‚Morgen!' wiederholte er mit sonderbar düsterer und ironischer Betonung. ‚Morgen! Wenn du wüßtest, wo ich morgen bin! Wenn ich selbst es wüßte, ich bin eigentlich schon ein wenig neugierig darauf. Nein, geh nach Hause, mein Kind, gib dir keine Mühe und vertu nicht dein Geld.'

Aber ich ließ nicht mehr nach. Es war wie eine Manie, wie eine Raserei in mir. Gewaltsam packte ich seine Hand und preßte die Banknote hinein. ‚Sie werden das Geld nehmen und sofort hinaufgehen!' und dabei trat ich entschlossen zur Klingel und läutete an. ‚So, jetzt habe ich angeläutet, der Portier wird gleich kommen, Sie gehen hinauf und legen sich nieder. Morgen neun Uhr warte ich dann vor dem Haus und bringe Sie sofort an die Bahn. Machen Sie sich keine Sorge um alles Weitere, ich werde schon das Nötige veranlassen, daß Sie bis nach Hause kommen. Aber jetzt legen Sie sich nieder, schlafen Sie aus und denken Sie nicht weiter!'

In diesem Augenblick knackte der Schlüssel an der Tür von innen her, der Portier öffnete.

‚Komm!' sagte er da plötzlich mit einer harten, festen, erbitterten Stimme, und eisern fühlte ich mein Handgelenk von seinen Fingern umspannt. Ich erschrak ... ich erschrak so durch und durch, so gelähmt, so blitzhaft getroffen, daß mir alle Besinnung schwand ... Ich wollte mich wehren, mich losreißen ... aber mein Wille war wie gelähmt ... und ich ... Sie werden es verstehen ... ich ... ich schämte mich, vor dem Portier, der da wartend und ungeduldig stand, mit einem fremden Menschen zu ringen. Und so ... so stand ich mit einem Male innen im Hotel; ich wollte sprechen, etwas sagen, aber die Kehle stockte mir ... an meinem Arm lag schwer und gebietend seine Hand ... ich spürte dumpf, wie sie mich unbewußt eine Treppe hinaufzog ... ein Schlüssel knackte ...

Und plötzlich war ich mit diesem fremden Menschen allein in einem fremden Zimmer, in irgendeinem Hotel, dessen Namen ich heute noch nicht weiß.»

*

Mrs. C. hielt wieder inne und stand plötzlich auf. Die Stimme schien ihr nicht mehr zu gehorchen. Sie ging zum Fenster, sah stumm einige Minuten hinaus oder lehnte vielleicht nur die Stirn an die kalte Scheibe: ich hatte nicht den Mut, genau hinzusehen, denn es war mir peinlich, die alte Dame in ihrer Erregung zu beobachten. So saß ich still, ohne Frage, ohne Laut, und wartete, bis sie wieder mit gebändigtem Schritt zurückkam und sich mir gegenübersetzte.

«So — jetzt ist das Schwerste gesagt. Und ich hoffe, Sie glauben mir, wenn ich Ihnen nun nochmals versichere, wenn ich bei allem, was mir heilig ist, bei meiner Ehre und bei meinen Kindern, schwöre, daß mir bis zu jener Sekunde kein Gedanke an eine ... eine Verbindung mit diesem fremden Menschen in den Sinn gekommen war, daß ich wirklich ohne jeden wachen Willen, ja ganz ohne Bewußtsein wie durch eine Falltür vom ebenen Weg meiner Existenz plötzlich in diese Situation gestürzt war. Ich habe mir geschworen, zu Ihnen und zu mir wahr zu sein, so wiederhole ich Ihnen nochmals, daß ich nur durch einen fast überreizten Willen zur Hilfe und durch kein anderes, kein persönliches Gefühl, also ganz ohne jeden Wunsch, ohne jede Ahnung in dieses tragische Abenteuer geriet.

Was in jenem Zimmer, was in jener Nacht geschah, ersparen Sie mir zu erzählen; ich selbst habe keine Sekunde dieser Nacht vergessen und will sie auch niemals vergessen. Denn in jener Nacht rang ich mit einem Menschen um sein Leben. denn ich wiederhole: um Leben und Sterben ging dieser Kampf. Zu unverkennbar spürte ichs mit jedem Nerv, daß dieser fremde Mensch, dieser halb schon Verlorene bereits mit aller Gier und Leidenschaft eines tödlich Bedrohten noch um das Letzte griff. Er klammerte sich an mich wie einer, der bereits den Abgrund unter sich fühlt. Ich aber raffte alles aus mir auf, um ihn zu retten mit allem, was mir gegeben war. Solche Stunde erlebt vielleicht ein Mensch nur einmal in seinem Leben, und von Millionen wieder nur einer — auch ich hätte nie geahnt ohne diesen fürchterlichen Zufall, wie glühend, wie verzweifelnd, mit welcher unbändigen Gier sich ein aufgegebener, ein verlorener Mensch noch einmal an jeden roten Tropfen Leben ansaugt, ich hätte, zwanzig Jahre lang fern von allen dämonischen Mächten des Daseins, nie begriffen, wie großartig und phantastisch die Natur manchmal ihr Heiß und Kalt, Tod und Leben, Entzükkung und Verzweiflung in ein paar knappe Atemzüge zusammendrängt. Und diese Nacht war so angefüllt mit Kampf und Gespräch, mit Leidenschaft und Zorn und Haß, mit Tränen der Beschwörung und der Trunkenheit, daß sie mir tausend Jahre zu dauern schien und wir zwei Menschen, die verschlungen ihren Abgrund hinabtaumelten, todeswütig der eine, ahnungslos der andere, anders hervorgingen aus diesem tödlichen Tumult, anders, vollkommen verwandelt, mit andern Sinnen, anderem Gefühl.

Aber ich will davon nicht sprechen. Ich kann und will das nicht schildern. Nur diese eine unerhörte Minute meines Erwachens am Morgen muß ich Ihnen doch andeuten. Ich erwachte aus einem bleiernen Schlaf, aus einer Tiefe der Nacht, wie ich sie nie gekannt. Ich brauchte lange, ehe ich die Augen aufschlug, und das erste, was ich sah, war über mir eine fremde Zimmerdecke, und weiter tastend dann ein ganz fremder, unbekannter, häßlicher Raum, von dem ich nicht wußte, wie ich hineingeraten. Zuerst beredete ich mich, noch Traum sei dies, ein hellerer, durchsichtigerer Traum, in den ich aus jenem ganz dumpfen und verworrenen Schlaf emporgetaucht sei — aber vor den Fenstern stand schon schneidend klares, unverkennbar wirkliches Sonnenlicht, Morgenlicht, von unten her dröhnte die Straße mit Wagengerassel, Tramwayklingeln und Menschenlaut — und nun wußte ich, daß ich nicht mehr träume, sondern wach sei. Unwillkürlich richtete ich mich auf, um mich zu besinnen, und da ... wie ich den Blick seitwärts wandte ... da sah ich — und nie werde ich Ihnen meinen Schrecken schildern können — einen fremden Menschen im breiten Bette neben mir schlafen ... aber fremd, fremd, fremd, ein halbnackter, unbekannter Mensch ...

Nein, dieses Entsetzen, ich weiß es, beschreibt sich nicht: es fiel so furchtbar über mich, daß ich zurücksank ohne Kraft. Aber es war nicht gute Ohnmacht, kein Nichtmehrwissen, im Gegenteil: mit blitzhafter Geschwindigkeit war mir alles ebenso bewußt wie unerklärbar, und ich hatte nur den einen Wunsch, zu sterben vor Ekel und Scham, mich plötzlich mit einem wildfremden Menschen in dem fremden Bett einer wohl verdächtigen Spelunke zu finden. Ich weiß noch deutlich, mein Herzschlag setzte aus, ich hielt den Atem an, als könnte ich mein Leben damit und vor allem das Bewußtsein auslöschen, dieses klare, grauenhaft klare Bewußtsein, das alles begriff und doch nichts verstand.

Ich werde niemals wissen, wie lange ich dann so gelegen habe, eiskalt an allen Gliedern: Tote müssen ähnlich starr im Sarge liegen. Ich weiß nur, ich hatte die Augen geschlossen und betete zu Gott, zu irgendeiner Macht des Himmels, es möge nicht wahr, es möge nicht wirklich sein. Aber meine geschärften Sinne erlaubten nun keinen Betrug mehr, ich hörte im Nachbarzimmer Menschen sprechen, Wasser rauschen, außen schlurften Schritte im Gang, und jedes dieser Zeichen bezeugte unerbittlich das grausam Wache meiner Sinne.

Wie lange dieser gräßliche Zustand gedauert hat, vermag ich nicht zu sagen: solche Sekunden haben andere Zeiten als die gemessenen des Lebens. Aber plötzlich überfiel mich eine andere Angst, die jagende, grauenhafte Angst: dieser fremde Mensch, dessen Namen ich gar nicht kannte, möchte jetzt aufwachen und zu mir sprechen. Und sofort wußte ich, daß es für mich nur eines gäbe: mich anziehen, flüchten, ehe er erwachte. Nicht mehr von ihm gesehen werden, nicht mehr zu ihm sprechen. Sich rechtzeitig retten, fort, fort, fort, zurück in irgendein eigenes Leben, in mein Hotel, und gleich mit dem nächsten Zuge fort von diesem verruchten Ort, aus diesem Land, ihm nie mehr begegnen, nie mehr ins Auge sehen, keinen Zeugen haben, keinen Ankläger und Mitwisser. Der Gedanke riß die Ohnmacht in mir auf: ganz vorsichtig, mit den schleicherischen Bewegungen eines Diebes rückte ich Zoll um Zoll (nur um keinen Lärm zu machen) aus dem Bette und tastete zu meinen Kleidern. Ganz vorsichtig zog ich mich an, jede Sekunde zitternd vor seinem Erwachen, und schon war ich fertig, schon war es gelungen. Nur mein Hut lag drüben auf der andern Seite zu Füßen des Bettes, und jetzt, wie ich auf den Zehen hintastete, ihn aufzuheben — in dieser Sekunde *konnte* ich nicht anders: ich mußte noch einen Blick auf das Gesicht dieses fremden Menschen werfen, der in mein Leben wie ein Stein vom Gesims gestürzt war. Nur einen bloßen Blick wollte ich hinwerfen, aber... es war sonderbar, denn der fremde, junge Mann, der dort schlummernd lag — war *wirklich* ein fremder Mensch für mich: im ersten Augenblick erkannte ich gar nicht das Gesicht von gestern. Denn wie weggelöscht waren die von Leidenschaft vorgetriebenen, krampfig aufgewühlten, gespannten Züge des tödlich Aufgeregten — dieser da hatte ein anderes, ein ganz kindliches, ganz knabenhaftes Gesicht, das geradezu *strahlte* von Reinheit und Heiterkeit. Die Lippen, gestern verbissen und zwischen die Zähne geklemmt, träumten weich auseinander gefaltet, und halb schon zu einem Lächeln gerundet; weich lockten sich die blonden Haare die faltenlose Stirn herab, und linden Wellenspiels ging ruhig der Atem von der Brust über den ruhenden Körper hin.

Sie können sich vielleicht entsinnen, daß ich Ihnen früher erzählte, ich hätte noch nie so stark, in einem so verbrecherisch starken Unmaß den Ausdruck von Gier und Leidenschaft an einem Menschen beobachtet wie bei diesem Fremden am Spieltisch. Und ich sage Ihnen, daß ich nie, selbst bei Kindern nicht, die doch im Säuglingsschlaf manchmal einen engelhaften Schimmer von Heiterkeit um sich haben, jemals einen solchen Ausdruck von reiner Helligkeit, von wahrhaft *seligem* Schlummer gesehen habe. In diesem Gesicht formten sich eben mit einziger Plastik alle Gefühle heraus, nun ein paradiesisches Entspanntsein von aller innerlichen Schwere, ein Gelöstsein, ein Gerettetsein. Bei diesem überraschenden Anblick fiel wie ein schwerer, schwarzer Mantel von mir alle Angst, alles Grauen ab — ich schämte mich nicht mehr, nein, ich war beinahe froh. Das Furchtbare, das Unfaßbare hatte plötzlich für mich Sinn bekommen, ich *freute* mich, ich war *stolz* bei dem Gedanken, daß dieser junge, zarte, schöne Mensch, der hier heiter und still wie eine Blume lag, ohne meine Hingabe zerschellt, blutig, mit einem zerschmetterten Gesicht, leblos, mit kraß aufgerissenen Augen irgendwo an einem Felsenhang aufgefunden worden wäre: ich hatte ihn gerettet, er war gerettet. Und ich sah nun — ich kann es nicht anders sagen — mit meinem *mütterlichen* Blick auf diesen Schlafenden hin, den ich noch einmal — schmerzvoller als meine eigenen Kinder — in das Leben zurückgeboren hatte. Und mitten in diesem verbrauchten, abgeschmutzten Zimmer, in diesem ekligen, schmierigen Gelegenheitshotel, überkam mich — mögen Sie es noch so lächerlich im Worte finden — ein Gefühl wie in einer Kirche, ein Beseligtsein von Wunder und Heiligung. Aus der furchtbarsten Sekunde eines ganzen Lebens wuchs mir schwesterhaft eine zweite, die erstaunlichste und überwältigendste zu.

Hatte ich mich zu laut bewegt? Hatte ich unwillkürlich etwas gesprochen? Ich weiß es nicht. Aber plötzlich schlug der Schlafende die Augen auf. Ich erschrak und fuhr zurück. Er sah erstaunt um sich — genau so wie früher ich selbst, so schien nun er aus ungeheurer Tiefe und Verworrenheit mühselig emporzusteigen. Sein Blick umwanderte angestrengt das fremde, unbekannte Zimmer, dann fiel er staunend auf mich. Aber ehe er noch sprach oder sich ganz besinnen konnte, hatte ich mich gefaßt. Nicht ihn zu Wort kommen lassen, keine Frage, keine Vertraulichkeit gestatten, es durfte nichts erneuert werden, nichts erläutert, nichts besprochen werden von gestern und von dieser Nacht.

‚Ich muß jetzt weggehen', bedeutete ich ihm rasch, ‚Sie bleiben hier zurück und ziehen sich an. Um zwölf Uhr treffe ich Sie dann am Eingang des Kasinos: dort werde ich für alles Weitere sorgen.'

Und ehe er ein Wort entgegnen konnte, flüchtete ich hinaus, nur um das Zimmer nicht mehr zu sehen, und lief, ohne mich umzuwenden, aus dem Hause, dessen Namen ich ebensowenig wußte wie jenen des fremden Mannes, mit dem ich darin eine Nacht verbracht.»

*

Einen Atemzug lang unterbrach Mrs. C. ihre Erzählung. Aber alles Gespannte und Gequälte war weg aus ihrer Stimme: wie ein Wagen, der schwer den Berg sich hinaufgemüht, dann aber von erreichter Höhe leicht rollend und geschwind die Senke herabrollt, so flügelte jetzt in entlasteter Rede ihr Bericht:

«Also: ich eilte in mein Hotel durch die morgendlich erhellten Straßen, denen der Wettersturz alles Dumpfe vom Himmel so weggerissen, wie mir jetzt das qualhafte Gefühl. Denn vergessen Sie nicht, was ich Ihnen früher sagte: ich hatte nach dem Tode meines Mannes mein Leben vollkommen aufgegeben. Meine Kinder brauchten mich nicht, ich selber wollte mich nicht, und alles Leben ist Irrtum, das nicht zu einem bestimmten Zweck lebt. Nun war mir zum erstenmal unvermutet eine Aufgabe zugefallen: ich hatte einen Menschen gerettet, ihn aus seiner Vernichtung aufgerissen mit allem Aufgebot meiner Kräfte. Nur ein Kurzes war noch zu überwinden, und diese Aufgabe mußte zu Ende getan sein. Ich lief also in mein Hotel: der erstaunte Blick des Portiers, daß ich erst jetzt um neun Uhr morgens nach Hause kam, glitt an mir ab — nichts mehr von Scham und Ärger über das Geschehnis drückte auf meine Sinne, sondern ein plötzliches Wiederaufgetansein meines Lebenswillens, ein unvermutet neues Gefühl von der Notwendigkeit meines

Daseins durchblutete warm die erfüllten Adern. In meinem Zimmer kleidete ich mich rasch um, legte unbewußt (ich habe es erst später bemerkt) das Trauerkleid ab, um es mit einem helleren zu vertauschen, ging in die Bank, mir Geld zu beheben, hastete zum Bahnhof, mich nach der Abfahrt der Züge zu erkundigen; mit einer mir selber erstaunlichen Entschlossenheit bewältigte ich noch außerdem ein paar andere Besorgungen und Verabredungen. Nun war nichts mehr zu tun, als mit dem mir vom Schicksal zugeworfenen Menschen die Abreise und endgültige Rettung zu erledigen.

Freilich, dies erforderte Kraft, ihm nun persönlich gegenüberzutreten. Denn alles Gestrige war im Dunkel geschehen, in einem Wirbel, wie wenn zwei Steine, von einem Sturzbach gerissen, plötzlich zusammengeschlagen werden; wir kannten einander kaum von Angesicht zu Angesicht, ja ich war nicht einmal gewiß, ob jener Fremde mich überhaupt noch erkennen würde. Gestern — das war ein Zufall, ein Rausch, eine Besessenheit zweier verwirrter Menschen gewesen, heute aber tat es not, mich ihm offener preiszugeben als gestern, weil ich jetzt im unbarmherzig klaren Tageslicht mit meiner Person, mit meinem Gesicht, als lebendiger Mensch ihm gegenübertreten mußte.

Aber alles ergab sich leichter, als ich dachte. Kaum hatte ich zu vereinbarter Stunde mich dem Kasino genähert, als ein junger Mensch von einer Bank aufsprang und mir entgegeneilte. Es war etwas dermaßen Spontanes, etwas so Kindliches, Absichtsloses und Beglücktes in seinem Überraschtsein, wie in jeder seiner sprachmächtigen Bewegungen: er flog nur so her, den Strahl dankbarer und gleichzeitig ehrerbietiger Freude in den Augen, und schon senkten sie sich demütig, sobald sie die meinen vor seiner Gegenwart sich verwirren fühlten. Dankbarkeit, man spürt sie ja so selten bei Menschen, und gerade die Dankbarsten finden nicht den Ausdruck dafür, sie schweigen verwirrt, sie schämen sich und tun manchmal stockig, um ihr Gefühl zu verbergen. Hier aber in diesem Menschen, dem Gott wie ein geheimnisvoller Bildhauer alle Gesten der Gefühle sinnlich, schön und plastisch herauszwang, glühte auch die Geste der Dankbarkeit wie eine Leidenschaft strahlend durch den Kern des Körpers. Er beugte sich über meine Hand, und die schmale Linie seines Knabenkopfes devot niedergesenkt, verharrte er so eine Minute in respektvollem, die Finger nur anstreifendem Kusse, dann erst trat er wieder zurück, fragte nach meinem Befinden, sah mich rührend an, und so viel Anstand war in jedem seiner Worte, daß in wenigen Minuten die letzte Beängstigung von mir schwand. Und gleichsam spiegelhaft für die eigene Erhellung des Gefühles, leuchtete ringsum die Landschaft völlig entzaubert: das Meer, das gestern zornig erregte, lag so unbewegt still und hell, daß jeder Kiesel unter der kleinen Brandung weiß bis zu uns herüberglänzte; das Kasino, dieser Höllenpfuhl, blickte maurisch blank in den ausgefegten, damastenen Himmel; und jener Kiosk, unter dessen Schutzdach uns gestern der plätschernde Regen gedrängt, war aufgebrochen zu einem Blumenladen: hingeschüttet lagen dort weiß, rot, grün und bunt in gesprenkeltem Durcheinander breite Büsche von Blüten und Blumen, die ein junges Mädchen in buntbrennender Bluse feilbot.

Ich lud ihn ein, zu Mittag in einem kleinen Restaurant zu speisen; dort erzählte mir der fremde, junge Mensch die Geschichte seines tragischen Abenteuers. Sie war ganz

Bestätigung meiner ersten Ahnung, als ich seine zitternden, nervengeschüttelten Hände auf dem grünen Tisch gesehen. Er stammte aus einer alten Adelsfamilie des österreichischen Polens, war für die diplomatische Karriere bestimmt, hatte in Wien studiert und vor einem Monat das erste seiner Examina mit außerordentlichem Erfolge abgelegt. Um diesen Tag zu feiern, hatte ihn sein Onkel, ein höherer Offizier des Generalstabes, bei dem er wohnte, zur Belohnung mit einem Fiaker in den Prater geführt, und sie waren zusammen auf den Rennplatz gegangen. Der Onkel hatte Glück beim Spiel, gewann dreimal hintereinander: mit einem dicken Pack erbeuteter Banknoten soupierten sie dann in einem eleganten Restaurant. Am nächsten Tage nun empfing zur Belohnung für das erfolgreiche Examen der angehende Diplomat von seinem Vater einen Geldbetrag in der Höhe seines Monatsgeldes; zwei Tage vorher wäre ihm diese Summe noch groß erschienen, nun aber, nach der Leichtigkeit jenes Gewinnes, dünkte sie ihm gleichgültig und gering. So fuhr er gleich nach Tisch wieder zum Trabrennen, setzte wild und leidenschaftlich, und sein Glück oder vielmehr sein Unglück wollte, daß er mit dem Dreifachen jener Summe nach dem letzten Rennen den Prater verließ. Und nun war Raserei des Spieles bald beim Rennen, bald in Kaffeehäusern oder in Klubs über ihn gekommen, die ihm Zeit, Studium, Nerven und vor allem sein Geld aufzehrte. Er vermochte nicht mehr zu denken, nicht mehr ruhig zu schlafen und am wenigsten, sich zu beherrschen; einmal in der Nacht, nach Hause gekommen vom Klub, wo er alles verloren hatte, fand er beim Auskleiden noch eine vergessene Banknote zerknüllt in seiner Weste. Es hielt ihn nicht, er zog sich noch einmal an und irrte herum, bis er in irgendeinem Kaffeehause ein paar Dominospieler fand, mit denen er noch bis ins Morgengrauen saß. Einmal half ihm seine verheiratete Schwester aus und zahlte die Schulden an Wucherer, die dem Erben eines großen Adelsnamens voll Bereitschaft kreditierten. Eine Zeitlang deckte ihn wieder das Spielglück — dann aber ging es unaufhaltsam abwärts, und je mehr er verlor, um so gieriger forderten ungedeckte Verpflichtungen und befristete Ehrenworte entscheidend erlösenden Gewinn. Längst hatte er schon seine Uhr, seine Kleider versetzt, und schließlich geschah das Entsetzliche: er stahl der alten Tante zwei große Boutons, die sie selten trug, aus dem Schrank. Den einen versetzte er um einen hohen Betrag, den das Spiel noch am selben Abend vervierfachte. Aber statt ihn nun auszulösen, wagte er das Ganze und verlor. Zur Stunde seiner Abreise war der Diebstahl noch nicht entdeckt, so versetzte er den zweiten Bouton und reiste, einer plötzlichen Eingebung folgend, in einem Zuge nach Monte Carlo, um sich im Roulette das erträumte Vermögen zu holen. Bereits hatte er hier seinen Koffer verkauft, seine Kleider, seinen Schirm, nichts war ihm geblieben als der Revolver mit vier Patronen und ein kleines, mit Edelsteinen besetztes Kreuz seiner Patin, der Fürstin X., von dem er sich nicht trennen wollte. Aber auch dieses Kreuz hatte er um fünfzig Franken nachmittags verkauft, nur um abends noch ein letztes Mal die zuckende Lust des Spiels auf Tod und Leben versuchen zu können.

Das alles erzählte er mir mit jener hinreißenden Anmut seines schöpferisch belebten Wesens. Und ich hörte zu, erschüttert, gepackt, erregt; aber nicht einen Augenblick kam mir der Gedanke, mich zu entrüsten, daß dieser Mensch an meinem Tisch doch eigentlich ein Dieb war. Hätte gestern jemand mir, einer Frau mit tadellos verbrachtem Leben, die in ihrer Gesellschaft strengste, konventionelle Würdigkeit forderte, auch nur angedeutet, ich würde mit einem wildfremden jungen Menschen, kaum älter als mein Sohn und der Perlenboutons gestohlen hatte, vertraulich beisammensitzen — ich hätte ihn für sinnberaubt gehalten. Aber nicht einen Augenblick lang empfand ich bei seiner Erzählung etwas wie Entsetzen, erzählte er doch all dies dermaßen natürlich und mit einer solchen Leidenschaft, daß seine Handlung eher als der Bericht eines Fiebers, einer Krankheit wirkte denn als ein Ärgernis. Und dann: wer selber gleich mir in der vergangenen Nacht etwas so kataraktisch Unerwartetes erfahren, dem hatte das Wort ‚unmöglich' mit einem Male seinen Sinn verloren. Ich hatte eben in jenen zehn Stunden unfaßbar mehr an Wirklichkeitswissen erlebt als vordem in vierzig bürgerlich verbrachten Jahren.

Ein anderes aber erschreckte mich dennoch an jener Beichte, und das war der fiebrige Glanz in seinen Augen, der alle Nerven seines Gesichtes elektrisch zucken ließ, wenn er von seiner Spielleidenschaft erzählte. Noch die Wiedergabe regte ihn auf, und mit furchtbarer Deutlichkeit zeichnete sein plastisches Gesicht jede Spannung lusthaft und qualvoll nach. Unwillkürlich begannen seine Hände, diese wundervollen, schmalgelenkigen, nervösen Hände, genau wie am Spieltisch, selbst wieder raubtierhafte, jagende und flüchtende Wesen zu werden: ich sah sie, indes er erzählte, plötzlich von den Gelenken herauf zittern, sich übermächtig krümmen und zusammenballen, dann wieder aufschnellen und neu sich ineinanderknäueln. Und wie er den Diebstahl der Boutons beichtete, da taten sie (ich zuckte unwillkürlich zusammen), blitzhaft vorspringend, den raschen, diebischen Griff: ich *sah* geradezu, wie die Finger toll auf den Schmuck lossprangen und ihn hastig einschluckten in die Höhlung der Faust. Und mit einem namenlosen Erschrecken erkannte ich, daß dieser Mensch vergiftet war von seiner Leidenschaft bis in den letzten Blutstropfen.

Nur das allein war es, was mich an seiner Erzählung so sehr erschütterte und entsetzte, diese erbärmliche Hörigkeit eines jungen, klaren, von eigentlicher Natur her sorglosen Menschen an eine irrwitzige Passion. So hielt ich es für meine erste Pflicht, meinem unvermuteten Schützling freundschaftlich zuzureden, er müsse sofort weg von Monte Carlo, wo die Versuchung am gefährlichsten sei, müsse noch heute zu seiner Familie zurück, ehe das Verschwinden der Boutons bemerkt und seine Zukunft für immer verschüttet sei. Ich versprach ihm Geld für die Reise und die Auslösung des Schmuckes, freilich nur unter der Bedingung, daß er noch heute abreise und mir bei seiner Ehre schwöre, nie mehr eine Karte anzurühren oder sonst Hasard zu spielen.

Nie werde ich vergessen, mit welcher erst demütigen, dann allmählich aufleuchtenden Leidenschaft der Dankbarkeit dieser fremde, verlorene Mensch mir zuhörte, wie er meine Worte *trank,* als ich ihm Hilfe versprach; und plötzlich streckte er beide Hände über den Tisch, die meinen zu fassen mit einer mir unauslöschlichen Gebärde gleichsam der Anbetung und heiligen Gelobens. In seinen hellen, sonst ein wenig wirren Augen standen Tränen, der ganze Körper zitterte nervös vor beglückter Erregung. Wie oft habe ich schon versucht, Ihnen die einzige Ausdrucksfähigkeit seiner Gebärden zu schildern, aber *diese* Geste vermag ich nicht darzustellen, denn es war eine so ekstatische, überirdische Beseligung, wie sie ein menschliches Antlitz uns sonst kaum zuwendet, sondern jenem weißen Schatten nur war sie vergleichbar, wenn man erwachend aus einem Traum das entschwindende Antlitz eines Engels vor sich zu erblicken vermeint.

Warum es verschweigen: ich hielt diesem Blicke nicht stand. Dankbarkeit beglückt, weil man sie so selten sichtbar erlebt, Zartgefühl tut wohl, und mir, dem gemessenen, kühlen Menschen, bedeutete solcher Überschwang ein wohltuendes, ja beglückendes Neues. Und dann: gleichzeitig mit diesem erschütterten, zertretenen Menschen war auch die Landschaft nach dem gestrigen Regen magisch aufgewacht. Herrlich glänzte, als wir aus dem Restaurant traten, das völlig beruhigte Meer, blau bis in den Himmel hinein und nur weiß überschwebt von Möwen dort in anderem, höherem Blau. Sie kennen ja die Rivieralandschaft. Sie wirkt immer schön, aber doch flach wie eine Ansichtskarte hält sie ihre immer satten Farben dem Auge gemächlich hin, eine schlafende, träge Schönheit, die sich gleichmütig von jedem Blicke betasten läßt, orientalisch fast in ihrer ewig üppigen Bereitschaft. Aber manchmal, ganz selten, gibt es hier Tage, da steht diese Schönheit auf, da bricht sie vor, da schreit sie einen gleichsam energisch an mit grellen, fanatisch funkelnden Farben, da schleudert sie einem ihre Blumenbuntheit sieghaft entgegen, da glüht, da brennt sie in Sinnlichkeit. Und ein solcher begeisterter Tag war auch damals aus dem stürmischen Chaos der Wetternacht vorgebrochen, weißgewaschen blinkte die Straße, türkisen der Himmel, und überall zündeten sich Büsche, farbige Fackeln, aus dem saftig durchfeuchteten Grün. Die Berge schienen plötzlich heller herangekommen in der entschwülten, vielsonnigen Luft: sie scharten sich neugierig näher an das blankpolierte glitzernde Städtchen, in jedem Blicke spürte man heraustretend das Fordernde und Aufmunternde der Natur und wie sie unwillkürlich das Herz an sich riß: ‚Nehmen wir einen Wagen', sagte ich, ‚und fahren wir die Corniche entlang'.

Er nickte begeistert: zum erstenmal seit seiner Ankunft schien dieser junge Mensch die Landschaft überhaupt zu sehen und zu bemerken. Bisher hatte er nichts gekannt als den dumpfigen Kasinosaal mit seinem schwülen, schweißigen Geruch, dem Gedränge seiner häßlichen und verzerrten Menschen und ein unwirsches, graues, lärmendes Meer. Aber nun lag auseinandergefaltet der ungeheure Fächer des übersonnten Strandes vor uns, und das Auge taumelte beglückt von Ferne zu Ferne. Wir fuhren im langsamen Wagen (es gab damals noch keine Automobile) den herrlichen Weg, vorbei an vielen Villen und Blicken: hundertmal, an jedem Haus, an jeder in Piniengrün verschatteten Villa kam es einen an als geheimster Wunsch: hier könnte man leben, still, zufrieden, abseits von der Welt!

Bin ich jemals im Leben glücklicher gewesen als in jener Stunde? Ich weiß es nicht. Neben mir im Wagen saß dieser junge Mensch, gestern noch verkrallt in Tod und Verhängnis, und nun staunend vom weißen Sturz der Sonne übersprüht: ganze Jahre schienen von ihm gleichsam weggeglitten. Er schien ganz Knabe geworden, ein schönes, spielendes Kind mit übermütigen und gleichzeitig ehrfurchtsvollen Augen, an dem nichts mich mehr entzückte als sein wachsinniges Zartgefühl: klomm der Wagen zu steil aufwärts und hatten die Pferde Mühe, so sprang er gelenkig ab, von rückwärts nachzuschieben. Nannte ich eine Blume oder deutete ich auf eine am Wege, so eilte er, sie abzupflücken. Eine kleine Kröte, die, vom gestrigen Regen verlockt, mühselig auf dem Wege kroch, hob er auf und trug sie sorgsam ins grüne Gras, damit sie nicht vom nachfahrenden Wagen zerdrückt werde; und zwischendurch erzählte er übermütig die lachendsten, anmutigsten Dinge: ich glaube, in diesem Lachen war eine Art Rettung für ihn, denn sonst hätte er singen müssen oder springen oder Tolles tun, so beglückt, so berauscht gebärdete sich sein plötzlicher Überschwang.

Als wir dann auf der Höhe ein winziges Dörfchen langsam durchfuhren, lüftete er plötzlich im Vorübergehen höflich den Hut. Ich staunte: wen grüßte er da, der Fremde unter Fremden? Er errötete leicht bei meiner Frage und erklärte, beinahe sich entschuldigend, wir seien an einer Kirche vorbeigefahren, und bei ihnen in Polen, wie in allen streng katholischen Ländern, werde es von Kindheit an geübt, vor jeder Kirche und jedem Gotteshaus den Hut zu senken. Diese schöne Ehrfurcht vor dem Religiösen ergriff mich tief, gleichzeitig erinnerte ich mich auch jenes Kreuzes, von dem er gesprochen, und fragte ihn, ob er gläubig sei. Und als er mit einer ein wenig verschämten Gebärde bescheiden zugab, er hoffe, der Gnade teilhaftig zu sein, überkam mich plötzlich ein Gedanke. ‚Halten Sie!‘ rief ich dem Kutscher zu und stieg eilig aus dem Wagen. Er folgte mir verwundert: ‚Wohin gehen wir?‘ Ich antwortete nur: ‚Kommen Sie mit.‘

Ich ging, von ihm begleitet, zurück zur Kirche, einem kleinen Landgotteshaus aus Backstein. Kalkig, grau und leer dämmerten innere Wände, die Tür stand offen, so daß ein gelber Kegel von Licht scharf hinein ins Dunkel schnitt, darin Schatten einen kleinen Altar blau umbauschten. Zwei Kerzen blickten, verschleierten Auges, aus der weihrauchwarmen Dämmerung. Wir traten ein, er lüftete den Hut, tauchte die Hand in den Kessel der Entsündigung, bekreuzte sich und beugte das Knie. Und kaum war er aufgestanden, so faßte ich ihn an. ‚Gehen Sie hin', drängte ich, ‚zu einem Altar oder irgendeinem Bild hier, das Ihnen heilig ist, und leisten Sie dort das Gelöbnis, das ich Ihnen vorsprechen werde'. Er sah mich an, erstaunt, beinahe erschreckt. Aber schnell verstehend trat er hin zu einer Nische, schlug das Kreuz und kniete gehorsam nieder. ‚Sprechen Sie mir nach', sagte ich, selbst zitternd vor Erregung, ‚sprechen Sie mir nach: Ich schwöre' — ‚Ich schwöre', wiederholte er, und ich setzte fort: ‚daß ich niemals mehr an einem Spiel um Geld teilnehme, welcher Art es immer sei, daß ich nie mehr mein Leben und meine Ehre dieser Leidenschaft aussetzen werde.'

Er wiederholte zitternd die Worte: deutlich und laut hafteten Sie in der vollkommenen Leere des Raumes. Dann ward es einen Augenblick still, so still, daß man von außen das leise Brausen der Bäume hören konnte, denen der Wind durch die Blätter griff. Und plötzlich warf er sich wie ein Büßender hin und sprach mit einer Ekstase, wie ich es nie gehört hatte, rasche und wirr hintereinandergejagte Worte polnischer Sprache, die ich nicht verstand. Aber es mußte ein ekstatisches Gebet sein, ein Gebet des Dankes und der Zerknirschung, denn immer wieder beugte die stürmische Beichte sein Haupt demütig zum Pulte herab, immer leidenschaftlicher wiederholten sich die fremden Laute, und immer heftiger ein und dasselbe mit unsäglicher Inbrunst herausgeschleuderte Wort. Nie vordem, nie nachdem habe ich in einer Kirche der Welt so beten gehört. Seine Hände umklammerten krampfig dabei das hölzerne Betpult, sein ganzer Körper war geschüttelt von einem inneren Orkan, der ihn manchmal aufriß, manchmal wieder niederwarf. Er sah, er fühlte nichts mehr: alles in ihm schien in einer andern Welt, in einem Fegefeuer der Verwandlung oder in einem Aufschwung zu einer heiligeren Sphäre. Endlich stand er langsam auf, schlug das Kreuz und wandte sich mühsam um. Seine Knie zitterten, sein Antlitz war blaß wie das eines schwer Erschöpften. Aber als er mich sah, strahlte sein Auge auf, ein reines, ein wahrhaft *frommes* Lächeln hellte sein fortgetragenes Gesicht; er trat näher heran, beugte sich russisch tief, faßte meine beiden Hände, sie ehrfürchtig mit den Lippen zu berühren: ‚Gott hat Sie mir gesandt. Ich habe ihm dafür gedankt.' Ich wußte nichts zu sagen. Aber ich hätte gewünscht, daß plötzlich über dem niederen Gestühl die Orgel anhebe zu brausen, denn ich fühlte, mir war alles gelungen: diesen Menschen hatte ich für immer gerettet.

Wir traten aus der Kirche in das strahlende, strömende Licht dieses maihaften Tages zurück: nie war mir die Welt schöner erschienen. Zwei Stunden fuhren wir noch im Wagen langsam den panoramenhaften, an jeder Kehre neuen Ausblick schenkenden Weg über die Hügel entlang. Aber wir sprachen nicht mehr. Nach diesem Aufwand des Gefühls schien jedes Wort Verminderung. Und wenn mein Blick zufällig den seinen traf, so mußte ich beschämt ihn wegwenden: es erschütterte mich zu sehr, mein eigenes Wunder zu sehen.

Gegen fünf Uhr nachmittags kehrten wir nach Monte Carlo zurück. Nun forderte mich noch eine Verabredung mit Verwandten, die abzusagen mir nicht mehr möglich war. Und eigentlich begehrte ich im Innersten eine Pause, ein Entspannen des zu gewaltsam aufgerissenen Gefühls. Denn es war zuviel des Glückes. Ich spürte, ich mußte ausruhen von diesem überheißen, diesem ekstatischen Zustand, wie ich ihn ähnlich nie in meinem Leben gekannt. So bat ich meinen Schützling, nur für einen Augenblick zu mir ins Hotel zu kommen; dort in meinem Zimmer übergab ich ihm das Geld für die Reise und die Auslösung des Schmuckes. Wir vereinbarten, daß er während meiner Verabredung sich die Fahrkarte besorge; dann wollten wir uns abends um sieben Uhr an der Eingangshalle des Bahnhofes treffen, eine halbe Stunde, ehe der Zug über Genua ihn nach Hause brachte. Als ich ihm die fünf Banknoten hinreichen wollte, wurden seine Lippen merkwürdig blaß: ‚Nein ... kein Geld ... ich bitte Sie, kein Geld!' stieß er zwischen den Zähnen heraus, während seine Finger nervös und fahrig zurückzitterten. ‚Kein Geld ... kein Geld ... ich kann es nicht sehen', wiederholte er noch einmal, gleichsam von Ekel oder Angst körperlich überwältigt. Aber ich beruhigte seine Scham, es sei doch bloß geliehen, und fühle er sich bedrückt, so möge er mir eine Quittung ausstellen. ‚Ja ... ja ... eine Quittung', murmelte er abgewandten Blickes, knitterte die Banknoten, wie etwas, das klebrig an den Fingern schmutzt, unbesehen in die Tasche, und schrieb auf ein Blatt mit fliegend hingejagten Zügen ein paar Worte. Als er aufsah, stand feuchter Schweiß auf seiner Stirne: etwas schien von innen empor stoßhaft in ihm aufzuwürgen, und kaum daß er jenes lose Blatt mir zugeschoben, zuckte es ihn durch, und plötzlich — ich trat unwillkürlich erschrocken zurück — fiel er in die Knie und küßte mir den Saum des Kleides. Unbeschreibliche Geste: ich zitterte am ganzen Leib von ihrer übermächtigen Gewalt. Ein merkwürdiger Schauer kam über mich, ich wurde verwirrt und konnte nur stammeln: ,Ich danke Ihnen, daß Sie so dankbar sind. Aber bitte, gehen Sie jetzt! Abends sieben Uhr an der Eingangshalle des Bahnhofes wollen wir dann Abschied nehmen.'

Er sah mich an, Glanz von Rührung durchfeuchtete seinen Blick; einen Augenblick meinte ich, er wolle etwas sagen, einen Augenblick schien es, als ob er mir entgegendrängte. Aber dann verbeugte er sich plötzlich noch einmal tief, ganz tief, und verließ das Zimmer.»

*

Wieder unterbrach Mrs. C. ihre Erzählung. Sie war aufgestanden und zum Fenster gegangen, blickte hinaus und stand lange unbewegt: an dem silhouettenhaft hingezeichneten Rücken sah ich ein leichtes, zitterndes Schwanken. Mit einem Mal wandte sie sich entschlossen um, ihre Hände, bisher ruhig und unbeteiligt, machten plötzlich eine heftige, abteilende Bewegung, gleichsam als wollten sie etwas zerreißen. Dann sah sie mich hart, beinahe kühn an und begann wieder mit einem Ruck:

«Ich habe Ihnen versprochen, ganz aufrichtig zu sein. Und ich sehe jetzt, wie notwendig dies Gelöbnis gewesen ist. Denn erst nun, da ich mich zwinge, zum erstenmal im geregelten Zusammenhang den ganzen Ablauf jener Stunde zu schildern und klare Worte zu suchen für ein damals ganz ineinandergefaltetes und verworrenes Gefühl, jetzt erst verstehe ich vieles deutlich, was ich damals nicht wußte oder vielleicht nur nicht wissen wollte. Und deshalb will ich hart und entschlossen mir selbst und auch Ihnen die Wahrheit sagen: damals, in jener Sekunde, als der junge Mensch das Zimmer verließ und ich allein zurückblieb, hatte ich — wie eine Ohnmacht fiel es dumpf über mich — das Empfinden eines harten Stoßes gegen mein Herz: irgend etwas hatte mir tödlich weh getan, aber ich wußte nicht — oder ich weigerte mich, zu wissen —, in welcher Art die doch rührend respektvolle Haltung meines Schützlings mich so schmerzhaft verwundete.

Aber jetzt, da ich mich zwinge, hart und ordnungshaft alles Vergangene aus mir heraus wie ein Fremdes zu holen, und Ihre Zeugenschaft kein Verbergen, keinen feigen Unterschlupf eines beschämenden Gefühls duldet, heute weiß ich klar: was damals so wehe tat, war die Enttäuschung . . . die Enttäuschung, daß . . . daß dieser junge Mensch so fügsam gegangen war . . . so ohne jeden Versuch, mich zu halten, bei mir zu bleiben . . ., daß er demütig und ehrfurchtsvoll meinem ersten Wunsch, abzureisen, sich fügte, statt . . . statt einen Versuch zu machen, mich an sich zu reißen . . ., daß er mich einzig als eine Heilige verehrte, die ihm auf seinem Wege erschienen . . ., und nicht . . . nicht mich fühlte als eine Frau.

Das war jene Enttäuschung für mich . . . eine Enttäuschung, die ich mir nicht eingestand, damals nicht und später nicht, aber das Gefühl einer Frau weiß alles, ohne Worte und Bewußtsein. Denn . . . jetzt betrüge ich mich nicht länger — hätte dieser Mensch mich damals umfaßt, mich damals gefordert, ich wäre mit ihm gegangen bis ans Ende der Welt, ich hätte meinen Namen entehrt und den meiner Kinder . . . ich wäre, gleichgültig gegen das Gerede der Leute und die innere Vernunft, mit ihm fortgelaufen, wie jene Madame Henriette mit dem jungen Franzosen, den sie tags zuvor noch nicht kannte ... ich hätte nicht gefragt, wohin und wie lange, nicht mich umgewandt mit einem Blick zurück in mein früheres Leben ... ich hätte mein Geld, meinen Namen, mein Vermögen, meine Ehre diesem Menschen geopfert ... ich wäre betteln gegangen, und wahrscheinlich gibt es keine Niedrigkeit dieser Welt, zu der er mich nicht hätte verleiten können. Alles, was man Scham nennt und Rücksicht unter den Menschen, hätte ich weggeworfen, wäre er nur mit einem Wort, mit einem Schritt auf mich zugetreten, hätte er versucht, mich zu fassen, so verloren war ich an ihn in dieser Sekunde. Aber ... ich sagte es Ihnen ja ... dieser sonderbar benommene Mensch sah mich und die Frau in mir mit keinem Blick mehr ... und wie sehr, wie ganz hingegeben ich ihm entgegenbrannte, das fühlte ich erst, als ich allein mit mir war, als die Leidenschaft, die eben noch sein erhelltes, sein geradezu seraphisches Gesicht emporriß, dunkel in mich zurückfiel und nun im Leeren einer verlassenen Brust wogte. Mühsam raffte ich mich auf, doppelt widrig lastete jene Verabredung. Mir war, als sei meiner Stirne ein schwerer eiserner, drückender Helm überstülpt, unter dessen Gewicht ich schwankte: meine Gedanken fielen lose auseinander wie meine Schritte, als ich endlich hinüber in das andere Hotel zu meinen Verwandten ging. Dort saß ich dumpf inmitten regen Geplauders und erschrak immer wieder von neuem, blickte ich zufällig auf und sah in ihre unbewegten Gesichter, die, im Vergleich mit jenem wie von licht- und schattenwerfendem Wolkenspiel belebten, mir maskenhaft oder erfroren dünkten. Als ob ich zwischen lauter Gestorbenen säße, so grauenhaft unbelebt war diese gesellige Gegenwart; und während ich Zucker in die Tasse warf und abwesend mitkonversierte, stieg immer innen, wie vom Flackern des Blutes hochgetrieben, jenes eine Antlitz auf, das zu beobachten mir inbrünstige Freude geworden war und das ich — entsetzlich zu denken! — in einer, in zwei Stunden zum letztenmal gesehen haben sollte. Unwillkürlich mußte ich leise geseufzt oder aufgestöhnt haben, denn plötzlich beugte die Cousine meines Mannes sich mir zu: was mir sei, ob ich mich denn nicht ganz wohl fühle, ich blicke so blaß und bedrängt. Diese unvermutete Frage half nun rasch und mühelos in eine rasche Ausrede, mich quäle in der Tat eine Migräne, sie möge mir darum erlauben, mich unauffällig zu entfernen.

So mir selbst zurückgegeben, eilte ich unverzüglich in mein Hotel. Und kaum dort allein, überkam mich neuerdings das Gefühl der Leere, des Verlassenseins und, hitzig damit verklammert, das Verlangen nach jenem jungen Menschen, den ich heute für immer verlassen sollte. Ich fuhr hin und her im Zimmer, riß unnütz Laden auf, wechselte Kleid und Band, um mich mit einmal vor dem Spiegel zu finden, prüfenden Blickes, ob ich, dermaßen geschmückt, nicht doch den seinen zu binden vermöchte. Und jählings verstand ich mich selbst: alles tun, nur ihn nicht lassen! Und innerhalb einer gewalttätigen Sekunde wurde dieser Wille zum Entschluß. Ich lief hinunter zum Portier, kündigte ihm an, daß ich heute mit dem Abendzug abreise. Und nun galt es, eilig zu sein: ich klingelte dem Mädchen, daß sie mir behilflich sei, meine Sachen zu packen — die Zeit drängte ja; und während wir gemeinsam in wetteifernder Hast Kleider und kleines Gebrauchsgerät in die Koffer verstauten, träumte ich mir die ganze Überraschung aus: wie ich ihn an den Zug begleiten würde, um dann im letzten, im allerletzten Moment, wenn er mir die Hand schon zum Abschied geboten, plötzlich zu dem Erstaunten in den Wagen zu steigen, mit ihm für diese Nacht, für die nächste — solange er mich wollte. Eine Art entzückter, begeisterter Taumel wirbelte mir im Blut, manchmal lachte ich, zur Befremdung des Mädchens, indes ich Kleider in die Koffer warf, unvermutet laut auf: meine Sinne waren, ich fühlte es zwischendurch, in Unordnung geraten. Und als der Lohndiener kam, die Koffer zu holen, starrte ich ihn erst fremd an: es war zu schwer, an Sachliches zu denken, indes von innen her die Erregung mich so stark überwogte.

Die Zeit drängte, knapp an sieben mochte es sein, bestenfalls blieben da zwanzig Minuten bis zum Abgang des Zuges — freilich, tröstete ich mich, nun zählte mein Kommen ja nicht mehr als Abschied, seit ich entschlossen war, ihn auf seiner Fahrt zu begleiten, solange, soweit er es duldete. Der Diener trug die Koffer voraus, ich hastete zur Hotelkasse, meine Rechnung zu begleichen. Schon reichte mir der Manager das Geld zurück, schon wollte ich weiter, da rührte eine Hand zärtlich an meine Schulter. Ich zuckte auf. Es war meine Cousine, die, beunruhigt durch mein angebliches Unwohlsein, gekommen war, nach mir zu sehen. Mir dunkelte es vor den Augen. Ich konnte sie jetzt nicht brauchen, jede Sekunde Verzögerung bedeutete verhängnisvolles Versäumnis, aber doch verpflichtete mich Höflichkeit, ihr wenigstens eine Zeitlang Rede und Antwort zu stehen. ‚Du mußt zu Bett', drängte sie, ‚du hast bestimmt Fieber'. Und so mochte es wohl auch sein, denn die Pulse trommelten mir hart auf die Schläfen, und manchmal spürte ich jene vorschwebenden blauen Schatten naher Ohnmacht über den Augen. Aber ich wehrte ab, bemühte mich, dankbar zu scheinen, indes jedes Wort mich brannte und ich am liebsten ihre unzeitgemäße Fürsorge mit dem Fuße weggestoßen hätte. Doch die unerwünscht Besorgte blieb, blieb, blieb, bot mir Eau de Cologne, ließ sichs nicht nehmen, mir selbst das kühle um die Schläfen zu streichen: ich aber zählte indes die Minuten, dachte gleichzeitig an ihn und wie ich einen Vorwand finden könnte, dieser quälenden Anteilnahme zu entkommen. Und je unruhiger ich ward, desto mehr erschien ich ihr verdächtig: beinahe mit Gewalt wollte sie mich schließlich veranlassen, auf mein Zimmer zu gehen und mich niederzulegen. Da — inmitten ihres Zuspruches — sah ich auf einmal in der Mitte der Halle die Uhr: zwei Minuten vor halb acht, und um 7 Uhr 35 ging der Zug. Und brüsk, schußhaft, mit der brutalen Gleichgültigkeit einer Verzweifelten stieß ich meiner Cousine die Hand geradewegs zu: «Adieu, ich muß fort!» und ohne mich um ihren erstarrten Blick zu kümmern, ohne mich umzusehen, stürmte ich an den verwunderten Hoteldienern vorbei und zur Türe hinaus, auf die Straße und dem Bahnhof zu. Bereits an der erregten Gestikulation des Lohndieners, er stand dort wartend mit dem Gepäck, nahm ich von ferne wahr, es müsse höchste Zeit sein. Blindwütig stürmte ich hin zur Schranke, aber da wehrte wieder der Schaffner: ich hatte vergessen, ein Billett zu nehmen. Und während ich mit Gewalt beinahe ihn bereden wollte, mich dennoch auf den Perron zu lassen, setzte sich der Zug bereits in Bewegung: ich starrte hin, zitternd an allen Gliedern, wenigstens noch einen Blick von irgendeinem der Waggonfenster zu erhaschen, ein Winken, einen Gruß. Aber ich konnte inmitten des eilfertigen Geschiebes sein Antlitz nicht mehr wahrnehmen. Immer rascher rollten die Wagen vorbei, und nach einer Minute blieb nichts als qualmendes, schwarzes Gewölk vor meinen verdunkelten Augen.

Ich muß wie versteinert dort gestanden haben, Gott weiß wie lange, denn der Lohndiener hatte mich wohl vergeblich mehrmals angesprochen, ehe er wagte, meinen Arm zu berühren. Da erst schrak ich auf. Ob er das Gepäck wieder in das Hotel zurückbringen sollte. Ich brauchte ein paar Minuten Zeit, mich zu besinnen; nein, das war nicht möglich, ich konnte nach jener lächerlichen, überstürzten Abreise nicht wieder zurück und wollte auch nicht zurück, nie mehr; so befahl ich ihm, ungeduldig, schon allein zu sein, das Gepäck im Depot zu verstauen. Danach erst, mitten in dem unablässig erneuten Gequirl von Menschen, das sich in der Halle lärmend zusammenschob und wieder zerkleinerte, versuchte ich zu denken, klar zu denken, mich herauszuretten aus diesem verzweifelten, schmerzenden Gewürge von Zorn, Reue und Verzweiflung, denn — warum es nicht eingestehen? — der Gedanke, durch eigene Schuld die letzte Begegnung vertan zu haben, wühlte in mir mit glühender Schärfe unbarmherzig herum. Ich hätte aufschreien können, so weh tat diese immer erbarmungsloser vordringende, rotgehitzte Schneide. Nur ganz leidenschaftsfremde Menschen haben ja in ihren einzigen Augenblicken vielleicht solche lawinenhaft plötzliche, solche orkanische Ausbrüche der Leidenschaft: da stürzen ganze Jahre mit dem stürzenden Geröll nichtgenützter Kräfte die eigene Brust hinab. Nie vordem, nie nachdem hatte ich ähnliches an Überraschung und wütender Machtlosigkeit erlebt als in dieser Sekunde, da ich, zum Verwegensten bereit — bereit, mein ganzes gespartes, gehäuftes, zusammengehaltenes Leben mit einem Ruck hinzuwerfen —, plötzlich vor mir eine Mauer von Sinnlosigkeit fand, gegen die meine Leidenschaft ohnmächtig mit der Stirne stieß.

Was ich dann tat, wie konnte es anders als gleichfalls ganz sinnlos sein; es war töricht, sogar dumm, fast schäme ich mich, es zu erzählen — aber ich habe mir, ich habe Ihnen versprochen, nichts zu verschweigen: nun, ich ... ich suchte ihn mir wieder ... das heißt, ich suchte mir jeden Augenblick zurück, den ich mit ihm verbracht ... es zog mich gewaltsam hin zu allen Orten, wo wir gemeinsam gestern gewesen, zu der Bank im Garten, von der ich ihn weggerissen, in den Spielsaal, wo ich ihn zum erstenmal gesehen, ja in jene Spelunke sogar, nur um noch einmal, noch einmal das Vergangene wieder zu erleben. Und morgen wollte ich dann im Wagen die Corniche entlang den gleichen Weg, damit jedes Wort, jede Geste noch einmal wieder in mir erneuert sei — ja so sinnlos, so kindisch war meine Verwirrung. Aber bedenken Sie, wie blitzhaft jene Geschehnisse mich überstürmten — ich hatte kaum anderes gefühlt als einen einzigen betäubenden Schlag. Nun aber, zu rauh aus jenem Tumult erweckt, wollte ich mich auf dies hinfliehend Erlebte noch einmal Zug um Zug nachgenießend besinnen, dank jenem magischen Selbstbetrug, den wir Erinnerung nennen — freilich: das sind Dinge, die man begreift oder nicht begreift. Vielleicht braucht man ein brennendes Herz, um sie zu verstehen.

So ging ich zunächst in den Spielsaal, den Tisch zu suchen, wo er gesessen, und dort unter all den Händen die seinen mir zu erdenken. Ich trat ein: es war, ich wußte es noch, der linke Tisch gewesen im zweiten Zimmer, wo ich ihn zuerst erblickt. Noch deutlich stand jede seiner Gesten vor mir: traumwandlerisch, mit geschlossenen Augen und vorgestreckten Händen hätte ich seinen Platz gefunden. Ich trat also ein, ging gleich quer durch den Saal. Und da ... wie ich von der Tür aus den Blick gegen das Gewühl wandte ... da geschah mir etwas Sonderbares ... da saß genau an der Stelle, an die ich mir ihn hingeträumt, da saß — Halluzination des Fiebers! — ... er wirklich ... Er ... Er ... genau so, wie ich ihn eben träumend gesehen ... genau so wie gestern, stier die Augen auf die Kugel gerichtet, geisterhaft bleich ... aber Er ... Er ... unverkennbar Er ...

Mir war, als müßte ich aufschreien, so erschrak ich. Aber ich bezähmte meinen Schrecken vor dieser unsinnigen Vision und schloß die Augen. ‚Du bist wahnsinnig ... du träumst ... du fieberst', sagte ich mir. ‚Es ist ja unmöglich, du halluzinierst ... Er ist vor einer halben Stunde von hier weggefahren.' Dann erst tat ich die Augen wieder auf. Aber entsetzlich: genau so wie vordem saß er dort, leibhaft unverkennbar ... unter Millionen hätte ich diese Hände erkannt ... nein, ich träumte nicht, er war es wirklich. Er war nicht weggefahren, wie er mir geschworen, der Wahnwitzige saß da, er hatte das Geld, das ich ihm zur Heimreise gegeben, hierhergetragen an den grünen Tisch und vollkommen selbstvergessen in seiner Leidenschaft hier gespielt, indes ich verzweifelt mir das Herz nach ihm ausgerungen.

Ein Ruck stieß mich vorwärts: Wut überschwemmte mir die Augen, rasende rotblickende Wut, den Eidbrüchigen, der mein Vertrauen, mein Gefühl, meine Hingabe so schändlich betrogen hatte, an der Gurgel zu fassen. Aber ich bezwang mich noch. Mit gewollter Langsamkeit (wie viel Kraft kostete sie mich!) trat ich an den Tisch gerade ihm gegenüber, ein Herr machte mir höflich Platz. Zwei Meter grünes Tuch standen zwischen uns beiden, und ich konnte, wie von einem Balkon herab in ein Schauspiel, hinstarren in sein Gesicht, in eben dasselbe Gesicht, das ich vor zwei Stunden überstrahlt gesehen hatte von Dankbarkeit, erleuchtet von der Aura der göttlichen Gnade, und das nun ganz wieder in allen Höllenfeuern der Leidenschaft zuckend verging. Die Hände, dieselben Hände, die ich noch nachmittags im heiligsten Eid an das Holz des Kirchengestühls verklammert gesehen, sie krallten jetzt wieder gekrümmt im Geld herum wie wollüstige Vampire. Denn er hatte gewonnen, er mußte viel, sehr viel gewonnen haben: vor ihm glitzerte ein wirrer Haufen von Jetons und Louisdors und Banknoten, ein schütteres, achtloses Durcheinander, in dem die Finger, seine zitternden, nervösen Finger sich wohlig streckten und badeten. Ich sah, wie sie streichelnd die einzelnen Noten festhielten und falteten, die Münzen drehten und liebkosten, um dann plötzlich mit einem Ruck eine Faustvoll zu fassen und mitten auf eines der Karrees zu werfen. Und sofort begannen die Nasenflügel jetzt wieder diese fliegenden Zuckungen, der Ruf des Croupiers riß ihm die Augen, die gierig flackernden, vom Gelde weg und hin zu der splitternden Kugel, er strömte gleichsam von sich selber fort, indes die Ellenbogen dem grünen Tisch mit Nägeln angehämmert schienen. Noch furchtbarer, noch grauenhafter offenbarte sich sein vollkommenes Besessensein als am vergangenen Abend, denn jede seiner Bewegungen mordete in mir jenes andere, wie auf Goldgrund leuchtende Bild, das ich leichtgläubig nach innen genommen.

Zwei Meter weit voneinander atmeten wir so beide; ich starrte auf ihn, ohne daß er meiner gewahr wurde. Er sah nicht auf mich, er sah niemanden; sein Blick glitt nur hin zu dem Geld, flackerte unstet mit der zurückrollenden Kugel: in diesem einen rasenden grünen Kreise waren alle seine Sinne eingeschlossen und hetzten hin und zurück. Die ganze Welt, die ganze Menschheit war diesem Spielsüchtigen zusammengeschmolzen in diesen viereckigen Fleck gespannten Tuches. Und ich wußte, daß ich hier Stunden und Stunden stehen konnte, ohne daß er eine Ahnung meiner Gegenwart in seine Sinne nehmen würde.

Aber ich ertrug es nicht länger. Mit einem plötzlichen Entschluß ging ich um den Tisch, trat hinter ihn und faßte hart mit der Hand seine Schulter. Sein Blick taumelte auf — eine Sekunde starrte er mit glasigen Augäpfeln mich fremd an, genau einem Trunkenen gleich, den man mühsam aus dem Schlaf rüttelt und dessen Blicke noch grau und dösig vom inneren Qualme dämmern. Dann schien er mich zu erkennen, sein Mund tat sich zitternd auf, beglückt sah er zu mir empor und stammelte leise mit einer wirr-geheimnisvollen Vertraulichkeit:

‚Es geht gut ... Ich habe es gleich gewußt, wie ich hereinkam und sah, daß Er hier ist ... Ich habe es gleich gewußt ...‘

Ich verstand ihn nicht. Ich merkte nur, daß er betrunken war vom Spiel, daß dieser Wahnwitzige alles vergessen hatte, sein Gelöbnis, seine Verabredung, mich und die Welt. Aber selbst in dieser Besessenheit war seine Ekstase für mich so hinreißend, daß ich unwillkürlich seiner Rede mich unterwarf und betroffen fragte, wer denn hier sei.

‚Dort, der alte russische General mit dem einen Arm‘, flüsterte er, ganz an mich gedrückt, damit niemand das magische Geheimnis erlausche. ‚Dort, der mit den weißen Kotelettes und dem Diener hinter sich. Er gewinnt immer, ich habe ihn schon gestern beobachtet, er muß ein System haben, und ich setze immer das gleiche ... Auch gestern hat er immer gewonnen ... nur habe ich den Fehler gemacht, weiterzuspielen, als er wegging ... das war mein Fehler ... er muß gestern zwanzigtausend Franken gewonnen haben ... und auch heute gewinnt er mit jedem Zug ... jetzt setze ich ihm immer nach ... Jetzt ...'

Mitten in der Rede brach er plötzlich ab, denn der Croupier rief sein schnarrendes ‚Faites votre jeu!' und schon taumelte sein Blick fort, und gierte hin zu dem Platz, wo gravitätisch und gelassen der weißbärtige Russe saß und bedächtig erst ein Goldstück, dann zögernd ein zweites auf das vierte Feld hinlegte. Sofort griffen die hitzigen Hände vor mir in den Haufen und warfen eine Handvoll Goldstücke auf die gleiche Stelle. Und als nach einer Minute der Croupier ‚Zéro!' rief und sein Rechen mit einer einzigen Drehung den ganzen Tisch blankfegte, starrte er wie einem Wunder dem wegströmenden Gelde nach. Aber meinen Sie, er hätte sich nach mir umgewendet: nein, er hatte mich vollkommen vergessen; ich war herausgesunken, verloren, vergangen aus seinem Leben, seine ganzen angespannten Sinne starrten nur hin zu dem russischen General, der, vollkommen gleichgültig, wieder zwei Goldstücke in der Hand wog, unschlüssig, auf welche Zahl er sie placieren sollte.

Ich kann Ihnen meine Erbitterung, meine Verzweiflung nicht schildern. Aber denken Sie sich mein Gefühl: für einen Menschen, dem man sein ganzes Leben hingeworfen hat, nicht mehr als eine Fliege zu sein, die man lässig mit der lockeren Hand wegscheucht. Wieder kam diese Welle von Wut über mich. Mit vollem Griff packte ich seinen Arm, daß er auffuhr.

‚Sie werden sofort aufstehen!' flüsterte ich ihm leise, aber befehlend zu. ‚Erinnern Sie sich, was Sie heute in der Kirche geschworen, Sie eidbrüchiger, erbärmlicher Mensch.'

Er starrte mich an, betroffen und ganz blaß. Seine Augen bekamen plötzlich den Ausdruck eines geschlagenen Hundes, seine Lippen zitterten. Er schien sich mit einem Mal alles Vergangenen zu erinnern, und ein Grauen vor sich selbst ihn zu überkommen.

‚Ja ... ja ...', stammelte er. ‚O mein Gott, mein Gott ... Ja ... ich komme schon, verzeihen Sie ...'

Und schon raffte seine Hand das ganze Geld zusammen, schnell zuerst, mit einem zusammenreißenden, vehementen Ruck, aber dann allmählich träger werdend und wie von einer Gegenkraft zurückgeströmt. Sein Blick war neuerdings auf den russischen General gefallen, der eben pointierte.

‚Einen Augenblick noch ...', er warf rasch fünf Goldstücke auf das gleiche Feld ... ‚Nur noch dieses eine Spiel. ... Ich schwöre Ihnen, ich komme sofort ... nur noch dieses eine Spiel ... nur noch ...'

Und wieder verlosch seine Stimme. Die Kugel hatte zu rollen begonnen und riß ihn mit sich. Wieder war der Besessene mir, war er sich selber entglitten, hinabgeschleudert mit dem Kreisel in die glatte Mulde, innerhalb derer die winzige Kugel kollerte und sprang. Wieder rief der Croupier, wieder scharrte der Rechen die fünf Goldstücke von ihm weg; er hatte verloren. Aber er wandte sich nicht um. Er hatte mich vergessen, wie den Eid, wie das Wort, das er mir vor einer Minute gegeben. Schon wieder zuckte seine gierige Hand nach dem eingeschmolzenen Gelde, und nur zu dem Magnet seines Willens, zu dem glückbringenden Gegenüber hin, flackerte sein betrunkener Blick.

Meine Geduld war zu Ende. Ich rüttelte ihn nochmals, aber jetzt gewaltsam. ‚Auf der Stelle stehen Sie jetzt auf! Sofort! ... Sie haben gesagt, dieses Spiel noch ...‘

Aber da geschah etwas Unerwartetes. Er riß sich plötzlich herum, doch das Gesicht, das mich ansah, war nicht mehr das eines Demütigen und Verwirrten, sondern eines Rasenden, eines Bündels Zorn mit brennenden Augen und vor Wut zitternden Lippen. ‚Lassen Sie mich in Ruhe!‘ fauchte er mich an. ‚Gehen Sie weg! Sie bringen mir Unglück. Immer, wenn Sie da sind, verliere ich. So haben Sie es gestern gemacht und heute wieder. Gehen sie fort!‘

Ich war einen Augenblick starr. Aber an seiner Tollheit wurde nun auch mein Zorn zügellos.

‚Ich bringe Ihnen Unglück?‘ fuhr ich ihn an. ‚Sie Lügner, Sie Dieb, der Sie mir geschworen haben ...‘ Doch ich kam nicht weiter, denn der Besessene sprang von seinem Platze auf, stieß mich, gleichgültig um den sich regenden Tumult, zurück. ‚Lassen Sie mich in Frieden‘, schrie er hemmungslos laut. ‚Ich stehe nicht unter Ihrer Kuratel ... da ... da ... da haben Sie Ihr Geld‘, und er warf mir ein paar Hundertfrankenscheine hin ... ‚Jetzt aber lassen Sie mich in Ruhe!‘

Ganz laut, wie ein Besessener hatte er das gerufen, gleichgültig gegen die hundert Menschen ringsum. Alles starrte, zischelte, deutete, lachte, ja vom Nachbarsaal selbst drängten neugierige Leute herein. Mir war, als würden mir die Kleider vom Leibe gerissen und ich stünde nackt vor allen diesen Neugierigen ... ‚Silence, Madame, s’il vous plaît!‘ sagte laut und herrisch der

Croupier und klopfte mit dem Rechen auf den Tisch. Mir galt das, mir, das Wort dieses erbärmlichen Gesellen. Erniedrigt, von Scham übergossen, stand ich vor der zischelnd aufflüsternden Neugier wie eine Dirne, der man Geld hingeschmissen hat. Zweihundert, dreihundert unverschämte Augen griffen mir ins Gesicht, und da ... wie ich ausweichend, ganz geduckt vor dieser Jauche von Erniedrigung und Scham mit dem Blick zur Seite bog, da stieß er gradwegs in zwei Augen, gleichsam schneidend vor Überraschung — es war meine Cousine, die mich entgeistert anblickte, aufgegangenen Mundes und mit einer wie im Schreck erhobenen Hand.

Das schlug in mich hinein: noch ehe sie sich regen konnte, sich erholen von ihrer Überraschung, stürmte ich aus dem Saale; es trug mich noch gerade hin bis zu der Bank, zu eben derselben Bank, auf die gestern jener Besessene hingestürzt war. Und ebenso kraftlos, ebenso ausgeschöpft und zerschmettert fiel ich hin auf das harte, unbarmherzige Holz. —

Das ist jetzt vierundzwanzig Jahre her, und doch, wenn ich an diesen Augenblick, wo ich dort, niedergepeitscht von seinem Hohn, vor tausend fremden Menschen stand, mich erinnere, wird mir das Blut kalt in den Adern. Und ich spüre wieder erschrocken, eine wie schwache, armselige und quallige Substanz das doch sein muß, was wir immer großspurig Seele, Geist, Gefühl, was wir Schmerzen nennen, da all dies selbst im äußersten Übermaß nicht vermag, den leidenden Leib, den zerquälten Körper völlig zu zersprengen — weil man ja doch solche Stunden mit weiterpochendem Blut überdauert, statt hinzusterben und hinzustürzen wie ein Baum unterm Blitz. Nur für einen Ruck, für einen Augenblick hatte dieser Schmerz mir die Gelenke durchgerissen, daß ich hinfiel auf jene Bank, atemlos, stumpf und mit einem geradezu wollüstigen Vorgefühl des Absterbenmüssens. Aber ich sagte es eben, aller Schmerz ist feige, er zuckt zurück vor der übermächtigen Forderung nach Leben, die stärker in unserem Fleisch verhaftet scheint als alle Todesleidenschaft in unserem Geiste. Unerklärlich mir selbst nach solcher Zerschmetterung der Gefühle: aber doch, ich stand wieder auf, nicht wissend freilich, was zu tun. Und plötzlich fiel mir ein, daß ja meine Koffer am Bahnhof bereitstanden, und schon jagte es durch mich hin: fort, fort, fort, nur fort von hier, von diesem verfluchten Höllenhaus. Ich lief ohne auf jemand achtzugeben an die Bahn, fragte, wann der nächste Zug nach Paris ginge; um zehn Uhr, sagte mir der Portier, und sofort ließ ich mein Gepäck aufgeben. Zehn Uhr — dann waren genau vierundzwanzig Stunden vorbei seit jener entsetzlichen Begegnung, vierundzwanzig Stunden, so gefüllt vom wechselnden Wetterschlag der widersinnigsten Gefühle, daß meine innere Welt für immer zerschmettert war. Aber zunächst spürte ich nichts als ein Wort in diesem ewig hämmernden, zuckenden Rhythmus: fort! fort! fort! Mein Puls hinter der Stirn schlug wie ein Keil es immer wieder in die Schläfen hinein: fort! fort! fort! Fort von dieser Stadt, fort von mir selbst, nach Hause, zu meinen Menschen, zu meinem früheren, zu meinem eigenen Leben! Ich fuhr die Nacht durch nach Paris, dort von einem Bahnhof zum andern und direkt nach Boulogne, von Boulogne nach Dover, von Dover nach London, von London zu meinem Sohn — alles in diesem einzigen jagenden Flug, ohne zu überlegen, ohne zu denken, achtundvierzig Stunden, ohne Schlaf, ohne Wort, ohne Essen, achtundvierzig Stunden, während derer alle Räder nur dieses eine Wort ratterten: fort! fort! fort! fort! Als ich endlich, unerwartet für jeden einzelnen, bei meinem Sohn im Landhaus eintrat, schraken sie alle auf: irgend etwas muß in meinem Wesen, in meinem Blick gestanden haben, das mich verriet. Mein Sohn wollte mich umarmen und küssen. Ich bog mich zurück: der Gedanke war mir unerträglich, daß er Lippen berühren sollte, die ich als geschändet empfand. Ich wehrte jeder Frage, verlangte nur ein Bad, denn dies war mir Bedürfnis, mit dem Schmutz der Reise auch alles andere von meinem Körper wegzuwaschen, was noch von der Leidenschaft dieses Besessenen, dieses Unwürdigen ihm anzuhaften schien. Dann schleppte ich mich hinauf in mein Zimmer und schlief zwölf, vierzehn Stunden einen dumpfen, steinernen Schlaf, wie ich ihn nie zuvor und nie seitdem geschlafen habe, einen Schlaf, nach dem ich nun weiß, wie das sein muß, in einem Sarg zu liegen und tot zu sein. Meine Verwandten kümmerten sich um mich wie um eine Kranke, aber ihre Zärtlichkeit tat mir nur weh, ich schämte mich ihrer Ehrfurcht, ihres Respekts, und unablässig mußte ich mich hüten, nicht plötzlich herauszuschreien, wie sehr ich sie alle verraten, vergessen und schon verlassen hatte um einer tollen und wahnwitzigen Leidenschaft willen.

Ziellos fuhr ich dann wieder in eine kleine französische Stadt, wo ich niemanden kannte, denn mich verfolgte der Wahn, jeder Mensch könne mir von außen beim ersten Blick meine Schande, meine Veränderung ansehen, so sehr fühlte ich mich verraten und beschmutzt bis in die tiefste Seele. Manchmal, wenn ich morgens aufwachte in meinem Bett, hatte ich eine grauenhafte Angst, die Augen zu öffnen. Wieder überfiel mich das Erinnern an diese Nacht, wo ich plötzlich neben einem fremden, halbnackten Menschen erwachte, und dann hatte ich immer nur, ganz wie damals, den einen Wunsch, sofort zu sterben.

Aber schließlich, die Zeit hat doch tiefe Macht und das Alter eine sonderbare entwertende Gewalt über alle Gefühle. Man spürt den Tod näher herankommen, sein Schatten fällt schwarz über den Weg, da scheinen die Dinge weniger grell, sie fahren einem nicht mehr so in die innern Sinne und verlieren viel von ihrer gefährlichen Gewalt. Allmählich kam ich über den Schock hinweg; und als ich nach langen Jahren einmal in einer Gesellschaft dem Attaché der österreichischen Gesandtschaft begegnete, einem jungen Polen, und er mir auf meine Erkundung nach jener Familie erzählte, daß ein Sohn dieses seines Vetters sich vor zehn Jahren in Monte Carlo erschossen habe — da zitterte ich nicht einmal mehr. Es tat kaum mehr weh: vielleicht — warum seinen Egoismus verleugnen? — tat es mir sogar wohl, denn nun war die letzte Furcht vorbei, noch jemals ihm zu begegnen: ich hatte keinen Zeugen mehr wider mich als die eigene Erinnerung. Seitdem bin ich ruhiger geworden. Altwerden heißt ja nichts anderes, als keine Angst mehr haben vor der Vergangenheit.

Und jetzt werden Sie es auch verstehen, wie ich plötzlich dazu kam, mit Ihnen über mein eigenes Schicksal zu sprechen. Als Sie Madame Henriette verteidigten und leidenschaftlich sagten, vierundzwanzig Stunden könnten das Schicksal einer Frau vollkommen bestimmen, fühlte ich mich selbst damit gemeint: ich war Ihnen dankbar, weil ich zum erstenmal mich gleichsam bestätigt fühlte. Und da dachte ich mir: einmal sichs wegsprechen von der

Seele, vielleicht löst das den lastenden Bann und die ewig rückblickende Starre; dann kann ich morgen vielleicht hinübergehen und ebendenselben Saal betreten, in dem ich meinem Schicksal begegnet, und doch ohne Haß sein gegen ihn und gegen mich selbst. Dann ist der Stein von der Seele gewälzt, liegt mit seiner ganzen Wucht über aller Vergangenheit und verhütet, daß sie noch einmal aufersteht. Es war gut für mich, daß ich Ihnen all dies erzählen konnte: mir ist jetzt leichter und beinahe froh zumute ... ich danke Ihnen dafür.»

Bei diesen Worten war sie plötzlich aufgestanden, ich fühlte, daß sie zu Ende war. Etwas verlegen suchte ich nach einem Wort. Aber sie mußte meine Bemühung gefühlt haben und wehrte rasch ab.

«Nein, bitte, sprechen Sie nicht..., ich möchte nicht, daß Sie mir etwas antworten oder sagen... Seien Sie bedankt, daß Sie mir zugehört haben, und reisen Sie wohl.»

Sie stand mir gegenüber und reichte mir die Hand zum Abschied. Unwillkürlich sah ich auf zu ihrem Gesicht, und es schien mir rührend wunderbar, das Antlitz dieser alten Frau, die gütig und gleichzeitig leicht beschämt vor mir stand. War es der Widerschein vergangener Leidenschaft, war es Verwirrung, die da plötzlich mit aufsteigendem Rot die Wangen bis zum weißen Haar empor unruhig überglühte — aber ganz wie ein Mädchen stand sie da, bräutlich verwirrt von Erinnerungen und beschämt von dem eigenen Geständnis. Unwillkürlich ergriffen, drängte es mich sehr, ihr durch ein Wort meine Ehrfurcht zu bezeugen. Doch die Kehle wurde mir eng. Und da beugte ich mich nieder und küßte respektvoll ihre welke, wie Herbstlaub leicht zitternde Hand.

BUCHMENDEL

Wieder einmal in Wien und heimkehrend von einem Besuch in den äußern Bezirken, geriet ich unvermutet in einen Regenguß, der mit nasser Peitsche die Menschen hurtig in Haustore und Unterstände jagte, und auch ich selbst suchte schleunig nach einem schützenden Obdach. Glücklicherweise wartet nun in Wien an jeder Ecke ein Kaffeehaus — so flüchtete ich in das gerade gegenüberliegende, mit schon tropfendem Hut und arg durchnäßten Schultern. Es erwies sich von innen als Vorstadtcafé hergebrachter, fast schematischer Art, ohne die neumodischen Attrappen der Deutschland nachgeahmten innerstädtischen Musikdielen, altwienerisch bürgerlich und vollgefüllt mit kleinen Leuten, die mehr Zeitungen konsumierten als Gebäck. Jetzt um die Abendstunde war zwar die ohnehin schon stickige Luft mit blauen Rauchkringeln dick marmoriert, dennoch wirkte dies Kaffeehaus sauber mit seinen sichtlich neuen Samtsofas und seiner aluminiumhellen Zahlkasse: in der Eile hatte ich mir gar nicht die Mühe genommen, seinen Namen außen abzulesen, wozu auch? — Und nun saß ich warm und blickte ungeduldig durch die blauüberflossenen Scheiben, wann es dem lästigen Regen belieben würde, sich ein paar Kilometer weiter zu verziehen.

Unbeschäftigt saß ich also da und begann schon jener trägen Passivität zu verfallen, die narkotisch jedem wirklichen Wiener Kaffeehaus unsichtbar entströmt. Aus diesem leeren Gefühl blickte ich mir einzeln die Leute an, denen das künstliche Licht dieses Rauchraums ein ungesundes Grau um die Augen schattete, schaute dem Fräulein an der Kasse zu, wie sie mechanisch Zucker und Löffel für jede Kaffeetasse dem Kellner austeilte, las halbwach und unbewußt die höchst gleichgültigen Plakate an den Wänden, und diese Art Verdumpfung tat beinahe wohl. Aber plötzlich ward ich auf merkwürdige Weise aus meiner Halbschläferei gerissen, eine innere Bewegung begann unbestimmt unruhig in mir, so wie ein kleiner Zahnschmerz beginnt, von dem man noch nicht weiß, ob er von links, von rechts, vom untern oder obern Kiefer seinen Ausgang nimmt; nur ein dumpfes Spannen fühlte ich, eine geistige Unruhe. Denn plötzlich — ich hätte es nicht sagen können, wodurch — wurde mir bewußt, hier mußte ich schon einmal vor Jahren gewesen und durch irgendeine Erinnerung diesen Wänden, diesen Stühlen, diesen Tischen, diesem fremden, rauchigen Raum verbunden sein.

Aber je mehr ich den Willen vortrieb, diese Erinnerung zu fassen, desto boshafter und glitschiger wich sie zurück — wie eine Qualle ungewiß leuchtend auf dem untersten Grunde des Bewußtseins und doch nicht zu greifen, nicht zu packen. Vergeblich klammerte ich den Blick an jeden Gegenstand der Einrichtung; gewiß, manches kannte ich nicht, wie die Kasse zum Beispiel mit ihrem klirrenden Zahlungsautomaten und nicht diesen braunen Wandbelag aus falschem Palisanderholz, alles das mußte erst später aufmontiert worden sein. Aber doch, aber doch, hier war ich einmal gewesen vor zwanzig Jahren und länger, hier haftete, im Unsichtbaren versteckt wie der Nagel im Holz, etwas von meinem eigenen, längst überwachsenen Ich. Gewaltsam streckte und stieß ich alle meine Sinne vor in den Raum und gleichzeitig in mich hinein — und doch, verdammt! ich konnte sie nicht erreichen, diese verschollene, in mir selbst ertrunkene Erinnerung.

Ich ärgerte mich, wie man sich immer ärgert, wenn irgendein Versagen einen die Unzulänglichkeit und Unvollkommenheit der geistigen Kräfte gewahr werden läßt. Aber ich gab die Hoffnung nicht auf, diese Erinnerung doch noch zu erreichen. Nur einen winzigen Haken, das wußte ich, mußte ich in die Hand kriegen, denn mein Gedächtnis ist sonderbar geartet, gut und schlecht zugleich, einerseits trotzig und eigenwillig, aber dann wieder unbeschreiblich getreu. Es schluckt das Wichtigste sowohl an Geschehnissen als auch an Gesichtern, an Gelesenem wie an Erlebtem oft völlig hinab in seine Dunkelheiten und gibt nichts aus dieser Unterwelt ohne Zwang, bloß auf den Anruf des Willens heraus. Aber nur den flüchtigsten Halt muß ich fassen, eine Ansichtskarte, ein paar Schriftzüge auf einem Briefkuvert, ein verräuchertes Zeitungsblatt, und sofort zuckt das Vergessene wie an der Angel der Fisch aus der dunkel strömenden Fläche völlig leibhaft und sinnlich wieder hervor. Jede Einzelheit weiß ich dann eines Menschen, seinen Mund und im Mund wieder die Zahnlücke links bei seinem Lachen, und den brüchigen Tonfall dieses Lachens und wie dabei der Schnurrbart ins Zucken kommt und wie ein anderes, neues Antlitz heraustaucht aus diesem Lachen — alles das sehe ich dann sofort in völliger Vision und weiß auf Jahre zurück jedes Wort, das dieser Mensch mir jemals erzählte. Immer aber bedarf ich, um Vergangenes sinnlich zu sehen und zu fühlen, eines sinnlichen Anreizes, eines winzigen Helfers aus der Wirklichkeit. So schloß ich die Augen, um angestrengter nachdenken zu können, um jenen geheimnisvollen Angelhaken zu formen und zu fassen. Aber nichts! Abermals nichts! Verschüttet und vergessen! Und ich erbitterte mich derart über den schlechten, eigenwilligen Gedächtnisapparat zwischen meinen Schläfen, daß ich mit den Fäusten mir die Stirne hätte schlagen können, so wie man einen verdorbenen Automaten anrüttelt, der widerrechtlich das Geforderte zurückbehält. Nein, ich konnte nicht länger ruhig sitzenbleiben, so erregte mich dieses innere Versagen, und ich stand vor lauter Ärger auf, mir Luft zu machen. Aber sonderbar — kaum daß ich die ersten Schritte durch das Lokal getan, da begann es schon, flirrend und funkelnd, dieses erste phosphoreszierende Dämmern in mir. Rechts von der Zahlkasse, erinnerte ich mich, mußte es hinübergehen in einen fensterlosen und nur von künstlichem Licht erhellten Raum. Und tatsächlich: es stimmte. Da war es, anders tapeziert als damals, aber doch genau in den Proportionen, dies in seinen Konturen verschwimmende rechteckige Hinterzimmer, das Spielzimmer. Instinktiv sah ich mich um nach den einzelnen Gegenständen, mit schon freudig vibrierenden Nerven (gleich würde ich alles wissen, fühlte ich). Zwei Billarde lungerten als grüne lautlose Schlammteiche darin, in den Ecken hockten Spieltische, an deren einem zwei Hofräte oder Professoren Schach spielten. Und in der Ecke, knapp beim eisernen Ofen, dort, wo man zur Telephonzelle ging, stand ein kleiner viereckiger Tisch. Und da blitzte es mich plötzlich durch und durch. Ich wußte sofort, sofort, mit einem einzigen heißen, beglückt erschütterten Ruck: mein Gott, das war ja Mendels Platz, Jakob Mendels, Buchmendels, und ich war nach zwanzig Jahren wieder in sein Hauptquartier, in das Café Gluck in der obern Alserstraße, geraten. Jakob Mendel, wie hatte ich ihn vergessen können, so unbegreiflich lange, diesen sonderbarsten Menschen und sagenhaften Mann, dieses abseitige Weltwunder, berühmt an der Universität und in einem engen, ehrfürchtigen Kreis — wie ihn aus der Erinnerung verlieren, ihn, den Magier und Makler der Bücher, der hier täglich unentwegt saß von morgens bis abends, ein Wahrzeichen des Wissens, Ruhm und Ehre des Café Gluck!

Und nur diese eine Sekunde lang mußte ich den Blick nach innen wenden hinter die Lider, und aufstieg schon aus dem bildnerisch erhellten Blut seine unverkennbare, plastische Gestalt. Ich sah ihn sofort leibhaftig, wie er dort immer saß an dem viereckigen Tischchen mit der grauschmutzigen Marmorplatte, der allzeit mit Büchern und Schriften überhäuften. Wie er dort unentwegt und unerschütterlich saß, den bebrillten Blick hypnotisch starr auf ein Buch geheftet, wie er dort saß und im Lesen summend und brummend seinen Körper und die schlecht polierte, fleckige Glatze vor- und zurückschaukelte, eine Gewohnheit, mitgebracht aus dem Cheder, der jüdischen Kleinkinderschule des Ostens. Hier an diesem Tisch und nur an ihm las er seine Kataloge und Bücher, so wie man ihn das Lesen in der Talmudschule gelehrt, leise singend und sich schwingend, eine schwarze, schaukelnde Wiege. Denn wie ein Kind in Schlaf fällt und der Welt entsinkt durch dieses rhythmisch hypnotische Auf und Nieder, so geht nach der Meinung jener Frommen auch der Geist leichter ein in die Gnade der Versenkung dank diesem Sichwiegen und Sichschwingen des müßigen Leibes. Und tatsächlich, dieser Jakob Mendel sah und hörte nichts von allem um sich her. Neben ihm lärmten und krakeelten die Billardspieler, liefen die Markóre, rasselte das Telephon: man scheuerte den Boden, man heizte den Ofen, er merkte nichts davon. Einmal war eine glühende Kohle aus dem Ofen gefallen, schon brenzelte und qualmte zwei Schritt von ihm das Parkett, da erst, am infernalischen Gestank, bemerkte ein Gast die Gefahr und stürzte zu, hastig das Qualmen zu löschen: er selbst aber, Jakob Mendel, nur zwei Zoll weit und schon angebeizt vom Rauch, er hatte nichts wahrgenommen. Denn er las, wie andere beten, wie Spieler spielen und Trunkene betäubt ins Leere starren, er las mit einer so rührenden Versunkenheit, daß alles Lesen von andern Menschen mir seither immer profan erschien. In diesem kleinen galizischen Büchertrödler Jakob Mendel hatte ich zum erstenmal als junger Mensch das große Geheimnis der restlosen Konzentration gesehen, das den Künstler macht wie den Gelehrten, den wahrhaft Weisen wie den vollkommen Irrwitzigen, dieses tragische Glück und Unglück vollkommener Besessenheit.

Hingeführt zu ihm hatte mich ein älterer Kollege von der Universität. Ich forschte damals dem selbst heute noch nur wenig erkannten paracelsischen Arzt und Magnetiseur Mesmer nach, allerdings mit wenig Glück; denn die einschlägigen Werke erwiesen sich als unzulänglich, und der Bibliothekar, den ich argloser Neuling um Auskunft gebeten, murrte mich unfreundlich an, Literaturnachweise seien meine Sache, nicht die seine. Damals nannte mir nun jener Kollege zum erstenmal seinen Namen. «Ich geh mit dir zu Mendel», versprach er mir, «der weiß alles und verschafft alles, der holt dir das entlegenste Buch aus dem vergessensten deutschen Antiquariat heran. Der tüchtigste Mann in Wien und überdies noch ein Original, ein vorweltlicher Bücher-Saurier aussterbender Rasse».

So gingen wir zu zweit ins Café Gluck, und siehe, da saß er, Buchmendel, bebrillt, bartumschludert, schwarz angetan, und wiegte sich lesend wie ein dunkler Busch im Wind. Wir traten heran, er merkte es nicht. Er saß nur und las und wiegte den Oberkörper pagodenhaft hin und zurück über den Tisch, und hinter ihm pendelte am Haken sein brüchiger schwarzer Paletot, gleichfalls breit angestopft mit Zeitschriften und Zettelwerk. Um uns anzukündigen, hustete mein Freund kräftig. Aber Mendel, die dicke Brille hart ans Buch gedrückt, merkte noch nichts. Endlich klopfte mein Freund auf die Tischplatte, genau so laut und kräftig, wie man an eine Türe pocht — da starrte Mendel endlich auf, schob die ungefüge stahlgeränderte Brille mechanisch rasch die Stirn empor, und unter den weggesträubten aschgrauen Brauen stachen uns zwei merkwürdige Augen entgegen, kleine, schwarze, wache Augen, flink, spitz und flippend wie eine Schlangenzunge. Mein Freund präsentierte mich, und ich erläuterte mein Anliegen, wobei ich zuerst — diese List hatte mein Freund ausdrücklich anempfohlen — mich scheinzornig über den Bibliothekar beklagte, der mir keine Auskunft hatte geben wollen. Mendel lehnte sich zurück und spuckte sorgfältig aus. Dann lachte er nur kurz mit stark östlichem Jargon: «Nicht gewollt hat er? Nein — nicht gekonnt hat er! Ein Parch is er, ein geschlagener Esel mit graue Haar. Ich kenn ihn, Gott sei's geklagt, zu gutem schon zwanzig Jahr, aber gelernt hat er seitdem noch immer nix. Gehalt einstecken, dos is das einzige, was die können! Ziegelsteine sollten sie lieber schupfen, diese Herrn Doktors, statt bei die Bücher sitzen.»

Mit dieser kräftigen Herzentladung war das Eis gebrochen, und eine gutmütige Handbewegung lud mich zum erstenmal an den viereckigen, mit Notizen überschmierten Marmortisch, diesen mir noch unbekannten Altar bibliophiler Offenbarungen. Ich erklärte rasch meine Wünsche: die zeitgenössischen Werke über Magnetismus sowie alle späteren Bücher und Polemiken für und gegen Mesmer; sobald ich fertig war, kniff Mendel eine Sekunde das linke Auge zusammen, genau wie ein Schütze vor dem Schuß. Aber wahrhaftig, nur eine Sekunde dauerte diese Geste konzentrierter Aufmerksamkeit, dann zählte er sofort, wie aus einem unsichtbaren Katalog lesend, zwei oder drei Dutzend Bücher fließend auf, jedes mit Verlagsort, Jahreszahl und ungefährem Preis. Ich war verblüfft. Obwohl vorbereitet, dies hatte ich nicht erwartet. Aber meine Verdutztheit schien ihm wohlzutun; denn sofort spielte er auf der Klaviatur seines Gedächtnisses die wunderbarsten bibliothekarischen Paraphrasen meines Themas weiter. Ob ich auch über die Somnambulisten etwas wissen wolle und über die ersten Versuche mit Hypnose und über Gaßner, die Teufelsbeschwörungen und die Christian Science und die Blavatsky? Wieder prasselten die Namen, die Titel, die Beschreibungen; jetzt erst begriff ich, an ein wie einzigartiges Wunder von Gedächtnis ich bei Jakob Mendel geraten war, tatsächlich an ein Lexikon, an einen Universalkatalog auf zwei Beinen. Ganz benommen starrte ich dieses bibliographische Phänomen an, eingespult in die unansehnliche, sogar etwas schmierige Hülle eines galizischen kleinen Buchtrödlers, der, nachdem er mir etwa achtzig Namen heruntergerasselt, scheinbar achtlos, aber innerlich wohlgefällig über seinen ausgespielten Trumpf, sich die Brille mit einem vormals vielleicht weiß gewesenen Taschentuch putzte. Um mein Staunen ein wenig zu bemänteln, fragte ich zaghaft, welche von diesen Büchern er mir allenfalls besorgen könne. «Nu, man wird ja sehen, was sich machen läßt», brummte er. «Kommen Sie nur morgen wieder her, der Mendel wird Ihnen inzwischen schon eppes auftreiben, und was sich nicht findet, werd sich anderswo finden. Wenn einer Sechel hat, hat er auch Glück.» Ich dankte höflich und stolperte aus lauter Höflichkeit sofort in eine dicke Dummheit hinein, indem ich vorschlug, ihm meine gewünschten Buchtitel auf einen Zettel zu notieren. Im gleichen Augenblick spürte ich schon einen warnenden Ellbogenstoß meines Freundes. Aber zu spät! Schon hatte mir Mendel einen Blick zugeworfen — welch einen Blick! — einen gleichzeitig triumphierenden und beleidigten, einen höhnischen und überlegenen, einen geradezu königlichen Blick, den shakespearischen Blick Macbeths, wenn Macduff dem unbesiegbaren Helden zumutet, sich kampflos zu ergeben. Dann lachte er abermals kurz, der große Adamsapfel an seiner Kehle kollerte merkwürdig hin und her, anscheinend hatte er ein grobes Wort mühsam verschluckt. Und er wäre im Recht gewesen mit jeder erdenklichen Grobheit, der gute, brave Buchmendel; denn nur ein Fremder, ein Ahnungsloser (ein «Amhorez», wie er sagte) konnte eine derart beleidigende Zumutung stellen, ihm, Jakob Mendel, ihm, Jakob Mendel, einen Buchtitel aufzunotieren wie einem Buchhandlungslehrling oder Bibliotheksdiener, als ob dieses unvergleichliche, dieses diamantene Buchgehirn solch grober Hilfsmittel jemals bedurft hätte. Erst später begriff ich, wie sehr ich sein abseitiges Genie mit diesem höflichen Angebot gekränkt haben mußte; denn dieser kleine, zerdrückte, ganz in seinen Bart eingewikkelte und überdies bucklige galizische Jude Jakob Mendel war ein Titan des Gedächtnisses. Hinter dieser kalkigen, schmutzigen, von grauem Moos überwucherten Stirn stand in der unsichtbaren Geisterschrift jeder Name und Titel wie mit Stahlguß eingestanzt, der je auf einem Titelblatt eines Buches gedruckt war. Er wußte von jedem Werk, dem gestern erschienenen wie von einem zweihundert Jahre alten, auf den ersten Hieb genau den Erscheinungsort, den Verfasser, den Preis, neu und antiquarisch, und erinnerte sich bei jedem Buch mit fehlloser Vision zugleich an Einband und Illustrationen und Faksimilebeigaben, er sah jedes Werk, ob er es selbst in den Händen gehabt oder nur von fern in einer Auslage oder Bibliothek einmal erspäht hatte, mit der gleichen optischen Deutlichkeit wie der schaffende Künstler sein inneres und der andern Welt noch unsichtbares Gebilde. Er erinnerte sich, wenn etwa ein Buch im Katalog eines Regensburger Antiquariats um sechs Mark angeboten wurde, sofort, daß ebendasselbe in einem andern Exemplar vor zwei Jahren in einer Wiener Auktion um vier Kronen zu haben gewesen war, und zugleich auch des Ersteherss; nein: Jakob Mendel vergaß nie einen Titel, eine Zahl, er kannte jede Pflanze, jedes Infusorium, jeden Stern in dem ewig schwingenden und ständig umgerüttelten Kosmos des Bücherweltalls. Er wußte in jedem Fach mehr als die Fachleute, er beherrschte die Bibliotheken besser als die Bibliothekare, er kannte die Lager der meisten Firmen auswendig besser als ihre Besitzer, trotz ihren Zetteln und Kartotheken, indes ihm nichts zu Gebote stand als Magie des Erinnerns, als dies unvergleichliche, dies nur an hundert einzelnen Beispielen wahrhaft zu explizierende Gedächtnis. Freilich, dieses Gedächtnis hatte nur so dämonisch unfehlbar sich schulen und gestalten können durch das ewige Geheimnis jeder Vollendung: durch Konzentration. Außerhalb der Bücher wußte dieser merkwürdige Mensch nichts von der Welt; denn alle Phänomene des Daseins begannen für ihn erst wirklich zu werden, wenn sie in Lettern sich umgossen, wenn sie in einem Buche sich gesammelt und gleichsam sterilisiert hatten. Aber auch diese Bücher selbst las er nicht auf ihren Sinn, auf ihren geistigen und erzählerischen Gehalt: nur ihr Name, ihr Preis, ihre Erscheinungsform, ihr erstes Titelblatt zog seine Leidenschaft an. Unproduktiv und unschöpferisch im letzten, bloß ein hunderttausendstelliges Verzeichnis von Titeln und Namen, in die weiche Gehirnrinde eines Säugetieres eingestempelt statt wie sonst in einen Buchkatalog geschrieben, war dies spezifisch antiquarische Gedächtnis Jakob Mendels jedoch in seiner einmaligen Vollendung als Phänomen nicht geringer als jenes Napoleons für Physiognomien, Mezzofantis für Sprachen, eines Lasker für Schachanfänge, eines Busoni für Musik. Eingesetzt in ein Seminar, an eine öffentliche Stelle, hätte das Gehirn Tausende, Hunderttausende von Studenten und Gelehrte belehrt und erstaunt, fruchtbar für die Wissenschaften, ein unvergleichlicher Gewinn für jene öffentlichen Schatzkammern, die wir Bibliotheken nennen. Aber diese obere Welt war ihm, dem kleinen, ungebildeten galizischen Buchtrödler, der nicht viel mehr als seine Talmudschule bewältigt, für ewig verschlossen; so vermochten diese phantastischen Fähigkeiten sich nur als Geheimwissenschaft auszuwirken an jenem Marmortische des Café Gluck. Doch wenn einmal der große Psychologe kommt (dies Werk fehlt noch immer unserer geistigen Welt), der so beharrlich und geduldig, wie Buffon die Abarten der Tiere ordnete und klassierte, seinerseits alle Spielarten, Spezies und Urformen der magischen Macht, die wir Gedächtnis nennen, vereinzelt schildert und in ihren Varianten darlegt, dann müßte er Jakob Mendels gedenken, dieses Genies der Preise und Titel, dieses namenlosen Meisters der antiquarischen Wissenschaft.

Dem Berufe nach und für die Unwissenden galt Jakob Mendel freilich nur als kleiner Buchschacherer. Allsonntags erschienen in der «Neuen Freien Presse» und im «Neuen Wiener Tagblatt» dieselben stereotypen Anzeigen: «Kaufe alte Bücher, zahle beste Preise, komme sofort, Mendel, obere Alserstraße», und dann eine Telephonnummer, die in Wirklichkeit jene des Café Gluck war. Er stöberte Lager durch, schleppte mit einem alten kaiserbärtigen Dienstmann allwöchentlich neue Beute in sein Hauptquartier und von dort wieder weg, denn für einen ordnungsmäßigen Buchhandel fehlte ihm die Konzession. So blieb es beim kleinen Schacher, bei einer wenig einträglichen Tätigkeit. Studenten verkauften ihm ihre Lehrbücher, durch seine Hände wanderten sie vom älteren Jahrgang zum jeweils jüngeren, außerdem vermittelte und besorgte er jedes gesuchte Werk mit geringem Zuschlag. Bei ihm war guter Rat billig. Aber das Geld hatte keinen Raum innerhalb seiner Welt; denn nie hatte man ihn anders gesehen als im gleichen abgeschabten Rock, früh, nachmittags und abends seine Milch verzehrend und zwei Brote, mittags eine Kleinigkeit essend, die man ihm vom Gasthaus herüberholte. Er rauchte nicht, er spielte nicht, ja man darf sagen, er lebte nicht, nur die beiden Augen lebten hinter der Brille und fütterten jenes rätselhafte Wesen Gehirn unablässig mit Worten, Titeln und Namen. Und die weiche, fruchtbare Masse sog diese Fülle gierig in sich ein wie eine Wiese die tausend und aber tausend Tropfen eines Regens. Die Menschen interessierten ihn nicht, und von allen menschlichen Leidenschaften kannte er vielleicht nur die eine, freilich allermenschlichste, der Eitelkeit. Wenn jemand zu ihm um eine Auskunft kam, an hundert andern Stellen schon müde gesucht, und er konnte auf den ersten Hieb ihm Bescheid geben, dies allein wirkte auf ihn als Genugtuung, als Lust, und vielleicht noch dies, daß in Wien und auswärts ein paar Dutzend Menschen lebten, die seine Kenntnisse ehrten und brauchten. In jedem dieser ungefügen Millionenkonglomerate, die wir Großstadt nennen, sind immer an wenigen Punkten einige kleine Facetten eingesprengt, die ein und dasselbe Weltall auf kleinwinziger Fläche spiegeln, unsichtbar für die meisten, kostbar bloß dem Kenner, dem Bruder in der Leidenschaft. Und diese Kenner der Bücher kannten alle Jakob Mendel. So wie man, wenn man über ein Musikblatt Rat holen wollte, zu Eusebius Mandyczewski in die Gesellschaft der Musikfreunde ging, der dort mit grauem Käppchen freundlich inmitten seiner Akten und Noten saß und mit dem ersten aufschauenden Blick die schwierigsten Probleme lächelnd löste, so wie heute noch jeder, der über Altwiener Theater und Kultur Aufschluß braucht, unfehlbar sich an den allwissenden Vater Glossy wendet, so pilgerten mit der gleichen vertrauenden Selbstverständlichkeit die paar strenggläubigen Wiener Bibliophilen, sobald es eine besonders harte Nuß zu knacken gab, ins Café Gluck zu

Jakob Mendel. Bei einer solchen Konsultation Mendel zuzusehen bereitete mir jungem neugierigem Menschen eine Wollust besonderer Art. Während er sonst, wenn man ihm ein minderes Buch vorlegte, den Deckel verächtlich zuklappte und nur murrte: «Zwei Kronen», rückte er vor irgendeiner Rarität oder einem Unikum respektvoll zurück, legte ein Papierblatt unter, und man sah, daß er sich auf einmal seiner schmutzigen, tintigen, schwarznägeligen Finger schämte. Dann begann er zärtlich-vorsichtig, mit einer ungeheuren Hochachtung das Rarum anzublättern, Seite für Seite. Niemand konnte ihn in einer solchen Sekunde stören, so wenig wie einen wirklich Gläubigen im Gebet, und tatsächlich hatte dies Anschauen, Berühren, Beriechen und Abwägen, hatte jede dieser Einzelhandlungen etwas von dem Zeremoniell, von der kultisch geregelten Aufeinanderfolge eines religiösen Aktes. Der krumme Rücken schob sich hin und her, dabei murrte und knurrte er, kratzte sich im Haar, stieß merkwürdige vokalische Urlaute aus, ein gedehntes, fast erschrockenes «Ah» und «Oh» hingerissener Bewunderung und dann wieder ein rapid erschrecktes «Oi» oder «Oiweh», wenn sich eine Seite als fehlend oder ein Blatt als vom Holzwurm zerfressen erwies. Schließlich wog er die Schwarte respektvoll auf der Hand, beschnüffelte und beroch das ungefügige Quadrat mit halbgeschlossenen Augen nicht minder ergriffen als ein sentimentalisches Mädchen eine Tuberose. Während dieser etwas umständlichen Prozedur mußte selbstredend der Besitzer seine Geduld zusammenhalten. Nach beendetem Examen aber gab Mendel bereitwillig, ja geradezu begeistert, jede Auskunft, an die sich unfehlbar weitspurige Anekdoten und dramatische Preisberichte von ähnlichen Exemplaren anschlossen. Er schien heller, jünger, lebendiger zu werden in solchen Sekunden, und nur eines konnte ihn maßlos erbittern: wenn etwa ein Neuling ihm für diese Schätzung Geld anbieten wollte. Dann wich er gekränkt zurück wie etwa ein Galeriehofrat, dem ein durchreisender Amerikaner für seine Erklärung ein Trinkgeld in die Hand drücken will; denn ein kostbares Buch in der Hand haben zu dürfen bedeutete für Mendel, was für einen andern die Begegnung mit einer Frau. Diese Augenblicke waren seine platonischen Liebesnächte. Nur das Buch, niemals Geld hatte über ihn Macht. Vergebens versuchten darum große Sammler, darunter auch der Gründer der Universität in Princeton, ihn für ihre Bibliothek als Berater und Einkäufer zu gewinnen — Jakob Mendel lehnte ab; er war nicht anders zu denken als im Café Gluck. Vor dreiunddreißig Jahren, mit noch weichem, schwarzflaumigem Bart und geringelten Stirnlocken, war er, ein kleines schiefes Jüngel, aus dem Osten nach Wien gekommen, um Rabbinat zu studieren; aber bald hatte er den harten Eingott Jehovah verlassen, um sich der funkelnden und tausendfältigen Vielgötterei der Bücher zu ergeben. Damals hatte er zuerst ins Café Gluck gefunden, und allmählich wurde es seine Werkstatt, sein Hauptquartier, sein Postamt, seine Welt. Wie ein Astronom einsam auf seiner Sternwarte durch den winzigen Rundspalt des Teleskops allnächtlich die Myriaden Sterne betrachtet, ihre geheimnisvollen Gänge, ihr wandelndes Durcheinander, ihr Verlöschen und Sichwiederentzünden, so blickte Jakob Mendel durch seine Brille von diesem viereckigen Tisch in das andere Universum der Bücher, das gleichfalls ewig kreisende und sich umgebärende, in diese Welt über unserer Welt.

Selbstverständlich war er hoch angesehen im Café Gluck, dessen Ruhm sich für uns mehr an sein unsichtbares Katheder knüpfte als an die Patenschaft des hohen Musikers, des Schöpfers der «Alceste» und der «Iphigenia»: Christoph Willibald Gluck. Er gehörte dort ebenso zum Inventar wie die alte Kirschholzkasse, wie die beiden arg geflickten Billarde, der kupferne Kaffeekessel, und sein Tisch wurde gehütet wie ein Heiligtum. Denn seine zahlreichen Kundschaften und Auskundschafter wurden von dem Personal jedesmal freundlich zu irgendeiner Bestellung gedrängt, so daß der größere Gewinnteil seiner Wissenschaft eigentlich dem Oberkellner Deubler in die breite, hüftwärts getragene Ledertasche floß. Dafür genoß Buchmendel vielfache Privilegien. Das Telephon stand ihm frei, man hob ihm seine Briefe auf und besorgte alle Bestellungen; die alte, brave Toilettenfrau bürstete ihm den Mantel, nähte Knöpfe an und trug ihm jede Woche ein kleines Bündel zur Wäsche. Ihm allein durfte aus dem nachbarlichen Gasthaus eine Mittagmahlzeit geholt werden, und jeden Morgen kam der Herr Standhartner, der Besitzer, in persona an seinen Tisch und begrüßte ihn (freilich meist, ohne daß Jakob Mendel, in seine Bücher vertieft, diesen Gruß bemerkte). Punkt halb acht Uhr morgens trat er ein, und erst wenn man die Lichter auslöschte, verließ er das Lokal. Zu den andern Gästen sprach er nie, er las keine Zeitung, bemerkte keine Veränderung, und als der Herr Standhartner ihn einmal höflich fragte, ob er bei dem elektrischen Licht nicht besser lese als früher bei dem fahlen, zuckenden Schein der Auerlampen, starrte er verwundert zu den Glühbirnen auf: diese Veränderung war trotz dem Lärm und Gehämmer einer mehrtägigen Installation vollkommen an ihm vorbeigegangen. Nur durch die zwei runden Löcher der Brille, durch diese beiden blitzenden und saugenden Linsen filterten sich die Milliarden schwarzer Infusorien der Lettern in sein Gehirn, alles andere Geschehen strömte als leerer Lärm an ihm vorbei. Eigentlich hatte er mehr als dreißig Jahre, also den ganzen wachen Teil seines Lebens, einzig hier an diesem viereckigen Tisch lesend, vergleichend, kalkulierend verbracht, in einem unablässig fortgesetzten, nur vom Schlaf unterbrochenen Dauertraum.

Deshalb überkam mich eine Art Schrecken, als ich den orakelspendenden Marmortisch Jakob Mendels leer wie eine Grabplatte in diesem Raum dämmern sah. Jetzt erst, älter geworden, verstand ich, wieviel mit jedem solchen Menschen verschwindet, erstlich weil alles Einmalige von Tag zu Tag kostbarer wird in unserer rettungslos einförmiger werdenden Welt. Und dann: der junge, unerfahrene Mensch in mir hatte aus einer tiefen Ahnung diesen Jakob Mendel sehr lieb gehabt. Und doch, ich hatte vergessen können — allerdings in den Jahren des Krieges und in einer der seinen ähnlichen Hingabe an das eigene Werk. Jetzt aber, vor diesem leeren Tische, fühlte ich eine Art Scham vor ihm und eine erneuerte Neugier zugleich.

Denn wo war er hin, was war mit ihm geschehen? Ich rief den Kellner und fragte. Nein, einen Herrn Mendel, bedaure, den kenne er nicht, ein Herr dieses Namens verkehre nicht im Café. Aber vielleicht wisse der Oberkellner Bescheid. Dieser schob seinen Spitzbauch schwerfällig heran, zögerte, dachte nach, nein, auch ihm sei ein Herr Mendel nicht bekannt. Aber ob ich vielleicht den Herrn Mandl meine, den Herrn Mandl vom Kurzwarengeschäft in der Florianigasse? Ein bitterer Geschmack kam mir auf die Lippen, Geschmack von Vergänglichkeit: wozu lebt man, wenn der Wind hinter unserm Schuh schon die letzte Spur von uns wegträgt? Dreißig Jahre, vierzig vielleicht, hatte ein Mensch in diesen paar Quadratmetern Raum geatmet, gelesen, gedacht, gesprochen, und bloß drei Jahre, vier Jahre mußten hingehen, ein neuer Pharao kommen, und man wußte nichts mehr von Joseph, man wußte im Café Gluck nichts mehr von Jakob Mendel, dem Buchmendel! Beinahe zornig fragte ich den Oberkellner, ob ich nicht Herrn Standhartner sprechen könne, oder ob nicht sonst wer im Hause sei vom alten Personal? Oh, der Herr Standhartner, o mein Gott, der habe längst das Café verkauft, der sei gestorben, und der alte Oberkellner, der lebe jetzt auf seinem Gütel bei Krems. Nein, niemand sei mehr da... oder doch! Ja doch — die Frau Sporschil sei noch da, die Toilettenfrau (vulgo Schokoladefrau). Aber die könne sich gewiß nicht mehr an die einzelnen Gäste erinnern. Ich dachte gleich: einen Jakob Mendel vergißt man nicht, und ließ sie mir kommen.

Sie kam, die Frau Sporschil, weißhaarig, zerrauft, mit ein wenig wassersüchtigen Schritten aus ihren hintergründigen Gemächern und rieb sich noch hastig die roten Hände mit einem Tuch: offenbar hatte sie gerade ihr trübes Gelaß gefegt oder Fenster geputzt. An ihrer unsicheren Art merkte ich sofort: ihr wars unbehaglich, so plötzlich nach vorn unter die großen Glühbirnen in den noblen Teil des Cafés gerufen zu werden. So sah sie mich zunächst mißtrauisch an, mit einem Blick von unten herauf, einem sehr vorsichtig geduckten Blick. Was konnte ich Gutes von ihr wollen? Aber kaum daß ich nach

Jakob Mendel fragte, starrte sie mich mit vollen, geradezu strömenden Augen an, die Schultern fuhren ihr ruckhaft auf. «Mein Gott, der arme Herr Mendel, daß an den noch jemand denkt! Ja, der arme Herr Mendel» — fast weinte sie, so gerührt war sie, wie alte Leute es immer werden, wenn man sie an ihre Jugend, an irgendeine gute vergessene Gemeinsamkeit erinnert. Ich fragte, ob er noch lebe. «O mein Gott, der arme Herr Mendel, fünf oder sechs Jahre, nein, sieben Jahre muß der schon tot sein. So a lieber, guter Mensch, und wenn ich denk, wie lang ich ihn kennt hab, mehr als fünfundzwanzig Jahr, er war doch schon da, wie ich eintreten bin. Und eine Schand wars, wie man ihn hat sterben lassen.» Sie wurde immer aufgeregter, fragte, ob ich ein Verwandter sei. Es hätte sich ja nie jemand um ihn gekümmert, nie jemand nach ihm erkundigt — und ob ich denn nicht wisse, was mit ihm passiert sei?

Nein, ich wüßte nichts, versicherte ich; sie solle mir erzählen, alles erzählen. Die gute Person tat scheu und geniert und wischte immer wieder an ihren nassen Händen. Ich begriff: ihr war es peinlich, als Toilettenfrau mit ihrer schmutzigen Schürze und ihren zerstrubbelten weißen Haaren hier mitten im Kaffeehausraum zu stehen, außerdem blickte sie immer ängstlich nach rechts und links, ob nicht einer der Kellner zuhöre. So schlug ich ihr vor, wir wollten hinein in das Spielzimmer, an Mendels alten Platz: dort solle sie mir alles berichten. Gerührt nickte sie mir zu, dankbar, daß ich sie verstand, und ging voraus, die alte, schon ein wenig schwankende Frau, und ich hinter ihr. Die beiden Kellner staunten uns nach, sie spürten da einen Zusammenhang, und auch einige Gäste verwunderten sich über uns ungleiches Paar.

Und drüben an seinem Tisch erzählte sie mir (manche Einzelheit ergänzte mir später anderer Bericht) von Jakob Mendels, von Buchmendels Untergang.

Ja also, er sei, so erzählte sie, auch nachher noch, als der Krieg schon begonnen, immer noch gekommen, Tag um Tag um halb acht Uhr früh, und genau so sei er gesessen und habe er den ganzen Tag studiert wie immer, ja sie hätten alle das Gefühl gehabt und oft darüber geredet, ihm sei's gar nicht zum Bewußtsein gekommen, daß Krieg sei. Ich wisse doch, in eine Zeitung habe er nie geschaut und nie mit wem andern gesprochen; aber auch wenn die Ausrufer ihren Mordslärm mit den Extrablättern machten und alle andern zusammenliefen, nie sei er da aufgestanden oder hätte zugehört. Er habe auch gar nicht gemerkt, daß der Franz fehle, der Kellner (der bei Gorlice gefallen sei), und nicht gewußt, daß sie den Sohn vom Herrn Standhartner bei Przemysl gefangen hatten, und nie kein Wort habe er gesagt, wie das Brot immer miserabler geworden ist und man ihm statt der Milch das elende Feigenkaffeegschlader hat geben müssen. Nur einmal habe er sich gewundert, daß jetzt so wenig Studenten kämen, das war alles. — «Mein Gott, der arme Mensch, den hat doch nichts gefreut und gekümmert als seine Bücher.»

Aber dann eines Tags, da sei das Unglück geschehen. Um elf Uhr vormittags, am hellichten Tag, sei ein Wachmann gekommen mit einem Geheimpolizisten, der hätte die Rosette gezeigt im Knopfloch und gefragt, ob hier ein Jakob Mendel verkehre. Dann wären sie gleich an den Tisch gegangen zum Mendel, und der hätte ahnungslos noch geglaubt, sie wollten Bücher verkaufen oder ihn was fragen. Aber gleich hätten sie ihn aufgefordert, mitzukommen, und ihn weggeführt. Eine rechte Schande sei es für das Kaffeehaus gewesen, alle Leute hätten sich herumgestellt um den armen Herrn Mendel, wie er dagestanden ist zwischen den beiden, die Brille unterm Haar, und hin- und hergeschaut hat von einem zum andern und nicht recht gewußt, was sie eigentlich von ihm wollten. Sie aber habe stante pede dem Gendarmen gesagt, das müsse ein Irrtum sein, ein Mann wie Herr Mendel könne keiner Fliege was tun; aber da habe der Geheimpolizist sie gleich angeschrien, sie solle sich nicht in Amtshandlungen einmischen. Und dann hätten sie ihn weggeführt, und er sei lange nicht mehr gekommen, zwei Jahre lang. Noch heute wisse sie nicht recht, was die damals von ihm gewollt hätten. «Aber ich leist ein Jurament», sagte sie erregt, die alte Frau, «der Herr Mendel kann nichts Unrechtes getan haben. Die haben sich geirrt, da leg ich meine Hand ins Feuer. Es war ein Verbrechen an dem armen, unschuldigen Menschen, ein Verbrechen!»

Und sie hatte recht, die gute, rührende Frau Sporschil. Unter Freund Jakob Mendel hatte wahrhaftig nichts Unrechtes begangen, sondern nur (erst später erfuhr ich alle Einzelheiten) eine rasende, eine rührende, eine selbst in jenen irrwitzigen Zeiten ganz unwahrscheinliche Dummheit, erklärbar bloß aus der vollkommenen Versunkenheit, aus der Mondfernheit seiner einmaligen Erscheinung. Folgendes hatte sich ereignet: auf dem militärischen Zensuramt, das verpflichtet war, jede Korrespondenz mit dem Ausland zu überwachen, war eines Tages eine Postkarte abgefangen worden, geschrieben und unterschrieben von einem gewissen Jakob Mendel, ordnungsgemäß nach dem Ausland frankiert, aber — unglaublicher Fall — in das feindliche Ausland gerichtet, eine Postkarte an Jean Labourdaire, Buchhändler, Paris, Quai de Grenelle, adressiert, in der ein gewisser Jakob Mendel sich beschwerte, die letzten acht Nummern des monatlichen «Bulletin bibliographique de la France» trotz vorausbezahltem Jahresabonnement nicht erhalten zu haben. Der eingestellte untere Zensurbeamte, ein Gymnasialprofessor, in Privatneigung Romanist, dem man einen blauen Landsturmrock umgestülpt hatte, staunte, als ihm dieses Schriftstück in die Hände kam. Ein dummer Spaß, dachte er. Unter den zweitausend Briefen, die er allwöchentlich auf dubiose Mitteilungen und spionageverdächtige Wendungen durchstöberte und durchleuchtete, war ihm ein so absurdes Faktum noch nie unter die Finger gekommen, daß jemand aus Österreich einen Brief nach Frankreich ganz sorglos adressierte, also ganz gemütlich eine Karte in das kriegführende Ausland so einfach in den Postkasten warf, als ob diese Grenzen seit 1914 nicht umnäht wären mit Stacheldraht und an jedem von Gott geschaffenen Tage Frankreich, Deutschland, Österreich und Rußland ihre männliche Einwohnerzahl gegenseitig um ein paar tausend Menschen kürzten. Zunächst legte er deshalb die Postkarte als Kuriosum in seine Schreibtischlade, ohne von dieser Absurdität weitere Meldung zu erstatten. Aber nach einigen Wochen kam abermals eine Karte desselben Jakob Mendel an einen Bookseller John Aldridge, London, Holborn Square, ob er ihm nicht die letzten Nummern des «Antiquarian» besorgen könnte, und abermals war sie unterfertigt von ebendemselben merkwürdigen Individuum Jakob Mendel, das mit rührender Naivität seine volle Adresse beischrieb. Nun wurde es dem in die Uniform eingenähten Gymnasialprofessor doch ein wenig eng unter dem Rock. Steckte am Ende irgendein rätselhafter chiffrierter Sinn hinter diesem vertölpelten Spaß? Jedenfalls, er stand auf, klappte die Hacken zusammen und legte dem Major die beiden Karten auf den Tisch. Der zog beide Schultern hoch: sonderbarer Fall! Zunächst avisierte er die Polizei, sie solle ausforschen, ob es diesen Jakob Mendel tatsächlich gäbe, und eine Stunde später war Jakob Mendel bereits dingfest gemacht und wurde, noch ganz taumelig von der Überraschung, vor den Major geführt. Der legte ihm die mysteriösen Postkarten vor, ob er sich als Absender bekenne. Erregt durch den strengen Ton und vor allem, weil man ihn bei der Lektüre eines wichtigen Katalogs aufgestört hatte, polterte Mendel beinahe grob, natürlich habe er diese Karten geschrieben. Man habe wohl noch das Recht, ein Abonnement für sein gezahltes Geld zu reklamieren. Der Major drehte sich im Sessel schief hinüber zu dem Leutnant am Nebentisch. Die beiden blinzelten sich einverständlich an: ein gebrannter Narr! Dann überlegte der Major, ob er den Einfaltspinsel nur scharf anbrummen und wegjagen sollte oder den Fall ernst aufziehen. In solchen unschlüssigen Verlegenheiten entschließt man sich bei jedem Amt fast immer, zunächst ein Protokoll aufzunehmen. Ein Protokoll ist immer gut. Nützt es nichts, so schadet es nichts, und nur ein sinnloser Papierbogen mehr unter Millionen ist vollgeschrieben.

In diesem Falle aber schadete es leider einem armen, ahnungslosen Menschen, denn schon bei der dritten Frage kam etwas sehr Verhängnisvolles zutage. Man forderte zuerst seinen Namen: Jakob, recte Jainkeff Mendel. Beruf: Hausierer (er besaß nämlich keine Buchhändlerlizenz, nur einen Hausierschein). Die dritte Frage wurde zur Katastrophe: der Geburtsort. Jakob Mendel nannte einen kleinen Ort bei Petrikau. Der Major zog die Brauen hoch. Petrikau, lag das nicht in Russisch-Polen, nahe der Grenze? Verdächtig! Sehr verdächtig! So inquirierte er nun strenger, wann er die österreichische Staatsbürgerschaft erworben habe. Mendels Brille starrte ihn dunkel und verwundert an: er verstand nicht recht. Zum Teufel, ob und wo er seine Papiere habe, seine Dokumente? Er habe keine andern als den Hausierschein. Der Major schob die Stirnfalten immer höher. Also wie es mit seiner Staatsbürgerschaft stehe, solle er endlich einmal erklären. Was sein Vater gewesen sei, ob Österreicher oder Russe? Seelenruhig erwiderte Jakob Mendel: natürlich Russe. Und er selbst? Ach, er hätte sich schon vor dreiunddreißig Jahren über die russische Grenze geschmuggelt, seither lebe er in Wien. Der Major wurde immer unruhiger. Wann er hier das österreichische Staatsbürgerrecht erworben habe? Wozu? fragte Mendel. Er habe sich um solche Sachen nie gekümmert. So sei er also noch russischer Staatsbürger? Und Mendel, den diese öde Fragerei innerlich längst langweilte, antwortete gleichgültig: «Eigentlich ja.»

Der Major warf sich so brüsk erschrocken zurück, daß der Sessel knackte. Das gab es also! In Wien, in der Hauptstadt Österreichs, ging mitten im Kriege, Ende 1915, nach Tarnow und der großen Offensive, ein Russe unbehelligt spazieren, schrieb Briefe nach Frankreich und England, und die Polizei kümmerte sich um nichts. Und da wundern sich die Dummköpfe in den Zeitungen, daß Conrad von Hötzendorf nicht gleich nach Warschau vorwärtsgekommen ist, da staunen sie im Generalstab, wenn jede Truppenbewegung durch Spione nach Rußland weitergemeldet wird. Auch der Leutnant war aufgestanden und stellte sich an den Tisch: das Gespräch schaltete sich scharf um zum Verhör. Warum er sich nicht sofort gemeldet habe als Ausländer? Mendel, noch immer arglos, antwortete in seinem singenden jüdischen Jargon: «Wozu hätt ich mich melden sollen auf einmal?» In dieser umgedrehten Frage erblickte der Major eine Herausforderung und fragte drohend, ob er nicht die Ankündigungen gelesen habe? Nein! Ob er etwa auch keine Zeitungen lese? Nein!

Die beiden starrten den vor Unsicherheit schon leicht schwitzenden Jakob Mendel an, als sei der Mond mitten in ihr Bürozimmer gefallen. Dann rasselte das Telephon, knackten die Schreibmaschinen, liefen die Ordonnanzen, und Jakob Mendel wurde dem Garnisongefängnis überantwortet, um mit dem nächsten Schub in ein Konzentrationslager abgeführt zu werden. Als man ihm bedeutete, den beiden Soldaten zu folgen, starrte er ungewiß. Er verstand nicht, was man von ihm wollte, aber eigentlich hatte er keinerlei Sorge. Was konnte der Mann mit dem goldenen Kragen und der groben Stimme schließlich Böses mit ihm vorhaben? In seiner obern Welt der Bücher gab es keinen Krieg, kein Nichtverstehen, sondern nur das ewige Wissen und Nochmehrwissenwollen von Zahlen und Worten, von Titeln und Namen. So trollte er gutmütig zwischen den beiden Soldaten die Treppe hinunter. Erst als man ihm auf der Polizei alle Bücher aus den Manteltaschen nahm und die Brieftasche abforderte, in der er hundert wichtige Zettel und Kundenadressen stecken hatte, da erst begann er wütend um sich zu schlagen. Man mußte ihn bändigen. Aber dabei klirrte leider seine Brille zu Boden, und dies sein magisches Teleskop in die geistige Welt brach in mehrere Stücke. Zwei Tage später expedierte man ihn im dünnen Sommerrock in ein Konzentrationslager russischer Zivilgefangener bei Komorn.

Was Jakob Mendel in diesen zwei Jahren Konzentrationslager an seelischer Schrecknis erfahren, ohne Bücher, seine geliebten Bücher, ohne Geld, inmitten der gleichgültigen, groben, meinst analphabetischen Gefährten dieses riesigen Menschenkotters, was er dort leidend erlebte, von seiner obern und einzigen Bücherwelt abgetrennt wie ein Adler mit zerschnittenen Schwingen von seinem ätherischen Element — hierüber fehlt jede Zeugenschaft. Aber allmählich weiß schon die von ihrer Tollheit ernüchterte Welt, daß von allen Grausamkeiten und verbrecherischen Übergriffen dieses Krieges keine sinnloser, überflüssiger und darum moralisch unentschuldbarer gewesen als das Zusammenfangen und Einhürden hinter Stacheldraht von ahnungslosen, längst dem Dienstalter entwachsenen Zivilpersonen, die viele Jahre in dem fremden Lande als in einer Heimat gewohnt und aus Treugläubigkeit an das selbst bei Tungusen und Araukanern geheiligte Gastrecht versäumt hatten, rechtzeitig zu fliehen — ein Verbrechen an der Zivilisation, gleich sinnlos begangen in Frankreich, Deutschland und England, auf jeder Scholle unseres irrwitzig gewordenen Europa. Und vielleicht wäre Jakob Mendel wie hundert andere Unschuldige in dieser Hürde dem Wahnsinn verfallen oder an Ruhr, an Entkräftung, an seelischer Zerrüttung erbärmlich zugrunde gegangen, hätte nicht knapp rechtzeitig ein Zufall, ein echt österreichischer, ihn noch einmal in seine Welt zurückgeholt. Es waren nämlich mehrmals nach seinem Verschwinden an seine Adresse Briefe von vornehmen Kunden gekommen; der Graf Schönberg, der ehemalige Statthalter von Steiermark, fanatischer Sammler heraldischer Werke, der frühere Dekan der theologischen Fakultät Siegenfeld, der an einem Kommentar des Augustinus arbeitete, der achtzigjährige pensionierte Flottenadmiral Edler von Pisek, der noch immer an seinen Erinnerungen herumbesserte — sie alle, seine treuen Klienten, hatten wiederholt an Jakob Mendel ins Café Gluck geschrieben, und von diesen Briefen wurden dem Verschollenen einige in das Konzentrationslager nachgeschickt. Dort fielen sie dem zufällig gutgesinnten Hauptmann in die Hände, und der erstaunte, was für vornehme Bekanntschaften dieser kleine halbblinde, schmutzige Jude habe, der, seit man ihm seine Brille zerschlagen (er hatte kein Geld, sich eine neue zu verschaffen), wie ein Maulwurf, grau, augenlos und stumm in einer Ecke hockte. Wer solche Freunde besaß, mußte immerhin etwas Besonderes sein. So erlaubte er Mendel, diese Briefe zu beantworten und seine Gönner um Fürsprache zu bitten. Die blieb nicht aus. Mit der leidenschaftlichen Solidarität aller Sammler kurbelten die Exzellenz sowie der Dekan ihre Verbindungen kräftig an, und ihre vereinte Bürgschaft erreichte, daß Buchmendel im Jahre 1917 nach mehr als zweijähriger Konfinierung wieder nach Wien zurückdurfte, freilich unter der Bedingung, sich täglich bei der Polizei zu melden. Aber doch, er durfte wieder in die freie Welt, in seinen alten, kleinen, engen Mansardenraum, er konnte wieder an seinen geliebten Bücherauslagen vorbei und vor allem zurück in sein Café Gluck.

Diese Rückkehr Mendels aus einer höllischen Unterwelt in das Café Gluck konnte mir die brave Frau Sporschil aus eigener Erfahrung schildern. «Eines Tages — Jessas, Marand Joseph, ich glaub, ich trau meine Augen nicht — da schiebt sich die Tür auf, Sie wissen ja, in der gwissen schiefen Art, nur grad einen Spalt weit, wie er immer hereinkommen ist, und schon stolpert er ins Café, der arme Herr Mendel. Einen zerschundenen Militärmantel voller Stopfen hat er anghabt und irgendwas am Kopf, was vielleicht einmal ein Hut war, ein weggworfener. Keinen Kragen hat er anghabt, und wie der Tod hat er ausgschaut, grau im Gesicht und grau das Haar und so mager, daß es einen derbarmt hat. Aber er kommt herein, grad, als ob nix gwesen wär, er fragt nix, er sagt nix, geht hin zu dem Tisch da und zieht den Mantel aus, aber nicht wie früher so fix und leicht, sondern schwer schnaufen müssen hat er dabei. Und kein Buch hat er mitghabt wie sonst — er setzt sich nur hin und sagt nix, und tut nur hinstarren vor sich mit ganz leere, ausgelaufene Augen. Erst nach und nach, wie wir ihm dann den ganzen Pack bracht haben von die Schriften, die was für ihn kommen waren aus Deutschland, da hat er wieder angfangen zu lesen. Aber er war nicht derselbige mehr.»

Nein, er war nicht derselbe, nicht das Miraculum mundi mehr, die magische Registratur aller Bücher: alle, die ihn damals sahen, haben mir wehmütig das gleiche berichtet. Irgend etwas schien rettungslos zerstört in seinem sonst stillen, nur wie schlafend lesenden Blick; etwas war zertrümmert: der grauenhafte Blutkomet mußte in seinem rasenden Lauf schmetternd hineingeschlagen haben auch in den abseitigen, friedlichen, in diesen alkyonischen Stern seiner Bücherwelt. Seine Augen, jahrzehntelang gewöhnt an die zarten, lautlosen, insektenfüßigen Lettern der Schrift, sie mußten Furchtbares gesehen haben in jener stacheldrahtumspannten Menschenhürde, denn die Lider schatteten schwer über den einst so flinken und ironisch funkelnden Pupillen, schläfrig und rotrandig dämmerten die vordem so lebhaften Blicke unter der reparierten, mit dünnem Bindfaden mühsam zusammengebundenen Brille. Und furchtbarer noch: in dem phantastischen Kunstbau seines Gedächtnisses mußte irgendein Pfeiler eingestürzt und das ganze Gefüge in Unordnung geraten sein; denn so zart ist ja unser Gehirn, dies aus subtilster Substanz gestaltete Schaltwerk, dies feinmechanische Präzisionsinstrument unseres Wissens zusammengestimmt, daß ein gestautes Äderchen, ein erschütterter Nerv, eine ermüdete Zelle, daß ein solches verschobenes Molekül schon zureicht, um die herrlich umfassendste, die sphärische Harmonie eines Geistes zum Verstummen zu bringen. Und in Mendels Gedächtnis, dieser einzigen Klaviatur des Wissens, stockten bei seiner Rückkunft die Tasten. Wenn ab und zu jemand um Auskunft kam, starrte er ihn erschöpft an und verstand nicht mehr genau, er verhörte sich und vergaß, was man ihm sagte — Mendel war nicht mehr Mendel, wie die Welt nicht mehr die Welt war. Nicht mehr wiegte ihn völlige Versunkenheit beim Lesen auf und nieder, sondern meist saß er starr, die Brille nur mechanisch gegen das Buch gewandt, ohne daß man wußte, ob er las oder nur vor sich hindämmerte. Mehrmals fiel ihm, so erzählte die Sporschil, der Kopf schwer nieder auf das Buch, und er schlief ein am hellichten Tag, manchmal starrte er wieder stundenlang in das fremde stinkende Licht der Azetylenlampe, die man ihm in jener Zeit der Kohlennot auf den Tisch gestellt. Nein, Mendel war nicht mehr Mendel, nicht mehr ein Wunder der Welt, sondern ein müd atmender, nutzloser Pack Bart und Kleider, sinnlos auf dem einst pythischen Sessel hingelastet, nicht mehr der Ruhm des Café Gluck, sondern eine Schande, ein Schmierfleck, übelriechend, widrig anzusehen, ein unbequemer, unnötiger Schmarotzer.

So empfand ihn auch der neue Besitzer, namens Florian Gurtner aus Retz, der, an Mehl- und Butterschiebungen im Hungerjahr 1919 reich geworden, dem biedern Standhartner für achtzigtausend rasch zerblätterte Papierkronen das Café Gluck abgeschwatzt hatte. Er griff mit seinen festen Bauernhänden scharf zu, krempelte das altehrwürdige Kaffeehaus hastig auf nobel um, kaufte für schlechte Zettel rechtzeitig neue Fauteuils, installierte ein Marmorportal und verhandelte bereits wegen des Nachbarlokals, um eine Musikdiele anzubauen. Bei dieser hastigen Verschönerung störte ihn natürlich sehr dieser galizische Schmarotzer, der tagsüber von früh bis nachts allein einen Tisch besetzt hielt und dabei im ganzen nur zwei Schalen Kaffee trank und fünf Brote verzehrte. Zwar hatte Standhartner ihm seinen alten Gast besonders ans Herz gelegt und zu erklären versucht, was für ein bedeutender und wichtiger Mann dieser Jakob Mendel sei, er hatte ihn sozusagen bei der Übergabe mit dem Inventar als ein auf dem Unternehmen lastendes Servitut mitübergeben. Aber Florian Gurtner hatte sich mit den neuen Möbeln und der blanken Aluminiumzahlkasse auch das massive Gewissen der Verdienerzeit zugelegt und wartete nur auf einen Vorwand, um diesen letzten lästigen Rest vorstädtischer Schäbigkeit aus seinem vornehm gewordenen Lokal hinauszukehren. Ein guter Anlaß schien sich bald einzustellen; denn es ging Jakob Mendel schlecht. Seine letzten gesparten Banknoten waren zerpulvert in der Papiermühle der Inflation, seine Kunden hatten sich verlaufen. Und wieder als kleiner Buchtrödler Treppen zu steigen, Bücher hausierend zusammenzuraffen, dazu fehlte dem Müdgewordenen die Kraft. Es ging ihm elend, man merkte das an hundert kleinen Zeichen. Selten ließ er sich mehr vom Gasthaus etwas herüberholen, und auch das kleine Entgelt für Kaffee und Brot blieb er immer länger schuldig, einmal sogar drei Wochen lang. Schon damals wollte ihn der Oberkellner auf die Straße setzen. Da erbarmte sich die brave Frau Sporschil, die Toilettenfrau, und bürgte für ihn.

Aber im nächsten Monat ereignete sich dann das Unglück. Bereits mehrmals hatte der neue Oberkellner bemerkt, daß es bei der Abrechnung nie recht mit dem Gebäck stimmen wollte. Immer mehr Brote erwiesen sich als fehlend, als angesagt und bezahlt waren. Sein Verdacht lenkte sich selbstverständlich gleich auf Mendel; denn mehrmals war schon der alte wacklige Dienstmann gekommen, um sich zu beschweren, Mendel sei ihm seit einem halben Jahre die Bezahlung schuldig, und er könne keinen Heller herauskriegen. So paßte der Oberkellner jetzt besonders auf, und schon zwei Tage später gelang es ihm, hinter dem Ofenschirm versteckt, Jakob Mendel zu ertappen, wie er heimlich von seinem Tische aufstand, in das andere vordere Zimmer hinüberging, rasch aus einem Brotkorb zwei Semmeln nahm und sie gierig in sich hineinstopfte. Bei der Abrechnung behauptete er, keine gegessen zu haben. Nun war das Verschwinden geklärt. Der Kellner meldete sofort den Vorfall Herrn Gurtner, und dieser, froh des langgesuchten Vorwands, brüllte Mendel vor allen Leuten an, beschuldigte ihn des Diebstahls und tat sogar noch dick, daß er nicht sofort die Polizei rufe. Aber er befahl ihm, sogleich und für immer sich zum Teufel zu scheren. Jakob Mendel zitterte nur, sagte nichts, stolperte auf von seinem Sitz und ging.

«Ein Jammer war's», schilderte die Frau Sporschil diesen seinen Abschied. «Nie werd ichs vergessen, wie er aufgstanden ist, die Brille hinaufgschoben in die Stirn, weiß wie ein Handtuch. Nicht Zeit hat er sich genommen, den Mantel anzuziehen, obwohl's Januar war, Sie wissen ja, damals im kalten Jahr. Und sein Buch hat er liegen lassen auf dem Tisch in seinem Schreck, ich hab's erst später bemerkt und wollt's ihm noch nachtragen. Aber da war er schon hinabgestolpert zur Tür. Und weiter auf die Straßen hätt ich mich nicht traut; denn an die Tür hat sich der Herr Gurtner hingstellt und ihm nachgschrien, daß die Leut stehenblieben und zusammengelaufen sind. Ja, eine Schand war's, gschämt hab ich mich bis in die unterste Seel! So was hätt nicht passieren können bei dem alten Herrn Standhartner, daß man einen ausjagt nur wegen ein paar Semmeln, bei dem hätt er umsonst essen können noch sein Leben lang. Aber die Leute von heut, die haben ja kein Herz. Einen wegzutreiben, der über dreißig Jahre wo gsessen ist Tag für Tag — wirklich, eine Schand war's, und ich möcht's nicht zu verantworten haben vor dem lieben Gott — ich nicht.»

Ganz aufgeregt war sie geworden, die gute Frau, und mit der leidenschaftlichen Geschwätzigkeit des Alters wiederholte sie immer wieder das von der Schand und vom Herrn Standhartner, der so was nicht imstande gewesen wäre. So mußte ich sie schließlich fragen, was denn aus unserm Mendel geworden sei und ob sie ihn wiedergesehen. Da rappelte sie sich zusammen und wurde noch erregter. «Jeden Tag, wenn ich vorübergangen bin an seinem Tisch, jedesmal, das können S' mir glauben, hat's mir einen Stoß geben. Immer hab ich denken müssen, wo mag er jetzt sein, der arme Herr Mendel, und wenn ich gwußt hätt, wo er wohnt, ich wär hin, ihm was Warmes bringen; denn wo hätt er denn das Geld hernehmen sollen zum Heizen und zum Essen? Und Verwandte hat er auf der Welt, soviel ich weiß, niemanden gehabt. Aber schließlich, wie ich immer und immer nix gehört hab, da hab ich mir schon denkt, es muß vorbei mit ihm sein, und ich würd ihn nimmer sehen. Und schon hab ich überlegt, ob ich nicht sollt eine Messe für ihn lesen lassen; denn ein guter Mensch war er, und man hat sich doch gekannt, mehr als fünfundzwanzig Jahr.

Aber einmal in der Früh, um halb acht Uhr im Februar, ich putz grad das Messing an die Fensterstangen, auf einmal (ich mein, mich trifft der Schlag), auf einmal tut sich die Tür auf, und herein kommt der Mendel. Sie wissen ja: immer ist er so schief und verwirrt hereingschoben, aber diesmal war's noch irgendwie anders. Ich merk gleich, den reißt's hin und her, ganz glanzige Augen hat er gehabt und, mein Gott, wie er ausgschaut hat, nur Bein und Bart! Sofort kommt's mir entrisch vor, wie ich ihn so seh: ich denk mir gleich, der weiß von nichts, der geht am hellichten Tag umeinand als ein Schlafeter, der hat alles vergessen, das von die Semmeln und das vom Herrn Gurtner und wie schandbar sie ihn hinausgschmissen haben, der weiß nichts von sich selber. Gott sei Dank! der Herr Gurtner war noch nicht da, und der Oberkellner hat grad seinen Kaffee trunken. Da spring ich rasch hin, damit ich ihm klarmach, er soll nicht dableiben, sich nicht noch einmal hinauswerfen lassen von dem rohen Kerl» (und dabei sah sie sich scheu um und korrigierte rasch) — «ich mein, vom Herrn Gurtner. Also ‚Herr Mendel', ruf ich ihn an. Er starrt auf. Und da, in dem Augenblick, mein Gott, schrecklich war das, in dem Augenblick muß er sich an alles erinnert habn; denn er fahrt sofort zusammen und fangt an zu zittern, aber nicht bloß mit die Finger zittert er, nein, als ein Ganzer hat er gescheppert, daß man's bis an die Schultern kennt hat, und schon stolpert er wieder rasch auf die Tür zu. Dort ist er dann zusammgfallen. Wir haben gleich um die Rettungsgesellschaft telephoniert, und die hat ihn weggeführt, fiebrig, wie er war. Am Abend ist er gestorben, Lungenentzündung, hochgradige, hat der Doktor gesagt, und auch, daß er schon damals nicht mehr recht gewußt hat von sich, wie er noch einmal zu uns kommen ist. Es hat ihn halt nur so hergetrieben, als einen Schlafeten. Mein Gott, wenn man sechsunddreißig Jahr einmal wo gesessen ist jeden Tag, dann ist eben so ein Tisch einem sein Zuhaus.»

Wir sprachen noch lange von ihm, die beiden letzten, die diesen sonderbaren Menschen gekannt, ich, dem er als jungem Mann trotz seiner mikrobenhaft winzigen Existenz die erste Ahnung eines vollkommen umschlossenen Lebens im Geiste gegeben — sie, die arme, abgeschundene Toilettenfrau, die nie ein Buch gelesen, die diesem Kameraden ihrer untern armen Welt nur verbunden war, weil sie ihm durch fünfundzwanzig Jahre den Mantel gebürstet und die Knöpfe angenäht hatte.

Und doch, wir verstanden einander wunderbar gut an seinem alten, verlassenen Tisch in der Gemeinschaft des vereint heraufbeschworenen Schattens; denn Erinnerung verbindet immer, und zwiefach jede Erinnerung in Liebe. Plötzlich, mitten im Schwatzen, besann sie sich: «Jessas, wie ich vergessig bin — das Buch hab ich ja noch, das was er damals am Tisch liegen lassen hat. Wo hätt ich's ihm denn hintragen sollen? Und nachher, wie sich niemand gemeldt hat, nachher hab ich gmeint, ich dürft's mir behalten als Andenken. Nicht war, da ist doch nix Unrechts dabei?» Hastig brachte sie's heran aus ihrem rückwärtigen Verschlag. Und ich hatte Mühe, ein kleines Lächeln zu unterdrücken; denn gerade dem Erschütternden mengt das immer spielfreudige und manchmal ironische Schicksal das Komische gerne boshaft zu. Es war der zweite Band von Hayns Bibliotheca Germanorum erotica et curiosa, das jedem Buchsammler wohlbekannte Kompendium galanter Literatur. Gerade dies skabröse Verzeichnis — habent sua fata libelli — war als letztes Vermächtnis des hingegangenen Magiers zurückgefallen in diese abgemürbten, rot aufgesprungenen, unwissenden Hände, die wohl nie ein anderes als das Gebetbuch gehalten. Ich hatte Mühe, meine Lippen festzuklemmen gegen das unwillkürlich von innen aufdrängende Lächeln, und dies kleine Zögern verwirrte die brave Frau. Ob's am Ende was Kostbares wär, oder ob ich meinte, daß sie's behalten dürft?

Ich schüttelte ihr herzlich die Hand. «Behalten Sie's nur ruhig, unser alter Freund Mendel hätte nur Freude, daß wenigstens einer von den vielen Tausenden, die ihm ein Buch danken, sich noch seiner erinnert.» Und dann ging ich und schämte mich vor dieser braven alten Frau, die in einfältiger und doch menschlichster Art diesem Toten treu geblieben. Denn sie, die Unbelehrte, sie hatte wenigstens ein Buch bewahrt, um seiner besser zu gedenken, ich aber, ich hatte jahrelang Buchmendel vergessen, gerade ich, der ich doch wissen sollte, daß man Bücher nur schafft, um über den eigenen Atem hinaus sich Menschen zu verbinden und sich so zu verteidigen gegen den unerbittlichen Widerpart alles Lebens: Vergänglichkeit und Vergessensein.

EPISODE AM GENFER SEE

Am Ufer des Genfer Sees, in der Nähe des kleinen Schweizer Ortes Villeneuve, wurde in einer Sommernacht des Jahres 1918 ein Fischer, der sein Boot auf den See hinausgerudert hatte, eines merkwürdigen Gegenstandes mitten auf dem Wasser gewahr, und näherkommend erkannte er ein Gefährt aus lose zusammengefügten Balken, das ein nackter Mann in ungeschickten Bewegungen mit einem als Ruder verwendeten Brett vorwärts zu treiben suchte. Staunend steuerte der Fischer heran, half dem Erschöpften in sein Boot, deckte seine Blöße notdürftig mit Netzen und versuchte dann, mit dem frostzitternden, scheu in den Winkel des Bootes gedrückten Menschen zu sprechen; der aber antwortete in einer fremdartigen Sprache, von der nicht ein einziges Wort der seinen glich. Bald gab der Hilfreiche jede weitere Mühe auf, raffte seine Netze empor und ruderte mit rascheren Schlägen dem Ufer zu.

In dem Maße, als im frühen Licht die Umrisse des Ufers aufglänzten, begann sich auch das Antlitz des nackten Menschen zu erhellen; ein kindliches Lachen schälte sich aus dem Bartgewühl seines breiten Mundes, die eine Hand hob sich deutend hinüber, und immer wieder fragend und halb schon gewiß, stammelte er ein Wort, das wie «Rossiya» klang und immer glückseliger tönte, je näher der Kiel sich dem Ufer entgegenstieß. Endlich knirschte das Boot auf den Strand; des Fischers weibliche Anverwandte, die auf nasse Beute harrten, stoben kreischend, wie einst die Mägde Nausikaas, auseinander, da sie des nackten Mannes im Fischernetz ansichtig wurden; allmählich erst, von der seltsamen Kunde angelockt, sammelten sich verschiedene Männer des Dorfes, denen sich alsbald würdebewußt und amtseifrig der wackere Weibel des Ortes zugesellte. Ihm war es aus mancher Instruktion und der reichen Erfahrung der Kriegszeit sofort gewiß, daß dies ein Deserteur sein müsse, vom französischen Ufer herübergeschwommen, und schon rüstete er sich zu amtlichem Verhör, aber dieser umständliche Versuch verlor baldigst an Würde und Wert durch die Tatsache, daß der nackte Mensch (dem inzwischen einige der Bewohner eine Jacke und eine Zwilchhose zugeworfen) auf alle Fragen nichts als immer ängstlicher und unsicherer seinen fragenden Ausruf «Rossiya? Rossiya?» wiederholte. Ein wenig ärgerlich über seinen Mißerfolg, befahl der Weibel dem Fremden durch nicht mißzuverstehende Gebärden, ihm zu folgen, und, umjohlt von der inzwischen erwachten Gemeindejugend, wurde der nasse, nacktbeinige Mensch in seiner schlotternden Hose und Jacke auf das Amthaus gebracht und dort in Verwahr genommen. Er wehrte sich nicht, sprach kein Wort, nur seine hellen Augen waren dunkel geworden vor Enttäuschung, und seine hohen Schultern duckten sich wie unter gefürchtetem Schlage.

Die Kunde von dem menschlichen Fischfang hatte sich inzwischen bis zu den nahen Hotels verbreitet, und einer ergötzlichen Episode in der Eintönigkeit des Tages froh, kamen einige Damen und Herren herüber, den wilden Menschen zu betrachten. Eine Dame schenkte ihm Konfekt, das er mißtrauisch wie ein Affe liegen ließ; ein Herr machte eine photographische Aufnahme, alle schwatzten und sprachen lustig um ihn herum, bis endlich der Manager eines großen Gasthofes, der lange im Ausland gelebt hatte und mehrerer Sprachen mächtig war, an den schon ganz Verängstigten nacheinander auf deutsch, italienisch, englisch und schließlich russisch das Wort richtete. Kaum hatte er den ersten Laut seiner heimischen Sprache vernommen, zuckte der Verängstigte auf, ein breites Lachen teilte sein gutmütiges Gesicht von einem Ohr zum andern, und plötzlich sicher und freimütig erzählte er seine ganze Geschichte. Sie war sehr lang und sehr verworren, in ihren Einzelberichten auch nicht immer dem zufälligen Dolmetsch verständlich, doch war im wesentlichen das Schicksal dieses Menschen das folgende:

Er hatte in Rußland gekämpft, war dann eines Tages mit tausend andern in Waggons verpackt worden und sehr weit gefahren, dann wieder in Schiffe verladen und noch länger mit ihnen gefahren durch Gegenden, wo es so heiß war, daß, wie er sich ausdrückte, einem die Knochen im Fleisch weichgebraten wurden. Schließlich waren sie irgendwo wieder gelandet und in Waggons verpackt worden und hatten dann mit einemmal einen Hügel zu stürmen, worüber er nichts Näheres wußte, weil ihn gleich zu Anfang eine Kugel ins Bein getroffen habe. Den Zuhörern, denen der Dolmetsch Rede und Antwort übersetzte, war sofort klar, daß dieser Flüchtling ein Angehöriger jener russischen Divisionen in Frankreich war, die man über die halbe Erde, über Sibirien und Wladiwostok an die französische Front geschickt hatte, und es regte sich mit einem gewissen Mitleid bei allen gleichzeitig die Neugier, was ihn vermocht habe, diese seltsame Flucht zu versuchen. Mit halb gutmütigem, halb listigem Lächeln erzählte bereitwillig der

Russe, kaum genesen, habe er die Pfleger gefragt, wo Rußland sei, und sie hätten ihm die Richtung gedeutet, die er durch die Stellung der Sonne und der Sterne sich ungefähr bewahrt hatte, und so sei er heimlich entwichen, nachts wandernd, tagsüber vor den Patrouillen in Heuschobern sich versteckend. Gegessen habe er Früchte und gebetteltes Brot, zehn Tage lang, bis er endlich an diesen See gekommen. Nun wurden seine Erklärungen undeutlicher; es schien, daß er, aus der Nähe des Baikalsees stammend, vermeint hatte, am andern Ufer, dessen bewegte Linien er im Abendlicht erblickte, müsse Rußland liegen. Jedenfalls hatte er sich aus einer Hütte zwei Balken gestohlen und war auf ihnen, bäuchlings liegend, mit Hilfe eines als Ruder benützten Brettes weit in den See hinausgekommen, wo ihn der Fischer auffand. Die ängstliche Frage, mit der er seine unklare Erzählung beschloß, ob er schon morgen daheim sein könne, erweckte, kaum übersetzt, durch ihre Unbelehrtheit erst lautes Gelächter, das aber bald gerührtem Mitleid wich, und jeder steckte dem unsicher und kläglich um sich Blickenden ein paar Geldmünzen oder Banknoten zu.

Inzwischen war auf telephonische Verständigung aus Montreux ein höherer Polizeioffizier erschienen, der mit nicht geringer Mühe ein Protokoll über den Vorfall aufnahm. Denn nicht nur, daß der zufällige Dolmetsch sich als unzulänglich erwies, bald wurde auch die für Westländer gar nicht faßbare Unbildung dieses Menschen klar, dessen Wissen um sich selbst kaum den eigenen Vornamen Boris überschritt und der von seinem Heimatdorf nur äußerst verworrene Darstellungen zu geben vermochte, etwa, daß sie Leibeigene des Fürsten Metschersky seien (er sagte Leibeigene, obwohl doch seit einem Menschenalter diese Fron abgeschafft war) und daß er fünfzig Werst vom großen See entfernt mit seiner Frau und drei Kindern wohne. Nun begann die Beratung über sein Schicksal, indes er mit stumpfem Blick geduckt inmitten der Streitenden stand: die einen meinten, man müsse ihn der russischen Gesandtschaft nach Bern überweisen, andere befürchteten von solcher Maßnahme eine Rücksendung nach Frankreich; der Polizeibeamte erläuterte die ganze Schwierigkeit der Frage, ob er als Deserteur oder als dokumentenloser Ausländer behandelt werden solle; der Gemeindeschreiber des Ortes wehrte gleich von vornherein die Möglichkeit ab, daß man gerade hier den fremden Esser zu ernähren und zu beherbergen hätte. Ein Franzose schrie erregt, man solle mit dem elenden Durchbrenner nicht so viel Geschichten machen, er solle arbeiten oder zurückspediert werden; zwei Frauen wandten heftig ein, er sei nicht schuld an seinem Unglück, es sei ein Verbrechen, Menschen aus ihrer Heimat in ein fremdes Land zu verschicken. Schon drohte sich aus dem zufälligen Anlaß ein politischer Zwist zu entspinnen, als plötzlich ein alter Herr, ein Däne, dazwischenfuhr und energisch erklärte, er bezahle den Unterhalt dieses Menschen für acht Tage, inzwischen sollten die Behörden mit der Gesandtschaft ein Übereinkommen treffen; eine unerwartete Lösung, welche sowohl die amtlichen als auch die privaten Parteien zufriedenstellte.

Während der immer erregter werdenden Diskussion hatte sich der scheue Blick des Flüchtlings allmählich erhoben und hing unverwandt an den Lippen des Managers, des einzigen innerhalb dieses Getümmels, von dem er wußte, daß er ihm verständlich sein Schicksal sagen könne. Dumpf schien er den Wirbel zu spüren, den seine

Gegenwart erregte, und ganz unbewußt hob er, als jetzt der Wortlärm abschwoll, durch die Stille beide Hände flehentlich gegen ihn auf, wie Frauen vor einem heiligen Bild. Das Rührende dieser Gebärde ergriff unwiderstehlich jeden einzelnen. Der Manager trat herzlich auf ihn zu und beruhigte ihn, er möge ohne Angst sein, er könne unbehelligt hier verweilen, im Gasthof würde die nächste Zeit über für ihn gesorgt werden. Der Russe wollte ihm die Hand küssen, die ihm jedoch der andere rücktretend rasch entzog. Dann wies er ihm noch das Nachbarhaus, eine kleine Dorfwirtschaft, wo er Bett und Nahrung finden würde, sprach nochmals zu ihm einige herzliche Worte der Beruhigung und ging dann, ihm noch einmal freundlich zuwinkend, die Straße zu seinem Hotel empor.

Unbeweglich starrte der Flüchtling ihm nach, und in dem Maße, wie der einzige, der seine Sprache verstand, sich entfernte, verdüsterte sich wieder sein schon erhellteres Gesicht. Mit zehrenden Blicken folgte er dem Entschwindenden bis hinauf zu dem hochgelegenen Hotel, ohne die andern Menschen zu beachten, die sein seltsames Gehaben bestaunten und belachten. Als ihn dann einer mitleidig anrührte und in den Gasthof wies, fielen seine schweren Schultern gleichsam in sich zusammen, und gesenkten Hauptes trat er in die Tür. Man öffnete ihm das Schankzimmer. Er drückte sich an den Tisch, auf den die Magd zum Gruß ein Glas Branntwein stellte, und blieb dort verhangenen Blicks den ganzen Vormittag unbeweglich sitzen. Unablässig spähten vom Fenster die Dorfkinder herein, lachten und schrien ihm etwas zu — er hob den Kopf nicht. Eintretende betrachteten ihn neugierig, er blieb, den Blick auf den Tisch gebannt, mit krummem Rücken sitzen, schamhaft und scheu. Und als mittags zur Essenszeit ein Schwarm Leute den Raum mit Lachen füllte, hunderte Worte um ihn schwirrten, die er nicht verstand, und er, seiner Fremdheit entsetzlich gewahr, taub und stumm inmitten einer allgemeinen Bewegtheit saß, zitterten ihm die Hände so sehr, daß er kaum den Löffel aus der Suppe heben konnte. Plötzlich lief eine dicke Träne die Wange herunter und tropfte schwer auf den Tisch. Scheu sah er sich um. Die andern hatten sie bemerkt und schwiegen mit einemmal. Und er schämte sich: immer tiefer beugte sich sein schwerer, struppiger Kopf gegen das schwarze Holz.

Bis gegen Abend blieb er so sitzen. Menschen gingen und kamen, er fühlte sie nicht und sie nicht mehr ihn: ein Stück Schatten, saß er im Schatten des Ofens, die Hände schwer auf den Tisch gestützt. Alle vergaßen ihn, und keiner merkte darauf, daß er sich in der Dämmerung plötzlich erhob und, dumpf wie ein Tier, den Weg zum Hotel hinaufschritt. Eine Stunde und zwei stand er dort vor der Tür, die Mütze devot in der Hand, ohne jemanden mit dem Blick anzurühren: endlich fiel diese seltsame Gestalt, die starr und schwarz wie ein Baumstrunk vor dem lichtfunkelnden Eingang des Hotels im Boden wurzelte, einem der Laufburschen auf, und er holte den Manager. Wieder stieg eine kleine Helligkeit in dem verdüsterten Gesicht auf, als seine Sprache ihn grüßte.

«Was willst du, Boris?» fragte der Manager gütig.

«Ihr wollt verzeihen», stammelte der Flüchtling, «ich wollte nur wissen ... ob ich nach Hause darf».

«Gewiß, Boris, du darfst nach Hause», lächelte der Gefragte.

«Morgen schon?»

Nun ward auch der andere ernst. Das Lächeln verflog auf seinem Gesicht, so flehentlich waren die Worte gesagt.

«Nein, Boris ... jetzt noch nicht. Bis der Krieg vorbei ist.»

«Und wann? Wann ist der Krieg vorbei?»

«Das weiß Gott. Wir Menschen wissen es nicht.»

«Und früher? Kann ich nicht früher gehen?»

«Nein, Boris.»

«Ist es so weit?»

«Ja.»

«Viele Tage noch?»

«Viele Tage.»

«Ich werde doch gehen, Herr! Ich bin stark. Ich werde nicht müde.»

«Aber du kannst nicht, Boris. Es ist noch eine Grenze dazwischen.»

«Eine Grenze?» Er blickte stumpf. Das Wort war ihm fremd. Dann sagte er wieder mit seiner merkwürdigen Hartnäckigkeit: «Ich werde hinüberschwimmen.»

Der Manager lächelte beinahe. Aber es tat ihm doch weh, und er erläuterte sanft: «Nein, Boris, das geht nicht. Eine Grenze, das ist fremdes Land. Die Menschen lassen dich nicht durch.»

«Aber ich tue ihnen doch nichts! Ich habe mein Gewehr weggeworfen. Warum sollen sie mich nicht zu meiner Frau lassen, wenn ich sie bitte um Christi willen?»

Dem Manager wurde immer ernster zumute. Bitterkeit stieg in ihm auf. «Nein», sagte er, «sie werden dich nicht hinüberlassen, Boris. Die Menschen hören jetzt nicht mehr auf Christi Wort».

«Aber was soll ich tun, Herr? Ich kann doch hier nicht bleiben! Die Menschen verstehen mich hier nicht, und ich verstehe sie nicht.»

«Du wirst es schon lernen, Boris.»

«Nein, Herr», tief bog der Russe den Kopf, «ich kann nichts lernen. Ich kann nur auf dem Feld arbeiten, sonst kann ich nichts. Was soll ich hier tun? Ich will nach Hause! Zeige mir den Weg!»

«Es gibt jetzt keinen Weg, Boris.»

«Aber, Herr, sie können mir doch nicht verbieten, zu meiner Frau heimzukehren und zu meinen Kindern! Ich bin doch nicht mehr Soldat!»

«Sie können es, Boris.»

«Und der Zar?» Er fragte es ganz plötzlich, zitternd vor Erwartung und Ehrfurcht.

«Es gibt keinen Zaren mehr, Boris. Die Menschen haben ihn abgesetzt.»

«Es gibt keinen Zaren mehr?» Dumpf starrte er den andern an. Ein letztes Licht erlosch in seinen Blicken, dann sagte er ganz müde: «Ich kann also nicht nach Hause?»

«Jetzt noch nicht. Du mußt warten, Boris.»

«Lange?»

«Ich weiß nicht.»

Immer düsterer wurde das Gesicht im Dunkel: «Ich habe schon so lange gewartet! Ich kann nicht mehr warten. Zeig mir den Weg! Ich will es versuchen!»

«Es gibt keinen Weg, Boris. An der Grenze nehmen sie dich fest. Bleib hier, wir werden dir Arbeit finden!»

«Die Menschen verstehen mich hier nicht, und ich verstehe sie nicht», wiederholte er hartnäckig. «Ich kann hier nicht leben! Hilf mir, Herr!»

«Ich kann nicht Boris.»

«Hilf mir um Christi willen, Herr! Hilf mir, ich ertrag es nicht mehr!»

«Ich kann nicht, Boris. Kein Mensch kann jetzt dem andern helfen.»

Sie standen stumm einander gegenüber. Boris drehte die Mütze in den Händen. «Warum haben sie mich dann aus dem Haus geholt? Sie sagten, ich müsse Rußland verteidigen und den Zaren. Aber Rußland ist doch weit von hier, und du sagst, sie haben den Zaren ... wie sagst du?»

«Abgesetzt.»

«Abgesetzt.» Verständnislos wiederholte er das Wort. «Was soll ich jetzt tun, Herr? Ich muß nach Hause! Meine Kinder schreien nach mir. Ich kann hier nicht leben! Hilf mir, Herr! Hilf mir!»

«Ich kann nicht, Boris.»

«Und kann niemand mir helfen?»

«Jetzt niemand.»

Der Russe beugte immer tiefer das Haupt, dann sagte er plötzlich dumpf: «Ich danke dir, Herr», und wandte sich um.

Ganz langsam ging er den Weg hinunter. Der Manager sah ihm lange nach und wunderte sich noch, daß er nicht dem Gasthof zuschritt, sondern die Stufen hinab zum See. Er seufzte tief auf und ging wieder an seine Arbeit im Hotel.

Ein Zufall wollte es, daß derselbe Fischer am nächsten Morgen den nackten Leichnam des Ertrunkenen auffand. Er hatte sorgsam die geschenkte Hose, Mütze und Jacke an das Ufer gelegt und war ins Wasser gegangen, wie er aus ihm gekommen. Ein Protokoll wurde über den Vorfall aufgenommen und, da man den Namen des Fremden nicht kannte, ein billiges Holzkreuz auf sein Grab gestellt, eines jener kleinen Kreuze über namenlosem Schicksal, mit denen jetzt unser Europa bedeckt ist von einem bis zum andern Ende.

PHANTASTISCHE NACHT

Die nachfolgenden Aufzeichnungen fanden sich als versiegeltes Paket im Schreibtisch des Barons Friedrich Michael von R . . ., nachdem er im Herbst 1914 als österreichischer Reserveoberleutnant bei einem Dragonerregiment in der Schlacht bei Rawaruska gefallen war. Da die Familie nach der Titelüberschrift und bloß flüchtigem Einblick in diesen Blättern nur eine literarische Arbeit ihres Verwandten vermutete, übergaben sie mir die Aufzeichnungen zur Prüfung und stellten mir ihre Veröffentlichung anheim. Ich persönlich halte diese Blätter nun durchaus nicht für eine erfundene Erzählung, sondern für ein wirkliches, in allen Einzelheiten tatsächliches Erlebnis des Gefallenen und veröffentliche unter Unterdrükkung des Namens seine seelische Selbstenthüllung ohne jede Änderung und Beifügung.

*

Heute morgens überkam mich plötzlich der Gedanke, ich sollte das Erlebnis jener phantastischen Nacht für mich niederschreiben, um die ganze Begebenheit in ihrer natürlichen Reihenfolge einmal geordnet zu überblicken. Und seit dieser jähen Sekunde fühle ich einen unerklärlichen Zwang, mir im geschriebenen Wort jenes Abenteuer darzustellen, obzwar ich bezweifle, auch nur annähernd die Sonderbarkeit der Vorgänge schildern zu können. Mir fehlt jede sogenannte künstlerische Begabung, ich habe keinerlei Übung in literarischen Dingen, und abgesehen von einigen mehr scherzhaften Produkten im Theresianum, habe ich mich nie im Schriftstellerischen versucht. Ich weiß zum Beispiel nicht einmal, ob es eine besonders erlernbare Technik gibt, um die Aufeinanderfolge von äußern Dingen und ihre gleichzeitige innere Spiegelung zu ordnen, frage mich auch, ob ich es vermag, dem Sinn immer das rechte Wort, dem Wort den rechten Sinn zu geben und so jene Balance zu gewinnen, die ich von je bei jedem rechten Erzähler im Lesen unbewußt spürte. Aber ich schreibe diese Zeilen ja nur für mich, und sie sind keineswegs bestimmt, etwas, was ich kaum mir selber zu erklären vermag, andern verständlich zu machen. Sie sind nur ein Versuch, mit irgendeinem Geschehnis, das mich ununterbrochen beschäftigt und in schmerzhaft quellender Gärung bewegt, in einem gewissen Sinne endlich einmal fertig zu werden, es festzulegen, vor mich hinzustellen und von allen Seiten zu umfassen.

Ich habe von dieser Begebenheit keinem meiner Freunde erzählt, eben aus jenem Gefühl, ich könnte ihnen das Wesentliche daran nicht verständlich machen, und dann auch aus einer gewissen Scham, von einer so zufälligen Angelegenheit dermaßen erschüttert und umgewühlt worden zu sein. Denn das Ganze ist eigentlich nur ein kleines Erlebnis. Aber wie ich dies Wort jetzt hinschreibe, beginne ich schon zu bemerken, wie schwer es für einen Ungeübten wird, beim Schreiben die Worte in ihrem rechten Gewicht zu wählen, und welche Zweideutigkeit, welche Mißverständnismöglichkeit sich an das einfachste Vokabel knüpft. Denn wenn ich mein Erlebnis ein «kleines» nenne, so meine ich dies natürlich nur im relativen Sinn, im Gegensatz zu den gewaltigen dramatischen

Geschehnissen, von denen ganze Völker und Schicksale mitgerissen werden, und meine es andererseits im zeitlichen Sinne, weil der ganze Vorgang keinen größeren Raum umspannt als knappe sechs Stunden. Für mich aber war dies — im allgemeinen Sinn also kleine, unbedeutsame und unwichtige — Erlebnis so ungeheuer viel, daß ich heute — vier Monate nach jener phantastischen Nacht — noch davon glühe und alle meine geistigen Kräfte anspannen muß, um es in meiner Brust zu bewahren. Täglich, stündlich wiederhole ich mir alle seine Einzelheiten, denn es ist gewissermaßen der Drehpunkt meiner ganzen Existenz geworden, alles, was ich tue und rede, ist unbewußt von ihm bestimmt, meine Gedanken beschäftigen sich einzig damit, sein plötzliches Geschehen immer und immer wieder zu wiederholen und durch dieses Wiederholen mir als Besitz zu bestätigen. Und jetzt weiß ich auch mit einemmal, was ich vor zehn Minuten, da ich die Feder ansetzte, bewußt noch nicht ahnte: daß ich mir dies Erlebnis nur deshalb jetzt hinschreibe, um es ganz sicher und gleichsam sachlich fixiert vor mir zu haben, es noch einmal nachzugenießen im Gefühl und gleichzeitig geistig zu erfassen. Es ist ganz falsch, ganz unwahr, wenn ich vorhin sagte, ich wollte damit fertig werden, indem ich es niederschreibe, im Gegenteil, ich will das zu rasch Gelebte nur noch lebendiger haben, es neben mich warm und atmend stellen, um es immer und immer umfangen zu können. Oh, ich habe keine Angst, auch nur eine Sekunde jenes schwülen Nachmittags, jener phantastischen Nacht zu vergessen, ich brauche kein Merkzeichen, keine Meilensteine, um in der Erinnerung den Weg jener Stunden Schritt für Schritt zurückzugehen: wie ein Traumwandler finde ich jederzeit mitten im Tage, mitten in der

Nacht in seine Sphäre zurück, und jede Einzelheit sehe ich darin mit jener Hellsichtigkeit, die nur das Herz kennt und nicht das weiche Gedächtnis. Ich könnte hier ebensogut auf das Papier die Umrisse jedes einzelnen Blattes in der frühlingshaft ergrünten Landschaft hinzeichnen, ich spüre jetzt im Herbst noch ganz lind das weiche staubige Qualmen der Kastanienblüten; wenn ich also noch einmal diese Stunden beschreibe, so geschieht es nicht aus Furcht, sie zu verlieren, sondern aus Freude, sie wiederzufinden. Und wenn ich jetzt in der genauen Aufeinanderfolge mir die Wandlungen jener Nacht darstelle, so werde ich um der Ordnung willen an mich halten müssen, denn immer schwillt, kaum daß ich an die Einzelheiten denke, eine Ekstase aus meinem Gefühl empor, eine Art Trunkenheit faßt mich, und ich muß die Bilder der Erinnerung stauen, daß sie nicht, ein farbiger Rausch, ineinanderstürzen. Noch immer erlebe ich mit leidenschaftlicher Feurigkeit das Erlebte, jenen Tag, jenen 7. Juni 1913, da ich mir mittags einen Fiaker nahm...

Aber noch einmal, spüre ich, muß ich innehalten, denn schon wieder werde ich erschreckt der Zweischneidigkeit, der Vieldeutigkeit eines einzelnen Wortes gewahr. Jetzt, da ich zum ersten Male im Zusammenhange etwas erzählen soll, merke ich erst, wie schwer es ist, jenes Gleitende, das doch alles Lebendige bedeutet, in einer geballten Form zu fassen. Eben habe ich «ich» hingeschrieben, habe gesagt, daß ich am 7. Juni 1913 mir mittags einen Fiaker nahm. Aber dies Wort wäre schon eine Undeutlichkeit, denn jenes «Ich» von damals, von jenem 7. Juni, bin ich längst nicht mehr, obwohl erst vier Monate seitdem vergangen sind, obwohl ich in der Wohnung dieses damaligen «Ich» wohne und an seinem Schreibtisch mit seiner Feder und seiner eigenen Hand schreibe. Von diesem damaligen Menschen bin ich, und gerade durch jenes Erlebnis, ganz abgelöst, ich sehe ihn jetzt von außen, ganz fremd und kühl, und kann ihn schildern wie einen Spielgenossen, einen Kameraden, einen Freund, von dem ich vieles und Wesentliches weiß, der ich aber doch selbst durchaus nicht mehr bin. Ich könnte über ihn sprechen, ihn tadeln oder verurteilen, ohne überhaupt zu empfinden, daß er mir einst zugehört hat.

Der Mensch, der ich damals war, unterschied sich in wenigem äußerlich und innerlich von den meisten seiner Gesellschaftsklasse, die man besonders bei uns in Wien die «gute Gesellschaft» ohne besonderen Stolz, sondern ganz als selbstverständlich zu bezeichnen pflegt. Ich ging in das sechsunddreißigste Jahr, meine Eltern waren früh gestorben und hatten mir knapp vor meiner Mündigkeit ein Vermögen hinterlassen, das sich als reichlich genug erwies, um von nun ab den Gedanken an Erwerb und Karriere gänzlich mir zu erübrigen. So wurde mir unvermutet eine Entscheidung abgenommen, die mich damals sehr beunruhigte. Ich hatte nämlich gerade meine Universitätsstudien vollendet und stand vor der Wahl meines zukünftigen Berufes, der wahrscheinlich dank unserer Familienbeziehungen und meiner schon früh vortretenden Neigung zu einer ruhig ansteigenden und kontemplativen Existenz auf den Staatsdienst gefallen wäre, als dies elterliche Vermögen an mich als einzigen Erben fiel und mir eine plötzliche arbeitslose Unabhängigkeit zusicherte, selbst im Rahmen weitgespannter und sogar luxuriöser Wünsche. Ehrgeiz hatte mich nie bedrängt, so beschloß ich, einmal dem Leben erst ein paar Jahre zuzusehen und zu warten, bis es mich schließlich verlocken würde, mir selbst einen Wirkungskreis zu finden. Es blieb aber bei diesem Zuschauen und Warten, denn da ich nichts Sonderliches begehrte, erreichte ich alles im engen Kreis meiner Wünsche; die weiche und wollüstige Stadt Wien, die wie keine andere das Spazierengehen, das nichtstuerische Betrachten, das Elegantsein zu einer geradezu künstlerischen Vollendung, zu einem Lebenszweck heranbildet, ließ mich die Absicht einer wirklichen Betätigung ganz vergessen. Ich hatte alle Befriedigung eines eleganten, adeligen, vermögenden, hübschen und dazu noch ehrgeizlosen jungen Mannes, die ungefährlichen Spannungen des Spiels, der Jagd, die regelmäßigen Auffrischungen der Reisen und Ausflüge, und bald begann ich diese beschauliche Existenz immer mehr mit wissender Sorgfalt und künstlerischer Neigung auszubauen. Ich sammelte seltene Gläser, weniger aus einer inneren Leidenschaft als aus der Freude, innerhalb einer anstrengungslosen Betätigung Geschlossenheit und Kenntnis zu erreichen, ich schmückte meine Wohnung mit einer besonderen Art italienischer Barockstiche und mit Landschaftsbildern in der Art des Canaletto, die bei Trödlern zusammenzufinden oder bei Auktionen zu erstehen voll einer jagdmäßigen und doch nicht gefährlichen Spannung war, ich trieb mancherlei mit Neigung und immer mit Geschmack, fehlte selten bei guter Musik und in den Ateliers unserer Maler. Bei Frauen mangelte es mir nicht an Erfolg, auch hier hatte ich mit dem geheimen sammlerischen Trieb, der irgendwie auf innere Unbeschäftigtheit deutet, mir vielerlei erinnerungswerte und kostbare Stunden des Erlebens aufgehäuft, und hier allmählich vom bloßen Genießer mich zum wissenden Kenner steigernd. Im ganzen hatte ich viel erlebt, was mir angenehm den Tag füllte und meine

Existenz mich als eine reiche empfinden ließ, und immer mehr begann ich diese laue, wohlige Atmosphäre einer gleichzeitig belebten und doch nie erschütterten Jugend zu lieben, fast ohne neue Wünsche schon, denn ganz geringe Dinge vermochten sich schon in der windstillen Luft meiner Tage zu einer Freude zu entfalten. Eine gutgewählte Krawatte konnte mich fast schon froh machen, ein schönes Buch, ein Automobilausflug oder eine Stunde mit einer Frau mich restlos beglücken. Ganz besonders wohl tat mir in dieser meiner Daseinsform, daß sie in keiner Weise, ganz wie ein tadellos korrekter englischer Anzug, in keiner Weise der Gesellschaft auffiel. Ich glaube, man empfand mich als eine angenehme Erscheinung, ich war beliebt und gerne gesehen, und die meisten, die mich kannten, nannten mich einen glücklichen Menschen.

Ich weiß jetzt nicht mehr zu sagen, ob jener Mensch von damals, den ich mir zu vergegenwärtigen trachte, sich selbst so wie jene andern als einen Glücklichen empfand; denn nun, wo ich aus jenem Erlebnis für jedes Gefühl einen viel volleren und erfüllteren Sinn fordere, scheint mir jede rückerinnernde Wertung fast unmöglich. Doch vermag ich mit Gewißheit zu sagen, daß ich mich zu jener Zeit keineswegs als unglücklich empfand, blieben doch fast nie meine Wünsche unerfüllt und meine Anforderungen an das Leben unerwidert. Aber gerade dies, daß ich mich daran gewöhnt hatte, alles Geforderte vom Schicksal zu empfangen und darüber hinaus nichts mehr ihm abzufordern, gerade dies zeitigte allmählich einen gewissen Mangel an Spannung, eine Unlebendigkeit im Leben selbst. Was sich damals unbewußt in manchen Augenblicken der Halberkenntnis in mir sehnsüchtig regte: es waren nicht eigentlich Wünsche, sondern nur der Wunsch nach Wünschen, das Verlangen, stärker, unbändiger, ehrgeiziger, unbefriedigter zu begehren, mehr zu leben und vielleicht auch zu leiden. Ich hatte aus meiner Existenz durch eine allzu vernünftige Technik alle Widerstände ausgeschaltet, und an diesem Fehlen der Widerstände erschlaffte meine Vitalität. Ich merkte, daß ich immer weniger, immer schwächer begehrte, daß eine Art Erstarrung in mein Gefühl gekommen war, daß ich — vielleicht ist es am besten so ausgedrückt — an einer seelischen Impotenz, einer Unfähigkeit zur leidenschaftlichen Besitznahme des Lebens litt. An kleinen Zeichen erkannte ich dieses Manko zuerst. Es fiel mir auf, daß ich im Theater und in der Gesellschaft bei gewissen sensationellen Veranstaltungen öfter und öfter fehlte, daß ich Bücher bestellte, die mir gerühmt worden waren, und sie dann unaufgeschnitten wochenlang auf dem Schreibtisch liegen ließ, daß ich zwar mechanisch weiter meine Liebhabereien sammelte, Gläser und Antiken kaufte, ohne sie aber dann einzuordnen und mich eines seltenen und langgesuchten Stückes bei unvermutetem Erwerb sonderlich zu freuen.

Wirklich bewußt aber wurde mir diese übergangshafte und leise Verminderung meiner seelischen Spannkraft erst bei einer bestimmten Gelegenheit, deren ich mich noch deutlich entsinne. Ich war im Sommer — auch schon aus jener merkwürdigen Trägheit heraus, die von nichts Neuem sich lebhaft angelockt fühlte — in Wien geblieben, als ich plötzlich aus einem Kurorte den Brief einer Frau erhielt, mit der mich seit drei Jahren eine intime Beziehung verband und von der ich sogar aufrichtig meinte, daß ich sie liebe. Sie schrieb mir in vierzehn aufgeregten Seiten, sie habe in diesen Wochen dort einen Mann kennengelernt, der ihr viel, ja alles geworden sei, sie werde ihn im Herbst heiraten, und zwischen uns müsse jene Beziehung zu Ende sein. Sie denke ohne Reue, ja mit Glück an die mit mir gemeinsam verlebte Zeit zurück, der Gedanke an mich begleite sie in ihre neue Ehe als das Liebste ihres vergangenen Lebens, und sie hoffe, ich werde ihr den plötzlichen Entschluß verzeihen. Nach dieser sachlichen Mitteilung überbot sich der aufgeregte Brief dann in wirklich ergreifenden Beschwörungen, ich möge ihr nicht zürnen und nicht zuviel an dieser plötzlichen Absage leiden, ich solle keinen Versuch machen, sie gewaltsam zurückzuhalten oder eine Torheit gegen mich begehen. Immer hitziger jagten die Zeilen hin: ich solle doch bei einer Besseren Trost finden, ich solle ihr sofort schreiben, denn sie sei in Angst, wie ich diese Mitteilung aufnehmen würde. Und als Nachsatz, mit Bleistift, war dann noch eilig hingeschrieben: «Tue nichts Unvernünftiges, verstehe mich, verzeihe mir !» Ich las diesen Brief, zuerst überrascht von der Nachricht, und dann, als ich ihn durchblättert, noch ein zweites Mal und nun mit einer gewissen Beschämung, die sich bewußt werdend rasch zu einem inneren Erschrecken steigerte. Denn nichts von allen den starken und doch natürlichen Empfindungen, die meine Geliebte als selbstverständlich voraussetzte, hatte sich auch nur andeutungshaft in mir geregt. Ich hatte nicht gelitten bei ihrer Mitteilung, hatte ihr nicht gezürnt und schon gar nicht eine Sekunde an eine Gewalttätigkeit gegen sie oder gegen mich gedacht, und diese Kälte des Gefühls in mir war nun doch zu sonderbar, als daß sie mich nicht selbst erschreckt hätte. Da fiel eine Frau von mir ab, die Jahre meines Lebens begleitet hatte, deren warmer Leib sich elastisch dem meinen aufgetan, deren Atem in langen Nächten in meinen vergangen war, und nichts rührte sich in mir, wehrte sich dagegen, nichts suchte sie zurückzuerobern, nichts geschah in meinem Gefühl von all dem, was der reine Instinkt dieser Frau als selbstverständlich bei einem wirklichen Menschen voraussetzen mußte. In diesem Augenblicke war mir zum ersten Male ganz bewußt, wie weit der Erstarrungsprozeß in mir fortgeschritten war — ich glitt eben durch wie auf fließendem, spiegelndem Wasser, ohne irgend verhaftet, verwurzelt zu sein, und ich wußte ganz genau, daß diese Kälte etwas Totes, Leichenhaftes war, noch nicht umwittert zwar vom faulen Hauch der Verwesung, aber doch schon rettungslose Starre, grausam-kalte Fühllosigkeit, die Minute also, die dem wahren, dem körperlichen Sterben, dem auch äußerlich sichtbaren Verfall vorangeht.

Seit jener Episode begann ich mich und diese merkwürdige Gefühlsstarre in mir aufmerksam zu beobachten wie ein Kranker seine Krankheit. Als kurz darauf ein Freund von mir starb und ich hinter seinem Sarge ging, horchte ich in mich hinein, ob sich nicht eine Trauer in mir rühre, irgendein Gefühl sich in dem Bewußtsein spanne, dieser mir seit Kindheitstagen nahe Mensch sei nun für immer verloren. Aber es regte sich nichts, ich kam mir selbst wie etwas Gläsernes vor, durch das die Dinge hindurchleuchteten, ohne jemals innen zu sein, und sosehr ich mich bei diesem Anlaß und manchen ähnlichen auch anstrengte, etwas zu fühlen, ja mich mit Verstandesgründen zu Gefühlen überreden wollte, es kam keine Antwort aus jener inneren Starre zurück. Menschen verließen mich, Frauen gingen und kamen, ich spürte es kaum anders wie einer, der im Zimmer sitzt, den Regen an den Scheiben, zwischen mir und dem Unmittelbaren war irgendeine gläserne Wand, die ich mit dem Willen zu zerstoßen nicht die Kraft hatte.

Obzwar ich dies nun klar empfand, so schuf mir diese Erkenntnis doch keine rechte Beunruhigung, denn ich sagte es ja schon, daß ich auch Dinge, die mich selbst betrafen, mit Gleichgültigkeit hinnahm. Auch zum Leiden hatte ich nicht mehr genug Gefühl. Es genügte mir, daß dieser seelische Defekt außen so wenig wahrnehmbar war, wie etwa die körperliche Impotenz eines Mannes nicht anders als in der intimen Sekunde offenbar wird, und ich setzte oft in Gesellschaft durch eine künstliche Leidenschaftlichkeit im Bewundern, durch spontane Übertreibungen von Ergriffenheit eine gewisse Ostentation daran, zu verbergen, wie sehr ich mich innerlich anteilslos und abgestorben wußte. Äußerlich lebte ich mein altes behagliches, hemmungsloses Leben weiter, ohne seine Richtung zu ändern; Wochen, Monate glitten leicht vorüber und füllten sich langsam dunkel zu Jahren. Eines Morgens sah ich im Spiegel einen grauen Streif an meiner Schläfe und spürte, daß meine Jugend langsam hinüber wollte in eine andere Welt. Aber was andere Jugend nannten, war in mir längst vorbei. So tat das Abschiednehmen nicht sonderlich weh, denn ich liebte auch meine eigene Jugend nicht genug. Auch zu mir selbst schwieg mein trotziges Gefühl.

Durch diese innere Unbewegtheit wurden meine Tage immer mehr gleichförmig, trotz aller Verschiedenheit der Beschäftigungen und Begebenheiten, sie reihten sich unbetont einer an den andern, wuchsen und gilbten hin wie die Blätter eines Baumes. Und ganz gewöhnlich, ohne jede Absonderlichkeit, ohne jedes innere Vorzeichen, begann auch jener einzige Tag, den ich mir wieder selbst schildern will. Ich war damals, am 7. Juni 1913, später aufgestanden, aus dem noch von der Kindheit, von den Schuljahren her unbewußt nachklingenden Sonntagsgefühl, hatte mein Bad genommen, die Zeitung gelesen und in Büchern geblättert, war dann, verlockt von dem warmen sommerlichen Tag, der teilnehmend in mein Zimmer drang, spazierengegangen, hatte in gewohnter Weise den Grabenkorso überquert, zwischen Gruß und Gruß bekannter und befreundeter Menschen mit irgendeinem von ihnen ein flüchtiges Gespräch geführt und dann bei Freunden zu Mittag gespeist. Für den Nachmittag war ich jeder Vereinbarung ausgewichen, denn ich liebte es insbesondere, am Sonntag ein paar unaufgeteilte freie Stunden zu haben, die dann ganz dem Zufall meiner Laune, meiner Bequemlichkeit oder irgendeiner spontanen Entschließung gehörten. Als ich dann, von meinen Freunden kommend, die Ringstraße querte, empfand ich wohltuend die Schönheit der besonnten Stadt und ward froh an ihrer frühsommerlichen Geschmücktheit. Die Menschen schienen alle heiter und irgendwie verliebt in die Sonntäglichkeit der bunten Straße, vieles einzelne fiel mir auf und vor allem, wie breitumbuscht mit ihrem neuen Grün die Bäume mitten aus dem Asphalt sich aufhoben. Obwohl ich doch fast täglich hier vorüberging, wurde ich dieses sonntäglichen Menschengewühls plötzlich wie eines Wunders gewahr, und unwillkürlich bekam ich Sehnsucht nach viel Grün, nach Helligkeit und Buntheit. Ich erinnerte mich mit ein wenig Neugier des Praters, wo jetzt, zu Frühlingsende, zu Sommersanfang, die schweren Bäume wie riesige grüne Lakaien rechts und links der von Wagen durchflitzten Hauptallee stehen und reglos den vielen geputzten eleganten Menschen ihre weißen Blütenherzen hinhalten. Gewohnt, auch dem flüchtigsten meiner Wünsche sofort nachzugeben, rief ich den ersten Fiaker an, der mir in den Weg kam, und bedeutete ihm auf seine Frage den Prater als Ziel. «Zum Rennen, Herr Baron, nicht wahr?» antwortete er mit devoter Selbstverständlichkeit. Da erinnerte ich mich erst, daß heute ein sehr fashionabler Renntag war, eine Derbyvorschau, wo die ganze gute Wiener Gesellschaft sich Rendezvous gab. Seltsam, dachte ich mir, während ich in den Wagen stieg, wie wäre es noch vor ein paar Jahren möglich gewesen, daß ich einen solchen Tag versäumt oder vergessen hätte! Wieder spürte ich, so wie ein Kranker bei einer Bewegung seine Wunde, an dieser Vergeßlichkeit die ganze Starre der Gleichgültigkeit, der ich verfallen war.

Die Hauptallee war schon ziemlich leer, als wir hinkamen, das Rennen mußte längst begonnen haben, denn die sonst so prunkvolle Auffahrt der Wagen fehlte, nur ein paar vereinzelte Fiaker hetzten mit knatternden Hufen wie hinter einem unsichtbaren Versäumnis her. Der Kutscher wandte sich am Bock und fragte, ob er scharf traben solle; aber ich hieß ihn, die Pferde ruhig gehen zu lassen, denn mir lag nichts an einem Zuspätkommen. Ich hatte zu viel Rennen gesehen und zu oft die Menschen bei ihnen, als daß mir ein Zurechtkommen noch wichtig gewesen wäre, und es entsprach besser meinem lässigen Gefühl, im weichen Schaukeln des Wagens die blaue Luft wie Meer vom Bord eines Schiffes lindrauschend zu fühlen und ruhiger die schönen, breitgebuschten Kastanienbäume anzusehen, die manchmal dem schmeichlerisch warmen Wind ein paar Blütenflocken zum Spiele hingaben, die er dann leicht aufhob und wirbelte, ehe er sie auf die Allee weiß hinflocken ließ. Es war wohlig, sich so wiegen zu lassen, Frühling zu ahnen mit geschlossenen Augen, ohne jede Anstrengung beschwingt und fortgetragen sich zu empfinden: eigentlich tat es mir leid, als in der Freudenau der Wagen vor der Einfahrt hielt. Am liebsten wäre ich noch umgekehrt, mich weiter wiegen zu lassen von dem weichen, frühsommerlichen Tag. Aber es war schon zu spät, der Wagen hielt vor dem Rennplatz. Ein dumpfes Brausen schlug mir entgegen. Wie ein Meer scholl es dumpf und hohl hinter den aufgestuften Tribünen, ohne daß ich die bewegte Menge sah, von der dieses geballte Geräusch ausging, und unwillkürlich erinnerte ich mich an Ostende, wenn man von der niederen Stadt die kleinen Seitengassen zur Strandpromenade emporsteigt, schon den Wind salzig und scharf über sich sausen fühlt und ein dumpfes Dröhnen hört, ehe dann der Blick hingreift über die weite grauschäumige Fläche mit ihren donnernden Wellen. Ein Rennen mußte gerade in Gang sein, aber zwischen mir und dem Rasen, auf dem jetzt wohl die Pferde hinflitzten, stand ein farbiger dröhnender, wie von einem inneren Sturm hin und her geschüttelter Qualm, die Menge der Zuschauer und Spieler. Ich konnte die Bahn nicht sehen, spürte aber im Reflex der gesteigerten Erregung jede sportliche Phase. Die Reiter mußten längst gestartet, der Knäuel sich geteilt haben und ein paar gemeinsam um die Führung streiten, denn schon lösten sich hier aus den Menschen, die geheimnisvoll die für mich unsichtbaren Bewegungen des Laufes mitlebten, Schreie los und aufgeregte Zurufe. An der Richtung ihrer Köpfe spürte ich die Biegung, an der die Reiter und Pferde jetzt auf dem länglichen Rasenoval angelangt sein mußten, denn immer einheitlicher, immer zusammengefaßter drängte sich, wie ein einziger aufgereckter Hals, das ganze Menschenchaos einem mir unsichtbaren Blickpunkt entgegen, und aus diesem einen ausgespannten Hals grölte und gurgelte mit Tausenden zerriebenen Einzellauten eine immer höher gischtende Brandung. Und diese Brandung stieg und schwoll, schon füllte sie den ganzen Raum bis zum gleichgültig blauen Himmel. Ich sah in ein paar Gesichter hinein. Sie waren verzerrt wie von einem inneren Krampf, die Augen starr und funkelnd, die Lippen verbissen, das Kinn gierig vorgestoßen, die Nüstern pferdhaft gebläht. Spaßig und grauenhaft war mirs, nüchtern diese unbeherrschten Trunkenen zu betrachten. Neben mir stand auf einem Sessel ein Mann, elegant gekleidet, mit einem sonst wohl guten Gesicht, jetzt aber tobte er, von einem unsichtbaren Dämon beteufelt, er fuchtelte mit dem Stock in die leere Luft hinein, als peitschte er etwas vorwärts, sein ganzer Körper machte — unsagbar lächerlich für einen Zuschauer — die Bewegung des Raschreitens leidenschaftlich mit. Wie auf Steigbügeln wippte er mit den Fersen unablässig auf und nieder über dem Sessel, die rechte Hand jagte den Stock immer wieder als Gerte ins Leere, die linke knüllte krampfig einen weißen Zettel. Und immer mehr dieser weißen Zettel flatterten herum, wie Schaumspritzer gischteten sie über dieser graudurchstürmten Flut, die lärmend schwoll. Jetzt mußten an der Kurve ein paar Pferde ganz knapp beieinander sein, denn mit einem Male ballte sich das Gedröhn in zwei, drei, vier einzelne Namen, die immer wieder einzelne Gruppen wie Schlachtrufe schrien und tobten, und diese Schreie schienen wie ein Ventil für ihre delirierende Besessenheit.

Ich stand inmitten dieser dröhnenden Tobsucht kalt wie ein Felsen im donnernden Meer und weiß noch heute genau zu sagen, was ich in jener Minute empfand. Das Lächerliche vorerst all dieser fratzenhaften Gebärden, eine ironische Verachtung für das Pöbelhafte des Ausbruches, aber doch noch etwas anderes, das ich mir ungern eingestand — irgendeinen leisen Neid nach solcher Erregung, solcher Brunst der Leidenschaft, nach dem Leben, das in diesem Fanatismus war. Was müßte, dachte ich, geschehen, um mich dermaßen zu erregen, mich dermaßen ins Fieber zu spannen, daß mein Körper so brennend, meine Stimme mir wider Willen aus dem Munde brechen würde? Keine Summe konnte ich mir denken, deren Besitz mich so anfeuern könnte, keine Frau, die mich dermaßen reizte, nichts, nichts gab es, was aus der Starre meines Gefühls mich zu solcher Feurigkeit entfachen könnte! Vor einer plötzlich gespannten Pistole würde mein Herz, eine Sekunde vor dem Erstarren, nicht so wild hämmern, wie das in den tausend, zehntausend Menschen rings um mich für eine Handvoll Geld. Aber jetzt mußte ein Pferd dem Ziel ganz nahe sein, denn zu einem einzigen, immer schriller werdenden Schrei von Tausenden Stimmen gellte jetzt wie eine hochgespannte Saite ein bestimmter Name empor aus dem Tumult, um dann schrill mit einem Male zu zerreißen. Die Musik begann zu spielen, plötzlich zerbrach die Menge. Eine Runde war zu Ende, ein Kampf entschieden, die Spannung löste sich in eine quirlende, nur noch schlaff nachschwingende Bewegtheit. Die Masse, eben noch ein brennendes Bündel Leidenschaft, fiel auseinander in viele einzelne laufende, lachende, sprechende Menschen, ruhige Gesichter tauchten wieder auf hinter der mänadischen Maske der Erregung; aus dem Chaos des Spiels, das für Sekunden diese Tausende in einen einzigen glühenden Klumpen geschmolzen hatte, schichteten sich wieder gesellschaftliche Gruppen, die zusammentraten, sich lösten, Menschen, die ich kannte und die mich grüßten, fremde, die sich gegenseitig kühl-höflich musterten und betrachteten. Die Frauen prüften sich gegenseitig in ihren neuen Toiletten, die Männer warfen begehrliche Blicke, jene mondäne Neugier, die der Teilnahmslosen eigentliche Beschäftigung ist, begann sich zu entfalten, man suchte, zählte, kontrollierte sich auf Anwesenheit und Eleganz. Schon wußten, kaum aus dem Taumel erwacht, all diese Menschen nicht mehr, ob dies promenierende Zwischenspiel oder das Spiel selbst der Zweck ihrer gesellschaftlichen Vereinigung war.

Ich ging mitten durch dies laue Gewühl, grüßte und dankte, atmete wohlig — war es doch die Atmosphäre meiner Existenz — den Duft von Parfüm und Eleganz, der dies kaleidoskopische Durcheinander umschwebte, und noch freudiger die leise Brise, die von drüben aus den Praterauen, aus dem sommerlich durchwärmten Walde manchmal ihre Welle zwischen die Menschen warf und den weißen Musselin der Frauen wie wollüstig-spielend betastete. Ein paar Bekannte wollten mich ansprechen, Diane, die schöne Schauspielerin, nickte einladend aus einer Loge herüber, aber ich ging keinem zu. Es interessierte mich nicht, mit einem dieser mondänen Menschen heute zu sprechen, es langweilte mich, in ihrem Spiegel mich selbst zu sehen, nur das Schauspiel wollte ich umfassen, die knisternd-sinnliche Erregung, die durch die aufgesteigerte Stunde ging (denn der andern Erregtheit ist gerade dem Teilnahmslosen das angenehmste

Schauspiel). Ein paar schöne Frauen gingen vorbei, ich sah ihnen frech, aber ohne innerliches Begehren auf die Brüste, die unter der dünnen Gaze bei jedem Schritte bebten, und lächelte innerlich über ihre halb peinliche, halb wohlige Verlegenheit, wenn sie sich so sinnlich abgeschätzt und frech entkleidet fühlten. In Wirklichkeit reizte mich keine, es machte mir nur ein gewisses Vergnügen, vor ihnen so zu tun, das Spiel mit dem Gedanken, mit ihren Gedanken machte mir Freude, die Lust, sie körperlich zu berühren, das magnetische Zucken im Auge zu fühlen; denn wie jedem innerlich kühlen Menschen, war es mein eigentlichster erotischer Genuß, in andern Wärme und Unruhe zu erregen, statt mich selbst zu erhitzen. Nur den Flaum von Wärme, den die Gegenwart von Frauen um die Sinnlichkeit legt, liebte ich zu fühlen, nicht eine wirkliche Erhitzung, Anregung bloß und nicht Erregung. So ging ich auch diesmal durch die Promenade, nahm Blicke, gab sie leicht wie Federball zurück, genoß ohne zu greifen, befühlte Frauen ohne zu fühlen, nur leicht angewärmt von der lauen Wollust des Spiels.

Aber auch das langweilte mich bald. Immer dieselben Menschen kamen vorüber, ich kannte ihre Gesichter schon auswendig und ihre Gesten. Ein Sessel stand in der Nähe. Ich setzte mich hin. Ringsum begann in den Gruppen eine neue wirblige Bewegung, unruhiger schüttelten und stießen sich die Vorübergehenden durcheinander; offenbar sollte ein neues Rennen wieder anheben. Ich kümmerte mich nicht darum, saß weich und irgendwie versunken unter dem Kringel meiner Zigarette, der sich weißgekräuselt gegen den Himmel hob, wo er heller und heller wie eine kleine Wolke im Frühlingsblau verging.

In dieser Sekunde begann das Unerhörte, jenes einzige Erlebnis, das noch heute mein Leben bestimmt. Ich kann ganz genau den Augenblick feststellen, denn zufällig hatte ich gerade auf die Uhr gesehen: die Zeiger kreuzten sich, und ich sah ihnen mit jener unbeschäftigten Neugier zu, wie sie sich eine Sekunde lang überdeckten. Es war sechzehn Minuten nach drei Uhr an jenem Nachmittag des 7. Juni 1913. Ich blickte also, die Zigarette in der Hand, auf das weiße Zifferblatt, ganz beschäftigt mit dieser kindischen und lächerlichen Betrachtung, als ich knapp hinter meinem Rücken eine Frau laut lachen hörte, mit jenem scharfen, erregten Lachen, wie ich es bei Frauen liebe, jenem Lachen, das ganz warm und aufgeschreckt aus dem heißen Gebüsch der Sinnlichkeit vorspringt. Unwillkürlich bog es mir den Kopf zurück, schon wollte ich die Frau anschauen, deren laute Sinnlichkeit so frech in meine sorglose Träumerei schlug wie ein funkelnder weißer Stein in einen dumpfen, schlammigen Teich — da bezwang ich mich. Eine merkwürdige Lust am geistigen Spiel, am kleinen ungefährlichen psychologischen Experiment, wie sie mich oft befiel, ließ mich innehalten. Ich wollte die Lachende noch nicht ansehen, es reizte mich, zuerst in einer Art Vorlust meine Phantasie mit dieser Frau zu beschäftigen, mir sie vorzustellen, mir ein Gesicht, einen Mund, eine Kehle, einen Nacken, eine Brust, eine ganze lebendige atmende Frau um dieses Lachen zu legen.

Sie stand jetzt offenbar knapp hinter mir. Aus dem Lachen war wieder Gespräch geworden. Ich hörte gespannt zu. Sie sprach mit leichtem ungarischem Akzent, sehr rasch und beweglich, die Vokale breit ausschwingend wie im Gesang. Es machte mir nun Spaß, dieser

Rede nun die Gestalt zuzudichten und dies Phantasiebild möglichst üppig auszugestalten. Ich gab ihr dunkle Haare, dunkle Augen, einen breiten, sinnlich gewölbten Mund mit ganz weißen starken Zähnen, eine ganz schmale kleine Nase, aber mit steil aufspringenden zitternden Nüstern. Auf die linke Wange legte ich ihr ein Schönheitspflästerchen, in die Hand gab ich ihr einen Reitstock, mit dem sie sich beim Lachen leicht an den Schenkel schlug. Sie sprach weiter und weiter. Und jedes ihrer Worte fügte meiner blitzschnell gebildeten Phantasievorstellung ein neues Detail hinzu: eine schmale mädchenhafte Brust, ein dunkelgrünes Kleid mit einer schief gesteckten Brillantspange, einen hellen Hut mit einem weißen Reiher. Immer deutlicher ward das Bild, und schon spürte ich diese fremde Frau, die unsichtbar hinter meinem Rücken stand, wie auf einer belichteten Platte in meiner Pupille. Aber ich wollte mich nicht umwenden, dieses Spiel der Phantasie noch weiter steigern, irgendein leises Rieseln von Wollust mengte sich in die verwegene Träumerei, ich schloß beide Augen, gewiß, daß, wenn ich die Lider auftäte und mich ihr zuwendete, das innere Bild ganz mit dem äußeren sich decken würde.

In diesem Augenblick trat sie vor. Unwillkürlich tat ich die Augen auf — und ärgerte mich. Ich hatte vollkommen danebengeraten, alles war anders, ja in boshaftester Weise gegensätzlich zu meinem Phantasiebild. Sie trug kein grünes, sondern ein weißes Kleid, war nicht schlank, sondern üppig und breitgehüftet, nirgends auf der vollen Wange tupfte sich das erträumte Schönheitspflästerchen, die Haare leuchteten rötlichblond statt schwarz unter dem helmförmigen Hut. Keines meiner Merkmale stimmte zu ihrem Bilde; aber diese Frau war schön, herausfordernd schön, obwohl ich mich, gekränkt im törichten Ehrgeiz meiner psychologischen Eitelkeit, diese Schönheit anzuerkennen wehrte. Fast feindlich sah ich zu ihr empor; aber auch der Widerstand in mir spürte den starken sinnlichen Reiz, der von dieser Frau ausging, das Begehrliche, Animalische, das in ihrer festen und gleichzeitig weichen Fülle fordernd lockte. Jetzt lachte sie wieder laut, ihre festen weißen Zähne wurden sichtbar, und ich mußte mir sagen, daß dieses heiße sinnliche Lachen zu dem Üppigen ihres Wesens wohl im Einklang stand; alles an ihr war so vehement und herausfordernd, der gewölbte Busen, das im Lachen vorgestoßene Kinn, der scharfe Blick, die geschwungene Nase, die Hand, die den Schirm fest gegen den Boden stemmt. Hier war das weibliche Element, Urkraft, bewußte, penetrante Lokkung, ein fleischgewordenes Wollustfanal. Neben ihr stand ein eleganter, etwas fanierter Offizier und sprach eindringlich auf sie ein. Sie hörte ihm zu, lächelte, lachte, widersprach, aber all das nur nebenbei, denn gleichzeitig glitt ihr Blick, zitterten ihre Nüstern überall hin, gleichsam allen zu: sie sog Aufmerksamkeit, Lächeln, Anblick von jedem, der vorüberging, und gleichsam von der ganzen Masse des Männlichen ringsum ein. Ihr Blick war ununterbrochen wanderhaft, bald suchte er die Tribünen entlang, um dann plötzlich, freudigen Erkennens, einen Gruß zu erwidern, bald streifte er — während sie dem Offizier immer lächelnd und eitel zuhörte — nach rechts, bald nach links. Nur mich, der ich, von ihrem Begleiter gedeckt, unter ihrem Blickfeld lag, hatte er noch nicht angerührt. Das ärgerte mich. Ich stand auf — sie sah mich nicht. Ich drängte mich näher — nun blickte sie wieder zu den Tribünen hinauf. Da trat ich entschlossen zu ihr hin, lüftete den Hut gegen ihren Begleiter und bot ihr meinen Sessel an. Sie blickte mir erstaunt entgegen, ein lächelnder Glanz überflog ihre Augen, schmeichlerisch bog sie die Lippe zu einem Lächeln. Aber dann dankte sie nur kurz und nahm den Sessel, ohne sich zu setzen. Bloß den üppigen, bis zum Ellbogen entblößten Arm stützte sie weich an die Lehne und nützte die leichte Biegung ihres Körpers, um seine Formen sichtbarer zu zeigen.

Der Ärger über meine falsche Psychologie war längst vergessen, mich reizte nur das Spiel mit dieser Frau. Ich trat etwas zurück an die Wand der Tribüne, wo ich sie frei und doch unauffällig fixieren konnte, stemmte mich auf meinen Stock und suchte mit den Augen die ihren. Sie merkte es, drehte sich ein wenig meinem Beobachtungsplatze zu, aber doch so, daß diese Bewegung eine ganz zufällige schien, wehrte mir nicht, antwortete mir gelegentlich und doch unverpflichtend. Unablässig gingen ihre Augen im Kreise, alles rührten sie an, nichts hielten sie fest — war ich es allein, dem sie begegnend ein schwarzes Lächeln zustrahlten, oder gab sie es an jeden? Das war nicht zu unterscheiden, und eben diese Ungewißheit irritierte mich. In den Intervallen, wo wie ein Blinkfeuer ihr Blick mich anstrahlte, schien er voll Verheißung, aber mit der gleichen stahlglänzenden Pupille parierte sie auch ohne jede Wahl jeden andern Blick, der ihr zuflog, ganz nur aus koketter Freude am Spiel, vor allem aber, ohne dabei für eine Sekunde scheinbar interessiert das Gespräch ihres Begleiters zu verabsäumen. Etwas blendend Freches war in diesen leidenschaftlichen Paraden, eine Virtuosität der Koketterie oder ein ausbrechender Überschuß an Sinnlichkeit. Unwillkürlich trat ich einen

Schritt näher: ihre kalte Frechheit war in mich übergegangen. Ich sah ihr nicht mehr in die Augen, sondern griff sie fachmännisch von oben bis unten ab, riß ihr mit dem Blick die Kleider auf und spürte sie nackt. Sie folgte meinem Blick, ohne irgendwie beleidigt zu sein, lächelte mit den Mundwinkeln zu dem plaudernden Offizier, aber ich merkte, daß dies wissende Lächeln meine Absicht quittierte. Und wie ich jetzt auf ihren Fuß sah, der klein und zart unter dem weißen Kleide vorlugte, streifte sie mit dem Blick lässig nachprüfend ihr Kleid hinab. Dann, im nächsten Augenblick, hob sie wie zufällig den Fuß und stellte ihn auf die erste Sprosse des dargebotenen Sessels, so daß ich durch das durchbrochene Kleid die Strümpfe bis zum Knieansatz sah, gleichzeitig schien aber ihr Lächeln zu dem Begleiter hin irgendwie ironisch oder maliziös zu werden. Offenbar spielte sie mit mir ebenso anteillos wie ich mit ihr, und ich mußte die raffinierte Technik ihrer Verwegenheit haßvoll bewundern; denn während sie mir mit falscher Heimlichkeit das Sinnliche ihres Körpers darbot, drückte sie sich gleichzeitig in das Flüstern ihres Begleiters geschmeichelt hinein, gab und nahm in einem und beides nur im Spiel. Eigentlich war ich erbittert, denn ich haßte gerade an andern diese Art kalter und boshaft berechnender Sinnlichkeit, weil ich sie meiner eigenen wissenden Fühllosigkeit so blutschänderisch nahe verschwistert fühlte. Aber doch, ich war erregt, vielleicht mehr im Haß wie in Begehrlichkeit. Frech trat ich näher und griff sie brutal an mit den Blicken. «Ich will dich, du schönes Tier», sagte ihr meine unverhohlene Geste, und unwillkürlich mußten meine Lippen sich bewegt haben, denn sie lächelte mit leiser Verächtlichkeit, den Kopf von mir wegwendend, und schlug die

Robe über den entblößten Fuß. Aber im nächsten Augenblick wanderte die schwarze Pupille wieder funkelnd her und wieder hinüber. Es war ganz deutlich, daß sie ebenso kalt wie ich selbst und mir gewachsen war, daß wir beide kühl mit einer fremden Hitze spielten, die selber wieder nur gemaltes Feuer war, aber doch schön anzusehen und heiter zu spielen inmitten eines dumpfen Tags.

Plötzlich erlosch die Gespanntheit in ihrem Gesicht, der funkelnde Glanz glomm aus, eine kleine ärgerliche Falte krümmte sich um den eben noch lächelnden Mund. Ich folgte der Richtung ihres Blicks: ein kleiner, dicker Herr, den die Kleider faltig umplusterten, steuerte eilig auf sie zu, das Gesicht und die Stirn, die er nervös mit dem Taschentuch abtrocknete, von Erregung feucht. Der Hut, in der Eile schief auf den Kopf gedrückt, ließ seitlich eine tief heruntergezogene Glatze sehen (unwillkürlich empfand ich, es müßten, wenn er den Hut abnehme, dicke Schweißperlen auf ihr brüten, und der Mensch war mir widerlich). In der beringten Hand hielt er ein ganzes Bündel Tickets. Er prustete förmlich vor Aufregung und sprach gleich, ohne seine Frau zu beachten, in lautem Ungarisch auf den Offizier ein. Ich erkannte sofort einen Fanatiker des Rennsportes, irgendeinen Pferdehändler besserer Kategorie, für den das Spiel die einzige Ekstase war, das erlauchte Surrogat des Sublimen. Seine Frau mußte ihm offenbar jetzt etwas Ermahnendes gesagt haben (sie war sichtlich geniert von seiner Gegenwart und gestört in ihrer elementaren Sicherheit), denn er richtete sich, anscheinend auf ihr Geheiß, den Hut zurecht, lachte sie dann jovial an und klopfte ihr mit gutmütiger Zärtlichkeit auf die Schulter. Wütend zog sie die Brauen hoch, abgestoßen von der ehelichen Vertraulichkeit, die ihr in Gegenwart des Offiziers und vielleicht mehr noch der meinen peinlich wurde. Er schien sich zu entschuldigen, sagte auf ungarisch wieder ein paar Worte zu dem Offizier, die jener mit einem gefälligen Lächeln erwiderte, nahm aber dann zärtlich und ein wenig unterwürfig ihren Arm. Ich spürte, daß sie sich seiner Intimität vor uns schämte, und genoß ihre Erniedrigung mit einem gemischten Gefühl von Spott und Ekel. Aber schon hatte sie sich wieder gefaßt, und während sie sich weich an seinen Arm drückte, glitt ein Blick ironisch zu mir hinüber, als sagte er: «Siehst du, der hat mich, und nicht du.» Ich war wütend und degoutiert zugleich. Eigentlich wollte ich ihr den Rükken kehren und weitergehen, um ihr zu zeigen, daß die Gattin eines solchen ordinären Dicklings mich nicht mehr interessiere. Aber der Reiz war doch zu stark. Ich blieb.

Schrill gellte in dieser Sekunde das Signal des Starts, und mit einemmal war die ganze plaudernde, trübe, stokkende Masse wie umgeschüttelt, floß wieder von allen Seiten in jähem Durcheinander nach vorn zur Barriere. Ich hatte eine gewisse Gewaltsamkeit nötig, nicht mitgerissen zu werden, denn ich wollte gerade im Tumult in ihrer Nähe bleiben, vielleicht bot sich da Gelegenheit zu einem entscheidenden Blick, einem Griff, irgendeiner spontanen Frechheit, die ich jetzt noch nicht wußte, und so stieß ich mich zwischen den eilenden Leuten beharrlich zu ihr vor. In diesem Augenblick drängte der dicke Gatte gerade herüber, offenbar um einen guten Platz an der Tribüne zu ergattern, und so stießen wir beide, jeder von einem andern Ungestüm geschleudert, mit so viel Heftigkeit gegeneinander, daß sein lockerer Hut zu Boden flog und die Tickets, die daran lose befestigt waren, in weitem Bogen wegspritzten und wie rote, blaue, gelbe und weiße Schmetterlinge auf den Boden staubten. Einen Augenblick starrte er mich an. Mechanisch wollte ich mich entschuldigen, aber irgendein böser Wille verschloß mir die Lippen, im Gegenteil: ich sah ihn kühl mit einer leisen, frechen und beleidigenden Provokation an. Sein Blick flackerte eine Sekunde lang unsicher auf von rot aufsteigender, aber ängstlich sich drückender Wut hochgeschnellt, brach aber feige zusammen vor dem meinen. Mit einer unvergeßlichen, fast rührenden Ängstlichkeit sah er mir eine Sekunde in die Augen, dann bog er sich weg, schien sich plötzlich seiner Tickets zu besinnen und bückte sich, um sie und den Hut vom Boden aufzulesen. Mit unverhohlenem Zorn, rot im Gesicht vor Erregung, blitzte die Frau, die seinen Arm gelassen hatte, mich an: ich sah mit einer Art Wollust, daß sie mich am liebsten geschlagen hätte. Aber ich blieb ganz kühl und nonchalant stehen, sah lächelnd ohne zu helfen zu, wie der überdicke Gemahl sich keuchend bückte und vor meinen Füßen herumkroch, um seine Tickets aufzulesen. Der Kragen stand ihm beim Bücken weit ab wie die Federn einer aufgeplusterten Henne, eine breite Speckfalte schob sich den roten Nacken hinauf, asthmatisch keuchte er bei jeder Bewegung. Unwillkürlich kam mir, wie ich ihn so keuchen sah, ein unanständiger und unappetitlicher Gedanke, ich stellte ihn mir in ehelichem Alleinsein mit seiner Gattin vor, und übermütig geworden an dieser Vorstellung, lächelte ich geradeaus in ihren kaum mehr beherrschten Zorn. Sie stand da, jetzt wieder blaß und ungeduldig und kaum mehr sich beherrschen könnend — endlich hatte ich doch ein wahres, ein wirkliches Gefühl ihr entrissen: Haß, unbändigen Zorn! Ich hätte mir diese boshafte Szene am liebsten ins Unendliche verlängert; mit kalter

Wollust sah ich zu, wie er sich quälte, um Stück für Stück seiner Tickets zusammenzuklauben. Mir saß irgendein schnurriger Teufel in der Kehle, der immer kicherte und ein Lachen herauskollern wollte — am liebsten hätte ich ihn herausgelacht oder diese weiche krabbelnde Fleischmasse ein wenig mit dem Stock gekitzelt: ich konnte mich eigentlich nicht erinnern, jemals so von Bosheit besessen gewesen zu sein, wie in diesem funkelnden Triumph der Erniedrigung über diese frechspielende Frau. Aber jetzt schien der Unglückselige endlich alle seine Tickets zusammengerafft zu haben, nur eines, ein blaues, war weiter fortgeflogen und lag knapp vor mir auf dem Boden. Er drehte sich keuchend herum, suchte mit seinen kurzsichtigen Augen — der Zwicker saß ihm ganz vorne auf der schweißbenetzten Nase —, und diese Sekunde benützte meine spitzbübisch aufgeregte Bosheit zur Verlängerung seiner lächerlichen Anstrengung: ich schob, einem schuljungenhaften Übermut willenlos gehorchend, den Fuß rasch vor und setzte die Sohle auf das Ticket, so daß er es bei bester Bemühung nicht finden konnte, so lange mirs beliebte, ihn suchen zu lassen. Und er suchte und suchte unentwegt, überzählte dazwischen verschnaufend immer wieder die farbigen Pappendeckelzettel: es war sichtlich, daß einer — meiner! — ihm noch fehlte, und schon wollte er inmitten des anbrausenden Getümmels wieder mit der Suche anheben, als seine Frau, die mit einem verbissenen Ausdruck meinen höhnischen Seitenblick krampfhaft vermied, ihre zornige Ungeduld nicht mehr zügeln konnte. «Lajos!» rief sie ihm plötzlich herrisch zu, und er fuhr auf wie ein Pferd, das die Trompete hört, blickte noch einmal suchend auf die Erde — mir war es, als kitzelte mich das verborgene Ticket unter der

Sohle, und ich konnte einen Lachreiz kaum verbergen — dann wandte er sich seiner Frau gehorsam zu, die ihn mit einer gewissen ostentativen Eile von mir weg in das immer stärker aufschäumende Getümmel zog.

Ich blieb zurück ohne jedwedes Verlangen, den beiden zu folgen. Die Episode war für mich beendet, das Gefühl jener erotischen Spannung hatte sich wohltuend ins Heitere gelöst, alle Erregung war von mir geglitten und nichts zurückgeblieben als die gesunde Sattheit der plötzlich vorgebrochenen Bosheit, eine freche, fast übermütige Selbstzufriedenheit über den gelungenen Streich. Vorne drängten sich die Menschen dicht zusammen, schon begann Erregung zu wogen und, eine einzige, schmutzige, schwarze Welle, gegen die Barriere zu drängen, aber ich sah gar nicht hin, es langweilte mich schon. Und ich dachte daran, hinüber in die Krieau zu gehen oder heimzufahren. Aber kaum daß ich jetzt unwillkürlich den Fuß zum Schritt vorwärts tat, bemerkte ich das blaue Ticket, das vergessen am Boden lag. Ich nahm es auf und hielt es spielend zwischen den Fingern, ungewiß, was ich damit anfangen sollte. Vage kam mir der Gedanke, es «Lajos» zurückzugeben, was als vortrefflicher Anlaß dienen könnte, mit seiner Frau bekannt zu werden; aber ich merkte, daß sie mich gar nicht mehr interessierte, daß die flüchtige Hitze, die mir von diesem Abenteuer angeflogen kam, längst in meiner alten Gleichgültigkeit ausgekühlt war. Mehr als dies kämpfende, verlangende Hin und Her der Blicke verlangte ich von Lajos' Gattin nicht — der Dickling war mir doch zu unappetitlich, um Körperliches mit ihm zu teilen — den Frisson der Nerven hatte ich gehabt, nun fühlte ich bloß mehr lässige Neugier, wohlige Entspannung.

Der Sessel stand da, verlassen und allein. Ich setzte mich gemächlich nieder, zündete mir eine Zigarette an. Vor mir brandete die Leidenschaft wieder auf, ich horchte nicht einmal hin: Wiederholungen reizten mich nicht. Ich sah laß den Rauch aufsteigen und dachte an die Meraner Gilfpromenade, wo ich vor zwei Monaten gesessen und in den sprühenden Wasserfall hinabgesehen hatte. Ganz so war dies wie hier: auch dort ein mächtig aufschwellendes Rauschen, das nicht wärmte und nicht kühlte, auch dort ein sinnloses Tönen in eine schweigendblaue Landschaft hinein. Aber jetzt war die Leidenschaft des Spiels beim Crescendo angelangt, wieder flog der Schaum von Schirmen, Hüten, Schreien, Taschentüchern über die schwarze Brandung der Menschen hin, wieder quirlten die Stimmen zusammen, wieder zuckte ein Schrei — nun aber andersfarbig — aus dem Riesenmaul der Menge. Ich hörte einen Namen, tausendfach, zehntausendfach, jauchzend, gell, ekstatisch, verzweifelt geschrien: «Cressy! Cressy! Cressy!» Und wieder brach er, eine gespannte Saite, plötzlich ab (wie doch Wiederholung selbst die Leidenschaft eintönig macht!). Die Musik begann zu spielen, die Menge löste sich. Tafeln wurden emporgezogen mit den Nummern der Sieger. Unbewußt blickte ich hin. An erster Stelle leuchtete eine Sieben. Mechanisch sah ich auf das blaue Ticket, das ich zwischen meinen Fingern vergessen hatte. Auch hier die Sieben.

Unwillkürlich mußte ich lachen. Das Ticket hatte gewonnen, der gute Lajos richtig gesetzt. So hatte ich mit meiner Bosheit den dicken Gatten sogar noch um Geld gebracht: mit einem Male war meine übermütige Laune wieder da, nun interessierte es mich, zu wissen, um wieviel ihn meine eifersüchtige Intervention geprellt. Ich sah mir den blauen Pappendeckel zum erstenmal genauer an: es war ein Zwanzigkronen-Ticket, und Lajos hatte auf «Sieg» gesetzt. Das konnte wohl schon ein stattlicher Betrag sein. Ohne weiter nachzudenken, nur dem Kitzel der Neugierde folgend, ließ ich mich von der eilenden Menge in die Richtung zu den Kassen hindrängen. Ich wurde in irgendeine Queue hineingepreßt, legte das Ticket vor, und schon streiften zwei knochige, eilfertige Hände, zu denen ich das Gesicht hinter dem Schalter gar nicht sah, mir neun Zwanzigkronenscheine auf die Marmorplatte.

In dieser Sekunde, wo mir das Geld, wirkliches Geld, blaue Scheine hingelegt wurden, stockte mir das Lachen in der Kehle. Ich hatte sofort ein unangenehmes Gefühl. Unwillkürlich zog ich die Hände zurück, um das fremde Geld nicht zu berühren. Am liebsten hätte ich die blauen Scheine auf der Platte liegen lassen; aber hinter mir drängten schon die Leute, ungeduldig, ihren Gewinn ausbezahlt zu bekommen. So blieb mir nichts übrig, als, peinlich berührt, mit angewiderten Fingerspitzen die Scheine zu nehmen: wie blaue Flammen brannten sie mir in der Hand, die ich unbewußt von mir wegspreizte, als gehörte auch die Hand, die sie genommen, nicht zu mir selbst. Sofort übersah ich das Fatale der Situation. Wider meinen Willen war aus dem Scherz etwas geworden, was einem anständigen Menschen, einem Gentleman, einem Reserveoffizier nicht hätte unterlaufen dürfen, und ich zögerte vor mir selbst, den wahren Namen dafür auszusprechen. Denn dies war nicht verheimlichtes, sondern listig weggelocktes, war gestohlenes Geld.

Um mich surrten und schwirrten die Stimmen, Leute drängten und stießen von und zu den Kassen. Ich stand noch immer reglos mit der weggespreizten Hand. Was sollte ich tun? An das Natürlichste dachte ich zuerst: den wirklichen Gewinner aufsuchen, mich entschuldigen und ihm das Geld zurückerstatten. Aber das ging nicht an, und am wenigsten vor den Blicken jenes Offiziers. Ich war doch Reserveleutnant, und ein solches Eingeständnis hätte mich sofort meine Charge gekostet; denn selbst wenn ich das Ticket gefunden hätte, war schon das Einkassieren des Geldes eine unfaire Handlungsweise. Ich dachte auch daran, meinem in den Fingern zuckenden Instinkt nachzugeben, die Noten zu zerknüllen und fortzuwerfen, aber auch dies war inmitten des Menschengewühls zu leicht kontrollierbar und dann verdächtig. Keinesfalls wollte ich aber auch nur einen Augenblick das fremde Geld bei mir behalten oder gar in die Brieftasche stecken, um es später irgend jemandem zu schenken: das mir seit Kindheit so wie reine Wäsche anerzogene Sauberkeitsempfinden ekelte sich vor jeder auch nur flüchtigen Berührung mit diesen Zetteln. Weg, nur weg mit diesem Gelde, fieberte es ganz heiß in mir, weg, nur irgendwohin, weg! Unwillkürlich sah ich mich um, und wie ich ratlos im Kreise blickte, ob irgendwo ein Versteck sei, eine unbewachte Möglichkeit, fiel mir auf, daß die Menschen von neuem zu den Kassen zu drängen begannen, nun aber mit Geldscheinen in den Händen. Und der Gedanke war mir Erlösung. Zurückwerfen das Geld an den boshaften Zufall, der es mir gegeben, wiederum hinein in den gefräßigen Schlund, der jetzt die neuen Einsätze, Silber und Scheine, gleich gierig hinunterschluckte — ja, das war das Richtige, die wahre Befreiung.

Ungestüm eilte, ja lief ich hin, keilte mich mitten zwischen die Drängenden. Nur zwei Vordermänner waren noch vor mir, schon stand der erste beim Totalisator, als mir einfiel, daß ich gar kein Pferd zu nennen wußte, auf das ich setzen könnte. Gierig hörte ich in das Reden rings um mich. «Setzen Sie Ravachol?» fragte einer. «Natürlich Ravachol», antwortete ihm sein Begleiter. «Glauben Sie, daß Teddy nicht auch Chancen hat?» «Teddy? keine Spur. Er hat im Maidenrennen total versagt. Er war ein Bluff.»

Wie ein Verdurstender schluckte ich die Worte ein. Also Teddy war schlecht, Teddy würde bestimmt nicht gewinnen. Sofort beschloß ich, ihn zu setzen. Ich schob das Geld hin, nannte den eben erst gehörten Namen Teddy auf Sieg, eine Hand warf mir die Tickets zurück. Mit einem Male hatte ich jetzt neun rotweiße Pappendeckelstücke zwischen den Fingern statt des einen. Es war noch immer ein peinliches Gefühl; aber immerhin, es brannte nicht mehr so aufreizend, so erniedrigend wie das knitterige bare Geld.

Ich empfand mich wieder leicht, beinahe sorglos: jetzt war das Geld weggetan, das Unangenehme des Abenteuers erledigt, die Angelegenheit wieder zum Scherz geworden, als der sie begonnen. Ich setzte mich lässig in meinen Sessel zurück, zündete eine Zigarette an und blies den Rauch gemächlich vor mich hin. Aber es hielt mich nicht lange, ich stand auf, ging herum, setzte mich wieder hin. Merkwürdig: es war vorbei mit der wohligen Träumerei. Irgendeine Nervosität stak mir knisternd in den Gliedern. Zuerst meinte ich, es sei das Unbehagen, unter den vielen vorbeistreifenden Leuten Lajos und seiner Frau begegnen zu können; aber wie konnten sie ahnen, daß jene neuen Tickets die ihren waren? Auch die Unruhe der Menschen störte mich nicht, im Gegenteil, ich beobachtete sie genau, ob sie nicht schon wieder nach vorne zu drängen begannen, ja ich ertappte mich, wie ich immer wieder aufstand, um zur Fahne zu blicken, die bei Beginn des Rennens hochgezogen wurde. Das also war es — Ungeduld, ein springendes, inneres Fieber der Erwartung, der Start möge schon beginnen, die leidige Angelegenheit für immer erledigt sein.

Ein Bursche lief vorbei mit einer Rennzeitung. Ich hielt ihn an, kaufte mir das Programm und begann unter den unverständlichen, in einem fremden Jargon geschriebenen Worten und Tips herumzusuchen, bis ich endlich Teddy herausfand, den Namen seines Jockeis, den Besitzer des Stalles und die Farben rotweiß. Aber warum interessierte mich das so? Ärgerlich zerknüllte ich das Blatt und warf es weg, stand auf, setzte mich wieder hin. Mir war ganz plötzlich heiß geworden, ich mußte mir mit dem Taschentuch über die feuchte Stirn fahren, und der Kragen drückte mich. Noch immer wollte der Start nicht beginnen.

Endlich klingelte die Glocke, die Menschen stürmten hin, und in dieser Sekunde spürte ich entsetzt, wie auch mich dieses Klingeln gleich einem Wecker erschreckt von irgendeinem Schlaf aufriß. Ich sprang vom Sessel so heftig weg, daß er umfiel, und eilte — nein, ich lief — gierig nach vorne, die Tickets fest zwischen die Finger gepreßt, mitten in die Menge hinein und wie von einer rasenden Angst verzehrt, zu spät zu kommen, irgend etwas ganz Wichtiges zu versäumen. Ich erreichte noch, indem ich Leute brutal beiseite stieß, die vordere Barriere, riß rücksichtslos einen Sessel, den eben eine Dame nehmen wollte, an mich. Meine ganze Taktlosigkeit und Tollwütigkeit erkannte ich sofort an ihrem erstaunten Blick

— es war eine gute Bekannte, die Gräfin R., deren hochgezogen zornigen Brauen ich begegnete —, aber aus Scham und Trotz sah ich an ihr kalt vorbei, sprang auf den Sessel, um das Feld zu sehen.

Irgendwo weit drüben stand im Grünen an den Start gepreßt ein kleines Rudel unruhiger Pferde, mühsam in der Linie gehalten von den kleinen Jockeis, die wie bunte Polichinelle aussahen. Sofort suchte ich den meinen darunter zu erkennen, aber mein Auge war ungeübt, und mir flimmerte es so heiß und seltsam vor dem Blick, daß ich unter den Farbenflecken den rotweißen nicht zu unterscheiden vermochte. In diesem Augenblick klang die Glocke zum zweiten Male, und wie sieben bunte Pfeile von einem Bogen flitzten die Pferde in den grünen Gang hinein. Es mußte wunderbar sein, dies ruhig und nur ästhetisch zu betrachten, wie die schmalen Tiere galoppierend ausholten und, kaum den Boden anstreifend, über den Rasen hinfederten; aber ich spürte von all dem nichts, ich machte nur verzweifelte Versuche, mein Pferd, meinen Jockei zu erkennen, und fluchte mir selbst, keinen Feldstecher mitgenommen zu haben. So sehr ich mich bog und streckte, ich sah nichts als vier, fünf bunte Insekten, in einen fliegenden Knäuel verwischt; nur die Form sah ich allmählich jetzt sich verändern, wie das leichte Rudel sich jetzt an der Biegung keilförmig verlängerte, eine Spitze vortrieb, indes rückwärts einige des Schwarms bereits abzubröckeln begannen. Das Rennen wurde scharf: drei oder vier der im Galopp ganz auseinandergestreckten Pferde klebten wie farbige Papierstreifen flach zusammen, bald schob sich das eine, bald das andere um einen Ruck vor. Und unwillkürlich streckte ich meinen ganzen Körper aus, als könnte ich durch diese nachahmende, federnde, leidenschaftlich gespannte Bewegung ihre Geschwindigkeit steigern und mitreißen.

Rings um mich wuchs die Erregung. Einzelne Geübtere mußten schon an der Kurve die Farben erkannt haben, denn Namen fuhren jetzt wie grelle Raketen aus dem trüben Tumult. Neben mir stand einer, die Hände frenetisch gereckt, und wie jetzt ein Pferdekopf vordrängte, schrie er fußstampfend mit einer widerlich gellen und triumphierenden Stimme: «Ravachol! Ravachol!» Ich sah, daß wirklich der Jockei dieses Pferdes blau schimmerte, und eine Wut überfiel mich, daß es nicht mein Pferd war, das siegte. Immer unerträglicher wurde mir das gelle Gebrüll «Ravachol! Ravachol!» von dem Widerling neben mir; ich tobte vor kalter Wut, am liebsten hätte ich ihm die Faust in das aufgerissene schwarze Loch seines schreienden Mundes geschlagen. Ich zitterte vor Zorn, ich fieberte, jeden Augenblick, fühlte ich, konnte ich etwas Sinnloses begehen. Aber da hing noch ein anderes Pferd knapp an dem ersten. Vielleicht war das Teddy, vielleicht, vielleicht — und diese Hoffnung befeuerte mich von neuem. Wirklich war mir, als schimmerte der Arm, der sich jetzt über den Sattel hob und etwas niedersausen ließ auf die Kruppe des Pferdes, rotfarben, er konnte es sein, er mußte es sein, er mußte, er mußte! Aber warum trieb er ihn nicht vor, der Schurke? Noch einmal die Peitsche! Noch einmal! Jetzt, jetzt war er ihm ganz nahe! Jetzt, nur eine Spanne noch. Warum Ravachol? Ravachol? Nein, nicht Ravachol! Nicht Ravachol! Teddy! Teddy! Vorwärts Teddy! Teddy!

Plötzlich riß ich mich gewaltsam zurück. Was — was war das? Wer schrie da so? Wer tobte da «Teddy! Teddy!»? Ich selbst schrie ja das. Und mitten in der

Leidenschaft erschrak ich vor mir. Ich wollte mich halten, mich beherrschen, inmitten meines Fiebers quälte mich eine plötzliche Scham. Aber ich konnte die Blicke nicht wegreißen, denn dort klebten die beiden Pferde knapp aneinander, und es mußte wirklich Teddy sein, der an Ravachol, dem verfluchten, aus brennender Inbrunst von mir gehaßten Ravachol hing, denn rings um mich gellten jetzt andere lauter und vielstimmiger in grellem Diskant: «Teddy! Teddy!», und der Schrei riß mich, den für eine wache Sekunde Aufgetauchten, wieder in die Leidenschaft. Er sollte, er mußte gewinnen, und wirklich, jetzt, jetzt schob sich hinter dem fliegenden Pferde des andern ein Kopf vor, eine Spanne nur, und jetzt schon zwei, jetzt, jetzt sah man schon den Hals — in diesem Augenblick schnarrte grell die Glocke, und ein einziger Schrei des Jubels, der Verzweiflung, des Zornes explodierte. Für eine Sekunde füllte der ersehnte Name den blauen Himmel ganz bis zur Wölbung. Dann stürzte er ein, und irgendwo rauschte Musik.

Heiß, ganz feucht, klopfenden Herzens stieg ich vom Sessel herab. Ich mußte mich für einen Augenblick niedersetzen, so wirr war ich vor begeisterter Erregung. Eine Ekstase, wie ich sie nie gekannt, durchflutete mich, eine sinnlose Freude, daß der Zufall so sklavisch meiner Herausforderung gehorcht; vergebens versuchte ich mir vorzutäuschen, es sei wider meinen Willen gewesen, daß dieses Pferd jetzt gewonnen habe, und ich hätte gewünscht, das Geld verloren zu sehen. Aber ich glaubte es mir selbst nicht, und schon spürte ich ein grausames Ziehen in meinen Gliedern, es riß mich magisch irgendwohin, und ich wußte, wohin es mich trieb: ich wollte den Sieg sehen, ihn spüren, ihn fassen, Geld, viel Geld, blaue knisternde Scheine in den Fingern spüren und dies Rieseln die Nerven hinauf. Eine ganz fremde böse Lust hatte sich meiner bemächtigt, und keine Scham wehrte mehr, ihr nachzugeben. Und kaum daß ich mich erhob, so eilte, so lief ich schon bis hin zur Kasse, ganz brüsk, mit gespreizten Ellbogen stieß ich mich zwischen die Wartenden am Schalter, schob ungeduldig Leute beiseite, nur um das Geld, das Geld leibhaftig zu sehn. «Flegel!» murrte hinter mir einer der Weggedrängten; ich hörte es, aber ich dachte nicht daran, ihn zu fordern, ich bebte ja vor unbegreiflicher, krankhafter Ungeduld. Endlich war die Reihe an mir, meine Hände faßten gierig ein blaues Bündel Banknoten. Ich zählte zitternd und begeistert zugleich. Es waren sechshundertundvierzig Kronen.

Heiß riß ich sie an mich. Mein nächster Gedanke war: jetzt weiter spielen, mehr gewinnen, viel mehr. Wo hatte ich nur meine Rennzeitung? Ach, weggeworfen in der Erregung. Ich sah um mich, eine neue zu erstehen. Da bemerkte ich zu meinem namenlosen Erschrecken, wie plötzlich alles rings auseinanderflutete, dem Ausgang zu, daß die Kassen sich schlossen, die flatternde Fahne sank. Das Spiel war zu Ende. Es war das letzte Rennen gewesen. Eine Sekunde lang stand ich starr. Dann sprang ein Zorn in mir auf, als sei mir ein Unrecht geschehen. Ich konnte mich nicht damit abfinden, daß jetzt, da alle meine Nerven sich spannten und bebten, das Blut so heiß wie seit Jahren nicht mehr in mir rollte, alles zu Ende sein sollte. Aber es half nichts, mit trügerischem Wunsch die Hoffnung künstlich zu nähren, dies sei nur ein Irrtum gewesen, denn immer rascher entflutete das bunte Gedränge, schon glänzte grün der zertretene Rasen zwischen den vereinzelt Gebliebenen. Allmählich empfand ich das

Lächerliche meines gespannten Verweilens, so nahm ich den Hut — den Stock hatte ich offenbar am Tourniquet in der Erregung stehengelassen — und ging dem Ausgang zu. Ein Diener mit servil gelüfteter Kappe sprang mir entgegen, ich nannte ihm die Nummer meines Wagens, er schrie sie mit gehöhlter Hand über den Platz, und schon klapperten scharf die Pferde heran. Ich bedeutete dem Kutscher, langsam die Hauptallee hinabzufahren. Denn gerade jetzt, wo die Erregung wohlig abzuklingen begann, fühlte ich eine lüsterne Neigung, mir noch einmal die ganze Szene in Gedanken zu erneuern.

In diesem Augenblick fuhr ein anderer Wagen vor; unwillkürlich blickte ich hin, um sofort wieder ganz bewußt wegzusehen. Es war die Frau mit ihrem behäbigen Gatten. Sie hatten mich nicht bemerkt. Aber sofort überkam mich ein widerlich würgendes Gefühl, als sei ich ertappt. Und am liebsten hätte ich dem Kutscher zugerufen, auf die Pferde einzuschlagen, nur um rasch aus ihrer Nähe zu kommen.

Weich glitt auf den Gummirädern der Fiaker dahin zwischen den vielen andern, die wie Blumenboote mit ihrer bunten Fracht von Frauen an den grünen Ufern der Kastanienallee vorbeischaukelten. Die Luft war weich und süß, schon wehte von erster Abendkühle manchmal ein leiser Duft durch den Staub herüber. Aber das frühere wohlig-träumerische Gefühl kam nicht wieder: die Begegnung mit dem Geprellten hatte mich peinlich aufgerissen. Wie ein kalter Luftzug durch eine Fuge drang es mit einmal in meine überhitzte Leidenschaft. Ich dachte jetzt noch einmal nüchtern die ganze Szene durch und begriff mich selbst nicht mehr: ich, ein Gentleman, ein Mitglied der besten Gesellschaft, Reserveoffizier, hochgeachtet, hatte ohne Not gefundenes Geld an mich genommen, in die Brieftasche gesteckt, ja dies sogar mit einer gierigen Freude, einer Lust getan, die jede Entschuldigung hinfällig machte. Ich, der ich vor einer Stunde noch ein korrekter, makelloser Mensch gewesen war, hatte gestohlen. Ich war ein Dieb. Und gleichsam, um mich selbst zu erschrecken, sagte ich mir mein Urteil halblaut hin, während der Wagen leise trabte, unbewußt im Rhythmus des Hufschlags sprechend: «Dieb! Dieb! Dieb! Dieb!»

Aber seltsam, wie soll ich beschreiben, was jetzt geschah, es ist ja so unerklärlich, so ganz absonderlich, und doch weiß ich, daß ich mir nichts nachträglich vortäusche. Jede Sekunde meines Gefühls, jede Oszillation meines Denkens in jenen Augenblicken ist mir ja mit einer so übernatürlichen Deutlichkeit bewußt, wie kaum irgendein Erlebnis meiner sechsunddreißig Jahre, und doch wage ich kaum, diese absurde Reihenfolge, diese verblüffende Schwankung meines Empfindens bewußt zu machen, ja ich weiß nicht, ob irgendein Dichter, ein Psychologe das logisch zu schildern vermöchte. Ich kann nur die Reihenfolge aufzeichnen, ganz getreu ihrem unvermuteten Aufleuchten nach. Also: ich sagte zu mir «Dieb, Dieb, Dieb». Dann kam ein ganz merkwürdiger, ein gleichsam leerer Augenblick, ein Augenblick, wo nichts geschah, wo ich nur — ach, wie schwer ist es, dies auszudrücken — wo ich nur horchte, in mich hineinhorchte. Ich hatte mich angerufen, hatte mich angeklagt, nun sollte dem Richter der Angeschuldigte antworten. Ich horchte also, und es geschah — nichts. Der Peitschenschlag dieses Wortes «Dieb», von dem ich erwartet hatte, es werde mich aufschrecken und dann hinstürzen lassen in eine namenlose, eine zerknirschte Scham, weckte nichts auf. Ich wartete geduldig einige Minuten, ich beugte mich dann gewissermaßen noch näher über mich selbst — denn ich spürte zu wohl, daß unter diesem trotzigen Schweigen etwas sich regte — und horchte mit einer fieberhaften Erwartung auf das ausbleibende Echo, auf den Schrei des Ekels, der Entrüstung, der Verzweiflung, der dieser Selbstanschuldigung folgen mußte. Und es geschah wiederum nichts. Nichts antwortete. Nochmals sagte ich mir das Wort «Dieb», «Dieb», nun schon ganz laut, um endlich in mir das schwerhörige, das gelähmte Gewissen aufzuwecken. Wieder kam keine Antwort. Und plötzlich — in einem grellen Blitzlicht des Bewußtseins, wie wenn plötzlich ein Streichholz angezündet und über die dämmernde Tiefe gehalten wäre — erkannte ich, daß ich mich nur schämen *wollte,* aber nicht schämte, ja, daß ich in jener Tiefe irgendwie geheimnisvoll stolz, sogar beglückt war von dieser törichten Tat.

Wie war das möglich? Ich wehrte mich, jetzt wirklich vor mir selbst erschreckend, gegen diese unerwartete Erkenntnis, aber zu schwellend, zu ungestüm wogte das Gefühl aus mir auf. Nein, das war nicht Scham, nicht Empörung, nicht Selbstekel, was so warm mir im Blut gärte — das war Freude, trunkene Freude, die in mir aufloderte, ja funkelte mit hellen spitzen Flammen von Übermut, denn ich spürte, daß ich in jenen Minuten zum erstenmal seit Jahren und Jahren wirklich lebendig, daß mein Gefühl nur gelähmt gewesen und noch nicht abgestorben war, daß irgendwo unter der versandeten Fläche meiner Gleichgültigkeit also doch noch jene heißen Quellen von Leidenschaft geheimnisvoll gingen und nun, von der Wünschelrute des Zufalles berührt, hoch bis in mein Herz hinaufgepeitscht waren. Auch in mir, auch in mir, in diesem Stück atmenden Weltalls, glühte also noch jener geheimnisvolle vulkanische Kern alles Irdischen, der manchmal vorbricht in den wirbelnden Stößen von Begier, auch ich lebte, war lebendig, war ein Mensch mit bösem und warmem Gelüst. Eine Tür war aufgerissen vom Sturm dieser Leidenschaft, eine Tiefe aufgetan in mich hinein, und ich starrte in wollüstigem Schwindel hinab in dies Unbekannte in mir, das mich erschreckte und beseligte zugleich. Und langsam — während der Wagen lässig meinen träumenden Körper durch die bürgerlich-gesellschaftliche Welt hinrollte — stieg ich, Stufe um Stufe, hinab in die Tiefe des Menschlichen in mir, unsäglich allein in diesem schweigenden Gang, nur überhöht von der aufgehobenen grellen Fackel meines jäh entzündeten Bewußtseins. Und indes tausend Menschen um mich lachend und schwatzend wogten, suchte ich mich, den verlorenen Menschen, in mir, tastete ich Jahre ab in dem magischen Gang des Besinnens. Ganz verschollene Dinge tauchten plötzlich aus den verstaubten und erblindeten Spiegeln meines Lebens auf, ich erinnerte mich, schon einmal als Schulknabe einem Kameraden ein Taschenmesser gestohlen und mit der gleichen teuflischen Freude ihm zugesehen zu haben, wie er es überall suchte, alle fragte und sich mühte; ich verstand mit einemmal das geheimnisvoll Gewitternde mancher sexuellen Stunden, verstand, daß meine Leidenschaft nur verkrümmt, nur zertreten gewesen war von dem gesellschaftlichen Wahn, von dem herrischen Ideal der Gentlemen — daß aber auch in mir, nur tief, ganz tief unten in verschütteten Brunnen und Röhren die heißen Ströme des Lebens gingen wie in allen andern. Oh, ich hatte ja immer gelebt, nur nicht gewagt zu leben, ich hatte mich verschnürt und verborgen vor mir selbst: nun aber war die gepreßte Kraft aufgebrochen, das Leben, das reiche, das unsäglich gewaltsame, hatte mich überwältigt. Und nun wußte ich, daß ich ihm noch anhing; mit der seligen Betroffenheit der Frau, die zum erstenmal in sich das Kind sich regen spürt, empfand ich das Wirkliche — wie soll ich es anders nennen — das Wahre, das Unverstellte des Lebens in mir keimen, ich fühlte — fast schäme ich mich, solch ein Wort hinzuschreiben —, wie ich, der abgestorbene Mensch, mit einemmal wieder *blühte,* wie durch meine Adern Blut rot und unruhig rollte, Gefühl sich im Warmen leise entfaltete und ich aufwuchs zu unbekannter Frucht von Süße oder Bitternis. Das Tannhäuserwunder war mir geschehen mitten im klaren Licht eines Rennplatzes, zwischen dem Geschwirr von Tausenden müßiger Menschen: ich hatte wieder zu fühlen begonnen, er grünte und trieb seine Knospen, der abgedorrte Stab.

Von einem vorüberfahrenden Wagen grüßte ein Herr und rief — offenbar hatte ich seinen ersten Gruß übersehen — meinen Namen. Unwirsch fuhr ich auf, zornig, gestört zu sein in diesem süßrieselnden Zustand des sich in mich selbst Ergießens, dieses tiefsten Traumes, den ich jemals erlebt. Aber der Blick auf den Grüßenden riß mich ganz von mir weg: es war mein Freund Alfons, ein lieber Schulkamerad und jetzt Staatsanwalt. Mit einemmal durchzuckte es mich: dieser Mensch, der dich brüderlich grüßt, hat jetzt zum erstenmal Macht über dich, du bist ihm verfallen, sobald er dein Vergehen kennt. Wüßte er um dich und deine Tat, er müßte dich aus diesem Wagen ziehen, weg aus der ganzen warmen bürgerlichen Existenz, und hinabstoßen auf drei oder fünf Jahre in die dumpfe Welt hinter vergitterten Fenstern, zum Abhub des Lebens, zu den andern Dieben, die nur die Peitsche der Not in ihre schmierigen Zellen getrieben. Aber nur einen Augenblick lang faßte mich kalt die Angst am Gelenk meiner zitternden Hand, nur einen Augenblick lang hielt sie den Herzschlag an — dann verwandelte auch dieser Gedanke sich wieder in heißes Gefühl, in einen phantastischen, frechen Stolz, der jetzt selbstbewußt und beinahe höhnisch die andern Menschen ringsum musterte. Wie würde, dachte ich, euer süßes kameradschaftliches Lächeln, mit dem ihr mich als euresgleichen grüßt, anfrieren um die Mundwinkel, wenn ihr mich ahntet! Wie einen Kotspritzer würdet ihr meinen Gruß wegstäuben mit verächtlich geärgerter Hand. Aber ehe ihr mich ausstoßt, habe ich euch schon ausgestoßen: heute nachmittags habe ich mich herausgestürzt aus eurer kalten knöchernen Welt, wo ich ein Rad war, ein lautlos funktionierendes, in der großen Maschine, die kalt in ihren Kolben abrollt und eitel um sich selber kreist — ich bin in eine Tiefe gestürzt, die ich nicht kenne, doch ich bin lebendiger gewesen in dieser einen Stunde als in den gläsernen Jahren in eurem Kreis. Nicht mehr euch gehöre ich, nicht mehr zu euch, ich bin jetzt außen irgendwo in einer Höhe oder Tiefe, nie mehr aber, nie mehr am flachen Strand eures bürgerlichen Wohlseins. Ich habe zum erstenmal alles gefühlt, was in den Menschen an Lust im Guten und Bösen getan ist, aber nie werdet ihr wissen, wo ich war, nie mich erkennen: Menschen, was wißt ihr von meinem Geheimnis!

Wie vermöchte ich es auszudrücken, was ich in jener Stunde fühlte, indes ich, ein elegant angezogener Gentleman, mit kühlem Gesicht grüßend und dankend zwischen den Wagenreihen durchfuhr! Denn während meine Larve, der äußere, der frühere Mensch, noch Gesichter fühlte und erkannte, rauschte innen in mir eine so taumelnde Musik, daß ich mich niederdrücken mußte, um nicht etwas herauszuschreien von diesem tosenden Tumult. Ich war so voll von Gefühl, daß mich dieser innere Schwall physisch quälte, daß ich wie eine Erstickender die Hand gewaltsam an die Brust pressen mußte, unter der das Herz schmerzhaft gärte. Aber Schmerz, Lust, Erschrekken, Entsetzen oder Bedauern, nichts fühlte ich einzeln und abgerissen, alles schmolz zusammen, ich spürte nur, daß ich lebte, daß ich atmete und fühlte. Und dieses Einfachste, dieses urhafte Gefühl, das ich seit Jahren nicht empfunden, machte mich trunken. Nie hatte ich mich selbst auch nur eine Sekunde meiner sechsunddreißig Jahre so ekstatisch als lebendig empfunden als in der Schwebe dieser Stunde.

Mit einem leichten Ruck hielt der Wagen an: der Kutscher hatte die Pferde angezügelt, wandte sich vom Bock und fragte, ob er nach Hause fahren solle. Ich taumelte aus mir heraus, hob die Blicke über die Allee hin: mit Betroffenheit merkte ich, wie lange ich geträumt, wie weit die Trunkenheit über die Stunden sich ausgegossen hatte. Es war dunkel geworden, ein Weiches wogte in den Kronen der Bäume, die Kastanien begannen ihren abendlichen Duft durch die Kühle zu atmen. Und hinter den Wipfeln silberte schon ein verschleierter Blick von Mond. Es war genug, es mußte genug sein. Aber nur nicht jetzt nach Hause, nur nicht in meine gewohnte Welt! Ich bezahlte den Kutscher. Als ich die Brieftasche zog und die Banknoten zählend zwischen die Finger nahm, liefs wie ein leiser elektrischer Schlag mir vom Gelenk in die Fingerspitzen: irgend etwas in mir mußte noch wach sein also vom alten Menschen, der sich schämte. Noch zuckte das absterbende Gentlemansgewissen, doch ganz heiter blätterte schon wieder meine Hand im gestohlenen Gelde, und ich war freigebig aus meiner Freude. Der Kutscher bedankte sich so überschwenglich, daß ich lächeln mußte: wenn du wüßtest! Die Pferde zogen an, der Wagen fuhr fort. Ich sah ihm nach, wie man vom Schiff noch einmal auf einen Strand zurückblickt, an dem man glücklich gewesen.

Einen Augenblick stand ich so träumerisch und ratlos mitten in der murmelnden, lachenden, musiküberwogten Menge: es mochte etwa sieben Uhr sein, und unwillkürlich bog ich hinüber zum Sachergarten, wo ich sonst immer nach der Praterfahrt in Gesellschaft zu speisen pflegte und in dessen Nähe der Fiaker mich wohl bewußt abgesetzt hatte. Aber kaum daß ich die Gitterklinke des vornehmen Gartenrestaurants berührte, überfiel mich eine Hemmung: nein, ich wollte noch nicht in meine Welt zurück, nicht mir in lässigem Gespräch diese wunderbare Gärung, die mich geheimnisvoll erfüllte, wegschwemmen lassen, nicht mich loslösen von der funkelnden Magie des Abenteuers, der ich mich seit Stunden verkettet fühlte.

Von irgendwoher dröhnte dumpfe verworrene Musik, und unwillkürlich ging ich ihr nach, denn alles lockte mich heute, ich empfand es als Wollust, dem Zufall ganz nachzugeben, und dies dumpfe Hingetriebensein inmitten einer weichwogenden Menschenmenge hatte einen phantastischen Reiz. Mein Blut gärte auf in diesem dicken quirlenden Brei heißer menschlicher Masse: aufgespannt war ich mit einemmal, angereizt und gesteigert wach in allen Sinnen von diesem beizend qualmigen Duft von Menschenatem, Staub, Schweiß und Tabak. Denn all dies, was mich vordem, ja selbst gestern noch, als ordinär, gemein und plebejisch abgestoßen, was der soignierte Gentleman in mir ein Leben lang hochmütig gemieden hatte, das zog meinen neuen Instinkt magisch an, als empfände ich zum erstenmal im Animalischen, im Triebhaften, im Gemeinen eine Verwandtschaft mit mir selbst. Hier im Abhub der Stadt, zwischen Soldaten, Dienstmädchen, Strolchen, fühlte ich mich in einer Weise wohl, die mir ganz unverständlich war: ich sog die Beize dieser Luft irgendwie gierig ein, das Schieben und Pressen in eine geknäulte Masse war mir angenehm, und mit einer wollüstigen Neugier wartete ich, wohin diese Stunde mich Willenlosen schwemmte. Immer näher gellten und schmetterten vom Wurstelprater her die Tschinellen und die weiße Blechmusik, in einer fanatisch monotonen Art stampften die Orchestrions harte Polkas und rumpelnde Walzer, dazwischen knatterten dumpfe Schläge aus den Buden, zischte Gelächter, grölten trunkene Schreie, und jetzt sah ich schon mit irrsinnigen Lichtern die Karusselle meiner Kindheit zwischen den Bäumen kreisen. Ich blieb mitten auf dem Platze stehen und ließ den ganzen Tumult in mich einbranden, mir Augen und Ohren vollschwemmen: diese Kaskaden von Lärm, das Infernalische dieses Durcheinander tat mir wohl, denn in diesem Wirbel war etwas, das mir den innern Schwall betäubte. Ich sah zu, wie mit geblähten Kleidern die Dienstmädchen sich auf den Hutschen mit kollernden Lustschreien, die gleichsam aus ihrem Geschlecht gellten, in den Himmel schleudern ließen, wie Metzgergesellen lachend schwere Hämmer auf die Kraftmesser hinkrachten, Ausrufer mit heisern Stimmen und affenhaften Gebärden über den Lärm der Orchestrions schreiend hinwegruderten, und wie alles dies sich quirlend mengte mit dem tausendgeräuschigen, unablässig bewegten Dasein der Menge, die trunken war vom Fusel der Blechmusik, dem Flirren des Lichts und von der eigenen warmen Lust ihres Beisammenseins. Seit ich selber wach geworden war, spürte ich auf einmal das Leben der andern, ich spürte die Brunst der Millionenstadt, wie sie sich heiß und aufgestaut in die paar Stunden des Sonntags ergoß, wie sie sich aufreizte an der eigenen Fülle zu einem dumpfen, tierischen, aber irgendwie gesunden und triebhaften Genuß. Und allmählich spürte ich vom Angeriebensein, von der unausgesetzten Berührung mit ihren heißen, leidenschaftlich drängenden Körpern ihre warme Brunst selbst in mich übergehen: meine Nerven strafften sich, aufgebeizt von dem scharfen Geruch, aus mir heraus, meine Sinne spielten taumelig mit dem Getöse und empfanden jene verwirrte Betäubung, die mit jeder starken Wollust unweigerlich gemengt ist. Zum erstenmal seit Jahren, vielleicht überhaupt in meinem Leben, spürte ich die Masse, spürte ich Menschen als eine Macht, von der Lust in mein eigenes, abgeschiedenes Wesen überging: irgendein Damm war zerrissen, und von meinen Adern gings hinüber in diese Welt, strömte es rhythmisch zurück, und eine ganz neue Gier überkam mich, noch jene letzte Kruste zwischen mir und ihnen abzuschmelzen, ein leidenschaftliches Verlangen nach Paarung mit dieser heißen, fremden, drängenden Menschheit. Mit der Lust des Mannes sehnte ich mich in den quellenden Schoß dieses heißen Riesenkörpers hinein, mit der Lust des Weibes war ich aufgetan jeder Berührung, jedem Ruf, jeder Lockung, jeder Umfassung — und nun wußte ichs, Liebe war in mir und Bedürfnis nach Liebe wie nur in den zwielichthaften Knabentagen.

Oh, nur hinein, hinein ins Lebendige, irgendwie verbunden sein mit dieser zuckenden, lachenden, aufatmenden Leidenschaft der andern, nur einströmen, sich ergießen in ihren Adergang; ganz klein, ganz namenlos werden im Getümmel, eine Infusorie bloß sein im Schmutz der Welt, ein lustzitterndes, funkelndes Wesen im Tümpel mit den Myriaden — aber nur hinein in die Fülle, hinab in den Kreisel, mich abschießen wie einen Pfeil von der eigenen Gespanntheit ins Unbekannte, in irgendeinen Himmel der Gemeinsamkeit.

Ich weiß es jetzt: ich war damals trunken. In meinem Blute brauste alles zusammen, das Hämmern der Glocken von den Karussells, das feine Lustlachen der Frauen, das unter dem Zugriff der Männer aufsprühte, die chaotische Musik, die flirrenden Kleider. Spitz fiel jeder einzelne Laut in mich und flimmerte dann noch einmal rot und zuckend an den Schläfen vorbei, ich spürte jede Berührung, jeden Blick mit einer phantastischen Aufgereiztheit der Nerven (so wie bei der Seekrankheit), aber doch alles gemeinsam in einem taumeligen Verbundensein. Ich kann meinen komplizierten Zustand unmöglich mit Worten ausdrücken, am ehesten gelingt es noch vielleicht mit einem Vergleiche: wenn ich sage, ich war überfüllt mit Geräusch, Lärm, Gefühl, überheizt wie eine Maschine, die mit allen Rädern rasend rennt, um dem ungeheuren Druck zu entlaufen, der ihr im nächsten Augenblicke schon den Brustkessel sprengen muß. In den Fingerspitzen zuckte, in den Schläfen pochte, in der Kehle preßte, an den Schläfen würgte das angehitzte Blut — von einer jahrelangen Lauheit des Gefühls war ich mit einemmal in ein Fieber gestürzt, das mich verbrannte. Ich fühlte, daß ich mich jetzt auftun müßte, aus mir heraus mit einem Wort, mit einem Blick, mich mitteilen, mich ausströmen, mich weggeben, mich hingeben, mich gemein machen, mich lösen — irgendwie retten aus dieser harten Kruste von Schweigen, die mich absonderte von dem warmen, flutenden, lebendigen Element. Seit Stunden hatte ich nicht gesprochen, niemandes Hand gedrückt, niemandes Blick fragend und teilnehmend gegen den meinen gespürt, und nun staute, unter dem Sturz der Geschehnisse, sich diese Erregung gegen das Schweigen. Niemals, niemals hatte ich so sehr das Bedürfnis nach Mitteilsamkeit, nach einem Menschen gehabt als jetzt, da ich inmitten von Tausenden und Zehntausenden wogte, rings angespült war von Wärme und Worten, und doch abgeschnürt von dem kreisenden Adergang dieser Fülle. Ich war wie einer, der auf dem Meere verdurstet. Und dabei sah ich, diese Qual mit jedem Blick mehrend, wie rechts und links in jeder Sekunde Fremdes sich anstreifend band, die Quecksilberkügelchen gleichsam spielend zusammenliefen. Ein Neid kam mich an, wenn ich sah, wie junge Burschen im Vorübergehen fremde Mädchen ansprachen und sie nach dem ersten Wort schon unterfaßten, wie alles sich fand und zusammentat: ein Gruß beim Karussell, ein Blick im Anstreifen genügte schon, und Fremdes schmolz in ein Gespräch, vielleicht um sich wieder zu lösen nach ein paar Minuten, aber doch, es war Bindung, Vereinigung, Mitteilung, war das, wonach alle meine Nerven jetzt brannten. Ich aber, gewandt im gesellschaftlichen Gespräch, beliebter Causeur und sicher in den Formen, ich verging vor Angst, ich schämte mich, irgendeines dieser breithüftigen Dienstmädchen anzureden, aus Furcht, sie möchte mich verlachen, ja ich schlug die Augen nieder, wenn jemand mich zufällig anschaute, und verging doch innen vor Begierde nach dem Wort. Was ich wollte von den Menschen, war mir ja selbst nicht klar, ich ertrug es nur nicht länger, allein zu sein und an meinem Fieber zu verbrennen. Aber alle sahen an mir vorbei, jeder Blick strich mich weg, niemand wollte mich spüren. Einmal trat ein Bursch in meine Nähe, zwölfjährig, mit zerlumpten Kleidern: sein Blick war grell erhellt vom Widerschein der Lichter, so sehnsüchtig starrte er auf die schwingenden Holzpferde. Sein schmaler Mund stand offen wie lechzend: offenbar hatte er kein Geld mehr, um mitzufahren, und sog nur Lust aus dem Schreien und Lachen der andern. Ich stieß mich gewaltsam heran an ihn und fragte — aber warum zitterte meine Stimme so dabei und war ganz grell überschlagen? — : «Möchten Sie nicht auch einmal mitfahren?» Er starrte auf, erschrak — warum? warum? — wurde blutrot und lief fort, ohne ein Wort zu sagen. Nicht einmal ein barfüßiges Kind wollte eine Freude von mir: es mußte, so fühlte ich, etwas furchtbar Fremdes an mir sein, daß ich nirgends mich einmengen konnte, sondern abgelöst in der dicken Masse schwamm wie ein Tropfen Öl auf dem bewegten Wasser.

Aber ich ließ nicht nach: ich konnte nicht länger allein bleiben. Die Füße brannten mir in den bestaubten Lackschuhen, die Kehle war verrostet vom aufgewühlten Qualm. Ich sah mich um: rechts und links zwischen den strömenden Menschengassen standen kleine Inseln von Grün, Gastwirtschaften mit roten Tischtüchern und nackten Holzbänken, auf denen die kleinen Bürger saßen mit ihrem Glas Bier und der sonntäglichen Virginia. Der Anblick lockte mich: hier saßen Fremde beisammen, verknüpften sich im Gespräch, hier war ein wenig Ruhe im wüsten Fieber. Ich trat ein, musterte die Tische, bis ich einen fand, wo eine Bürgerfamilie, ein dicker, vierschrötiger Handwerker mit seiner Frau, zwei heitern Mädchen und einem kleinen Jungen saß. Sie wiegten die Köpfe im Takt, scherzten einander zu, und ihre zufriedenen, leichtlebigen Blicke taten mir wohl. Ich grüßte höflich, rührte an einen Sessel und fragte, ob ich Platz nehmen dürfe. Sofort stockte ihr Lachen, einen Augenblick schwiegen sie (als wartete jeder, daß der andere seine Zustimmung gebe), dann sagte die Frau, gleichsam betroffen: «Bitte! Bitte!» Ich setzte mich hin und hatte gleich das Gefühl, daß ich mit meinem Hinsetzen ihre ungenierte Laune zerdrückte, denn sofort lag um den Tisch herum ein ungemütliches Schweigen. Ohne daß ich es wagte, die Augen von dem rotkarierten Tischtuch, auf dem Salz und Pfeffer schmierig verstreut zu sehen war, zu heben, spürte ich, daß sie mich alle befremdet beobachteten, und sofort fiel mir — zu spät! — ein, daß ich zu elegant war für dieses Dienstbotengasthaus mit meiner Derbydreß, dem Pariser Zylinder und der Perle in meiner taubengrauen Krawatte, daß meine Eleganz, das Parfüm von Luxus auch hier sofort eine Luftschicht von Feindlichkeit und Verwirrung um mich legte. Und dieses Schweigen der fünf Leute drosselte mich immer tiefer nieder auf den Tisch, dessen rote Karrees ich mit einer verbissenen Verzweiflung immer wieder abzählte, festgenagelt durch die Scham, plötzlich wieder aufzustehen, und doch wieder zu feige, den gepeinigten Blick aufzuheben. Es war eine Erlösung, als endlich der Kellner kam und das schwere Bierglas vor mich hinstellte. Da konnte ich endlich eine Hand regen und beim Trinken scheu über den Rand schielen: wirklich, alle fünf beobachteten mich, zwar ohne Haß, aber doch mit einer wortlosen Befremdung. Sie erkannten den Eindringling in ihre dumpfe Welt, sie fühlten mit dem naiven Instinkt ihrer Klasse, daß ich etwas hier wollte, hier suchte, was nicht zu meiner Welt gehörte, daß nicht Liebe, nicht Neigung, nicht die einfältige Freude am Walzer, am Bier, am geruhsamen Sonntagsitzen mich hertrieb, sondern irgendein Gelüst, das sie nicht verstanden und dem sie mißtrauten, so wie der Junge vor dem Karussell meinem Geschenk mißtraut hatte, wie die tausend Namenlosen da draußen im Gewühl meiner Eleganz, meiner Weltmännischkeit in unbewußter Feindlichkeit ausbogen. Und doch fühlte ich: fände ich jetzt ein argloses, einfaches, herzliches, ein wahrhaft menschliches Wort der Anrede zu ihnen, so würde der Vater oder die Mutter mir antworten, die Töchter geschmeichelt zulächeln, ich könnte mit dem Jungen hinüber in eine Bude schießen gehen und kindlichen Spaß mit ihm treiben. In fünf, in zehn Minuten würde ich erlöst sein von mir, eingehüllt in die arglose Atmosphäre bürgerlichen Gesprächs, gern gewährter und sogar geschmeichelter Vertraulichkeit — aber dies einfache Wort, diesen ersten Ansatz im Gespräch, ich fand ihn nicht, eine falsche, törichte, aber übermächtige Scham würgte mir die Kehle, und ich saß mit gesenktem Blick wie ein Verbrecher an dem Tisch dieser einfachen Menschen, gehüllt in die Qual, ihnen mit meiner verbissenen Gegenwart noch die letzte Stunde des Sonntags verstört zu haben. Und in diesem hingebohrten Hinsitzen büßte ich all die Jahre gleichgültigen Hochmuts, an denen ich an abertausend solchen Tischen, an Millionen und Millionen brüderlicher Menschen ohne Blick vorübergegangen war, einzig beschäftigt mit Gunst oder Erfolg in jenem engen Kreise der Eleganz; und ich spürte, daß mir der gerade Weg, die unbefangene Sprache zu ihnen, jetzt, da ich ihrer in der Stunde meines Ausgestoßenseins bedurfte, von innen vermauert war.

So saß ich, ein freier Mensch bisher, qualvoll in mich geduckt, immer wieder die roten Karrees am Tischtuch abzählend, bis endlich der Kellner vorbeikam. Ich rief ihn an, zahlte, stand von dem kaum angetrunkenen Bierglase auf, grüßte höflich. Man dankte mir freundlich und erstaunt: ich wußte, ohne mich umzuwenden, daß jetzt, kaum daß ich ihnen den Rücken zeigte, das Lebendig-Heitere sie wieder überkommen, der warme Kreis des Gesprächs sich schließen würde, sobald ich, der Fremdkörper, ausgestoßen war.

Wieder warf ich mich, aber nun noch gieriger, heißer und verzweifelter, in den Wirbel der Menschen zurück. Das Gedränge war inzwischen lockerer geworden unter den Bäumen, die schwarz in den Himmel überfluteten, es drängte und quirlte nicht mehr so dicht und strömend in den Lichtkreis der Karussells, sondern schwirrte nur schattenhaft mehr am äußersten Rande des Platzes. Auch der brausende, tiefe, gleichsam lustatmende Ton der Menge zerstückte sich in viele kleine Geräusche, die immer gleich hingeschmettert wurden, wenn jetzt die Musik irgendwo gewaltig und rabiat einsetzte, als wollte sie die Fliehenden noch einmal heranreißen. Eine andere Art Gesichter tauchte jetzt auf: die Kinder mit ihren Ballons und Papierkoriandolis waren schon nach Hause gegangen, auch die breithinrollenden sonntäglichen Familien hatten sich verzogen. Nun sah man schon Betrunkene johlen, verlotterte Burschen mit lungerndem und doch suchendem Gang sich aus den Seitenalleen vorschieben: es war in der einen Stunde, in der ich festgenagelt vor dem fremden Tische gesessen, diese seltsame Welt mehr ins Gemeine hinabgeglitten. Aber gerade jene phosphoreszierende Atmosphäre von Frechheit und Gefährlichkeit gefiel mir irgendwie besser als die bürgerlich-sonntägliche von vordem. Der in mir aufgereizte Instinkt witterte hier ähnliche Gespanntheit der Begier; in dem vortreibenden Schlendern dieser fragwürdigen Gestalten, dieser Ausgestoßenen der Gesellschaft, empfand ich mich irgendwie gespiegelt: auch sie wilderten doch mit einer unruhigen Erwartung hier nach einem flackernden Abenteuer, einer raschen Erregung, und selbst sie, diese zerlumpten Burschen, beneidete ich um die offene, freie Art ihres Streifens; denn ich stand an die Säule eines Karussells atmend gepreßt, ungeduldig, den Druck des Schweigens, die Qual meiner Einsamkeit aus mir zu stoßen und doch unfähig einer Bewegung, eines Anrufs, eines Worts. Ich stand nur und starrte hinaus auf den Platz, der vom Reflex der kreisenden Lichter zuckend erhellt war, stand und starrte von meiner Lichtinsel ins Dunkel hinein, töricht erwartungsvoll jeden Menschen anblickend, der, vom grellen Schein angezogen, für einen Augenblick sich herwandte. Aber jedes Auge glitt kalt an mir ab. Niemand wollte mich, niemand erlöste mich.

Ich weiß, es wäre wahnwitzig, jemandem schildern oder gar erklären zu wollen, daß ich, ein kultivierter eleganter Mann der Gesellschaft, reich, unabhängig, mit den Besten einer Millionenstadt befreundet, eine ganze Stunde in jener Nacht am Pfosten eines verstimmt quiekenden, rastlos sich schwingenden Praterkarussells stand, zwanzig-, vierzig-, hundertmal dieselbe stolpernde Polka, denselben schleifenden Walzer mit denselben idiotischen Pferdeköpfen aus bemaltem Holz an mir vorüberkreisen ließ und aus verbissenem Trotz, aus einem magischen Gefühl, das Schicksal in meinen Willen zu zwingen, nicht mich von der Stelle rührte. Ich weiß, daß ich sinnlos handelte in jener Stunde, aber in dieser sinnlosen Beharrung war eine Spannung des Gefühls, eine so stählerne Ankrampfung aller Muskeln, wie sie Menschen sonst vielleicht nur bei einem Absturz fühlen, knapp vor dem Tod; mein ganzes, leer vorbeigelaufenes Leben war plötzlich zurückgeflutet und staute sich bis hinauf zur Kehle. Und sosehr ich gequält war von meinem sinnlosen Wahn, zu bleiben, zu verharren, bis irgendein Wort, ein Blick eines Menschen mich erlöse, sosehr genoß ich diese Qual. Ich büßte etwas in diesem Stehen an dem Pfahl, nicht jenen Diebstahl sosehr, als das Dumpfe, das Laue, das Leere meines früheren Lebens: und ich hatte mir geschworen, nicht früher zu gehen, bis mir ein Zeichen gegeben war, das Schicksal mich freigegeben.

Und je mehr jene Stunde fortschritt, um so mehr drängte die Nacht sich heran. Eines nach dem andern losch in den Buden das Licht, und immer stürzte dann wie eine steigende Flut das Dunkel vor, schluckte den lichten Fleck auf dem Rasen ein: immer einsamer war die helle Insel, auf der ich stand, und schon sah ich zitternd auf die Uhr. Eine Viertelstunde noch, dann würden die scheckigen Holzpferde stillestehen, die roten und grünen Glühlampen auf ihren einfältigen Stirnen abknipsen, das geblähte Orchestrion aufhören zu stampfen. Dann würde ich ganz im Dunkel sein, ganz allein hier in der leise rauschenden Nacht, ganz ausgestoßen, ganz verlassen. Immer unruhiger blickte ich über den dämmernden Platz, über den nur ganz selten mehr ein heimkehrendes Pärchen eilig strich oder ein paar Burschen betrunken hintaumelten: quer drüben aber in den Schatten zitterte noch verstecktes Leben, unruhig und aufreizend. Manchmal pfiff oder schnalzte es leise, wenn ein paar Männer vorüberkamen. Und bogen sie dann, gelockt von dem Anruf, hin zum Dunkel, so zischelten in den Schatten Frauenstimmen, und manchmal warf der Wind abgerissene Fetzen grellen Lachens herüber. Und allmählich schob sichs um den Rand des Dunkels frecher hervor, gegen den Lichtkegel des erhellten Platzes, um sofort wieder in die Schwärze zurückzutauchen, sobald im Vorübergehen die Pickelhaube eines Schutzmannes im Reflex der Laterne schimmerte. Aber kaum daß er weiterging auf seiner Runde, waren die gespenstigen Schatten wieder da, und jetzt konnte ich sie schon deutlich im Umriß sehen, so nahe wagten sie sich ans Licht, der letzte Abhub jener nächtigen Welt, der Schlamm, der zurückblieb, nun, da sich der flüssige Menschenstrom verlaufen: ein paar Dirnen, jene ärmsten und ausgestoßensten, die keine eigene Bettstatt haben, tags auf einer Matratze schlafen und nachts ruhlos streifen, die ihren abgebrauchten, geschändeten, magern Körper jedem für ein kleines Silberstück hier irgendwo im Dunkel auftaten, umspürt von der Polizei, getrieben von Hunger oder irgendeinem Strolch, immer im Dunkel streifend, jagend und gejagt zugleich. Wie hungrige Hunde schnupperten sie allmählich vor zu dem erhellten Platz nach irgend etwas Männlichem, nach einem vergessenen Nachzügler, dem sie seine Lust ablocken könnten für eine Krone oder zwei, um sich dann einen Glühwein zu kaufen in einem Volkskaffee und den trüb flackernden Stumpf Leben sich zu erhalten, der ja ohnehin bald auslöscht in einem Spital oder einem Gefängnis. Der Abhub war dies, die letzte Jauche von der hochgequollenen Sinnlichkeit der sonntäglichen Masse — mit einem grenzenlosen Grauen sah ich nun aus dem Dunkel diese hungrigen Gestalten geistern. Aber auch in diesem Grauen war noch eine magische Lust, denn selbst in diesem schmutzigsten Spiegel erkannte ich Vergessenes und dumpf Gefühltes wieder: hier war eine tiefe, sumpfige Welt, die ich vor Jahren längst durchschritten und die nun phosphoreszierend mir wieder in die Sinne funkelte. Seltsam, was diese phantastische Nacht mir plötzlich entgegenhielt, wie sie mich Verschlossenen plötzlich auffaltete, daß das Dunkelste meiner Vergangenheit, das Geheimste meines Triebes in mir nun offen lag! Dumpfes Gefühl stieg auf verschütteter Knabenjahre, wo scheuer Blick neugierig angezogen und doch feig verstört an solchen Gestalten gehaftet, Erinnerung an die Stunde, wo man zum erstenmal auf knarrender, feuchter Treppe einer hinaufgefolgt war in ihr Bett — und plötzlich, als ob Blitz einen Nachthimmel zerteilt hätte, sah ich scharf jede Einzelheit jener vergessenen Stunde, den flachen Öldruck über dem Bett, das Amulett, das sie auf dem Halse trug, ich spürte jede Fiber von damals, die ungewisse Schwüle, den Ekel und den ersten Knabenstolz. All das wogte mir mit einem Male durch den Körper. Eine Hellsichtigkeit ohne Maß strömte plötzlich in mich ein, und — wie soll ich das sagen können, dies Unendliche! — ich verstand mit einemmal alles, was mich mit so brennendem Mitleid jenen verband, gerade weil sie der letzte Abschaum des Lebens waren, und mein von dem Verbrechen einmal angereizter Instinkt spürte von innen heraus dieses hungrige Lungern, das dem meinen in dieser phantastischen Nacht so ähnlich war, dies verbrecherische Offenstehn jeder Berührung, jeder fremden, zufällig anstreifenden Lust. Magnetisch zog es mich hin, die Brieftasche mit dem gestohlenen Geld brannte plötzlich heiß über der Brust, wie ich da drüben endlich Wesen, Menschen, Weiches, Atmendes, Sprechendes spürte, das von andern Wesen, vielleicht auch von mir, etwas wollte, von mir, der nur wartete, sich wegzugeben, der verbrannte in seiner rasenden Willigkeit nach Menschen. Und mit einmal verstand ich, was Männer zu solchen Wesen treibt, verstand, daß es selten nur Hitze des Blutes ist, ein schwellender Kitzel ist, sondern meist bloß die Angst vor der Einsamkeit, vor der entsetzlichen Fremdheit, die sonst zwischen uns sich auftürmt und die mein entzündetes Gefühl heute zum erstenmal fühlte. Ich erinnerte mich, wann ich zum letztenmal dies dumpf empfunden: in England war es gewesen, in Manchester, einer jener stählernen Städte, die in einem lichtlosen Himmel von Lärm brausen wie eine Untergrundbahn und die doch gleichzeitig einen Frost von Einsamkeit haben, der durch die Poren bis ins Blut dringt. Drei Wochen hatte ich dort bei Verwandten gelebt, abends immer allein irrend durch Bars und Klubs und immer wieder in die glitzernde Musichall, nur um etwas menschliche Wärme zu spüren. Und da eines Abends hatte ich so eine Person gefunden, deren Gassenenglisch ich kaum verstand, aber plötzlich war man in einem Zimmer, trank Lachen von einem fremden Mund, ein warmer Körper war da, irdisch nahe und weich. Plötzlich schmolz sie weg, die kalte schwarze Stadt, der finstere lärmende Raum von Einsamkeit, irgendein Wesen, das man nicht kannte, das nur dastand und wartete auf jeden, der kam, löste einen auf, ließ allen Frost wegtauen; man atmete wieder frei, spürte Leben in leichter Helligkeit inmitten des stählernen Kerkers. Wie wunderbar war das für die Einsamen, die Abgesperrten in sich selbst, dies zu wissen, dies zu ahnen, daß ihrer Angst immer doch irgendein Halt ist, sich festzuklammern an ihn, mag er auch überschmutzt sein von vielen Griffen, starrend von Alter, zerfressen von giftigem Rost. Und dies, gerade dies hatte ich vergessen in der Stunde der untersten Einsamkeit, aus der ich taumelnd aufstieg in dieser Nacht, daß irgendwo an einer letzten Ecke immer diese Letzten noch warten, jede Hingabe in sich aufzufangen, jede Verlassenheit an ihrem Atem ausruhen zu lassen, jede Hitze zu kühlen für ein kleines Stück Geld, das immer zu gering ist für das Ungeheure, das sie geben mit ihrem ewigen Bereitsein, mit dem großen Geschenk ihrer menschlichen Gegenwart.

Neben mir setzte dröhnend das Orchestrion des Karussells wieder ein. Es war die letzte Runde, die letzte Fanfare des kreisenden Lichts in das Dunkel hinaus, ehe der Sonntag in die dumpfe Woche verging. Aber niemand kam mehr, leer rannten die Pferde in ihrem irrsinnigen Kreis, schon scharrte und zählte an der Kasse die übermüdete Frau die Losung des Tages zusammen, und der Laufbursche kam mit den Haken, bereit, nach dieser letzten Runde knatternd die Rolläden über die Bude herabzulassen. Nur ich, ich allein, stand noch immer da, an den Pfosten gelehnt, und sah hinaus auf den leeren Platz, wo nur diese fledermausflatternden Gestalten strichen, suchend wie ich, wartend wie ich, und doch den undurchdringlichen Raum von Fremdheit zwischeneinander. Aber jetzt mußte eine von ihnen mich bemerkt haben, denn sie schob sich langsam her, ganz nah sah ich sie unter dem gesenkten Blick: ein kleines, verkrüppeltes, rachitisches Wesen ohne Hut, mit einem geschmacklos aufgeputzten Fähnchen von Kleid, unter dem abgetragene Ballschuhe vorlugten, das Ganze wohl allmählich bei Hökerinnen oder einem Trödler zusammengekauft und seitdem verscheuert, zerdrückt vom Regen oder irgendwo bei einem schmutzigen Abenteuer im Gras. Sie schmeichelte sich heran, blieb neben mir stehen, den Blick wie eine Angel spitz herwerfend und ein einladendes Lächeln über den schlechten Zähnen. Mir blieb der Atem stocken. Ich konnte mich nicht rühren, nicht sie ansehen und doch mich nicht fortreißen: wie in einer Hypnose spürte ich, daß da ein Mensch um mich begehrlich herumstrich, jemand um mich warb, daß ich endlich diese gräßliche Einsamkeit, dies quälende Ausgestoßensein mit einem Wort, einer Geste bloß wegschleudern könnte. Aber ich vermochte mich nicht zu rühren, hölzern wie der Balken, an dem ich lehnte, und in einer Art wollüstiger Ohnmacht empfand ich nur immer — während die Melodie des Karussells schon müde wegtaumelte — die nahe Gegenwart, diesen Willen, der um mich warb, und schloß die Augen für einen Augenblick, um ganz dieses magnetische Angezogensein irgendeines Menschlichen aus dem Dunkel der Welt mich überfluten zu fühlen.

Das Karussell hielt inne, die walzerndeMelodie erstickte mit einem letzten stöhnenden Laut. Ich schlug die Augen auf und sah gerade noch, wie die Gestalt neben mir sich wegwandte. Offenbar war es ihr zu langweilig, hier neben einem hölzern Dastehenden zu warten. Ich erschrak. Mir wurde plötzlich ganz kalt. Warum hatte ich sie fortgehen lassen, den einzigen Menschen dieser phantastischen Nacht, der mir entgegengekommen, der mir aufgetan war? Hinter mir löschten die Lichter, prasselnd knatterten die Rollbalken herab. Es war zu Ende.

Und plötzlich — ach, wie mir selbst diesen heißen, diesen jäh aufspringenden Gischt schildern? — plötzlich — es kam so jäh, so heiß, so rot, als ob mir eine Ader in der Brust geplatzt wäre — plötzlich brach aus mir, dem stolzen, dem hochmütigen, ganz in kühler, gesellschaftlicher Würde verschanzten Menschen wie ein stummes Gebet, wie ein Krampf, wie ein Schrei, der kindische und mir doch so ungeheure Wunsch, diese kleine, schmutzige, rachitische Hure möchte nur noch einmal den Kopf wenden, damit ich zu ihr sprechen könnte. Denn ihr nachzugehen war ich nicht zu stolz — mein Stolz war zerstampft, zertreten, weggeschwemmt von ganz neuen Gefühlen —, aber zu schwach, zu ratlos. Und so stand ich da, zitternd und durchwühlt, hier allein an dem Marterpfosten der Dunkelheit, wartend wie ich nie gewartet hatte seit meinen Knabenjahren, wie ich nur einmal an einem abendlichen Fenster gestanden, als eine fremde Frau langsam sich auszukleiden begann und immer zögerte und verweilte in ihrer ahnungslosen Entblößung — ich stand, zu Gott aufschreiend mit irgendeiner mir selbst unbekannten Stimme um das Wunder, dieses krüppelige Ding, dieser letzte Abhub Menschheit möge es noch einmal mit mir versuchen, noch einmal den Blick rückwenden zu mir.

Und — sie wandte sich. Einmal noch, ganz mechanisch blickte sie zurück. Aber so stark mußte mein Aufzucken, das Vorspringen meines gespannten Gefühls in dem Blick gewesen sein, daß sie beobachtend stehen blieb. Sie wippte noch einmal halb herum, sah mich durch das Dunkel an, lächelte und winkte mit dem Kopf einladend hinüber gegen die verschattete Seite des Platzes. Und endlich fühlte ich den entsetzlichen Bann der Starre in mir weichen. Ich konnte mich wieder regen und nickte ihr bejahend zu.

Der unsichtbare Pakt war geschlossen. Nun ging sie voraus über den dämmerigen Platz, von Zeit zu Zeit sich umwendend, ob ich ihr nachkäme. Und ich folgte: das Blei war von meinen Knien gefallen, ich konnte wieder die Füße regen. Magnetisch stieß es mich nach, ich ging nicht bewußt, sondern strömte gleichsam, von geheimnisvoller Macht gezogen, hinter ihr her. Im Dunkel der Gasse zwischen den Buden verlangsamte sie den Schritt. Nun stand ich neben ihr.

Sie sah mich einige Sekunden an, prüfend und mißtrauisch: etwas machte sie unsicher. Offenbar war ihr mein seltsam scheues Dastehen, der Kontrast des Ortes und meiner Eleganz, irgendwie verdächtig. Sie blickte sich mehrmals um, zögerte. Dann sagte sie, in die Verlängerung der Gasse deutend, die schwarz wie eine Bergwerksschlucht war: «Gehn wir dort hinüber. Hinter dem Zirkus ist es ganz dunkel.»

Ich konnte nicht antworten. Das entsetzlich Gemeine dieser Begegnung betäubte mich. Am liebsten hätte ich mich irgendwie losgerissen, mit einem Stück Geld, mit einer Ausrede freigekauft, aber mein Wille hatte keine Macht mehr über mich. Wie auf einer Rodel war mir, wenn man an einer Kurve schleudernd, mit rasender Geschwindigkeit einen steilen Schneehang hinabsaust und das Gefühl der Todesangst sich irgendwie wollüstig mit dem Rausch der Geschwindigkeit mengt und man, statt zu bremsen, sich mit einer taumelnden und doch bewußten Schwäche willenlos an den Sturz hingibt. Ich konnte nicht mehr zurück und wollte vielleicht gar nicht mehr, und jetzt, wie sie vertraulich sich an mich drückte, faßte ich unwillkürlich ihren Arm. Es war ein ganz magerer Arm, nicht der Arm einer Frau, sondern wie der eines zurückgebliebenen skrofulösen Kindes, und kaum daß ich ihn durch das dünne Mäntelchen fühlte, überkam mich mitten in dem gespannten Empfinden ein ganz weiches, flutendes Mitleid mit diesem erbärmlichen, zertretenen Stück Leben, das diese Nacht gegen mich gespült. Und unwillkürlich liebkosten meine Finger diese schwachen, kränklichen Gelenke so rein, so ehrfürchtig, wie ich noch nie eine Frau berührt.

Wir überquerten eine matt erleuchtete Straße und traten in ein kleines Gehölz, wo wuchtige Baumkronen ein dumpfes, übelriechendes Dunkel fest zusammenhielten. In diesem Augenblick merkte ich, obwohl man kaum mehr einen Umriß bemerken konnte, daß sie ganz vorsichtig an meinem Arm sich umwandte und einige Schritte später noch ein zweitesmal. Und seltsam: während ich gleichsam in einer Betäubung in das schmutzige Abenteuer hinabglitt, waren doch meine Sinne furchtbar wach und funkelnd. Mit einer Hellsichtigkeit, der nichts entging, die jede Regung wissend bis in sich hineinriß, merkte ich, daß rückwärts am Saum des überquerten Pfades schattenhaft uns etwas nachglitt, und mir war es, als hörte ich einen schleichenden Schritt. Und plötzlich — wie ein Blitz eine Landschaft prasselnd weiß überspringt — ahnte, wußte ich alles: daß ich hier in eine Falle gelockt werden sollte, daß die Zuhälter dieser Hure hinter uns lauerten und sie mich im Dunkel an eine verabredete Stelle zog, wo ich ihre Beute werden sollte. Mit einer überirdischen Klarheit, wie sie nur die zusammengepreßten Sekunden zwischen Tod und Leben haben, sah ich alles, überlegte ich jede Möglichkeit. Noch war es Zeit, zu entkommen, die Hauptstraße mußte nahe sein, denn ich hörte die elektrische Tramway dort auf den Schienen rattern, ein Schrei, ein Pfiff konnte Leute herbeirufen: in scharf umrissenen Bildern zuckten alle Möglichkeiten der Flucht, der Rettung in mir auf.

Aber seltsam — diese aufschreckende Erkenntnis kühlte nicht, sondern hitzte nur. Ich kann mir heute in einem wachen Augenblick, im klaren Licht eines herbstlichen Tages das Absurde meines Tuns selbst nicht ganz erklären: ich wußte, wußte sofort mit jeder Fiber meines Wesens, daß ich unnötig in eine Gefahr ging, aber wie ein feiner Wahnsinn rieselte mir das Vorgefühl durch die Nerven. Ich wußte ein Widerliches, vielleicht Tödliches voraus, ich zitterte vor Ekel, hier irgendwie in ein Verbrechen, in ein gemeines, schmutziges Erleben gedrängt zu sein, aber gerade für die nie gekannte, nie geahnte Lebenstrunkenheit, die mich betäubend überströmte, war selbst der Tod noch eine finstere Neugier. Etwas — war es Scham, die Furcht zu zeigen, oder eine Schwäche? — stieß mich vorwärts. Es reizte mich, in die letzte Kloake des Lebens hinabzusteigen, in einem einzigen Tage meine ganze Vergangenheit zu verspielen und zu verprassen, eine verwegene Wollust des Geistes mengte sich der gemeinen dieses Abenteuers. Und obwohl ich mit allen meinen Nerven die Gefahr witterte, sie mit meinen Sinnen, meinem Verstand klarsichtig begriff, ging ich trotzdem weiter hinein in das Gehölz am Arm dieser schmutzigen Praterdirne, die mich körperlich mehr abstieß als lockte und von der ich wußte, daß sie mich nur für ihre Spießgesellen herzog. Aber ich konnte nicht zurück. Die Schwerkraft des Verbrecherischen, die sich nachmittags im Abenteuer auf dem Rennplatze an mich gehangen, riß mich weiter und weiter hinab. Und ich spürte nur mehr die Betäubung, den wirbeligen Taumel des Sturzes in neue Tiefen hinab und vielleicht in die letzte: in den Tod.

Nach ein paar Schritten blieb sie stehen. Wieder flog ihr Blick unsicher herum. Dann sah sie mich wartend an:

«Na — und was schenkst du mir?»

Ach so. Das hatte ich vergessen. Aber die Frage ernüchterte mich nicht. Im Gegenteil. Ich war ja so froh, schenken, geben, mich verschwenden zu dürfen. Hastig griff ich in die Tasche, schüttete alles Silber und ein paar zerknüllte Banknoten ihr in die aufgetane Hand. Und nun geschah etwas so Wunderbares, daß mir heute noch das Blut warm wird, wenn ich daran denke: entweder war diese arme Person überrascht von der Höhe der Summe — sie war sonst nur kleine Münze gewohnt für ihren schmutzigen Dienst —, oder in der Art meines Gebens, des freudigen, raschen, fast beglückten Gebens mußte etwas ihr Ungewohntes, etwas Neues sein, denn sie trat zurück, und durch das dicke, übelriechende Dunkel spürte ich, wie ihr Blick mit einem großen Erstaunen mich suchte. Und ich empfand endlich das lang Entbehrte dieses Abends: jemand fragte nach mir, jemand suchte mich, zum erstenmal *lebte* ich für irgend jemanden dieser Welt. Und daß gerade diese Ausgestoßenste, dieses Wesen, das ihren armen verbrauchten Körper durch die Dunkelheit wie eine Ware trug und die, ohne den Käufer auch nur anzusehen, sich an mich gedrängt, nun die Augen aufschlug zu den meinen, daß sie nach dem Menschen in mir fragte, das steigerte nur meine merkwürdige Trunkenheit, die hellsichtig war und taumelnd zugleich, wissend und aufgelöst in eine magische Dumpfheit. Und schon drängte dieses fremde Wesen sich näher an mich, aber nicht in geschäftsmäßiger Erfüllung bezahlter Pflicht, sondern ich meinte, irgend etwas unbewußt Dankbares, einen weibhaften Willen zur Annäherung darin zu spüren. Ich faßte leise ihren Arm an, den magern, rachitischen Kinderarm, empfand ihren kleinen verkrüppelten Körper und sah plötzlich über all das hinaus ihr ganzes Leben: die geliehene schmierige Bettstelle in einem Vorstadthof, wo sie von morgens bis mittags schlief zwischen einem Gewürm fremder Kinder, ich sah ihren Zuhälter, der sie würgte, die Trunkenen, die sich im Dunkel rülpsend über sie warfen, die gewisse Abteilung im Krankenhaus, in die man sie brachte, den Hörsaal, wo man ihren abgeschundenen Leib nackt und krank jungen frechen Studenten als Lehrobjekt hinhielt, und dann das Ende irgendwo in einer Heimatgemeinde, in die man sie per Schub abgeladen und wo man sie verrecken ließ wie ein Tier. Unendliches Mitleid mit ihr, mit allen überkam mich, irgend etwas Warmes, das Zärtlichkeit war und doch keine Sinnlichkeit. Immer wieder strich ich ihr über den kleinen mageren Arm. Und dann beugte ich mich nieder und küßte die Erstaunte.

In diesem Augenblick raschelte es hinter mir. Ein Ast knackte. Ich sprang zurück. Und schon lachte eine breite, ordinäre Männerstimme. «Da haben mirs. Ich hab mirs ja gleich gedacht.»

Noch ehe ich sie sah, wußte ich, wer sie waren. Nicht eine Sekunde hatte ich inmitten all meiner dumpfen Betäubung daran vergessen, daß ich umlauert war, ja meine geheimnisvolle wache Neugier hatte sie erwartet. Eine

Gestalt schob sich jetzt vor aus dem Gebüsch und hinter ihr eine zweite: verwilderte Burschen, frech aufgepflanzt. Wieder kam das ordinäre Lachen. «So eine Gemeinheit, da Schweinereien zu treiben. Natürlich ein feiner Herr! Den werden wir aber jetzt hoppnehmen.» Ich stand reglos. Das Blut tickte mir an die Schläfen. Ich empfand keine Angst. Ich wartete nur, was geschehen sollte. Jetzt war ich endlich in der Tiefe, im letzten Abgrund des Gemeinen. Jetzt mußte der Aufschlag kommen, das Zerschellen, das Ende, dem ich halbwissend entgegengetrieben.

Das Mädel war von mir weggesprungen, aber doch nicht zu ihnen hinüber. Sie stand irgendwie in der Mitte: anscheinend war ihr der vorbereitete Überfall doch nicht ganz angenehm. Die Burschen wiederum waren ärgerlich, daß ich mich nicht rührte. Sie sahen einander an, offenbar erwarteten sie von mir einen Widerspruch, eine Bitte, irgendeine Angst. «Aha, er sagt nix», rief schließlich drohend der eine. Und der andere trat auf mich zu und sagte befehlend: «Sie müssen mit aufs Kommissariat.»

Ich antwortete noch immer nichts. Da legte mir der eine den Arm auf die Schulter und stieß mich leicht vor. «Vorwärts», sagte er.

Ich ging. Ich wehrte mich nicht, weil ich mich nicht wehren wollte: das Unerhörte, das Gemeine, das Gefährliche der Situation betäubte mich. Mein Gehirn blieb ganz wach; ich wußte, daß die Burschen die Polizei mehr fürchten mußten als ich, daß ich mich loskaufen konnte mit ein paar Kronen — aber ich wollte ganz die Tiefe des Gräßlichen auskosten, ich genoß die grausige Erniedrigung der Situation in einer Art wissender Ohnmacht. Ohne Hast, ganz mechanisch, ging ich in die Richtung, in die sie mich gestoßen hatten.

Aber gerade das, daß ich so wortlos, so geduldig dem Licht zuging, schien die Burschen zu verwirren. Sie zischelten leise. Dann fingen sie wieder an, absichtlich laut miteinander zu reden. «Laß ihn laufen», sagte der eine (ein pockennarbiger kleiner Kerl); aber der andere erwiderte, scheinbar streng: «Nein, das geht nicht. Wenn das ein armer Teufel tut wie wir, der nix zum Fressen hat, dann wird er eingelocht. Aber so ein feiner Herr — da muß a Straf sein.» Und ich hörte jedes Wort und hörte darin ihre ungeschickte Bitte, ich möchte beginnen, mit ihnen zu verhandeln; der Verbrecher in mir verstand den Verbrecher in ihnen, verstand, daß sie mich quälen wollten mit Angst und ich sie quälte mit meiner Nachgiebigkeit. Es war ein stummer Kampf zwischen uns beiden, und — o wie reich war diese Nacht! — ich fühlte inmitten tödlicher Gefahr, hier mitten im stinkenden Dickicht der Praterwiese, zwischen Strolchen und einer Dirne, zum zweitenmal seit zwölf Stunden den rasenden Zauber des Spiels, nun aber um den höchsten Einsatz, um meine ganze bürgerliche Existenz, ja um mein Leben. Und ich gab mich diesem ungeheuren Spiel, der funkelnden Magie des Zufalls mit der ganzen gespannten, bis zum Zerreißen gespannten Kraft meiner zitternden Nerven hin.

«Aha, dort ist schon der Wachmann», sagte hinter mir die eine Stimme, «da wird er sich nicht zu freuen haben, der feine Herr, eine Wochen wird er schon sitzen.» Es sollte böse klingen und drohend, aber ich hörte die stokkende Unsicherheit. Ruhig ging ich dem Lichtschein zu, wo tatsächlich die Pickelhaube eines Schutzmannes glänzte. Zwanzig Schritte noch, dann mußte ich vor ihm stehen. Hinter mir hatten die Burschen aufgehört zu reden; ich merkte, wie sie langsamer gingen; im nächsten Augenblick mußten sie, ich wußte es, feig zurücktauchen in das Dunkel, in ihre Welt, erbittert über den mißlungenen Streich, und ihren Zorn vielleicht an der Armseligen auslassen. Das Spiel war zu Ende: wiederum, zum zweitenmal, hatte ich heute gewonnen, wiederum einen andern fremden, unbekannten Menschen um seine böse Lust geprellt. Schon flackerte von drüben der bleiche Kreis der Laternen, und als ich mich jetzt umwandte, sah ich zum erstenmal in die Gesichter der beiden Burschen: Erbitterung war und eine geduckte Beschämung in ihren unsichern Augen. Sie blieben stehen in einer gedrückten, enttäuschten Art, bereit, ins Dunkel zurückzuspringen. Denn ihre Macht war vorüber: nun war *ich* es, den sie fürchteten.

In diesem Augenblick überkam mich plötzlich — und es war, als ob die innere Gärung alle Dauben in meiner Brust plötzlich sprengte und heiß das Gefühl in mein Blut überliefe — ein so unendliches, ein *brüderliches* Mitleid mit diesen beiden Menschen. Was hatten sie denn begehrt von mir, sie, die armen hungernden, zerfetzten Burschen, von mir, dem Übersatten, dem Parasiten: ein paar Kronen, ein paar elende Kronen. Sie hätten mich würgen können dort im Dunkel, mich berauben, mich töten, und hatten es nicht getan, hatten nur in einer ungeübten, ungeschickten Art versucht, mich zu schrecken um dieser kleinen Silbermünzen willen, die mir lose in der Tasche lagen. Wie konnte ich es da wagen, ich, der Dieb aus Laune, aus Frechheit, der Verbrecher aus Nervenlust, sie, diese armen Teufel, noch zu quälen? Und in mein unendliches Mitleid strömte unendliche Scham, daß ich mit ihrer Angst, mit ihrer Ungeduld um meiner Wollust willen noch gespielt. Ich raffte mich zusammen: jetzt, gerade jetzt, da ich gesichert war, da schon das Licht der nahen Straße mich schützte, jetzt mußte ich ihnen zuwillen sein, die Enttäuschung auslöschen in diesen bittern, hungrigen Blicken.

Mit einer plötzlichen Wendung trat ich auf den einen zu. «Warum wollen Sie mich anzeigen?» sagte ich und mühte mich, in meine Stimme einen gepreßten Atem von Angst zu quälen. «Was haben Sie davon? Vielleicht werde ich eingesperrt, vielleicht auch nicht. Aber Ihnen bringt es doch keinen Nutzen. Warum wollen Sie mir mein Leben verderben?»

Die beiden starrten verlegen. Sie hatten alles erwartet jetzt, einen Anschrei, eine Drohung, unter der sie wie knurrende Hunde sich weggedrückt hätten, nur nicht diese Nachgiebigkeit. Endlich sagte der eine, aber gar nicht drohend, sondern gleichsam entschuldigend: «Gerechtigkeit muß sein. Wir tun nur unsere Pflicht.»

Es war offenbar eingelernt für solche Fälle. Und doch klang es irgendwie falsch. Keiner von beiden wagte mich anzusehen. Sie warteten. Und ich wußte, worauf sie warteten. Daß ich betteln würde um Gnade. Und daß ich ihnen Geld bieten würde.

Ich weiß noch alles aus jenen Sekunden. Ich weiß jeden Nerv, der sich in mir regte, jeden Gedanken, der hinter der Schläfe zuckte. Und ich weiß, was mein böses Gefühl damals zuerst wollte: sie warten lassen, sie noch länger quälen, die Wollust des Wartenlassens auskosten. Aber ich zwang mich rasch, ich bettelte, weil ich wußte, daß ich die Angst dieser beiden endlich erlösen mußte. Ich begann eine Komödie der Furcht zu spielen, bat sie um Mitleid, sie möchten schweigen, mich nicht unglücklich machen. Ich merkte, wie sie verlegen wurden, diese armen Dilettanten der Erpressung, und wie das Schweigen gleichsam weicher zwischen uns stand.

Und da sagte ich endlich, endlich das Wort, nach dem sie so lange lechzten. «Ich . . . ich gebe Ihnen . . . hundert Kronen.»

Alle drei fuhren auf und sahen sich an. So viel hatten sie nicht mehr erwartet, jetzt, da doch alles für sie verloren war. Endlich faßte sich der eine, der Pockennarbige mit dem unruhigen Blick. Zweimal setzte er an. Es ging ihm nicht aus der Kehle. Dann sagte er — und ich spürte, wie er sich schämte dabei: «Zweihundert Kronen.»

«Aber hörts auf», mengte sich plötzlich das Mädchen ein. «Ihr könnts froh sein, wenn er euch überhaupt etwas gibt. Er hat ja gar nix getan, kaum daß er mich angerührt hat. Das ist wirklich zu stark.»

Wirklich erbittert schrie sie's ihnen entgegen. Und mir klang das Herz. Jemand hatte Mitleid mit mir, jemand sprach für mich, aus dem Gemeinen stieg Güte, irgendein dunkles Begehren nach Gerechtigkeit aus einer Erpressung. Wie das wohl tat, wie das Antwort gab auf den Aufschwall in mir! Nein, nur jetzt nicht länger spielen mit den Menschen, nicht sie quälen in ihrer Angst, in ihrer Scham: genug! genug!

«Gut, also zweihundert Kronen.»

Sie schwiegen alle drei. Ich nahm die Brieftasche heraus. Ganz langsam, ganz offen bog ich sie auf in der Hand. Mit einem Griff hätten sie mir sie wegreißen können und in das Dunkel hinein flüchten. Aber sie sahen scheu weg. Es war zwischen ihnen und mir irgendein geheimes Gebundensein, nicht mehr Kampf und Spiel, sondern ein Zustand des Rechts, des Vertrauens, eine menschliche Beziehung. Ich blätterte die beiden Noten aus dem gestohlenen Pack und reichte sie dem einen hin.

«Danke schön», sagte er unwillkürlich und wandte sich schon weg. Offenbar spürte er selbst das Lächerliche, zu danken für ein erpreßtes Geld. Er schämte sich, und diese seine Scham — oh, alles fühlte ich ja in dieser Nacht, jede Geste schloß sich mir auf! — bedrückte mich. Ich wollte nicht, daß sich ein Mensch vor mir schäme, vor mir, der ich seinesgleichen war, Dieb wie er, schwach, feige und willenlos wie er. Seine Demütigung quälte mich, und ich wollte sie ihm wegnehmen. So wehrte ich seinem Dank.

«Ich habe Ihnen zu danken», sagte ich und wunderte mich selbst, wieviel wahrhaftige Herzlichkeit aus meiner Stimme sprang. «Wenn Sie mich angezeigt hätten, wäre ich verloren gewesen. Ich hätte mich erschießen müssen, und Sie hätten nichts davon gehabt. Es ist besser so. Ich gehe jetzt da rechts hinüber und Sie vielleicht dort auf die andere Seite. Gute Nacht.»

Sie schwiegen wieder einen Augenblick. Dann sagte der eine «Gute Nacht», dann der andere, zuletzt die Hure, die ganz im Dunkel geblieben. Ganz warm klang es, ganz herzlich wie ein wirklicher Wunsch. An ihren Stimmen fühlte ich, sie hatten mich irgendwo tief im Dunkel ihres Wesens lieb, sie würden diese sonderbare Sekunde nie vergessen. Im Zuchthaus oder im Spital würde sie ihnen vielleicht wieder einmal einfallen: etwas von mir lebte fort in ihnen, ich hatte ihnen etwas gegeben. Und dieses Gebens Lust erfüllte mich wie noch nie ein Gefühl.

Ich ging allein durch die Nacht dem Ausgang des Praters zu. Alles Gepreßte war von mir gefallen, ich fühlte, wie ich ausströmte in nie gekannter Fülle, ich, der Verschollene, in die ganze unendliche Welt hinein. Alles empfand ich, als lebte es nur für mich allein, und mich wieder mit allem strömend verbunden. Schwarz umstanden mich die Bäume, sie rauschten mir zu, und ich liebte sie. Sterne glänzten von oben nieder, und ich atmete ihren weißen Gruß. Stimmen kamen singend von irgendwoher, und mir war, sie sängen für mich. Alles gehörte mir mit einem Male, seit ich die Rinde um meine Brust zerstoßen, und Freude des Hingebens, des Verschwendens schwellte mich allem zu. O wie leicht ist es, fühlte ich, Freude zu machen und selbst froh zu werden aus der Freude: man braucht sich nur aufzutun, und schon fließt von Mensch zu Mensch der lebendige Strom, stürzt vom Hohen zum Niedern, schäumt von der Tiefe wieder ins Unendliche empor.

Am Ausgang des Praters neben einem Wagenstandplatz sah ich eine Hökerin, müde, gebückt über ihren kleinen Kram. Bäckereien hatte sie, überschimmelt von Staub, und ein paar Früchte, seit Morgen saß sie wohl so da, gebückt über die paar Heller, und die Müdigkeit knickte sie ein. Warum sollst du dich nicht auch freuen, dachte ich, wenn ich mich freue? Ich nahm ein kleines Stück Zuckerbrot und legte ihr einen Schein hin. Sie wollte eilfertig wechseln, aber schon ging ich weiter und sah nur, wie sie erschrak vor Glück, wie die zerknitterte Gestalt sich plötzlich straffte und nur der im Staunen erstarrte Mund mir tausend Wünsche nachsprudelte. Das Brot zwischen den Fingern, trat ich zu dem Pferde, das müde an der Deichsel hing, aber nun wandte es sich her und schnaubte mir freundlich zu. Auch in seinem dumpfen Blick war Dank, daß ich seine rosa Nüster streichelte und ihm das Brot hinreichte. Und kaum daß ichs getan, begehrte ich nach mehr: noch mehr Freude zu machen, noch mehr zu spüren, wie man mit ein paar Silberstükken, mit ein paar farbigen Zetteln Angst auslöschen, Sorge töten, Heiterkeit aufzünden konnte. Warum waren keine Bettler da? Warum keine Kinder, die von den Ballons haben wollten, die dort ein mürrischer, weißhaariger Hinkfuß in dicken Bündeln an vielen Fäden nach Hause stelzte, enttäuscht über das schlechte Geschäft des langen heißen Tages. Ich ging auf ihn zu. «Geben Sie mir die Ballons.» «Zehn Heller das Stück», sagte er mißtrauisch, denn was wollte dieser elegante Müßiggänger jetzt mitternachts mit den farbigen Ballons? «Geben Sie mir alle», sagte ich und gab ihm einen Zehnkronenschein. Er torkelte auf, sah mich wie geblendet an, dann gab er mir zitternd die Schnur, die das ganze Bündel hielt. Straff fühlte ich es an dem Finger ziehn: sie wollten hinweg, wollten frei sein, wollten hinauf in den Himmel hinein. So geht, fliegt, wohin ihr begehrt, seid frei! Ich ließ die Schnüre los, und wie viele bunte Monde stiegen sie plötzlich auf. Von allen Seiten liefen die Leute her und lachten, aus dem Dunkel kamen die Verliebten, die Kutscher knallten mit den Peitschen und zeigten sich gegenseitig rufend mit den Fingern, wie jetzt die freien Kugeln über die Bäume hin zu den Häusern und Dächern trieben. Alles sah sich fröhlich an und hatte seinen Spaß mit meiner seligen Torheit.

Warum hatte ich das nie und nie gewußt, wie leicht es ist und wie gut, Freude zu geben! Mit einem Male brannten die Banknoten wieder in der Brieftasche, sie zuckten mir in den Fingern so wie vordem die Schnüre der Ballons: auch sie wollten wegfliegen von mir ins Unbekannte hinein. Und ich nahm sie, die gestohlenen des Lajos und die eigenen — denn nichts empfand ich mehr davon als Unterschied oder Schuld — zwischen die Finger, bereit, sie jedem hinzustreuen, der eine wollte. Ich ging hinüber zu einem Straßenkehrer, der verdrossen die verlassene Praterstraße fegte. Er meinte, ich wolle ihn nach irgendeiner Gasse fragen und sah mürrisch auf: ich lachte ihn an und hielt ihm einen Zwanzigkronenschein hin. Er starrte, ohne zu begreifen, dann nahm er ihn endlich und wartete, was ich von ihm fordern würde. Ich aber lachte ihm nur zu, sagte: «Kauf dir was Gutes dafür», und ging weiter. Immer sah ich nach allen Seiten, ob nicht jemand etwas von mir begehrte, und da niemand kam, bot ich an: einer Hure, die mich ansprach, schenkte ich einen Schein, zwei einem Laternenanzünder, einen warf ich in die offene Luke einer Backstube im Untergeschoß, und ging so, ein Kielwasser von Staunen, Dank, Freude hinter mir, weiter und weiter. Schließlich warf ich sie einzeln und zerknüllt ins Leere auf die Straße, auf die Stufen einer Kirche und freute mich an dem Gedanken, wie das Hutzelweibchen bei der Morgenandacht die hundert Kronen finden und Gott segnen, ein armer Student, ein Mädel, ein Arbeiter das Geld staunend und doch beglückt auf ihrem Weg entdecken würden, so wie ich selbst staunend und beglückt in dieser Nacht mich selber entdeckt.

Ich könnte nicht mehr sagen, wo und wie ich sie alle verstreute, die Banknoten und schließlich auch mein Silbergeld. Es war irgendein Taumel in mir, ein sich Ergießen wie in eine Frau, und als die letzten Blätter weggeflattert waren, fühlte ich Leichtigkeit, als ob ich hätte fliegen können, eine Freiheit, die ich nie gekannt. Die Straße, der Himmel, die Häuser, alles flutete mir ineinander in einem ganz neuen Gefühl des Besitzes, des Zusammengehörens: nie und auch in den heißesten Sekunden meiner Existenz hatte ich so stark empfunden, daß alle diese Dinge wirklich vorhanden waren, daß sie lebten und daß ich lebte und daß ihr Leben und das meine ganz das gleiche waren, eben das große, das gewaltige, das nie genug beglückt gefühlte Leben, das nur die Liebe begreift, nur der Hingegebene umfaßt.

Dann kam noch ein letzter dunkler Augenblick, und das war, als ich, selig heimgewandert, den Schlüssel in meine Türe drückte und der Gang zu meinen Zimmern schwarz sich auftat. Da stürzte plötzlich Angst über mich, ich ginge jetzt in mein altes früheres Leben zurück, wenn ich die Wohnung dessen betrat, der ich bis zu dieser Stunde gewesen, mich in sein Bett legte, wenn ich die Verknüpfung mit all dem wieder aufnahm, was diese Nacht so schön gelöst. Nein, nur nicht mehr dieser Mensch werden, der ich war, nicht mehr der korrekte, fühllose, weltabgelöste Gentleman von gestern und einst, lieber hinabstürzen in alle Tiefen des Verbrechens und des Grauens, aber doch in die Wirklichkeit des Lebens! Ich war müde, unsagbar müde, und doch fürchtete ich mich, der Schlaf möchte über mir zusammenschlagen und all das Heiße, das Glühende, das Lebendige, das diese Nacht in mir entzündet, wieder wegschwemmen mit seinem schwarzen Schlamm, und dies ganze Erlebnis möge so flüchtig und unverhaftet gewesen sein wie ein phantastischer Traum.

Aber ich ward heiter wach in einen neuen Morgen am nächsten Tage, und nichts war verronnen von dem dankbar strömenden Gefühl. Seitdem sind nun vier Monate vergangen, und die Starre von einst ist nicht wiedergekehrt, ich blühe noch immer warm in den Tag hinein.

Jene magische Trunkenheit von damals, da ich plötzlich den Boden meiner Welt unter den Füßen verlor, ins Unbekannte stürzte und bei diesem Sturz in den eigenen Abgrund den Taumel der Geschwindigkeit gleichzeitig mit der Tiefe des ganzen Lebens berauscht gemengt empfand — diese fliegende Hitze, sie freilich ist dahin, aber ich spüre seit jener Stunde mein eigenes warmes Blut mit jedem Atemzuge und spüre es mit täglich erneuter Wollust des Lebens. Ich weiß, daß ich ein anderer Mensch geworden bin mit andern Sinnen, anderer Reizbarkeit und stärkerer Bewußtheit. Selbstverständlich wage ich nicht zu behaupten, ich sei ein besserer Mensch geworden: ich weiß nur, daß ich ein glücklicherer bin, weil ich irgendeinen Sinn für mein ganz ausgekühltes Leben gefunden habe, einen Sinn, für den ich kein Wort finde als eben das Wort Leben selbst. Seitdem verbiete ich mir nichts mehr, weil ich die Normen und Formen meiner Gesellschaft als wesenlos empfinde, ich schäme mich weder vor andern noch vor mir selbst. Worte wie Ehre, Verbrechen, Laster haben plötzlich einen kalten, blechernen Klangton bekommen, ich vermag sie ohne Grauen gar nicht auszusprechen. Ich lebe, indem ich mich leben lasse von der Macht, die ich damals zum erstenmal so magisch gespürt. Wohin sie mich treibt, frage ich nicht: vielleicht einem neuen Abgrund entgegen, in das hinein, was die andern Laster nennen, oder einem ganz Erhabenen zu. Ich weiß es nicht und will es nicht wissen. *Denn ich glaube, daß nur der wahrhaft lebt, der sein Schicksal als ein Geheimnis lebt.*

Nie aber habe ich — dessen bin ich gewiß — das Leben inbrünstiger geliebt, und ich weiß jetzt, daß jeder ein Verbrechen tut (das einzige, das es gibt!), der gleichgültig ist gegen irgendeine seiner Formen und Gestalten. Seitdem ich mich selbst zu verstehen begann, verstehe ich unendlich viel anderes auch: der Blick eines gierigen Menschen vor einer Auslage kann mich erschüttern, die Kapriole eines Hundes mich begeistern. Ich achte mit einemmal auf alles, nichts ist mir gleichgültig. Ich lese in der Zeitung (die ich sonst nur auf Vergnügungen und Auktionen durchblätterte) täglich hundert Dinge, die mich erregen, Bücher, die mich langweilten, tun sich mir plötzlich auf. Und das Merkwürdigste ist: ich kann auf einmal mit Menschen auch außerhalb dessen, was man Konversation nennt, sprechen. Mein Diener, den ich seit sieben Jahren habe, interessiert mich, ich unterhalte mich oft mit ihm, der Hausmeister, an dem ich sonst wie an einem beweglichen Pfeiler achtlos vorüberging, hat mir jüngst vom Tod seines Töchterchens erzählt, und es hat mich mehr ergriffen als die Tragödien Shakespeares. Und diese Verwandlung scheint — obzwar ich, um mich nicht zu verraten, mein Leben innerhalb der Kreise gesitteter Langweile äußerlich fortsetze — allmählich transparent zu werden. Manche Menschen sind mit einemmal herzlich mit mir, zum drittenmal in dieser Woche liefen mir fremde Hunde auf der Straße zu. Und Freunde sagen mir wie zu einem, der eine Krankheit überstanden hat, mit einer gewissen Freudigkeit, sie fänden mich verjüngt.

Verjüngt? Ich allein weiß ja, daß ich erst jetzt wirklich zu leben beginne. Nun ist dies wohl ein allgemeiner Wahn, daß jeder vermeint, alles Vergangene sei immer nur Irrtum und Vorbereitung gewesen, und ich verstehe wohl die eigene Anmaßung, eine kalte Feder in die warme lebendige Hand zu nehmen und auf einem trockenen Papier sich hinzuschreiben, man lebe wirklich. Aber sei es auch ein Wahn — er ist der erste, der mich beglückt, der erste, der mir das Blut gewärmt und mir die Sinne aufgetan. Und wenn ich mir das Wunder meiner Erweckung hier aufzeichne, so tue ich es doch nur für mich allein, der all dies tiefer weiß, als die eigenen Worte es ihm zu sagen vermögen. Gesprochen habe ich zu keinem Freunde davon; sie ahnten nie, wie abgestorben ich schon gewesen, sie werden nie ahnen, wie blühend ich nun bin. Und sollte mitten in dies mein lebendiges Leben der Tod fahren und diese Zeilen je in eines andern Hände fallen, so schreckt und quält mich diese Möglichkeit durchaus nicht. Denn wem die Magie einer solchen Stunde nie bewußt geworden, wird ebensowenig verstehen, als ich es selbst vor einem halben Jahre hätte verstehen können, daß ein paar dermaßen flüchtige und scheinbar kaum verbundene Episoden eines einzigen Abends ein schon verloschenes Schicksal so magisch entzünden konnten. Vor ihm schäme ich mich nicht, denn er versteht mich nicht. Wer aber um das Verbundene weiß, der richtet nicht und hat keinen Stolz. Vor ihm schäme ich mich nicht, denn er versteht mich.. Wer einmal sich selbst gefunden, kann nichts auf dieser Welt mehr verlieren. Und wer einmal den Menschen in sich begriffen, der begreift alle Menschen.

DIE MONDSCHEINGASSE

Das Schiff hatte, durch Sturm verzögert, erst spät abends in der kleinen französischen Hafenstadt landen können, der Nachtzug nach Deutschland war versäumt. So blieb ein unerwarteter Tag an fremdem Ort, ein Abend ohne andere Lockung als die einer melancholischen Damenmusik in einem vorstädtischen Vergnügungslokal oder eines eintönigen Gespräches mit den ganz zufälligen Reisegenossen. Unerträglich schien mir die Luft in dem kleinen Speiseraum des Hotels, fettig von Öl, dumpf von Rauch, und ich fühlte doppelt ihre trübe Unreinlichkeit, weil noch der reine Atem des Meeres mir salzig-kühl auf den Lippen lag. So ging ich hinaus, aufs Geratewohl die helle breite Straße entlang zu einem Platz, wo eine Bürgergardenkapelle spielte, und wieder weiter, inmitten der lässig fortflutenden Woge der Spaziergänger. Anfangs tat es mir gut, dieses willenlose Geschaukeltsein in der Strömung gleichgültiger und provinziell geputzter Menschen, aber bald ertrug ich es doch nicht mehr, dieses Anwogen von fremden Leuten und ihr abgerissenes Gelächter, diese Augen, die mich angriffen, erstaunt, fremd oder grinsend, diese Berührungen, die mich unmerklich weiterschoben, dies aus tausend kleinen Quellen brechende Licht und unaufhörliche Scharren von Schritten. Die Seefahrt war bewegt gewesen, und noch gärte in meinem Blut ein taumliges und sanfttrunkenes Gefühl: noch immer spürte ich Gleiten und Wiegen unter meinen Füßen, die Erde schien wie atmend sich zu bewegen und die

Straße bis auf in den Himmel zu schwingen. Schwindlig ward mir mit einem Male von diesem lauten Gewirr, und um mich zu retten, bog ich, ohne nach ihrem Namen zu blicken, in eine Seitenstraße ein und von da wieder in eine kleinere, in der dies sinnlose Lärmen allmählich verebbte, und ging nun ziellos weiter ins Gewirr dieser wie Adern sich verästelnden Gassen, die immer dunkler wurden, je mehr ich mich vom Hauptplatz entfernte. Die großen elektrischen Bogenlampen, diese Monde der breiten Boulevards, flammten hier nicht mehr, und über die spärliche Beleuchtung hin begann man endlich wieder die Sterne zu sehen und einen schwarzen verhängten Himmel.

Ich mußte nahe dem Hafen sein, im Matrosenviertel, das fühlte ich an dem faulen Fischgeruch, an diesem süßlichen Duft von Tang und Fäulnis, wie ihn auch die von der Brandung ans Land gerissenen Algen haben, an diesem eigentümlichen Dunst verdorbener Gerüche und ungelüfteter Stuben, der sich dumpfig in diese Winkel legt, bis einmal der große Sturm kommt und ihnen Atem bringt. Das ungewisse Dunkel tat mir wohl und diese unerwartete Einsamkeit, ich verlangsamte meinen Schritt, betrachtete nun Gasse um Gasse, eine immer anders als ihre Nachbarin, hier eine friedfertige, dort eine buhlerische, alle aber dunkel und mit einem gedämpften Geräusch von Musik und Stimmen, das aus dem Unsichtbaren, aus der Brust ihrer Gewölbe so geheimnisvoll aufquoll, daß kaum die unterirdische Quelle zu erraten war. Denn alle waren sie verschlossen und blinzelten nur mit einem roten oder gelben Licht.

Ich liebe diese Gassen in fremden Städten, diesen schmutzigen Markt aller Leidenschaften, diese heimliche

Anhäufung aller Verführungen für die Matrosen, die von einsamen Nächten auf fremden und gefährlichen Meeren hier für eine Nacht einkehren, ihre vielen und sinnlichen Träume in einer Stunde zu erfüllen. Sie müssen sich verstecken irgendwo in einer Niederung der großen Stadt, diese kleinen Seitengassen, weil sie so frech und aufdringlich sagen, was die hellen Häuser mit blanken Scheiben und vornehmen Menschen in hundert Masken verbergen. Musik klingt und lockt hier aus kleinen Stuben, Kinematographen verheißen mit grellen Plakaten ungeahnte Prächte, kleine viereckige Lichter ducken sich unter die Tore und zwinkern mit vertraulichem Gruß eine sehr deutliche Einladung zu, zwischen dem aufgetanen Spalt einer Tür schimmert nacktes Fleisch unter vergoldetem Flitter. Aus den Cafés grölen die Stimmen der Berauschten und poltert der Zank der Spieler. Die Matrosen grinsen, wenn sie hier einander begegnen, ihre stumpfen Blicke werden grell von vieler Verheißung, denn hier ist alles, Weiber und Spiel, Trunk und Schau, das Abenteuer, das schmutzige und das große. All dies aber ist scheu und doch verräterisch gedämpft hinter den heuchlerisch gesenkten Fensterläden, alles nur innen, und diese scheinbare Verschlossenheit reizt durch die doppelte Verführung von Verborgenheit und Zugänglichkeit. Diese Straßen sind gleich in Hamburg und Colombo und Havanna, gleich da und dort wie auch die großen Avenuen des Luxus, denn das Oben und Unten des Lebens hat die gleiche Form. Letzte phantastische Reste einer sinnlich ungeregelten Welt, wo die Triebe noch brutal und ungezügelt sich entladen, ein finsterer Wald von Leidenschaften und Dickicht und voll triebhaften Getiers sind diese unbürgerlichen Straßen, erregend durch das, was sie verraten, und verlockend durch das, was sie verbergen. Man kann von ihnen träumen.

Und so war auch diese, in der ich mich mit einem Male gefangen fühlte. Aufs Geratewohl war ich ein paar Kürassieren nachgegangen, die mit ihrem nachschleifenden Säbel über das holprige Pflaster klirrten. Aus einer Bar riefen Weiber sie an, sie lachten und schrien ihnen grobe Scherze zu, einer klopfte an das Fenster, dann fluchte eine Stimme irgendwo, sie gingen weiter, das Gelächter wurde ferner, und bald hörte ich sie nicht mehr. Stumm war wieder die Gasse, ein paar Fenster blinkten unklar in einem Nebelglanz von mattem Mond. Ich stand und sog atmend diese Stille ein, die mir seltsam schien, weil hinter ihr etwas surrte von Geheimnis, Wollust und Gefahr. Deutlich spürte ich, daß dieses Schweigen eine Lüge war und unter dem trüben Dunst dieser Gasse etwas glimmerte von der Fäulnis der Welt. Aber ich stand, blieb und lauschte ins Leere. Ich fühlte die Stadt nicht mehr und die Gasse, nicht ihren Namen und nicht den meinen, empfand nur, daß ich hier fremd war, wunderbar losgelöst in einem Unbekannten stand, daß keine Absicht in mir war, keine Botschaft und keine Beziehung und ich doch all dies dunkle Leben um mich so voll fühlte wie das Blut unter der eigenen Haut. Dies Gefühl nur empfand ich, daß nichts für mich geschah und doch alles mir zugehörte, dieses seligste Gefühl des durch Anteilslosigkeit tiefsten und wahrsten Erlebens, das zu den lebendigen Quellen meines innern Wesens gehört und mich im Unbekannten immer überfällt wie eine Lust. Da plötzlich, horchend wie ich in der einsamen Gasse stand, gleichsam erwartungsvoll auf irgend etwas, das geschehen müßte, etwas, das mich fortschöbe aus diesem mondsüchtigen Gefühl des Lauschens ins Leere, hörte ich gedämpft durch Ferne oder eine Wand, sehr trübe von irgendwo ein deutsches Lied singen, jenen ganz einfältigen Reigen aus dem «Freischütz»: «Schöner, grüner Jungfernkranz.» Eine Frauenstimme sang ihn, sehr schlecht, aber doch eine deutsche Melodie war es, deutsch hier irgendwo in einem fremden Winkel der Welt und darum brüderlich in einem so eigenen Sinne. Es war von irgendwoher gesungen, aber doch, wie einen Gruß fühlte ichs, seit Wochen das erste heimatliche Wort. Wer, fragte ich mich, spricht hier meine Sprache, wen treibt eine Erinnerung von innen, in verwinkelt-verwilderter Gasse dies arme Lied sich wieder aus dem Herzen zu heben? Ich tastete der Stimme nach, ein Haus nach dem andern von all denen, die halbschlafend hier standen, mit geschlossenen Fensterläden, hinter denen es aber verräterisch blinzelte von Licht und manchmal von einer winkenden Hand. Außen klebten grelle Überschriften, schreiende Plakate, und Ale, Whisky, Bier verhieß hier eine versteckte Bar, aber alles war verschlossen, abweisend und doch wieder einladend. Und dazwischen — ein paar Schritte tönten von fern — immer wieder die Stimme, die jetzt den Refrain heller trillerte und immer näher war: schon erkannte ich das Haus. Einen Augenblick zögerte ich, dann trat ich gegen die innere Tür, die mit weißen Gardinen dicht verhangen war. Da aber, als ich mich entschlossen hinbeugte, ward etwas im Schatten des Flurs jäh lebendig, eine Gestalt, die offenbar eng an die Scheibe gepreßt dort gelauert hatte, zuckte erschrocken auf, ein Gesicht, begossen vom Rot der überhängenden Laterne und doch blaß im Entsetzen, ein Mann starrte mich mit aufgerissenen Augen an, murmelte etwas wie eine Entschuldigung und verschwand im Zwielicht der Gasse. Seltsam war dieser Gruß. Ich sah ihm nach. Etwas schien sich noch im entschwindenden Schatten der Gasse von ihm zu regen, aber undeutlich. Innen klang die Stimme noch immer, heller sogar, wie mirs schien. Das lockte mich. Ich klinkte auf und trat rasch ein.

Wie von einem Messer zerschnitten fiel das letzte Wort des Gesanges herab. Und erschrocken spürte ich eine Leere vor mir, eine Feindlichkeit des Schweigens, gleichsam als ob ich was zertrümmert hätte. Mählich erst fand mein Blick sich in der Stube zurecht, die fast leer war, ein Schank und ein Tisch, das Ganze offenbar nur Vorgemach zu andern Zimmern rückwärts, die mit halbaufgelehnten Türen, gedämpftem Lampenschein und bereiten Betten ihre eigentliche Bestimmung rasch verrieten. Vorn am Tisch lehnte auf den Ellbogen gestützt ein Mädchen, geschminkt und müd, rückwärts am Schank die Wirtin, beleibt und schmutziggrau, mit einem andern, nicht unhübschen Mädel. Mein Gruß fiel hart in den Raum, ganz spät kam ein gelangweiltes Echo zurück. Mir wars unbehaglich, so ins Leere getreten zu sein; in ein so gespanntes ödes Schweigen, und gern wäre ich sofort wieder gegangen, doch fand meine Verlegenheit keinen Vorwand, und so setzte ich mich resigniert an den vorderen Tisch. Das Mädel, jetzt sich seiner Pflicht besinnend, fragte mich, was ich zu trinken wünschte, und an ihrem harten Französisch erkannte ich sofort die Deutsche. Ich bestellte ein Bier, sie ging und kam wieder mit jenem schlaffen Gang, der noch mehr Gleichgültigkeit verriet als das Seichte ihrer Augen, die schlaff unter den Lidern glommen wie verlöschende Lichter. Ganz mechanisch stellte sie nach dem Brauch jener Stuben neben das meine ein zweites Glas für sich. Ihr Blick ging, wie sie mir zutrank, leer an mir vorbei: so konnte ich sie betrachten. Ihr Gesicht war eigentlich noch schön und ebenmäßig in den Zügen, aber wie durch eine innere Ermattung maskenhaft und gemein geworden, alles fiel schlaff nieder, die Lider waren schwer, locker das Haar; die Wangen, fleckig von schlechter Schminke und verschwemmt, begannen schon nachzugeben und warfen sich mit breiter Falte bis an den Mund. Auch das Kleid war ganz lässig umgehängt, ausgebrannt die Stimme, rauh von Rauch und Bier. In allem spürte ich einen Menschen, der müde ist und nur aus Gewohnheit, gleichsam fühllos weiterlebt. Mit Befangenheit und Grauen warf ich eine Frage hin. Sie antwortete, ohne mich anzusehen, gleichgültig und stumpf, mit kaum bewegten Lippen. Unwillkommen spürte ich mich. Rückwärts gähnte die Wirtin, das andere Mädel saß in einer Ecke und sah her, gleichsam wartend, bis ich sie riefe. Gern wäre ich gegangen, aber alles an mir war schwer, ich saß in dieser satten, schwelenden Luft, dumpf torkelnd wie die Matrosen, gefesselt von Neugier und Grauen; denn diese Gleichgültigkeit war irgendwie aufreizend.

Da plötzlich fuhr ich auf, erschreckt von einem grellen Gelächter neben mir. Und gleichzeitig schwankte die Flamme: am Luftzug spürte ich, daß jemand die Tür hinter meinem Rücken geöffnet haben mußte. «Kommst du schon wieder?» höhnte grell und auf deutsch die Stimme neben mir. «Kriechst du schon wieder ums Haus, du Knauser du? Na, komm nur herein, ich tu dir nichts.»

Ich fuhr herum, zuerst ihr zu, die so grell diesen Gruß schrie, als bräche ihr Feuer aus dem Leib, und dann zur Tür. Und noch ehe sie ganz aufgetan war, erkannte ich die schlotternde Gestalt, erkannte den demütigen Blick dieses Menschen, der vorhin an der Tür gleichsam geklebt hatte. Er hielt den Hut verschüchtert in der Hand wie ein Bettler und zitterte unter dem grellen Gruß, unter dem Lachen, das wie ein Krampf ihre schwere Gestalt mit einem Male zu schüttern schien und von rückwärts, vom Schanktisch, mit raschem Geflüster der Wirtin begleitet wurde.

«Dort setz dich hin, zur Françoise», herrschte sie den Armen an, als er jetzt mit einem feigen, schlurfenden Schritt näher trat. «Du siehst, ich habe einen Herrn.»

Deutsch schrie sie ihm das zu. Die Wirtin und das Mädel lachten laut, obwohl sie nichts verstehen konnten, aber sie schienen den Gast schon zu kennen.

«Gib ihm Champagner, Françoise, den teuern, eine Flasche», schrie sie lachend hinüber, und wieder höhnisch zu ihm: «Ists dir zu teuer, so bleib draußen, du elender Knicker. Möchtest mich wohl umsonst anstarren, ich weiß, du möchtest alles umsonst.»

Die lange Gestalt schmolz gleichsam zusammen unter diesem bösen Lachen, der Buckel schob sich schief empor, es war, als wollte das Gesicht sich hündisch verkriechen, und seine Hand zitterte, als er nach der Flasche griff, und verschüttete den Wein im Eingießen. Sein Blick, der immer aufwollte zu ihrem Gesicht, konnte nicht weg vom Boden und tastete dort im Kreise den Kacheln nach. Und jetzt sah ich erst deutlich unter der Lampe dies ausgemergelte Gesicht, zermürbt und fahl, die Haare feucht und dünn auf beinernem Schädel, die Gelenke lose und wie zerbrochen, eine Jämmerlichkeit ohne Kraft und doch nicht ohne Bösartigkeit. Schief, verschoben war alles in ihm und geduckt, und der Blick, den er jetzt einmal hob und gleich wieder erschreckt zurückwarf, gekreuzt von einem bösen Licht.

«Kümmern Sie sich nicht um ihn», herrschte mich das Mädel auf französisch an und faßte derb meinen Arm, als wollte sie mich herumreißen. «Das ist eine alte Sache zwischen mir und ihm, ist nicht von heute.» Und wieder mit blanken Zähnen, wie zum Bisse bereit, laut zu ihm hinüber: «Horch nur her, du alter Luchs. Möchtest hören, was ich rede. Daß ich eher ins Meer gehe als mit dir, habe ich gesagt.»

Wieder lachten die Wirtin und das andere Mädel, breit und blöde. Es schien ein gewohnter Spaß für sie, ein alltäglicher Scherz. Aber mir wars unheimlich, jetzt zu sehen, wie sich dies andere Mädel plötzlich in falscher Zärtlichkeit an ihn drängte und ihn mit Schmeicheleien abgriff, vor denen er erschauerte ohne den Mut, sie abzuwehren, und ich erschrak, wenn sein Blick im Auftaumeln mich traf, ängstlich verlegen und kriecherisch. Und mir graute vor dem Weib neben mir, das plötzlich aus ihrer Schlaffheit aufgewacht war und so voll Bosheit funkelte, daß ihre Hände zitterten. Ich warf Geld auf den Tisch und wollte fort, aber sie nahm es nicht.

«Geniert er dich, dann werfe ich ihn hinaus, den Hund. Der muß parieren. Nimm noch ein Glas mit mir. Komm!»

Sie drängte sich heran mit einer jähen, fanatischen Art von Zärtlichkeit, von der ich sofort wußte, daß sie nur gespielt war, um jenen andern zu quälen. Bei jeder dieser Bewegungen sah sie rasch schief hinüber, und es war mir widerwärtig, zu sehen, wie bei jeder ihrer Gesten mir zu es in ihm zu zucken begann, als spürte er Brandstahl an seinen Gliedern. Ohne auf sie zu achten, starrte ich einzig ihn an und schauerte, wie etwas jetzt in ihm wuchs von Wut, Zorn, Neid und Gier, und sich doch gleich niederduckte, wandte sie nur den Kopf. Ganz nahe drängte sie sich nun zu mir, ich spürte ihren Körper, der zitterte von der bösen Lust dieses Spiels, und mir graute vor ihrem grellen Gesicht, das nach schlechtem Puder roch, vor dem Dunst ihres mürben Fleisches. Sie von meinem Gesicht abzuwehren, griff ich nach einer Zigarre, und während mein Blick noch den Tisch nach einem Streichholz absuchte, herrschte sie ihn schon an: «Bring Feuer her!»

Ich erschrak mehr noch als er vor dieser gemeinen Zumutung, mich zu bedienen, und mühte mich rasch, mir selbst eines zu finden. Aber schon von ihrem Worte wie mit einer Peitsche aufgeknallt, kam er mit seinen schiefen Schritten torkelnd herüber und legte rasch, als könnte er sich mit einer Berührung des Tisches verbrennen, sein Feuerzeug auf den Tisch. Eine Sekunde kreuzte ich seinen Blick: unendliche Scham lag darin und eine knirschende Erbitterung. Und dieser geknechtete Blick traf den Mann, den Bruder, in mir. Ich fühlte die Erniedrigung durch das Weib und schämte mich mit ihm.

«Ich danke Ihnen sehr», sagte ich auf deutsch — sie zuckte auf — «Sie hätten sich nicht bemühen müssen.» Dann bot ich ihm die Hand. Ein Zögern, ein langes, dann spürte ich feuchte, knochige Finger und plötzlich krampfartig einen jähen Druck des Dankes. Eine Sekunde leuchteten seine Augen in die meinen, dann duckten sie sich wieder unter die schlaffen Lider. Aus Trotz wollte ich ihn bitten, bei uns Platz zu nehmen, und die einladende Geste mußte wohl schon in meine Hand geglitten sein, denn sie herrschte ihn eilig an: «Setz dich wieder hin und störe hier nicht.»

Da packte mich plötzlich der Ekel vor ihrer ätzenden Stimme und vor dieser Quälerei. Was sollte mir diese verräucherte Spelunke, diese widrige Dirne, dieser Schwachsinnige, dieser Qualm von Bier und Rauch und schlechtem Parfüm? Mich dürstete nach Luft. Ich schob ihr das Geld hin, stand auf und rückte energisch ab, als sie mir schmeichelnd näher kam. Es ekelte mich mitzuspielen bei dieser Erniedrigung eines Menschen, und deutlich ließ ich durch die Entschlossenheit meiner Abwehr spüren, wie wenig sie mich sinnlich verlocken konnte. Jetzt zuckte ihr Blut bös, eine Falte kroch ihr gemein um den Mund, aber sie hütete sich doch, das Wort auszusprechen, und wandte sich mit einem Ruck unverstellten Hasses gegen ihn, der aber, des Ärgsten gewärtig, eilig und wie gejagt von ihrer Drohung in die Tasche griff und mit zitternden Fingern eine Geldbörse herauszog. Er hatte Angst, jetzt allein mit ihr zu bleiben, das war sichtlich, und in der Hast konnte er die Knoten der Börse nicht gut lösen — eine Börse war es, gestrickt und mit Glasperlen besetzt, wie die Bauern sie tragen und die kleinen Leute. Mühelos war es zu merken, daß er ungewohnt war, Geld rasch auszugeben, sehr im Gegensatz zu den Matrosen, die es mit einem Handschwung aus den klimpernden Taschen hervorholen und auf den Tisch werfen; er mußte offenbar gewohnt sein, sorglich zu zählen und die Münzen zwischen den Fingern zu wägen. «Wie er zittert um seine lieben süßen Pfennige! Gehts zu langsam? Warte!» höhnte sie und trat einen Schritt näher. Er schrak zurück, und sie, als sie sein Erschrecken sah, sagte, die Schultern hochziehend und mit einem unbeschreiblichen Ekel im Blick: «Ich nehm dir nichts, ich spei auf dein Geld. Weiß ja, sie sind gezählt, deine guten Pfennigchen, darf keines zuviel in die Welt. Aber erst» — und sie tippte ihm plötzlich gegen die Brust — «die Papierchen, die du da eingenäht hast, daß sie dir keiner stiehlt!»

Und wirklich, wie ein Herzkranker im Krampf sich plötzlich an die Brust greift, so faßte fahl und zitternd seine Hand an eine bestimmte Stelle des Rockes, unwillkürlich tasteten seine Finger dort an das heimliche Nest und fielen dann beruhigt zurück. «Geizhals!» spie sie aus. Aber da flog plötzlich eine Glut in das Gesicht des Gemarterten, er warf die Geldbörse mit einem Ruck dem andern Mädel zu, die erst aufschrie im Schreck, dann hell lachte, und stürmte vorbei an ihr, zur Tür hinaus wie aus einem Brand.

Einen Augenblick stand sie noch aufgerichtet, hell funkelnd in ihrer bösen Wut. Dann fielen die Lider wieder schlaff herab, Mattigkeit bog den Körper aus der Spannung. Alt und müde schien sie in einer Minute zu werden. Etwas Unsicheres und Verlorenes dämpfte den Blick, der mich jetzt traf. Wie eine Trunkene, die aufwacht, dumpf, mit dem Gefühl einer Schande stand sie da. «Draußen wird er jammern um sein Geld, vielleicht zur Polizei laufen, wir hätten ihn bestohlen. Und morgen ist er wieder da. Aber mich soll er doch nicht haben. Alle, nur gerade er nicht!»

Sie trat zum Schank, warf Geldstücke hin und stürzte mit einem Schwung ein Glas Branntwein hinunter. Das böse Licht glimmerte wieder in ihren Augen, aber trüb wie unter Tränen von Wut und Scham. Ekel faßte mich vor ihr und zerriß mein Mitleid: «Guten Abend», sagte ich und ging. «Bon soir», antwortete die Wirtin. Sie sah sich nicht um und lachte bloß, grell und höhnisch.

Die Gasse, sie war nur Nacht und Himmel, als ich hinaustrat, eine einzige schwüle Dunkelheit mit verwölktem, unendlich fernem Glanz von Mond. Gierig trank ich die laue und doch starke Luft, und das Gefühl des Grauens löste sich in das große Erstaunen vor der Mannigfaltigkeit der Geschicke, und ich spürte wieder — ein Gefühl, das mich selig machen kann bis zu Tränen —, daß immer hinter jeder Fensterscheibe Schicksal wartet, jede Tür sich in Erlebnis auftut, allgegenwärtig das Mannigfaltige dieser Welt ist, und selbst der schmutzigste Winkel noch so wimmelnd von schon gestaltetem Erleben wie die Verwesung vom eifrigen Glanz der Käfer. Fern war das Widerliche der Begegnung und das gespannte Gefühl wohltuend gelöst in eine süße Müdigkeit, die sich sehnte, all dies Gelebte in schöneren Traum zu verwandeln. Unwillkürlich blickte ich suchend um mich, den Weg nach Hause durch diese Wirrnis verwinkelter Gäßchen zu finden. Da schob sich — unhörbar mußte er nahegetreten sein — ein Schatten an mich heran.

«Verzeihen Sie», — ich erkannte sogleich die demütige Stimme — «aber ich glaube, Sie finden sich hier nicht zurecht. Darf ich . . . darf ich Ihnen den Weg weisen? Der Herr wohnt . . . ?»

Ich nannte mein Hotel.

«Ich begleite Sie . . . Wenn Sie erlauben», fügte er sogleich demütig hinzu.

Das Grauen faßte mich wieder. Dieser schleichende, gespenstische Schritt an meiner Seite, unhörbar fast und doch hart an mir, das Dunkel der Matrosengasse und die Erinnerung des Erlebten wichen allmählich einem traumhaft wirren Gefühl ohne Wertung und Widerstand. Ich spürte die Demut seiner Augen, ohne sie zu sehen, und merkte das Zucken seiner Lippen, ich wußte, daß er mit mir reden wollte, tat aber nichts dafür und nichts dagegen aus der Taumligkeit meines Empfindens, in dem die Neugier des Herzens mit einer körperlichen Benommenheit sich wogend mengte. Er räusperte sich mehrmals, ich merkte den erstickten Ansatz zum Wort, aber irgendeine Grausamkeit, die von diesem Weib geheimnisvoll auf mich übergegangen war, freute sich dieses Ringens der Scham und seelischen Not: ich half ihm nicht, sondern ließ dieses Schweigen schwarz und schwer zwischen uns. Und unsere Schritte klangen, der seine leise schlurfend und alt, der meine mit Absicht stark und rauh, dieser schmutzigen Welt zu entrinnen, wirr zusammen. Immer stärker spürte ich die Spannung zwischen uns: schrill, voll inneren Schreis war dieses Schweigen und schon wie eine übermäßig gespannte Saite, bis er es endlich — und wie entsetzlich zagend zuerst — durchriß mit einem Wort.

«Sie haben ... Sie haben ... mein Herr ... da drinnen eine merkwürdige Szene gesehen ... verzeihen Sie ... verzeihen Sie, wenn ich noch einmal davon rede ... aber sie mußte Ihnen merkwürdig sein ... und ich sehr lächerlich ... diese Frau ... es ist nämlich ...»

Er stockte wieder. Etwas würgte ihm dick die Kehle. Dann wurde seine Stimme ganz klein, und er flüsterte hastig: «Diese Frau ... es ist nämlich meine Frau.»

Ich mußte aufgefahren sein im Erstaunen, denn er sprach hastig weiter, als wollte er sich entschuldigen: «Das heißt ... es war meine Frau ... vor fünf, vor vier Jahren ... in Geratzheim, drüben in Hessen, wo ich zu Hause bin ... Ich will nicht, Herr, daß Sie schlecht von ihr denken ... es ist vielleicht meine Schuld, daß sie so ist. Sie war nicht immer so ... Ich ... ich habe sie gequält ... Ich habe sie genommen, obwohl sie sehr arm war, nicht einmal die Leinwand hatte sie, nichts, gar nichts ... und ich bin reich ... das heißt, vermögend ... nicht reich ... oder ich war es wenigstens damals ... und, wissen Sie, mein Herr ... ich war vielleicht — sie hat recht — sparsam ... aber früher war ich es, mein Herr, vor dem Unglück, und ich verfluche es ... aber mein Vater war so und die Mutter, alle waren so ... und ich habe hart gearbeitet um jeden Pfennig ... und sie war leicht, sie hatte gern schöne Sachen ... und war doch arm, und ich habe es ihr immer wieder vorgehalten ... Ich hätte es nicht tun sollen, ich weiß es jetzt, mein Herr, denn sie ist stolz, sehr stolz ... Sie dürfen nicht glauben, daß sie so ist, wie sie sich gibt ... das ist Lüge, und sie tut sich selber weh ... nur ... nur um mir wehe zu tun, um mich zu quälen ... und ... weil ... weil sie sich schämt ... Vielleicht ist sie auch schlecht geworden, aber ich ... ich glaube es nicht ... denn, mein Herr, sie war sehr gut, sehr gut ...»

Er wischte sich die Augen und blieb stehen in seiner übermächtigen Erregung. Unwillkürlich blickte ich ihn an, und er schien mir mit einem Male nicht mehr lächerlich, und selbst diese merkwürdige servile Anrede, «mein Herr», die in Deutschland nur niedern Ständen zu eigen ist, spürte ich nicht mehr. Sein Antlitz war ganz von der inneren Bemühung zum Wort durchbildet, und der Blick starrte, wie er schwer jetzt wieder vorwärtstaumelte, starr auf das Pflaster, als läse er dort im schwankenden Lichte mühsam ab, was sich dem Krampf seiner Kehle so quälend entriß.

«Ja, mein Herr», stieß er jetzt tiefatmend heraus, und mit einer ganz andern, dunklen Stimme, die irgendwie aus einer weicheren Welt seines Innern kam: «Sie war sehr gut ... auch zu mir, sie war sehr dankbar, daß ich sie aus ihrem Elend erlöst hatte ... und ich wußte es auch, daß sie dankbar war ... aber ... ich ... wollte es hören ... immer wieder ... immer wieder ... es tat mir gut, diesen Dank zu hören ... mein Herr, es war so, so unendlich gut, zu spüren, zu spüren, daß man besser ist ... wenn ... wenn man doch weiß, daß man der Schlechtere ist ... ich hätte all mein Geld dafür gegeben, es immer wieder zu hören ... und sie war sehr stolz und wollte es immer weniger, als sie merkte, daß ich ihn forderte, diesen Dank ... Darum ... nur darum, mein Herr, ließ ich sie immer bitten ... nie gab ich freiwillig ... es tat mir wohl, daß sie um jedes Kleid, um jedes Band kommen mußte und betteln ... drei Jahre habe ich sie so gequält, immer mehr ... aber, mein Herr, es war nur, weil ich sie liebte ... Ich hatte ihren Stolz gern, und doch wollte ich ihn immer knechten, ich Wahnsinniger, und wenn sie etwas begehrte, so war ich böse ... aber, mein Herr, ich war es gar nicht ... ich war selig jeder Gelegenheit, sie demütigen zu können, denn ... denn ich wußte gar nicht, wie ich sie liebte ...»

Wieder stockte er. Ganz torkelnd ging er. Offenbar hatte er mich vergessen. Mechanisch sprach er, wie aus dem Schlaf, mit immer lauterer Stimme.

«Das ... das habe ich erst gewußt, wie ich damals ... an jenem verfluchten Tag ... ich hatte ihr Geld verweigert für ihre Mutter, ganz, ganz wenig ... das heißt, ich hatte es schon bereitgelegt, aber ich wollte, daß sie noch einmal käme ... noch einmal mich bitten ... ja, was sagte ich? ... ja, damals habe ich es gewußt, als ich abends nach Hause kam und sie fort war und nur ein Zettel auf dem Tisch ... ‚Behalte dein verfluchtes Geld, ich will nichts mehr von dir' ... das stand darauf, sonst nichts ... Herr, ich bin drei Tage, drei Nächte gewesen wie ein Rasender. Den Fluß habe ich absuchen lassen und den Wald, Hunderte habe ich der Polizei gegeben ... zu allen Nachbarn bin ich gelaufen, aber sie haben nur gelacht und gehöhnt ... Nichts, nichts war zu finden ... Endlich hat mir einer Nachricht gesagt vom andern Dorf ... er habe sie gesehen ... in der Bahn mit einem Soldaten ... sie sei nach Berlin gefahren ... am selben Tage bin ich ihr nachgereist ... ich habe meinen Verdienst gelassen ... Tausende habe ich verloren ... man hat mich bestohlen, meine Knechte, mein Verwalter, alle, alle... aber, ich schwöre es Ihnen, mein Herr, es war mir gleichgültig ... Ich bin in Berlin geblieben, eine Woche hat es gedauert, bis ich sie auffand in diesem Wirbel von Menschen ... und bin zu ihr gegangen ...»

Er atmete schwer.

«Mein Herr, ich schwöre es Ihnen ... kein hartes Wort habe ich ihr gesagt ... ich habe geweint ... auf den Knien bin ich gelegen ... ich habe ihr Geld geboten ... mein ganzes Vermögen, sie sollte es verwalten, denn damals wußte ich es schon ... ich kann nicht leben ohne sie. Ich liebe jedes Haar an ihr ... ihren Mund ... ihren Leib, alles, alles ... und ich bin es ja, ich, der sie hinabgestoßen hat, ich allein ... Sie war blaß wie der Tod, als ich hereinkam, plötzlich ... ich hatte ihre Wirtin bestochen, eine Kupplerin, ein schlechtes, gemeines Weib ... wie der Kalk war sie an der Wand ... Sie hörte mich an. Herr, ich glaube, sie war ... ja, sie war beinahe froh, mich zu sehen ... aber als ich vom Gelde sprach ... und ich habe es doch nur getan, ich schwöre es Ihnen, um ihr zu zeigen, daß ich nicht mehr daran denke... da hat sie ausgespien... und dann... weil ich noch immer nicht gehen wollte... da hat sie ihren Liebhaber gerufen, und sie haben mich verlacht... Aber, mein Herr, ich bin immer wiedergekommen, Tag für Tag. Die Hausleute haben mir alles erzählt, ich wußte, daß der Lump sie verlassen hatte und sie in Not war, und da ging ich noch einmal hin... noch einmal, Herr, aber sie fuhr mich an und zerriß einen Schein, den ich heimlich auf den Tisch gelegt hatte, und als ich doch wiederkam, war sie fort... Was habe ich nicht getan, mein Herr, sie wieder auszuforschen! Ein Jahr, ich schwöre es Ihnen, habe ich nicht gelebt, nur immer gespürt, habe Agenturen besoldet, bis ichs endlich erfuhr, daß sie drüben sei in Argentinien... in... in einem schlechten Hause...»

Er zögerte einen Augenblick. Wie ein Röcheln war das letzte Wort. Und dunkler wurde seine Stimme.

«Ich erschrak sehr... zuerst... aber dann besann ich mich, daß ich, nur ich es sei, der sie da hinabgestoßen hatte... und ich dachte, wie sehr sie leiden müsse, die Arme... denn stolz ist sie vor allem... Ich ging zu meinem Anwalt, der schrieb an den Konsul und sandte Geld... ohne daß sie erfuhr, wer es gab... nur daß sie zurückkäme. Man telegraphierte mir, daß alles gelungen sei... ich wußte das Schiff... und in Amsterdam wartete ich... drei Tage zu früh war ich gekommen, so brannte ich vor Ungeduld... Endlich kam es, ich war selig, wie nur der Rauch vom Dampfer am Horizont war, und ich glaubte es nicht erwarten zu können, bis er heranfuhr und anlegte, so langsam, langsam, und dann die Passagiere über den Steg kamen und endlich, endlich sie... Ich erkannte sie nicht gleich... sie war anders...

geschminkt ... und schon so ... so, wie Sie es gesehen haben ... und wie sie mich warten sah ... wurde sie fahl ... Zwei Matrosen mußten sie halten, sonst wäre sie vom Steg gefallen ... Sobald sie am Land war, trat ich an ihre Seite ... ich sagte nichts ... meine Kehle war zu ... Auch sie sprach nichts ... und sah mich nicht an ... Der Träger trug das Gepäck voran, wir gingen und gingen ... Da plötzlich blieb sie stehen und sagte ... Herr, wie sie es sagte ... so schmerzend weh tat es mir, so traurig klang es ... ‚Willst du mich noch immer zu deiner Frau, jetzt auch noch?' ... Ich faßte sie bei der Hand ... Sie zitterte, aber sie sagte nichts. Doch ich fühlte, daß nun alles wieder gut war ... Herr, wie selig ich war! Ich tanzte wie ein Kind um sie, als ich sie im Zimmer hatte, ich fiel ihr zu Füßen ... törichte Dinge muß ich gesagt haben ... denn sie lächelte unter Tränen und liebkoste mich ... ganz zaghaft natürlich nur ... aber Herr ... wie es mir wohltat ... mein Herz zerfloß. Ich lief treppauf, treppab, bestellte ein Diner im Hotel ... unser Vermählungsmahl ... ich half ihr, sich anzuziehen ... und wir gingen hinab, wir aßen und tranken und waren fröhlich ... Oh, so heiter war sie, ein Kind, so warm und gut, und sie sprach von Hause ... und wie wir alles nun wieder besorgen wollten ... Da ...» Seine Stimme wurde plötzlich rauh, und er machte mit der Hand eine Geste, als ob er jemanden zerbrechen wollte. «Da ... da war ein Kellner ... ein schlechter, gemeiner Mensch ... der glaubte, ich sei trunken, weil ich toll war und tanzte und mich überkollerte beim Lachen ... während ich doch nur so glücklich war ... oh, so glücklich, und da ... als ich bezahlte, gab er mir zwanzig Francs zu wenig zurück ... Ich fuhr ihn an und verlangte den Rest ... er war verlegen und legte das Goldstück hin ... Da ... da begann sie auf einmal grell zu lachen ... Ich starrte sie an, aber es war ein anderes Gesicht ... höhnisch, hart und böse mit einem Male ... ‚Wie genau du noch immer bist ... selbst an unserem Vermählungstag!' sagte sie ganz kalt, so scharf, so ... mitleidig. Ich erschrak und verfluchte meine Peinlichkeit ... ich gab mir Mühe, wieder zu lachen ... aber ihre Heiterkeit war fort ... war tot ... Sie verlangte ein eigenes Zimmer ... was hätte ich ihr nicht gewährt ... und ich lag allein die Nacht und sann nur nach, was ihr kaufen am nächsten Morgen ... sie beschenken ... ihr zeigen, daß ich nicht geizig sei ... nie mehr gegen sie. Und am Morgen ging ich aus, ein Armband kaufte ich, ganz früh, und wie ich in ihr Zimmer trat ... da war ... da war es leer ... ganz wie damals. Und ich wußte, auf dem Tisch würde ein Zettel liegen ... ich lief fort und betete zu Gott, es möge nicht wahr sein ... aber ... aber ... er lag doch dort ... Und darauf stand ...»

Er zögerte. Unwillkürlich war ich stehen geblieben und sah ihn an. Er duckte den Kopf. Dann flüsterte er heiser:

«Es stand darauf ... ‚Laß mich in Frieden. Du bist mir widerlich —'»

Wir waren beim Hafen angelangt, und plötzlich rauschte in das Schweigen der grollende Atem der nahen Brandung. Mit blinkenden Augen, wie große schwarze Tiere lagen die Schiffe da, nah und ferne, und von irgendwo kam Gesang. Nichts war deutlich und doch vieles zu fühlen, ein ungeheurer Schlaf und der schwere Traum einer starken Stadt. Neben mir spürte ich den Schatten dieses Menschen, er zuckte gespenstisch vor meinen Füßen, floß bald auseinander, bald kroch er zusammen im wandelnden Licht der trüben Laternen. Ich vermochte nichts zu sagen, nicht Trost und hatte keine Frage, spürte aber sein Schweigen an mir kleben, lastend und dumpf. Da faßte er mich plötzlich zitternd am Arm.

«Aber ich gehe nicht fort von hier ohne sie ... Nach Monaten habe ich sie wiedergefunden ... Sie martert mich, aber ich will nicht müde werden ... Ich beschwöre Sie, mein Herr, reden Sie mit ihr ... Ich muß sie haben, sagen Sie es ihr ... mich hört sie nicht ... Ich kann nicht mehr so leben ... Ich kann es nicht mehr sehen, wie Männer zu ihr gehen ... und draußen warten vor dem Haus, bis sie wieder herunterkommen ... lachend und trunken ... Die ganze Gasse kennt mich schon ... sie lachen, wenn sie mich warten sehen ... wahnsinnig werde ich davon ... und doch jeden Abend stehe ich wieder dort ... Mein Herr, ich beschwöre Sie ... sprechen Sie mit ihr ... ich kenne Sie ja nicht, aber tun Sie es um Gottes Barmherzigkeit ... sprechen Sie mit ihr ...»

Unwillkürlich wollte ich meinen Arm befreien. Mir graute. Aber er, wie ers spürte, daß ich mich gegen sein Unglück wehrte, fiel plötzlich mitten auf der Straße in die Knie und faßte meine Füße.

«Ich beschwöre Sie, mein Herr ... Sie müssen mit ihr sprechen ... Sie müssen ... sonst ... sonst geschieht etwas Furchtbares ... Ich habe mein ganzes Geld verbraucht, sie zu suchen, und ich lasse sie nicht hier ... nicht lebendig ... Ich habe mir ein Messer gekauft ... Ich habe ein Messer, mein Herr ... Ich lasse sie hier nicht mehr ... nicht lebendig ... ich ertrage es nicht ... Sprechen Sie mit ihr, mein Herr ...»

Er wälzte sich wie rasend vor mir. In diesem Augenblick kamen zwei Polizisten die Straße her. Ich riß ihn mit Gewalt auf. Einen Augenblick starrte er mich entgeistert an. Dann sagte er mit ganz fremder, trockener Stimme:

«Die Gasse dort biegen Sie ein. Dann sind Sie bei Ihrem Hotel.» Einmal noch starrte er mich an mit Augen, in denen die Pupillen zerschmolzen schienen in ein grauenhaft Weißes und Leeres. Dann verschwand er.

Ich wickelte mich in meinen Mantel. Mich fröstelte. Nur Müdigkeit spürte ich, eine wirre Trunkenheit, gefühllos und schwarz, einen wandelnden, purpurnen Schlaf. Ich wollte etwas denken und all das besinnen, aber immer hob sich diese schwarze Welle von Müdigkeit aus mir und riß mich mit. Ich tastete ins Hotel, fiel hin ins Bett und schlief dumpf wie ein Tier.

Am nächsten Morgen wußte ich nicht mehr, was davon Traum oder Erlebnis war, und irgend etwas in mir wehrte sich dagegen, es zu wissen. Spät war ich erwacht, fremd in fremder Stadt, und ging, eine Kirche zu besehen, in der antike Mosaiken von großem Ruhme sein sollten. Aber meine Augen starrten sie leer an, immer deutlicher stieg die Begegnung der vergangenen Nacht auf, und ohne Widerstand triebs mich weg, ich suchte die Gasse und das Haus. Aber diese seltsamen Gassen leben nur des Nachts, am Tage tragen sie graue, kalte Masken, unter denen nur der Vertraute sie erkennt. Ich fand sie nicht, so sehr ich suchte. Müde und enttäuscht kam ich heim, verfolgt von den Bildern des Wahns oder der Erinnerung.

Um neun Uhr abends ging mein Zug. Mit Bedauern verließ ich die Stadt. Ein Träger hob mein Gepäck und trug es vor mir her dem Bahnhof zu. Da plötzlich, an einer Kreuzung, riß mich's herum: ich erkannte die Quergasse, die zu jenem Hause führte, hieß den Träger warten und ging — während er zuerst erstaunt und dann frechvertraulich lachte — noch einen Blick zu tun in diese Gasse des Abenteuers.

Dunkel lag sie da, dunkel wie damals, und im matten Mond sah ich die Türscheibe jenes Hauses glänzen. Noch einmal wollte ich näher treten, da raschelte eine Gestalt aus dem Dunkel. Schauernd erkannte ich ihn, der dort auf der Schwelle hockte und mir winkte, ich möge näher kommen. Doch ein Grauen faßte mich, ich flüchtete rasch fort, aus der feigen Angst, hier verstrickt zu werden und meinen Zug zu versäumen.

Aber dann, an der Ecke, ehe ich mich wandte, sah ich noch einmal zurück. Als mein Blick ihn traf, gab er sich einen Ruck, raffte sich auf und sprang gegen die Tür. Metall blitzte in seiner Hand, da er sie jetzt eilig aufriß: ich konnte aus der Ferne nicht unterscheiden, ob es Geld war oder das Messer, das im Mondlicht zwischen seinen Fingern verräterisch glitzerte . . .

VERWIRRUNG DER GEFÜHLE

Private Aufzeichnungen des Geheimrates R. v. D.

Sie haben es gut gemeint, meine Schüler und Kollegen von der Fakultät: da liegt, feierlich überbracht und kostbar gebunden, das erste Exemplar jener Festschrift, die zu meinem sechzigsten Geburtstag und zum dreißigsten meiner akademischen Lehrtätigkeit die Philologen mir gewidmet haben. Eine wahrhaftige Biographie ist es geworden; kein kleiner Aufsatz fehlt, keine Festrede, keine nichtige Rezension in irgendeinem gelehrten Jahrbuch, die nicht bibliographischer Fleiß dem papiernen Grabe entrissen hätte — mein ganzer Werdegang, säuberlich klar, Stufe um Stufe, einer wohlgefegten Treppe gleich, ist er aufgebaut bis zur gegenwärtigen Stunde — wirklich, ich wäre undankbar, wollte ich mich nicht freuen an dieser rührenden Gründlichkeit. Was ich selbst verlebt und verloren gemeint, kehrt in diesem Bilde geeint und geordnet zurück: nein, ich darf es nicht leugnen, daß ich alter Mann die Blätter mit gleichem Stolz betrachtete wie einst der Schüler jenes Zeugnis seiner Lehrer, das ihm Fähigkeit und Willen zur Wissenschaft erstmalig bekundete.

Aber doch: als ich die zweihundert fleißigen Seiten durchblättert und meinem geistigen Spiegelbild genau ins Auge gesehen, mußte ich lächeln. War das wirklich mein Leben, stieg es tatsächlich in so behaglich zielvollen Serpentinen von der ersten Stunde bis an die heutige heran, wie sichs hier aus papiernem Bestand der Biograph zurechtschichtet? Mir gings genau so, als da ich zum erstenmal meine eigene Stimme aus einem Grammophon sprechen hörte: ich erkannte sie vorerst gar nicht; denn wohl war dies meine Stimme, aber doch nur jene, wie die andern sie vernehmen und nicht ich selbst sie gleichsam durch mein Blut und im innern Gehäuse meines Seins höre. Und so ward ich, der ein Leben daran gewandt, Menschen aus ihrem Werke darzustellen und das geistige Gefüge ihrer Welt wesenhaft zu machen, gerade am eigenen Erlebnis wieder gewahr, wie undurchdringlich in jedem Schicksal der eigentliche Wesenskern bleibt, die plastische Zelle, aus der alles Wachstum dringt. Wir erleben Myriaden Sekunden, und doch wirds immer nur eine, eine einzige, die unsere ganze innere Welt in Wallung bringt, die Sekunde, da (Stendhal hat sie beschrieben) die innere, mit allen Säften schon getränkte Blüte blitzhaft in Kristallisation zusammenschießt — eine magische Sekunde, gleich jener der Zeugung und gleich ihr verborgen im warmen Innern des eigenen Leibes, unsichtbar, untastbar, unfühlbar, einzig erlebtes Geheimnis. Keine Algebra des Geistes kann sie errechnen, keine Alchimie der Ahnung sie erraten, und selten errafft sie das eigene Gefühl.

Von jenem Geheimsten meiner geistigen Lebensentfaltung weiß jenes Buch kein Wort: darum mußte ich lächeln. Alles ist wahr darin — nur das Wesenhafte fehlt. Es beschreibt mich nur, aber es sagt mich nicht aus. Es spricht bloß von mir, aber es verrät mich nicht. Zweihundert Namen umfaßt das sorgfältig geklitterte Register — nur der eine fehlt, von dem aller schöpferische Impuls ausging, der Name des Mannes, der mein Schicksal bestimmte und nun wieder mit doppelter Gewalt mich in meine Jugend ruft. Von allen ist gesprochen, nur von ihm nicht, der mir die Sprache gab und in dessen Atem ich rede: und mit einemmal fühle ich dieses feige Verschweigen als eine Schuld. Ein Leben lang habe ich Bildnisse von Menschen gezeichnet, aus Jahrhunderten her Gestalten zurückerweckt für gegenwärtiges Gefühl, und gerade des mir Gegenwärtigsten, seiner habe ich niemals gedacht: so will ich ihm, dem geliebten Schatten, wie in homerischen Tagen zu trinken geben vom eigenen Blute, damit er wieder zu mir spreche und der längst schon Weggealterte bei mir, dem Alternden, sei. Ich will ein verschwiegenes Blatt legen zu den offenbaren, ein Bekenntnis des Gefühls neben das gelehrte Buch und mir selbst um seinetwillen die Wahrheit meiner Jugend erzählen.

*

Noch einmal, ehe ich beginne, blättere ich in jenem Buche, das mein Leben darzustellen vorgibt. Und wiederum muß ich lächeln. Denn wie wollten sie ans wahrhaft Innere meines Wesens heran, da sie einen falschen Einstieg wählten? Schon ihr erster Schritt geht fehl! Da fabelt ein mir wohlgesinnter Schulgenosse, gleichfalls Geheimrat heute, schon im Gymnasium hätte mich eine leidenschaftliche Liebe für die Geisteswissenschaften vor allen andern Pennälern ausgezeichnet. Falsch erinnert, lieber Geheimrat! Für mich war alles Humanistische schlecht ertragener, zähneknirschend durchgeschäumter Zwang. Gerade weil ich als Rektorssohn in jener norddeutschen Kleinstadt von Tisch und Stube her Bildung immer als Brotgeschäft betreiben sah, haßte ich alle Philologie von Kindheit an: immer setzt ja die Natur, ihrer mystischen Aufgabe gemäß, das Schöpferische zu bewahren, dem Kinde Stachel und Hohn ein gegen die Neigung des Vaters. Sie will kein gemächliches kraftloses Erben, kein bloßes Fortsetzen und Weitertun von einem zum andern Geschlecht: immer stößt sie erst Gegensatz zwischen die Gleichgearteten und gestattet nur nach mühseligem und fruchtbarem Umweg dem Späteren Einkehr in der Voreltern Bahn. Genug, daß mein Vater die Wissenschaft heilig sprach, und schon empfand meine Selbstbehauptung sie als bloßes Klügeln mit Begriffen; weil er die Klassiker als Muster pries, schienen sie mir lehrhaft und darum verhaßt. Von Büchern rings umgeben, verachtete ich die Bücher; immer zum Geistigen vom Vater gedrängt, empörte ich mich gegen jede Form schriftlich überlieferter Bildung; so war es nicht verwunderlich, daß ich nur mühsam bis zum Abiturium mich durchrang und dann mit Heftigkeit jede Fortsetzung des Studiums abwehrte. Ich wollte Offizier werden, Seemann oder Ingenieur; zu keinem dieser Berufe drängte mich eigentlich zwingende Neigung. Einzig der Widerwille gegen das Papierne und Didaktische der Wissenschaft ließ mich Praktisch-Tätiges statt des Akademischen fordern. Doch mein Vater bestand mit seiner fanatischen Ehrfurcht vor allem Universitätlichen auf meiner akademischen Ausbildung, und nichts als die Abschwächung gelang es mir durchzusetzen, daß ich statt der klassischen Philologie die englische wählen durfte (welche Zwitterlösung ich schließlich mit dem geheimen Hintergedanken hinnahm, dank der Kenntnis dieser maritimen Sprache dann leichter ausbrechen zu können in die unbändig ersehnte Seemannslaufbahn).

Nichts ist also unrichtiger darum in jenem curriculum vitae als die freundliche Behauptung, ich hätte im ersten Berliner Semester, dank der Führung verdienstlicher Professoren, die Grundlagen der philologischen Wissenschaft gewonnen — was wußte meine ungestüm ausbrechende Freiheitsleidenschaft damals von Kollegien und Dozenten! Bei dem ersten flüchtigen Besuch des Hörsaals schon übermannte die muffige Luft, der pastorenhaft-monotone und gleichzeitig breitspurige Vortrag mich dermaßen mit Müdigkeit, daß ich mich anstrengen mußte, den Kopf nicht schläfernd auf die Bank zu legen — das war ja nochmals die Schule, der ich glücklich entronnen zu sein glaubte, der mitgeschleppte Klassenraum mit dem überhöhten Katheder und der silbenstecherischen Kleinsachlichkeit: unwillkürlich war mir, als ob Sand aus den dünn aufgetanen Lippen des Geheimrats rinne, so zerrieben, so gleichmäßig rieselten die Worte des schleißigen Kollegienheftes in die dicke Luft. Der schon dem Schulknaben fühlbare Verdacht, in eine Leichenkammer des Geistes geraten zu sein, wo gleichgültige Hände an Abgestorbenem anatomisierend herumfingerten, schreckhaft erneute er sich in diesem Betriebsraum eines längst antiquarisch gewordenen Alexandrinertums — und wie intensiv erst wurde dieser abwehrende Instinkt, sobald ich von der mühsam ertragenen Lehrstunde hinaustrat in die Straßen der Stadt, jenes Berlin von damals, das, ganz überrascht von seinem eigenen Wachstum, strotzend von einer allzu plötzlich aufgeschossenen Männlichkeit, aus allen Steinen und Straßen Elektrizität vorsprühte und ein hitzig pulsierendes Tempo jedem unwiderstehlich aufnötigte, das mit seiner raffenden Gier dem Rausch meiner eigenen, eben erst bemerkten Männlichkeit höchst ähnlich war. Beide, sie und ich, plötzlich aufgeschossen aus einer protestantisch ordnungshaften und umschränkten Kleinbürgerlichkeit, vorschnell hingegeben einem neuen Taumel von Macht und Möglichkeiten — beide, die Stadt und ich junger ausfahrender Bursche, vibrierten wir wie ein Dynamo von Unruhe und Ungeduld. Nie habe ich Berlin so verstanden, so geliebt wie damals, denn genau wie in dieser überfließenden warmen Menschenwabe, so drängte in mir jede Zelle nach plötzlicher Erweiterung — das Ungeduldigsein jeder starken Jugend, wo hätte es dermaßen sich entladen können als in dem zuckenden Schoße dieses heißen Riesenweibes, in dieser ungeduldigen, kraftausströmenden Stadt! Mit einem Ruck riß sie mich an, ich warf mich in sie, stieg hinab in ihre Adern, meine Neugier umlief hastig ihren ganzen steinernen und doch warmen Leib — von früh bis nachts trieb ich mich um in den Straßen, fuhr bis an die Seen, durchpirschte ihre Verstecke: wirklich, Besessenheit war es, mit der ich mich, statt des Studiums zu achten, in das Lebendig-Abenteuerliche des Auskundschaftens warf. Aber in dieser Übertreiblichkeit gehorchte ich freilich nur einer Besonderheit meiner Natur: von Kind auf schon unfähig zu Gleichzeitigkeiten, wurde ich immer sofort gefühlsblind für jede andere Beschäftigung; immer und überall hatte ich diesen bloß einlinig vorstoßenden Impetus, und noch heute in meiner Arbeit verbeiße ich mich meist so fanatisch in ein Problem, daß ichs nicht eher lasse, ehe ich nicht das Letzte, das Allerletzte seines Marks in den Zähnen fühle.

Damals nun wurde mir in Berlin das Freiheitsgefühl zu einem so übermächtigen Rausch, daß ich selbst die flüchtige Klausur der Vorlesungsstunde, ja die Umschlossenheit meines eigenen Zimmers nicht ertrug: alles schien mir Versäumnis, was nicht Abenteuer brachte. Und gewaltsam zäumte sich der ohrenfeuchte, eben erst vom Halfter gelassene Provinzjunge auf, recht männlich zu gelten: ich hospitierte in einer Verbindung, suchte meinem (eigentlich scheuen) Wesen etwas Keckes, Schmissiges, Ludriges zu geben, spielte, kaum acht Tage eingewöhnt, schon den Großstädter und Großdeutschen, lernte das Flegeln und Rekeln in den Caféhausecken als rechter Miles gloriosus mit verblüffender Geschwindigkeit. In dies Kapitel der Männlichkeit gehörten natürlich auch die Frauen — oder vielmehr: die Weiber, wie es in unserer studentischen Überheblichkeit hieß —, und da kam mirs zupaß, daß ich ein auffallend hübscher Junge war. Hochgewachsen, schlank, die bronzene Patina des Meeres noch frisch auf den Wangen, turnerisch gelenk in jeder Bewegung, fand ich leichtes Spiel gegenüber den käsigen, von der Stubenluft wie Heringe ausgedörrten Ladenschwengeln, die gleich uns allsonntags auf Beute in die Tanzlokale von Halensee und Hundekehle (damals noch weit außerhalb der Stadt) loszogen. Bald war es eine strohblonde Mecklenburger Dienstmagd mit milchweißer Haut, die ich, heiß vom Tanz, knapp vor ihrem Urlaubsheimgang noch in meine Bude schleppte, bald eine zappelige, nervöse kleine Jüdin aus Posen, die bei Tietz Strümpfe verkaufte — billige Beute zumeist, leicht genommen und rasch den Kommilitonen weitergegeben. Aber in dieser unvermuteten Leichtigkeit des Gewinnens lag für den gestern noch ängstlichen Pennäler eine berauschende Überraschung — die billigen Erfolge steigerten meine Verwegenheit, und allmählich betrachtete ich die Straße einzig noch als Jagdplatz dieser vollkommen wahllosen, nur mehr sportlichen Abenteuerei. Als ich so einmal, einem hübschen Mädchen nachsteigend, unter die Linden kam und — wirklich zufällig — vor die Universität, mußte ich lachen bei dem Gedanken, wie lange ich keinen Fuß über jene respektable Schwelle gesetzt. Aus Übermut trat ich mit einem gleichgesinnten Freunde ein; wir lüfteten nur die Tür, sahen (unglaublich lächerlich wirkte das) hundertfünfzig über die Bänke gebeugte skribelnde Rücken gleichsam mitbetend vor der Litanei eines psalmodierenden Weißbartes. Und schon klinkte ich wieder zu, ließ weiterhin das Bächlein jener trüben Beredsamkeit über die Schultern der Fleißigen rinnen und strotterte übermütig mit dem Genossen hinaus in die sonnige Allee.

Manchmal will mir dünken, niemals habe ein junger Mensch dümmer seine Zeit vertan als ich in jenen Monaten. Ich las kein Buch, ich bin gewiß, kein vernünftiges Wort geredet, keinen wirklichen Gedanken gedacht zu haben — aus Instinkt wich ich aller kultivierten Geselligkeit aus, nur um mit dem wach gewordenen Leibe stärker die Beize des Neuen und bislang Verbotenen zu fühlen. Nun mag ja dies Besaufen am eigenen Saft, dies zeitverschwenderische Wider-sich-selber-Wüten irgendwie zum Wesen jeder starken und plötzlich freigegebenen Jugend gehören — dennoch machte meine besondere Besessenheit diese Art Lotterei schon gefährlich und nichts wahrscheinlicher, als daß ich völlig verbummelt oder zumindest in einer Dumpfheit des Gefühls untergegangen wäre, hätte nicht ein Zufall plötzlich den inneren Absturz gedämpft.

Dieser Zufall — heute nenne ich ihn dankbar einen glücklichen — bestand darin, daß unvermuteterweise mein Vater zu einer Rektorenkonferenz für einen Tag nach Berlin ins Ministerium beordert wurde. Als professioneller Pädagoge nutzte er die Gelegenheit, um ohne Ankündigung seines Kommens eine Stichprobe auf mein Betragen zu versuchen und mich Ahnungslosen zu überraschen. Dieser Überfall, vortrefflich gelang er ihm. Wie meistens, hatte ich um die Abendstunde in meiner billigen Studentenbude im Norden — der Zugang ging durch die mittels eines Vorhangs abgeteilte Küche der Hausfrau — ein Mädel zu höchst vertraulichem Besuch, als vernehmlich an die Tür gepocht wurde. Einen Kollegen vermutend, murrte ich unwillig zurück: «Bin nicht zu sprechen.» Aber nach einer kurzen Pause wiederholte sich das Klopfen, einmal, zweimal und dann mit hörbarer Ungeduld ein drittes Mal. Zornig fuhr ich in die Hose, um den impertinenten Störer ausgiebig abzufertigen, und so, das Hemd halb offen, die Hosenträger niederpendelnd, die Füße nackt, riß ich die Tür auf, um sofort, wie mit der Faust über die Schläfe geschlagen, im Dunkel des Vorraums die Silhouette meines Vaters zu erkennen. Von seinem Gesicht nahm ich im Schatten kaum mehr wahr als die Brillengläser, die im Rückschein funkelten. Aber dieser Schattenriß genügte schon, daß jenes bereits frech vorbereitete Wort mir wie eine scharfe Gräte würgend in der Kehle stecken blieb: einen Augenblick stand ich betäubt. Dann mußte ich ihn — entsetzliche Sekunde! — demütig bitten, einige Minuten in der Küche zu warten, bis ich mein Zimmer in Ordnung gebracht hätte. Wie gesagt: ich sah sein Gesicht nicht, aber ich spürte, er verstand. Ich spürte es an seinem Schweigen, an der verhaltenen Art, wie er, ohne mir die Hand zu reichen, mit einer angewiderten Geste hinter den Vorhang in die Küche trat. Und dort, vor einem nach aufgewärmtem Kaffee und Rüben dunstenden Eisenherd mußte der alte Mann zehn Minuten stehend warten, zehn für mich und ihn gleicherweise erniedrigende Minuten, bis ich das Mädel aus dem Bett in ihre Kleider getrieben und an dem wider Willen Lauschenden vorbei aus der Wohnung. Er mußte ihren Schritt hören, und wie die Falten des Vorhangs bei ihrem eiligen Verschwinden im Luftzug vorschlugen; und noch immer konnte ich den alten Mann nicht aus dem entwürdigenden Versteck holen: zuvor mußte die überdeutliche Unordnung des Bettes beseitigt sein. Dann erst trat ich — nie war ich beschämter in meinem Leben gewesen — vor ihn hin.

Mein Vater hat Haltung gehabt in dieser argen Stunde, noch heute danke ich ihm innerlich dafür. Denn immer, wenn ich des längst Hingeschiedenen mich erinnern will, verweigere ich mir, ihn aus der Perspektive des Schülers zu sehen, der ihn einzig als Korrigiermaschine, als unablässig mäkelnden, auf Genauigkeit versessenen Schulfuchs zu verachten beliebte, sondern immer nehme ich mir sein Bild von diesem seinem menschlichsten Augenblick, da der alte Mann zutiefst angewidert und doch sich bezähmend wortlos hinter mir in das durchschwülte Zimmer trat. Er trug den Hut und die Handschuhe in der Hand: unwillkürlich wollte er sie ablegen, aber dann kam eine Geste des Ekels, als hätte er Widerwillen, mit irgendeinem Teil seines Wesens an diesen Schmutz zu rühren. Ich bot ihm einen Sessel; er antwortete nicht, nur eine wegwerfende Gebärde stieß alle Gemeinschaft mit Gegenständen dieses Raumes von sich fort.

Nach einigen eiskalten Augenblicken abgewandten Dastehens nestelte er endlich die Brille herab und putzte sie umständlich, was bei ihm, ich wußte es, Verlegenheit verriet; auch entging mirs nicht, wie der alte Mann, als er sie wieder aufsetzte, mit dem Handrücken über das

Auge fuhr. Er schämte sich vor mir, und ich schämte mich vor ihm, keiner fand ein Wort. Im geheimen fürchtete ich, er würde einen Sermon, eine schönrednerische Ansprache in jenem gutturalen Ton beginnen, den ich von der Schule her an ihm haßte und höhnte. Aber — und heute danke ich ihm noch dafür — der alte Mann blieb stumm und vermied, mich anzusehen. Endlich ging er hin zu dem wackligen Gestell, wo meine Studienbücher standen, schlug sie auf — der erste Blick mußte ihn schon überzeugen, sie seien unberührt und meist unaufgeschnitten. «Deine Kollegienhefte!» — Dieser Befehl war sein erstes Wort. Zitternd reichte ich sie ihm hin, wußte ich doch, die stenographischen Notizen umfaßten bloß eine einzige Lehrstunde. Er überflog die zwei Seiten mit einer raschen Wendung, legte, ohne das mindeste Zeichen von Erregung, die Hefte auf den Tisch. Dann zog er einen Stuhl heran, setzte sich nieder, sah mich ernst, aber ohne jeden Vorwurf an und fragte: «Nun, wie denkst du über das alles? Was soll da werden?»

Diese ruhige Frage stampfte mich in den Boden. Alles war in mir schon gekrampft gewesen: hätte er mich gescholten, ich wäre anmaßend losgefahren, hätte er rührselig mich ermahnt, ich hätte ihn verhöhnt. Aber diese sachliche Frage brach meinem Trotz die Gelenke: ihr Ernst forderte Ernst, ihre erzwungene Ruhe Respekt und innere Bereitschaft. Was ich antwortete, wage ich mich kaum zu erinnern, wie auch das ganze Gespräch, das nun folgte, mir noch heute nicht in die Feder will: es gibt plötzliche Erschütterungen, eine Art innern Aufschwalls, der, wiedererzählt, wahrscheinlich sentimental klingen würde, gewisse Worte, die nur ganz einmalig wahr sind, zwischen vier Augen und auffahrend aus einem unvermuteten Tumult des Gefühls. Es war das einzige wirkliche Gespräch, das ich jemals mit meinem Vater führte, und ich hatte kein Bedenken, mich freiwillig zu demütigen: ich legte alle Entscheidung in seine Hände. Er aber bot mir nur den Rat, ich möchte Berlin verlassen und das nächste Semester an einer kleinen Universität studieren, er sei gewiß, tröstete er beinahe, ich würde von nun ab mit Leidenschaft das Versäumte nachholen. Sein Vertrauen erschütterte mich; in dieser einen Sekunde fühlte ich alles Unrecht, das ich dem in eine kalte Förmlichkeit verbarrikadierten alten Mann eine ganze Jugend lang angetan. Ich mußte vehement in die Lippen beißen, um die Tränen zu zwingen, nicht heiß aus den Augen zu stürzen. Aber auch er mochte Ähnliches fühlen, denn er reichte mir plötzlich die Hand, hielt sie zitternd einen Augenblick und hastete dann hinaus. Ich wagte ihm nicht zu folgen, blieb unruhig und verwirrt und wischte mir mit dem Taschentuch das Blut von der Lippe: so sehr hatte ich, um mein Gefühl zu bemeistern, die Zähne in sie eingebissen.

Das war die erste Erschütterung, die ich, der Neunzehnjährige, erfuhr — sie warf das ganze bombastische Kartenhaus von Männischkeit, Studenterei, Selbstherrlichkeit, das ich in drei Monaten gebaut, ohne den Hauch eines starken Wortes zusammen. Ich fühlte mich fest genug, nun auf alle mindern Vergnüglichkeiten dank des herausgeforderten Willens zu verzichten, Ungeduld überkam mich, die verschwendete Kraft am Geistigen zu erproben, eine Gier nach Ernst, Nüchternheit, Zucht und Strenge. In dieser Zeit verschwor ich mich ganz dem Studium wie einem klösterlichen Opferdienst, freilich unkund des hohen Rausches, der mich in der Wissenschaft erwartete, und ahnungslos, daß auch in jener gesteigerten Welt des Geistes Abenteuer und Fährnis dem Ungestümen immer bereitet sind.

*

Die kleine Provinzstadt, die ich im Einverständnis mit meinem Vater für das nächste Semester gewählt, lag in Mitteldeutschland. Ihr weiter akademischer Ruhm stand in krassem Mißverhältnis zu dem dünnen Häufchen von Häusern, die das Universitätsgebäude umlagerten. Ich hatte nicht viel Mühe, vom Bahnhof, wo ich vorerst mein Gepäck ließ, zur Alma mater mich durchzufragen, und auch innerhalb des altertümlich weitläufigen Hauses spürte ich sofort, um wieviel rascher der innere Kreis sich hier zusammenschloß als in jenem Berliner Taubenschlag. In zwei Stunden war die Inskription besorgt, die meisten Professoren besucht, nur meines Ordinarius, des Lehrers der englischen Philologie, konnte ich nicht sofort habhaft werden, doch wurde mir bedeutet, daß er nachmittags gegen vier Uhr im Seminar anzutreffen sei.

Von jener Ungeduld getrieben, nicht eine Stunde zu versäumen, ebenso leidenschaftlich nun im Anlauf gegen die Wissenschaft wie vordem in ihrer Vermeidung, befand ich mich — nach flüchtigem Rundgang durch die im Vergleich mit Berlin narkotisch schlafende Kleinstadt — um vier Uhr pünktlich an der angegebenen Stelle. Der Pedell wies mir die Tür des Seminars. Ich klopfte an. Und da mir dünkte, von innen hätte eine Stimme geantwortet, trat ich ein.

Aber ich hatte unrichtig gehört. Niemand hatte mich eintreten geheißen, und der undeutliche Laut, den ich vernommen, war nur die erhobene, zu energischer Rede aufgeschwungene Stimme des Professors, der vor dem enggescharten und nah an ihn herangezogenen Kreis von etwa zwei Dutzend Studenten eine offenbar improvisierte Ansprache hielt. Peinlich berührt, durch mein Mißhören ohne Erlaubnis eingetreten zu sein, wollte ich mich wieder leise hinausdrücken, fürchtete aber gerade dadurch Aufmerksamkeit zu erregen, denn bislang hatte mich noch keiner der Zuhörer bemerkt. Ich blieb also, nahe der Tür, und hörte unwillkürlich genötigt zu.

Der Vortrag schien offensichtlich aus einem Kolloquium oder einer Diskussion selbsttätig emporgewachsen zu sein, daraufhin deutete wenigstens die lockere und durchaus zufällige Gruppierung des Lehrers und seiner Schüler: er saß nicht dozierend auf distanzierendem Sessel, sondern, das Bein leicht überhängend, in fast burschikoser Weise auf einem der Tische, und um ihn scharten sich die jungen Menschen in unbeabsichtigten Stellungen, deren ursprüngliche Nachlässigkeit erst das interessierte Zuhören zu einer plastischen Unbeweglichkeit fixiert haben mochte. Man sah, sie mußten sprechend beisammengestanden haben, als plötzlich der Lehrer sich auf den Tisch schwang, dort von erhöhter Stellung mit dem Worte wie mit einem Lasso sie an sich heranzog und reglos an ihre Stelle bannte. Und es bedurfte nur weniger Minuten, als ich selbst schon, vergessend das Ungerufene meiner Gegenwart, das faszinierend Starke seiner Rede magnetisch wirkend fühlte; unwillkürlich trat ich näher heran, um über dem Wort die merkwürdig wölbenden und umschließenden Gesten der Hände zu sehen, die manchmal, wenn ein Wort herrisch vorstieß, sich wie Flügel spreizten, zuckend nach oben fuhren, um dann allmählich in der beruhigenden Geste eines Dirigenten musikalisch niederzuschweben. Und immer hitziger stürmte die Rede, indes der Beschwingte, wie von der Kruppe eines galoppierenden Pferdes, von dem harten Tische sich rhythmisch aufhob und atemlos fortjagte in diesen stürmenden, mit blitzenden Bildern durchjagten Gedankenflug. Niemals noch hatte ich einen Menschen so begeistert, so wahrhaft mitreißend reden gehört — zum erstenmal erlebte ich das, was die Lateiner raptus nennen, das Fortgetragensein eines Menschen über sich selbst hinaus: nicht für sich, nicht für die andern sprach hier eine jagende Lippe, es fuhr von ihr weg wie Feuer aus einem innen entzündeten Menschen.

Nie hatte ich dies erlebt, Rede als Ekstase, Leidenschaft des Vortrags als elementares Geschehen, und wie ein Ruck riß dies Unerwartete mich heran. Ohne zu wissen, daß ich ging, hypnotisch herangezogen von einer Macht, die stärker als Neugier war, mit jenen muskellosen Schritten, wie sie Schlafwandler haben, schob es mich magisch in den engen Kreis: unbewußt stand ich plötzlich innen, zehn Zoll von ihm und mitten unter den andern, die gleichfalls zu gebannt waren, um mich oder irgend etwas wahrzunehmen. Ich strömte ein in die Rede, mitgerissen in ihre Strömung, ohne von ihrem Ursprung zu wissen: offenbar mußte einer der Studenten Shakespeare als meteorische Erscheinung gerühmt haben, den Mann da oben aber reizte es, zu zeigen, daß er nur der stärkste Ausdruck, die seelische Aussage einer ganzen Generation war, sinnlicher Ausdruck einer leidenschaftlich gewordenen Zeit. Mit einem einzigen Riß stellte er jene ungeheure Stunde Englands dar, jene einzige Sekunde der Ekstase, wie sie im Leben jedes Volkes gleichwie in dem jedes Menschen unvermutet aufbrechen, alle Kräfte zusammenziehend zu einem mächtigen Stoß ins Ewige hinein. Plötzlich war die Erde breiter geworden, ein neuer Kontinent entdeckt, indes die älteste Macht des alten, das Papsttum, zusammenzubrechen drohte: hinter den Meeren, die ihnen nun gehören, seit die Armada Spaniens in Wind und Wellen zerschellte, rauschen neue Möglichkeiten auf, die Welt ist weit geworden, und unwillkürlich spannt sich die Seele, ihr gleich zu sein — auch sie will weit sein, auch sie bis ins Äußerste dringen im Guten und im Bösen; sie will entdecken, erobern, jenen Konquistadoren gleich, sie braucht eine neue Sprache, eine neue Kraft. Und über Nacht sind die Sprecher dieser Sprache, die Dichter, da, fünfzig, hundert in einem Jahrzehnt, wilde, unbändige Gesellen, die nicht wie die höfischen Poetlein vor ihnen arkadische Gärtchen bestellen und eine erlesene Mythologie versifizieren — sie stürmen das Theater, sie schlagen im Bretterbau, wo vordem nur Tierhatzen und blutrünstige Spiele tobten, ihre Walstatt auf, und der heiße Durst von Blut ist noch in ihren Werken, ihr Drama selbst ein solcher Circus maximus, in dem die wilden Bestien des Gefühls heißhungrig übereinander herfallen. Löwenhaft tobt sich der Unband dieser leidenschaftlichen Herzen aus, einer will den andern überbieten in Wildheit und Überschwang, alles ist der Darstellung gestattet, alles erlaubt: Blutschande, Mord, Untat, Verbrechen, der maßlose Tumult alles Menschlichen feiert seine heiße Orgie; wie vordem aus ihrem Gefängnis die hungrigen Bestien, so stürzen nun brüllend und gefährlich die trunkenen Leidenschaften in die holzumgürtete Arena. Ein einziger Ausbruch explodiert wie eine Petarde, fünfzig Jahre dauert er an, ein Blutsturz, eine

Ejakulation, ein einmalig Wildes, das die ganze Welt umprankt und zerreißt: kaum spürt man die einzelne Stimme, die einzelne Gestalt in dieser Orgie der Kraft. Einer hitzt sich an dem andern, jeder lernt, jeder stiehlt von dem andern, jeder kämpft, ihn zu überbieten, ihn zu übertreffen, und doch alle nur geistige Gladiatoren eines einzigen Festes, losgekettete Sklaven, vorwärtsgepeitscht vom Genius der Stunde. Aus schiefen dunklen Vorstadtstuben holt er sie her und aus Palästen, Ben Jonson, den Maurerenkel, Marlowe, den Schuhmachersohn, Massinger, den Kammerdienersproß, Philipp Sidney, den reichen gelehrten Staatsmann, aber der heiße Wirbel wühlt alle zusammen; heute sind sie gefeiert, morgen krepieren sie, Kyd, Heywoods, im tiefsten Elend, fallen verhungert wie Spenser in King Street zusammen, alles unbürgerliche Existenzen, Raufbolde, Hurentreiber, Komödianten, Betrüger, aber Dichter, Dichter, Dichter sie alle. Shakespeare ist nur ihre Mitte: «the very age and body of the time», aber man hat gar nicht Zeit, ihn zu sondern, so stürmt dieser Tumult, so üppig schießt Werk an Werk, Leidenschaft über Leidenschaft heran. Und plötzlich, zuckend, wie sie aufstieg, diese herrlichste Eruption der Menschheit, bricht sie wieder zusammen, das Drama ist zu Ende, England erschöpft, und Hunderte Jahre dumpft wieder das nebelnasse Grau der Themse auch über dem Geist: in einem einzigen Ansturm hat ein ganzes Geschlecht alle Gipfel und Tiefen der Leidenschaft erstiegen, die übervolle, die tolle Seele sich heiß aus der Brust gespien — nun liegt das Land da, müde, erschöpft; ein silbenstecherischer Puritanismus schließt die Theater und verschließt damit die passionierte Rede, die Bibel nimmt wieder das Wort, das göttliche, wo das allermenschlichste die feurigste Beichte aller Zeiten gesprochen, und ein einzig glühendes Geschlecht einmalig für Tausende gelebt.

Und mit plötzlicher Wendung fuhr unvermutet das Blinkfeuer der Rede auf uns zu: «Versteht ihr nun, warum ich meine Vorlesung nicht in historischer Folge bei den Anfängen beginne, beim King Arthur und Chaucer, sondern aller Regel zu Trotz bei den Elisabethanern? Und versteht ihr, daß ich vor allem Vertrautheit mit ihnen verlange, Einleben in diese höchste Lebendigkeit? Denn es gibt kein philologisches Verstehen ohne Erleben, kein bloß grammatikalisches Wort ohne Erkenntnis der Werte, und ihr jungen Menschen sollt ein Land, eine Sprache, die ihr euch erobern wollt, zuerst in ihrer höchsten Schönheitsform sehen, in der starken Form seiner Jugend, seiner äußersten Leidenschaft. Erst müßt ihr bei den Dichtern die Sprache hören, bei ihnen, die sie schaffen und vollenden, ihr müßt Dichtung einmal atmend und warm am Herzen gespürt haben, ehe wir sie zu anatomisieren anfangen. Darum beginne ich immer mit den Göttern, denn England ist Elisabeth, ist Shakespeare und die Shakespearianer, alles Frühere Vorbereitung, alles Spätere lahmes Nachlaufen diesem eigenen kühnen Sprung ins Unendliche zu — hier aber, fühlt es, fühlt es selbst, ihr jungen Menschen, hier die lebendigste Jugend unserer Welt. Immer erkennt man ja jede Erscheinung, jeden Menschen nur in ihrer Feuerform, nur in der Leidenschaft. Denn aller Geist steigt aus dem Blut, alles Denken aus Leidenschaft, alle Leidenschaft aus Begeisterung — darum Shakespeare und die Seinen zuerst, die euch junge Menschen erst wahrhaftig jung machen! Erst der Enthusiasmus, dann erst der Fleiß, erst Er, der Höchste, der Äußerste, Shakespeare, dies herrlichste Repetitorium der Welt, vor dem Studium des Worts!»

«Und nun genug für heute — lebt wohl!» — Mit jäh abschließender Geste wölbte sich die Hand und taktierte herrisch unvermutet ab, indes er gleichzeitig vom Tische absprang. Wie auseinandergerüttelt fuhr mit einmal das dicht zusammengedrückte Bündel der Studenten schütter auf, Sessel knackten und polterten, Tische rückten, zwanzig verschlossene Kehlen huben mit einmal an zu reden, sich zu räuspern, breitströmig zu atmen — jetzt erst sah man, wie magnetisch die Bannung gewesen, die alle diese atmenden Lippen verschloß. Um so hitziger und hemmungsloser wogte nun im engen Raume das Durcheinander; einige traten auf den Lehrer zu, um ihm Dank oder ein anderes zu sagen, indes die übrigen heißen Gesichts untereinander ihre Eindrücke austauschten; keiner aber stand ruhig, keiner unberührt von der elektrischen Spannung, deren Kontakt brüsk gerissen war und von der doch Hauch und Feuer noch in der gedrängten Luft zu knistern schien.

Ich selbst konnte mich nicht rühren: ich war wie auf das Herz getroffen. Leidenschaftlich ich selbst, und fähig, alles nur passioniert, mit einem vorstürzenden Stoß aller Sinne zu begreifen, hatte ich zum erstenmal von einem Lehrer, von einem Menschen mich gefaßt gefühlt, eine Übermacht empfunden, vor der sich zu beugen Pflicht und Wollust sein mußte. Meine Adern gingen warm, ich spürte es, mein Atem schneller, bis in meinen Körper hinein hämmerte sich dieser jagende Rhythmus und riß ungeduldig an jedem Gelenk. Endlich gab ich mir nach, drängte langsam in die vordere Reihe, das Gesicht dieses Mannes zu sehen, denn — sonderbar! — während er sprach, hatte ich seine Züge gar nicht wahrgenommen, so sehr waren sie vergangen, so sehr eingegangen in die Rede. Auch jetzt konnte ich vorerst nur ein ungenaues Profil schattenhaft erblicken: er stand, einem Studenten halb zugewandt, die Hand vertraulich auf die Schulter gelegt, im Zwielicht des Fensters. Aber selbst diese flüchtige Bewegung hatte eine Innigkeit und Anmut, wie ich sie niemals bei einem Schulmann für möglich gehalten.

Inzwischen waren einige Studenten auf mich aufmerksam geworden; und um nicht als unberufener Eindringling zu gelten, trat ich noch einige Schritte an den Professor heran und wartete, bis er sein Gespräch beendet. Nun erst gewann ich Zublick in sein Gesicht: ein Römerkopf, marmorn die Stirn gewölbt, und die blankschimmernde an den Seiten überbuscht von rückschlagender Welle weißen schopfigen Haares: ein imponierend kühner Oberbau geistiger Fraktur — unterhalb der tiefen Augenschatten aber rasch weich, fast weibisch werdend durch die glatte Rundung des Kinns, die unruhige Lippe, um die, ein Lächeln bald und bald ein unruhiger Riß, die Nerven flatterten. Was oben die Stirne mannhaft schön zusammenhielt, löste die nachgiebigere Plastik des Fleischlichen in etwas schlaffe Wangen und einen unsteten Mund; vorerst imposant und herrscherisch, wirkte von der Nähe gesehen sein Antlitz mühsam zusammengestrafft. Auch die körperliche Haltung sprach ein ähnlich Zwiefältiges aus. Seine Linke ruhte nachlässig auf dem Tisch oder schien wenigstens zu ruhen, denn unausgesetzt vibrierten kleine zitternde Triller über die Knöchel hin, und die schmalen, für eine Männerhand ein wenig zu zarten, ein wenig zu weichen Finger malten ungeduldig unsichtbare Figuren über die leere Holzplatte, indes seine von schweren Lidern gedeckten Augen anteilnehmend sich ins Gespräch beugten. War er unruhig, oder zitterte die Erregung noch in den aufgetriebenen Nerven nach: jedenfalls widersprach die fahrige Unbeherrschtheit der Hand dem ruhig Lauschenden und Abwartenden seines Gesichts, das ermattet und doch aufmerksam in die Zwiesprache mit dem Studenten vertieft schien.

Endlich kam die Reihe an mich, ich trat heran, nannte Namen und Absicht, und sofort hellte sich der Stern des Auges in der fast blauleuchtenden Pupille mir zu. Zwei, drei volle fragende Sekunden überkreiste dieser Glanz mein Gesicht vom Kinn bis ins Haar: ich mochte wohl errötet sein, und unter dieser mild inquisitorischen Betrachtung, denn er quittierte meine Verwirrung mit einem geschwinden Lächeln. «Also Sie wollen bei mir inskribieren: da müssen wir noch ausführlicher miteinander sprechen. Entschuldigen Sie mich, daß ichs nicht sofort tue. Ich habe jetzt noch einiges zu erledigen; vielleicht erwarten Sie mich unten vor dem Tor und begleiten mich dann nach Hause.» Dabei bot er mir die Hand, die zarte, schmale Hand, die sich leichter als ein Handschuh an meine Finger legte, schon dem Nächstwartenden freundlich zugewandt.

Zehn Minuten harrte ich vor dem Tor klopfenden Herzens. Was sagen, wenn er nach meinen Studien fragte, wie ihm bekennen, daß alles Dichterische weder meine Arbeit noch meine Mußestunden je beschäftigt? Würde er mich nicht mißachten oder am Ende von vornherein ausschließen aus jenem feurigen Kreis, der mich heute magisch umfangen? Aber kaum daß er, rasch genähert und guten Lächelns jetzt vortrat, nahm schon seine Gegenwart alle Befangenheit, ja, ohne daß er mich gedrängt, beichtete ich (unfähig, vor ihm mich zu verbergen), mein erstes Semester so ziemlich versäumt zu haben. Wieder umfing mich jener warme anteilnehmende Blick. «Auch die Pause gehört zur Musik», lächelte er ermutigend, und offenbar um mich nicht weiter in meiner Unwissenheit zu beschämen, erkundigte er sich nach bloß persönlichen Dingen, nach meiner Heimat, und wo ich hier zu wohnen gedächte. Als ich ihm mitteilte, ich hätte bislang noch kein Zimmer gefunden, bot er mir seine Hilfe an und riet, ich möchte vorerst in seinem Hause mich erkundigen, dort vermiete eine alte, halbtaube Frau ein nettes Zimmerchen, mit dem jeder seiner Schüler jeweils zufrieden gewesen sei. Und für alles andere wolle er selber sorgen: erfülle ich wirklich die Absicht, das Studium ernst zu nehmen, so betrachte er es als liebste Pflicht, mir in jeder Weise förderlich zu sein.

Wieder bot er mir, vor seiner Wohnung angelangt, die Hand und lud mich ein, ihn am nächsten Abend zu Hause zu besuchen, damit wir einen Studienplan gemeinsam ausarbeiteten. Und so groß war meine Dankbarkeit für die unverhoffte Güte dieses Menschen, daß ich nur ehrfürchtig seine Hand ertastete, verworren den Hut zog und vergaß, ihm mit einem Worte zu danken.

*

Selbstverständlich mietete ich sogleich das Zimmerchen im gleichen Hause. Ich hätte es nicht minder genommen, hätte es mir auch durchaus nicht zugesagt, und dies einzig aus dem naiv dankbaren Gefühl, diesem zauberischen Lehrer, der mir in einer Stunde mehr gegeben als alle andern, räumlich näher zu sein. Aber das Zimmerchen war reizend: das Dachgeschoß über der Wohnung meines Lehrers, ein wenig dunkel vom überhängenden Holzgiebel, gestattete es weitgerundeten Fensterblick auf die nachbarlichen Dächer und den Kirchturm; ferne sah man schon grünes Geviert und darüber die Wolken, die heimatgeliebten. Ein altes stocktaubes Frauchen sorgte mit rührender Mütterlichkeit für ihre jeweiligen Pfleglinge; in zwei Minuten war ich einig mit ihr, und eine Stunde später knirschte schon mein Koffer die knarrende Holztreppe hinauf.

An jenem Abend ging ich nicht mehr aus, ja ich vergaß zu essen, zu rauchen. Mit dem ersten Griff hatte ich aus dem Koffer den zufällig beigepackten Shakespeare geholt, ungeduldig, ihn (seit Jahren wieder zum erstenmal) zu lesen; meine Neugier war durch jenen Vortrag leidenschaftlich entzündet, und ich las gedichtetes Wort, wie ich es nie gelesen. Kann man derartige Verwandlungen erklären? Aber mit einmal ging mir eine Welt im Geschriebenen auf, die Worte zuckten nur so auf mich zu, als suchten sie mich seit Jahrhunderten; eine Feuerwoge lief der Vers, mich mitreißend, bis ins Adernwerk hinein, daß ich jene seltsame Gelockertheit in den Schläfen fühlte wie bei einem Flugtraum. Ich zuckte, ich zitterte, ich fühlte das Blut wärmer mich durchwogen, wie Fieber flogs mich an — all das war mir vordem nie geschehen, und ich hatte doch nichts erlebt als das Hören einer passionierten Rede. Aber von dieser Rede mußte wohl noch Rausch in mir sein, ich hörte, wenn ich eine Zeile laut wiederholte, wie meine Stimme seine Stimme unbewußt nachahmte, die Sätze stürmten in gleichem fortschießendem Rhythmus, und meine Hände hatten Lust, genau wie die seinen wölbend auszufahren — wie durch Magie hatte ich in einer Stunde die Mauer, die bislang zwischen mir und der geistigen Welt stand, durchstoßen und entdeckte, der Leidenschaftliche, mir eine neue Leidenschaft, die mir treu geblieben ist bis zum heutigen Tage: die Lust am Mitgenießen alles Irdischen im be seelten Wort. Zufällig war ich auf den «Coriolan» gestoßen, und wie ein Taumel kams über mich, als ich in mir alle Elemente dieses fremdesten aller Römer fand: Stolz, Hochmut, Zorn, Hohn, Spott, alles Salz, alles Blei, alles Gold, alle Metalle des Gefühls. Was für eine neue Lust, dies magisch mit einmal zu ahnen, zu verstehen! Ich las und las, bis mir die Augen brannten; als ich auf die Uhr sah, zeigte sie halb vier. Beinahe erschreckt über die neue Gewalt, die sechs Stunden mir alle Sinne erregt und betäubt zugleich, löschte ich das Licht. Aber innen glühten und zuckten die Bilder noch weiter, ich konnte kaum schlafen vor Sehnsucht und Erwartung nach dem nächsten Tag, der die so zauberisch aufgetane Welt mir erweitern und ganz zu eigen machen sollte.

*

Aber der nächste Morgen brachte Enttäuschung. Ungeduldig hatte ich mich als einer der ersten im Hörsaal eingefunden, wo mein Lehrer (denn so will ich ihn fortab nennen) sein Kolleg über englische Lautlehre lesen sollte. Schon als er eintrat, erschrak ich: war dies denn derselbe von gestern, oder hatte ihn nur meine erregte Stimmung und Erinnerung befeuert zu einem Coriolan, der auf dem Forum das Wort als Blitzstrahl führt, heldenhaft kühn, niederschlagend und bezwingend? Der hier mit leisem schleppendem Schritt eintrat, war ein alter, müder Mann. Als sei eine leuchtende Mattscheibe von seinem Antlitz weggenommen, so merkte ich jetzt von der ersten Bankreihe seine fast kränklich matten Züge von scharfen Runzeln und breiten Schrunden durchackert; blaue Schatten höhlten Rinnsale querhin in das schlaffe Grau der Wangen. Über die Augen schatteten dem Lesenden zu schwere Lider, auch der Mund mit den zu blassen, zu schmalen Lippen gab dem Wort kein Metall: wo war seine Heiterkeit, der sich selbst aufjubelnde Überschwang? Selbst die Stimme schien mir fremd; gleichsam vom grammatikalischen Thema ernüchtert, ging sie steif durch trocken knirschenden Sand in monoton ermüdendem Schritt.

Unruhe überkam mich. Das war ja gar nicht der Mann, auf den ich seit der ersten wachen Stunde heute gewartet: wohin war sein Antlitz vergangen, sein gestern so astralisch mir erhelltes? Hier spulte ein abgenützter Professor sachlich sein Thema ab; immer horchte ich mit neuer Angst in sein Wort hinein, ob nicht doch jener Ton von gestern wiederkehren wollte, die warme Vibration, die wie eine klingende Hand in mein Gefühl gegriffen und es zur Leidenschaft emporgestimmt. Immer unruhiger stieg mein Blick zu ihm auf, voll Enttäuschung das entfremdete Gesicht übertastend: das Antlitz hier, unleugbar, es war dasselbe, aber gleichsam entleert, enthöhlt aller zeugenden Kräfte, müde, alt, eines alten Mannes pergamentene Larve. Aber war derlei möglich? Konnte man so jung sein eine Stunde und so unjugendlich die nächste schon? Gab es derart plötzliche Wallungen des Geistes, daß sie mit dem Wort auch das Antlitz durchformen und um Jahrzehnte verjüngen?

Die Frage quälte mich. Wie ein Durst brannte mirs innen, mehr von diesem zwiefältigen Manne zu wissen. Und einer plötzlichen Eingebung folgend, eilte ich, kaum daß er blicklos an uns vorbei das Katheder verlassen, in die Bibliothek und forderte seine Werke. Vielleicht war er nur müde gewesen heute, sein Elan von einem Unbehagen des Leibes gedämpft: hier aber, im dauernd Niedergelegten der Gestaltung mußte doch Einstieg und Schlüssel sein in seine mich merkwürdig anfordernde Erscheinung. Der Diener brachte die Bücher: ich erstaunte, wie wenige. In zwanzig Jahren hatte der alternde Mann also nicht mehr veröffentlicht als diese dünne Reihe loser Bändchen, Einleitungen, Vorreden, eine Diskussion über die Echtheit des Shakespeareschen Perikles, ein Vergleich zwischen Hölderlin und Shelley (dies freilich zu einer Zeit, wo weder der eine noch der andere seinem Volke als Genius galt) und sonst nur philologischen Kleinkram? Freilich: in allen Schriften war als vorbereitet ein zweibändiges Werk angekündigt: «Das Globe-Theater, seine Geschichte, seine Darstellung, seine Dichter», doch trotzdem jene erste Voranzeige bereits zwei Jahrzehnte rückdatierte, bestätigte mir der Bibliothekar auf eine nochmalige Anfrage, niemals sei es erschienen. Ein wenig zaghaft und schon nur mehr mit halbem Mut blätterte ich die Schriften an, sehnsüchtig, aus ihnen die rauschende Stimme, jenes Hinbrausen des Rhythmus mir zu erneuern. Aber der Schritt dieser Schriften pendelte beharrlichen Ernstes, nirgends zitterte der heiß taktierte, sich selbst wie Welle die Welle überspringende Rhythmus jener rauschenden Rede. Wie schade! seufzte etwas in mir. Ich hätte mich selbst schlagen können, so bebte ich von Zorn und Mißtrauen gegen mein allzu rasch und leichtgläubig ihm hingeliehenes Gefühl.

Aber nachmittags im Seminar erkannte ich ihn wieder. Diesmal sprach er zunächst nicht selber. Nach englischer College-Sitte waren diesmal zwei Dutzend Studenten zur

Diskussion in Redner und Widerredner geteilt, als Thema neuerdings eins aus seinem geliebten Shakespeare gesetzt, nämlich, ob Troilus und Cressida (sein Lieblingswerk) als parodistische Figuren zu gelten hätten, das Werk selbst als Satyrspiel oder eine hinter Hohn verdeckte Tragödie. Bald entzündete sich, von seiner geschickten Hand angefacht, aus bloß geistigem Gespräch eine elektrische Erregung — Argument sprang schlagkräftig gegen lässige Behauptung, Zwischenrufe stachelten scharf und schneidend die Diskussion zur Hitzigkeit, bis die jungen Menschen fast feindlich aufeinander losfuhren. Dann erst, als die Funken klirrten, sprang er dazwischen, lockerte den allzu heftigen Zugriff, die Diskussion geschickt auf das Thematische zurückführend, um ihr aber gleichzeitig durch einen heimlichen Ruck ins Zeitlose verstärkten geistigen Schwung zu geben — und so stand er plötzlich inmitten dieses dialektischen Flammenspiels, selber heiter erregt, den Hahnenkampf der Meinungen in einem anstachelnd und zurückreißend, Meister dieser aufgestürmten Welle von jugendlichem Enthusiasmus und selber überströmt von ihr. An den Tisch gelehnt, die Arme über der Brust gekreuzt, blickte er von einem zum andern, diesen anlächelnd, jenen mit einem heimlichen Wink zur Gegenrede ermunternd, und angeregt wie gestern glänzte sein Auge: ich spürte, er mußte sich bändigen, um nicht selbst ihnen allen mit einem Griff das Wort vom Munde zu reißen. Aber er hielt sich gewaltsam zurück, ich sahs an den Händen, die sich immer fester über der Brust als eine Daube anpreßten, ich erriets an den springenden Mundwinkeln, die mit Mühe das schon aufzuckende Wort niederdrückten. Und plötzlich gelang es ihm nicht mehr, er warf sich wie ein

Schwimmer rauschend hinein in die Diskussion — mit einer wuchtigen Geste der losfahrenden Hand zerhieb er den Tumult wie mit einem Taktstock: sofort verstummten alle, und nun faßte er in seiner wölbenden Art alle Argumente zusammen. Und aufstieg, indem er sprach, jenes Gesicht von gestern, die Falten vergingen hinter dem flatternden Nervenspiel, zu kühner herrschender Geste reckte sich Hals und Statur, und aus seiner lauschend geduckten Haltung warf er sich in die Rede wie in einen stürzenden Strom. Die Improvisation riß ihn hin: nun begann ich zu ahnen, daß er, nüchtern mit sich allein, im sachlichen Kolleg oder in der einsamen Schreibstube jenes Zündstoffs entbehrte, der ihm hier, in unserer gepreßten atemlosen Gebanntheit, die innere Wand aufsprengte; er brauchte, oh, wie fühlte ich das, unseren Enthusiasmus für den seinen, unser Aufgetansein für seine Verschwendung, uns Jugend für das Jungsein in der Begeisterung. Wie ein Zimbalschläger sich berauscht an dem immer wilderen Rhythmus seiner eifernden Hände, so wurde seine Rede immer besser, immer flammender, immer farbiger im heißeren Wort, und je tiefer wir schwiegen (man fühlte unwillkürlich unsere Atemlosigkeit im Raum), um so höher, um so spannender, um so hymnischer schwang seine Darstellung sich auf. Und alle gehörten wir einzig ihm in diesen Minuten, ganz eingelauscht, eingerauscht in jenen Überschwang.

Und wieder, als er plötzlich mit einem Anruf aus Goethes Shakespeare-Rede endigte, brach unsere Erregung ungestüm entzwei. Und wieder wie gestern lehnte er erschöpft an dem Tisch, das Gesicht bleich, aber noch überrieselt von kleinen zuckenden Läufen und Trillern der Nerven, und im Auge glimmerte merkwürdig die weiterströmende Wollust der Ergießung wie bei einer Frau, die eben sich übermächtiger Umarmung entrungen. Ich hatte Scheu, jetzt mit ihm zu sprechen; aber zufällig traf mich sein Blick. Und offenbar fühlte er meine begeisterte Dankbarkeit, denn er lächelte mir freundlich zu, und leicht mir zugeneigt, die Hand meiner Schulter umlegend, erinnerte er mich, heute abend, wie vereinbart, zu ihm zu kommen.

Pünktlich um sieben Uhr war ich dann bei ihm; mit welchem Zittern überschritt ich Knabe diese Schwelle zum erstenmal! Nichts ist ja leidenschaftlicher als die Verehrung eines Jünglings, nichts scheuer, nichts frauenhafter als ihre unruhige Scham. Man führte mich in sein Arbeitszimmer, einen halbdunklen Raum, in dem ich vorerst nur, ihre gläsernen Scheiben durchblinkend, die farbigen Rücken vieler Bücher sah. Über dem Schreibtisch hing Raffaels «Schule von Athen», ein Bild, von ihm (wie er mir später ausführte) besonders geliebt, weil alle Arten des Lehrens, alle Gestaltungen des Geistes sich hier symbolisch zu vollkommener Synthese einen. Ich sah es zum erstenmal: unwillkürlich meinte ich in Sokrates' eigenwilligem Gesicht eine Ähnlichkeit mit seiner Stirn zu entdecken. Von rückwärts leuchtete etwas weißmarmorn, die Büste des Pariser Ganymed in schöner Verkleinerung, daneben der heilige Sebastian eines altdeutschen Meisters, tragische Schönheit neben die genießende wohl nicht zufällig gestellt. Pochenden Herzens wartete ich, atemstumm wie all die ringsum edel-schweigsamen Kunstgestalten; aus diesen Dingen sprach symbolisch eine mir neue Art der geistigen Schönheit, die ich nie geahnt und die mir noch nicht deutlich war, wenn ich auch sie brüderhaft zu spüren mich schon bereitet fühlte. Aber der

Betrachtung blieb nur knappe Frist, denn eben trat der Erwartete ein und auf mich zu; wieder berührte mich jener weichumhüllende, jener wie verdecktes Feuer schwelende Blick, der zum eigenen Staunen das Geheimste in mir auftaute. Ich sprach sofort ganz frei zu ihm wie zu einem Freunde, und als er nach meinem Berliner Studiengang fragte, drängte sich mir plötzlich — ich erschrak in der gleichen Sekunde — jene Erzählung von dem Besuche meines Vaters auf die Lippe, und ich bekräftigte dem Fremden jenes geheime Gelöbnis, mit äußerstem Ernst mich dem Studium hinzugeben. Er sah mich bewegt an: «Nicht nur mit Ernst, mein Junge», sagte er dann, «vor allem mit Leidenschaft. Wer nicht passioniert ist, wird bestenfalls ein Schulmann — von innen her muß man an die Dinge kommen, immer, immer von der Leidenschaft her.»

Immer wärmer wurde seine Stimme, immer dunkler das Zimmer. Er erzählte viel von seiner eigenen Jugend, wie auch er töricht begonnen und erst spät sich die eigene Neigung entdeckt: ich solle nur Mut haben, und soweit es an ihm liege, wolle er mir förderlich sein; unbesorgt möge ich mit allen Wünschen und Fragen mich an ihn wenden. Noch nie hatte jemand so anteilnehmend, so tiefverständig in meinem Leben zu mir geredet; ich zitterte vor Dankbarkeit und war des Dunkels froh, daß es meine nassen Augen barg.

Stundenlang hätte ich, unachtsam der Zeit, so verweilen können, da klopfte es leise. Die Türe ging, eine schmale Gestalt trat herein, schattenhaft. Er stand auf und stellte vor: «Meine Frau». Der schlanke Schatten kam undeutlich heran, legte eine schmale Hand in die meine und mahnte dann, an ihn gewandt: «Das Abendessen ist bereit.» «Ja, ja, ich weiß», antwortete er hastig und (so dünkte es mich zumindest) ein wenig ärgerlich. Etwas Kaltes schien plötzlich in seine Stimme geraten, und wie jetzt das elektrische Licht aufflammte, war es wieder der gealterte Mann des nüchternen Schulsaals, der mit lässiger Gebärde mir Abschied bot.

*

Die nächsten beiden Wochen verbrachte ich in einem leidenschaftlichen Furor des Lesens und Lernens. Ich verließ kaum das Zimmer, nahm, um keine Zeit zu verlieren, stehend meine Mahlzeiten, ich studierte ohne Innehalten, ohne Pause, beinahe ohne Schlaf. Mir ging es wie jenem Prinzen im morgenländischen Zaubermärchen, der, ein Siegel nach dem andern von der Tür verschlossener Zimmer lösend, in jedem Zimmer immer noch mehr Juwelen und Edelsteine gehäuft findet und immer gieriger nun die ganze Flucht dieser Gemächer durchforscht, ungeduldig, zum letzten zu gelangen. Genau so stürzte ich aus einem Buch ins andere, von jedem berauscht, von keinem gesättigt: meine Unbändigkeit war nun ins Geistige gefahren. Eine erste Ahnung von der weglosen Weite der geistigen Welt hatte mich überkommen, ebenso verführerisch für mich als die abenteuerliche der Städte, zugleich aber auch die knabenhafte Angst, sie nicht bewältigen zu können; so sparte ich mit Schlaf, mit Vergnügen, mit Gespräch, mit jeder Form der Ablenkung, nur um die Zeit, die zum erstenmal als kostbar verstandene, zu nützen. Doch was vor allem meinen Fleiß dermaßen hitzte, war die Eitelkeit, vor meinem Lehrer zu bestehen, sein Vertrauen nicht zu enttäuschen, ein zu stimmendes Lächeln zu erobern, von ihm gespürt zu werden, wie ich ihn spürte. Jeder flüchtigste Anlaß diente als Probe; unablässig spornte ich die ungelenken, nun aber merkwürdig beschwingten Sinne, ihm zu imponieren, ihn zu überraschen: nannte er im Vortrage einen Dichter, dessen Werk mir fremd war, so warf ich mich nachmittags auf die Suche, um tags darauf eitel meine Kenntnis in der Diskussion vorprahlen zu können. Ein zufällig geäußerter Wunsch, von den andern kaum bemerkt, verwandelte sich mir zu Befehl: so genügte eine lässig hingeworfene Bemerkung wider das ewige Qualmen der Studenten, daß ich sofort die brennende Zigarette wegwarf und mit einem Ruck die gerügte Gewohnheit für immer unterdrückte. Wie eines Evangelisten Wort war mir das seine gleichzeitig Gnade und Gesetz; unablässig auf der Lauer, griff meine starkgespannte Aufmerksamkeit jede seiner gleichgültig hingestreuten Bemerkungen gierig auf. Jedes Wort, jede Geste sackte ich habgierig ein, zu Hause das Erraffte mit allen Sinnen leidenschaftlich betastend und bewahrend; und wie ihn einzig als Führer, so empfand meine unduldsame Passioniertheit alle Kameraden einzig als Feinde, die zu überrennen und zu übertreffen tagtäglich sich der eifersüchtige Wille aufs neue beschwor.

Fühlte er nun, wieviel er mir bedeutete, oder hatte er dies Ungestüme meines Wesens liebgewonnen — jedenfalls zeichnete mich mein Lehrer bald durch offensichtliche Anteilnahme besonders aus. Er beriet meine Lektüre, schob den Neuling, fast ungebührlich, in den gemeinschaftlichen Diskussionen vor, und oftmals durfte ich abends zu vertraulichem Gespräche ihn besuchen. Dann nahm er meist eins der Bücher von der Wand und las mit jener sonoren Stimme, die in der Erregung immer um eine Skala heller und klingender wurde, aus Gedichten und Tragödien oder erklärte strittige Probleme; in diesen ersten beiden Wochen des Rausches habe ich mehr gelernt vom Wesenhaften der Kunst als bisher in neunzehn Jahren. Immer waren wir allein in dieser mir zu kurzen Stunde. Gegen acht Uhr klopfte es dann leise an die Tür: seine Frau mahnte zum Abendessen. Aber nie mehr betrat sie das Zimmer, offenbar einer Weisung gehorchend, unser Gespräch nicht zu unterbrechen.

*

So waren vierzehn Tage vergangen, prall gefüllte, durchhitzte Frühsommertage, als eines Morgens wie eine überspannte Stahlfeder die Arbeitskraft in mir absprang. Schon vordem hatte mich mein Lehrer gewarnt, ich solle den Eifer nicht übertreiben, ab und zu einen Tag aussetzen und ins Freie gehen — nun erfüllte sich plötzlich jene Voraussage: ich wachte dumpf von dumpfem Schlafe auf, alle Lettern flirrten stecknadelköpfig, sobald ich zu lesen versuchte. Auch dem geringsten Wort meines Lehrers sklavisch treu, beschloß ich sofort, zu gehorchen und einen freien, spielhaften Tag zwischen die bildungsgierigen einzuschalten. Ich zog gleich morgens los, besah zum erstenmal die teilweise altertümliche Stadt, stieg, nur um den Körper zu spannen, die Hunderte von Stufen zum Kirchturm hinauf, um dort von der Plattform im grünen Umkreis einen kleinen See zu entdecken. Nun liebte ich wasserkantiger Nordländer leidenschaftlich den Schwimmsport, und gerade hier oben auf dem Turme, zu dem selbst wie grünes Teichgelände die gesprenkelten Wiesen emporschimmerten, überkam mich, als wäre es hergestürmt von heimatlichem Wind, plötzlich ein unbändiges Verlangen, mich wieder in das geliebte Element zu werfen. Und kaum daß ich nach Tisch jene Badeanstalt aufgefunden und mich im Wasser getummelt, begann mein Körper sich wieder lustvoll zu spüren, die Muskeln an meinen Armen streckten sich seit Wochen wieder in biegsamer Kraft, Sonne und Wind an meiner nackten Haut rückverwandelten mich innerhalb einer halben Stunde in den ungestümen Burschen von vordem, der sich wild mit Kameraden balgte, für eine Tollkühnheit sein Leben wagte; ich wußte nichts mehr, wild herumplusternd und mich reckend, von Büchern und Wissenschaft. Mit jener mir eigenen Besessenheit nun wieder der lang entbehrten Passion verfallen, hatte ich zwei Stunden in dem wiedergefundenen Element gewühlt, dreißigmal vielleicht war ich vom Brett gesprungen, um im Sturz den Überschwall von Kraft zu entladen, zweimal war ich quer über den See geschwommen, und noch immer mein Unband nicht erschöpft. Prustend und an allen aufgespannten Muskeln gerüttelt, suchte ich herum nach irgendeiner neuen Probe, ungeduldig, etwas Starkes, Verwegenes, Übermütiges zu tun.

Da knatterte drüben vom Damenbad her das Sprungbrett, ich spürte nachzitternd bis heran ins Gebälk den Schwung kräftigen Abstoßes. Und schon schnellte, von der Kurve des Sprungs zu stählernem Halbbogen wie ein Türkensäbel geformt, ein schlanker Frauenkörper hoch und kopfüber hinab. Einen Augenblick höhlte der Sprung einen klatschenden und gleich weiß aufschäumenden Wirbel, dann tauchte die straffe Gestalt wieder auf, mit nervigen Schwimmstößen der Teichinsel zustrebend. «Ihr nach! Einholen!» — Sportlust riß meine Muskeln an, mit einem Ruck schnellte ich mich ins Wasser und stieß, die Schulter vorgestemmt, mit erbitterten Tempos ihrer

Spur nach. Aber offenbar die Verfolgung bemerkend und gleichfalls sportbereit, nützte die Verfolgte wacker ihren Vorsprung, schrägte geschickt an der Insel vorbei, um dann hastig zurückzusteuern. Ich, ihre Absicht rasch erkennend, warf mich gleichfalls rechtsüber und paddelte so kräftig, daß meine vorstoßende Hand schon ihr ins Kielwasser kam, bloß eine Spanne trennte uns noch — da tauchte herzhaft listig die Verfolgte plötzlich unter, um dann, eine kleine Weile später, knapp an der Barriere der Damenabteilung emporzukommen, die weiterer Verfolgung wehrte. Triefend stieg die Siegerin die Treppe hinauf: einen Augenblick mußte sie innehalten, die Hand an die Brust gepreßt, offenbar versagte ihr der Atem; dann aber wandte sie sich um, und als sie mich an der Grenze gehemmt sah, lachte sie mit blanken Zähnen triumphierend herüber. Ihr Gesicht konnte ich gegen die schroffe Sonne und unter der Schwimmhaube nicht recht wahrnehmen, nur das Lachen glänzte höhnisch und blank auf den Besiegten zu.

Ich ärgerte mich und freute mich zugleich: zum erstenmal seit Berlin hatte ich wieder jenen anerkennenden Blick einer Frau gespürt — vielleicht winkte da ein Abenteuer. Mit drei Stößen schwamm ich hinüber ins Herrenbad, riß mir die Kleidung flink über die noch nasse Haut, nur um rechtzeitig beim Ausgang sie abpassen zu können. Zehn Minuten mußte ich warten, dann kam — durch die knabenhaft schmalen Formen unverkennbar — meine übermütige Gegnerin leichten Schrittes und beschleunigte ihn noch, sobald sie mich warten sah, in der offenbaren Absicht, mir die Möglichkeit eines Ansprechens abzuschneiden. Sie lief ebenso muskelhaft behend, wie sie vordem geschwommen, alle Gelenke gehorchten sehnig diesem ephebisch schmalen, vielleicht etwas zu schmalen Körper: ich hatte wahrhaftig keuchende Not, die fliegend Ausschreitende einzuholen, ohne mich auffällig zu machen. Endlich gelangs; an einer Wegwende querte ich geschickt vor, lüftete nach studentischer Art weitausholend den Hut und fragte, ehe ich ihr noch recht ins Auge gesehen, ob ich sie begleiten dürfe. Sie warf von der Seite einen spöttischen Blick, und ohne daß sich das hitzige Tempo verlangsamte, antwortete mir fast aufreizende Ironie: «Wenn ich Ihnen nicht zu rasch gehe, warum nicht! Ich habe große Eile.» Durch diese Unbefangenheit ermutigt, wurde ich zudringlicher, stellte ein Dutzend neugieriger, meist alberner Fragen, die sie aber bereitwillig und mit so verblüffender Freiheit beantwortete, daß meine Absichten eigentlich mehr verwirrt als gefördert wurden. Denn mein Berliner Ansprechkodex war mehr auf Widerstand und Spöttischkeit eingestellt als auf dermaßen franke Aussprache während eines Geschwindschrittes: so hatte ich zum zweitenmal das Gefühl, recht ungeschickt an eine überlegene Gegnerin geraten zu sein.

Aber es sollte noch schlimmer kommen. Denn als ich, meine indiskreten Eindringlichkeiten vermehrend, sie fragte, wo sie wohne — da wandten sich plötzlich scharf zwei haselbraune übermütige Augen herüber und blitzten, ein Lachen gar nicht mehr verbergend: «In Ihrer allernächsten Nähe.» Verblüfft starrte ich auf. Sie sah von der Seite noch einmal herüber, ob der Partherpfeil sitze. Und wirklich, er stak mir in der Kehle. Mit einmal war es vorbei mit dem frech berlinerischen Ansprechton, ganz unsicher, ja devot stammelte ich, ob ihr meine Begleitung dann nicht lästig sei. «Aber wieso denn», lächelte sie von neuem, «wir haben ja nur mehr zwei Straßen, und die können wir doch gemeinsam laufen.» In diesem Augenblick schwirrte mir das Blut, ich konnte kaum weiter, aber was halfs, ein Abschwenken wäre noch beleidigender gewesen: so mußte ich mit bis zu dem Hause, wo ich wohnte. Da hielt sie plötzlich inne, bot mir die Hand und sagte leichthin: «Dank für die Begleitung! Sie kommen ja heute um sechs Uhr zu meinem Mann.»

Ich muß blutrot geworden sein vor Scham. Aber noch ehe ich mich entschuldigen konnte, war sie schon flink die Treppe hinauf, und ich stand da, mit Schrecken die einfältigen Reden bedenkend, deren ich mich tölpelhaft erfrecht. Zum Sonntagsausflug hatte ich flunkernder Narr sie wie ein Nähmädel eingeladen, in schleißiger Weise ihren Körper gerühmt, dann die sentimentale Walze des vereinsamten Studenten gedreht — mir war, als müßte ich erbrechen vor Scham, so würgte mich der Ekel. Und nun ging sie lachend, bis zu den Ohren voll Übermut zu ihrem Mann, meine Albernheiten zu verraten an ihn, dessen Urteil mir am meisten von allen Menschen wog, und vor dem lächerlich zu erscheinen mir qualvoller ankam, als nackt auf dem offenen Marktplatz ausgepeitscht zu sein.

Entsetzliche Stunden bis zum Abend: tausendmal malte ich mirs aus, wie er mich empfangen würde mit seinem feinen ironischen Lächeln — oh, ich wußte ja, er meisterte die Kunst des sardonischen Wortes und wußte einen Scherz rotglühend zu spitzen, daß er stach bis aufs Blut. Ein Verurteilter kann nicht gewürgter das Schafott hinaufsteigen als ich damals die Treppe, und kaum ich, ein dickes Schlucken in der Kehle mühsam niederwürgend, sein Zimmer betrat, mehrte sich noch meine Verwirrung, war mir doch, als hätte ich vom Nebenraum flüsterndes Rauschen eines Frauenkleides gehört. Gewiß horchte sie da, die Übermütige, sich an meiner Verlegenheit zu weiden, die Blamage des mauldrescherischen Jungen mitzugenießen. Endlich kam mein Lehrer. «Was ist Ihnen denn?» fragte er besorgt, «Sie sind so blaß heute». Ich wehrte ab, innerlich den Streich erwartend. Aber die gefürchtete Exekution blieb aus, er sprach ganz wie sonst von wissenschaftlichen Dingen: kein Wort, so ängstlich ich jedes anhorchte, barg Anspielung oder Ironie. Und — erst erstaunt und dann beglückt — erkannte ich: sie hatte geschwiegen.

Um acht Uhr pochte es wieder an der Tür. Ich verabschiedete mich: das Herz stand mir wieder gerade in der Brust. Als ich aus der Tür trat, kam sie vorbei: ich grüßte, und ihr Blick lächelte mir leicht zu. Und strömenden Blutes deutete ich mir dies Verzeihen als ein Versprechen, auch weiterhin zu schweigen.

*

Von jener Stunde begann für mich eine neue Art der Aufmerksamkeit; bisher hatte meine knabenhaft andächtige Verehrung den vergötterten Lehrer dermaßen als Genius einer andern Welt empfunden, daß ich sein privates, sein irdisches Leben vollkommen zu beachten vergaß. In der übertreiblichen Art, die jeder wahren Schwärmerei innewohnt, hatte ich sein Dasein mir vollkommen weggesteigert von allen täglichen Verrichtungen unserer methodisch geordneten Welt. Und so wenig etwa ein zum erstenmal Verliebter wagt, das vergötterte Mädchen in Gedanken zu entkleiden und als ebenso natürlich wie die tausend andern rocktragenden Wesen zu betrachten, so wenig wagte ich einen schleicherischen Blick in seine private Existenz: nur sublimiert empfand ich ihn immer, abgelöst von allem Gegenständlich-Gemeinen als Boten des Worts, als Hülle des schöpferischen Geistes. Nun, da jenes tragikomische Abenteuer mir plötzlich seine Frau in den Weg stieß, konnte ich nicht umhin, seine familiäre, seine häusliche Existenz intimer zu beobachten; eigentlich wider meinen Willen schlug eine unruhig spähersche Neugier in mir die Augen auf. Und kaum daß dieser spürende Blick in mir begann, verwirrte er sich schon, denn dieses Mannes Existenz innerhalb des eigenen Gevierts war eigentümlich und von beinahe beängstigender Rätselhaftigkeit. Beim erstenmal schon, als ich kurz nach jener Begegnung zu Tische geladen wurde und ihn nicht allein, sondern mit seiner Frau sah, regte sich merkwürdiger Verdacht einer eigenartig krausen Lebensgemeinschaft, und je mehr ich dann in den innern Kreis des Hauses vordrang, um so verwirrender wurde mir dies Gefühl. Nicht daß in Wort oder Geste sich eine Spannung oder Verstimmung zwischen beiden kundgetan hätte: im Gegenteil, das Nichts war es, das Nichtvorhandensein irgendeiner Spannung zu- oder gegeneinander, das so seltsam sie beide verhüllte und undurchsichtig machte, eine schwere föhnige Windstille des Gefühls, die jene Atmosphäre drückender machte als Sturm eines Streits oder Wetterleuchten verborgenen Grolls. Äußerlich verriet nichts eine Reizung oder Spannung; nur Entfernung von innen her fühlte sich stärker und stärker. Denn Frage und Antwort in ihrem seltenen Gespräch berührte sich nur gleichsam mit hastigen Fingerspitzen, nie ging es herzlich ineinander, Hand in Hand, und selbst mir gegenüber blieb bei den Mahlzeiten seine Rede stockig und gebunden. Und manchmal frostete das Gespräch, solange wir nicht wieder zur Arbeit zurückkehrten, zu einem einzigen breiten Blocke Schweigens zusammen, den schließlich keiner mehr anzubrechen wagte und dessen kalte Last mir noch stundenlang auf der Seele drückend blieb.

Vor allem erschreckte mich sein vollkommenes Alleinsein. Dieser aufgetane, durchaus expansiv veranlagte Mann hatte keinerlei Freund, seine Schüler allein waren ihm Umgang und Trost. An die Kollegen der Universität band ihn keine Beziehung als jene der höflichen Korrektheit, Gesellschaften besuchte er niemals; oft verließ er tagelang das Haus nicht zu anderm Weg als die zwanzig Schritte zur Universität. Alles grub er stumm in sich ein, sich weder Menschen noch der Schrift vertrauend. Und nun verstand ich auch das Eruptive, das Fanatisch-Überströmende seiner Reden im Kreise der Studenten; da brach aus tagelanger Stauung die Mitteilsamkeit hervor, alle Gedanken, die er schweigend in sich trug, stürzten mit jener Unbändigkeit, die der Reiter bei Pferden sinnvoll Stallfeuer nennt, brausend aus der Hürde des Schweigens in diese Wettjagd der Worte.

Zu Hause sprach er ganz selten, am wenigsten zu seiner Frau. Und mit einem ängstlichen, beinahe schamvollen Staunen erkannte selbst ich unerfahrener junger Bursche, daß hier zwischen zwei Menschen ein Schatten schwebte, ein wehender, immer gegenwärtiger Schatten aus unfühlbarem Stoff, aber doch vollkommen einen vom andern abschließend, und zum erstenmal ahnte ich, wieviel Geheimes eine Ehe nach außen verbirgt. Als sei ein Drudenfuß auf die Schwelle gezeichnet, so wagte niemals die Frau sein Arbeitszimmer ohne besondere

Aufforderung zu betreten: damit markierte sich sichtbar ihre völlige Ausgesperrtheit von seiner geistigen Welt. Und niemals duldete mein Lehrer, daß von seinen Plänen und Arbeiten in ihrer Gegenwart gesprochen werde, ja die Art war mir geradezu peinlich, wie er, kaum daß sie eintrat, mit einem Riß mittendurch den leidenschaftlich geschwungenen Satz zerbrach. Etwas fast Beleidigendes und offenkundig Mißachtendes entbehrte da selbst der höflichen Verhüllung, brüsk und offen lehnte er ihre Teilnahme ab — sie aber schien das Beleidigende nicht zu bemerken oder daran schon gewöhnt. Mit ihrem übermütigen Jungengesicht, leicht und behend, muskelfreudig und rank, flog sie treppauf und -ab, hatte immer alle Hände voll zu tun und immer doch Zeit, ging in Theater, versäumte keine sportliche Betätigung — dagegen für Bücher, für den Hausstand, für alles Versperrte, Ruhige, Bedächtige fehlte der etwa fünfunddreißigjährigen Frau jeglicher Sinn. Ihr schien nur wohl zu sein, wenn sie — immer trällernd, gern lachend und stets zu spitzem Gespräch bereit — ihre Glieder im Tanz, im Schwimmen, im Lauf, in irgend etwas Vehementem ausfahren lassen konnte; mit mir sprach sie niemals ernst, immer nur neckte sie mich wie einen halbwüchsigen Jungen, nahm mich bestenfalls als Partner übermütiger Kraftproben. Und diese ihre behende hellsinnliche Art stand in so verwirrend gegensätzlichem Kontrast zu der dunklen, ganz in sich gezogenen, nur vom Geistigen zu beflügelnden Lebensform meines Lehrers, daß ich mit immer neuem Staunen mich fragte, was jemals diese beiden urfremden Naturen hatte zusammenbinden können. Freilich, mich selbst förderte nur dieser merkwürdige Kontrast: trat ich von entnervender Arbeit in ein Gespräch mit ihr, so wars, als sei mir ein drückender Helm von der Stirne genommen; alle Dinge ordneten sich aus ekstatischer Erhitzung wieder tagfarben und klar ins Irdische zurück, das heiter Umgängliche des Lebens forderte spielhaft seine Rechte, und was ich beinahe in seiner anspannenden Gegenwart verlernte, das Lachen, entlastete wohltätig den übermächtigen Druck des Geistigen. Eine Art jungenhafter Kameradschaft knüpfte sich zwischen ihr und mir; gerade weil wir immer nur Gleichgültiges lässig plauderten oder gemeinsam ins Theater gingen, entbehrte unser Beisammensein jeder Spannung. Ein Einziges bloß unterbrach peinlich die völlige Unbesorgtheit unserer Gespräche, jedesmal mich verwirrend: und das war die Nennung seines Namens. Da stemmte sie unabänderlich meiner fragenden Neugier ein gereiztes Schweigen oder, wenn ich mich in Enthusiasmus redete, ein merkwürdig verdecktes Lächeln entgegen. Aber ihre Lippen blieben verschlossen: in anderer Art, aber mit gleich heftiger Gebärde stellte sie diesen Mann aus ihrem Leben wie er sie aus dem seinen. Und doch deckte beide schon fünfzehn Jahre das gleiche verschwiegene Dach.

Je undurchdringlicher aber dieses Geheimnis, um so mehr Verführung für meine leidenschaftliche Ungeduld. Hier war ein Schatten, ein Schleier, sonderbar nah bei jedem Windzug des Wortes fühlte ich ihn schwanken; mehrmals schon meinte ich, seine Spur zu fassen, da glitt es wieder fort, dieses verwirrende Gewebe, um im nächsten Augenblick mich neu zu übetrieseln, doch niemals ward es tastbares Wort, faßbare Form. Nichts aber wirkt aufstörender, aufweckender bei einem jungen Menschen als das entnervende Spiel vager Vermutungen; der Phantasie, müßig sonst umschweifend, plötzlich offenbart sich ihr jagdhaftes Ziel, und schon fiebert sie in der neuentdeckten pürschenden Lust der Verfolgung. Ganz neue Sinne wuchsen mir bislang dumpfem Jungen in jenen Tagen zu, eine dünnhäutige Membran des Lauschens, die jeden Tonfall verräterisch abfing, ein spähender, weidhafter Blick voll Mißtrauen und Schärfe, eine umstöbernde, im Dunkel umgrabende Neugier — bis zur Schmerzhaftigkeit dehnten sich elastisch die Nerven, immer erregt vom Zugriff einer Ahnung und nie abklingend zu klarem Gefühl.

Doch ich mag sie nicht schelten, meine atemlos vorgebeugte Neugier, war sie doch rein. Was dermaßen alle Sinne in mir aufhob, dankte seine Erregtheit nicht lüsterner Schaulust, die hämisch ein Niedrig-Menschliches an einem Überlegenen zu ertappen liebt — im Gegenteil, sie färbte heimliche Angst, ein ratlos zögerndes Mitleid, das mit ungewisser Bangigkeit an diesen Schweigenden ein Leiden ahnte. Denn je näher ich seinem Leben trat, um so fühlsamer bedrückte mit der schon plastisch eingedrungene Schatten über meines Lehrers geliebtem Gesicht, jene edle, weil edel bemeisterte Melancholie, die niemals sich erniederte zu unwirscher Mürrischkeit oder fahrlässigem Zorn; hatte er mich, den Fremden, in erster Stunde angezogen durch das vulkanisch vorbrechende Geleucht seines Worts, nun erschütterte den Vertrauten noch tiefer seine Schweigsamkeit, die über seine Stirne wandernde Wolke der Trauer. Nichts ergreift ja derart mächtig einen jugendlichen Sinn als erhaben männliche Düsternis: Michelangelos in den eigenen Abgrund niederstarrender Denker, Beethovens bitter nach innen gezogener Mund, diese tragischen Masken des Weltleidens rühren stärker das ungeformte Gemüt als Mozarts silberne Melodie und das klingende Licht um Lionardos Gestalten. Schönheit sie selbst, hat Jugend der Verklärung nicht not: im Übermaß lebendiger Kräfte drängt sie dem Tragischen zu, und gern gestattet sie der Schwermut, süßen Zuges an ihrem noch unerfahrenen Blute zu saugen: darum auch die ewige Bereitschaft aller Jugend für die Gefahr und ihre brüderlich entbotene Hand zu jedem Leiden im Geiste.

Und eines solchen wahrhaft Leidenden Antlitz, hier erlebte ich es zum erstenmal. Kleiner Leute Sohn, aus bürgerlicher Behaglichkeit ungefährdet entwachsen, kannte ich die Sorge nur in den lächerlichen Masken des Alltags, als Ärger gekleidet, im gelben Gewand des Neids, klirrend mit dem Kleinkram des Geldes — dieses Gesichtes Verstörung, sie aber entstammte, sofort fühlte ichs, heiligerem Element. Aus Dunkelheiten kam dies Dunkel, von innen hatte hier ein grausamer Griffel Falten und Schrunden in vorzeitig zermorschte Wangen gezeichnet. Manchmal, wenn ich sein Zimmer betrat (immer mit der Scheu eines Kindes, das einem Hause naht, in dem Dämonen hausen) und seine Versunkenheit mein Klopfen überhörte, wenn ich dann plötzlich, schamvoll und bestürzt, vor dem Selbstvergessenen stand, dann war mir, als sitze hier bloß Wagner, die leibliche Larve, in Faustens Gewand, indes der Geist umschweifte in rätselhaftem Geklüft und schaurigen Walpurgisnächten. In solchen Augenblicken waren seine Sinne vollkommen verschlossen, er hörte weder nahenden Schritt noch einen schüchternen Gruß. Fuhr er dann, jählings sich besinnend, auf, so versuchte hastiges Wort die Verlegenheit zu überdecken: er ging auf und nieder und mühte sich, durch Fragen den beobachtenden Blick von sich abzulenken. Aber lange hing dann noch immer das Dunkel über seiner Stirne, und erst das erglühende Gespräch vermochte dies von innen gesammelte Gewölk zu zerstreuen.

Er mußte es manchmal spüren, wie sehr sein Anblick mich bewegte, an meinen Augen vielleicht, an meinen unruhigen Händen, mochte ahnen etwa, daß auf meinen Lippen unsichtbar eine Bitte schwebte um Zutrauen, oder in meiner vortastenden Haltung die heimliche Inbrunst erkennen, seinen Schmerz an mich, in mich zu nehmen. Sicherlich, er mußte es spüren, denn unvermutet unterbrach er das rege Gespräch und sah mich ergriffen an, ja es überströmte mich dieser merkwürdig warme, von seiner eigenen Fülle verdunkelte Blick. Dann faßte er oft meine Hand, hielt sie unruhig lange — immer erwartete ich: jetzt, jetzt, jetzt wird er zu mir sprechen. Aber statt dessen fuhr dann meist eine brüske Gebärde vor, manchmal sogar ein kaltes, absichtlich ernüchterndes oder ironisches Wort. Er, der den Enthusiasmus lebte, der ihn in mir genährt und erweckt, strich ihn dann plötzlich mir weg wie einen Fehler in einer schlecht geschriebenen Aufgabe, und je mehr er mich innig aufgetan sah, lechzend nach seinem Vertrauen, um so grimmiger stieß er mit solchen eiskalten Worten vor wie: «Das verstehen Sie nicht» oder «Lassen Sie doch derlei Übertreibungen», Worte, die mich aufreizten und zur Verzweiflung brachten. Wie habe ich gelitten unter diesem wetterleuchtend grellen, vom Heißen zum Kalten fahrenden Menschen, der mich unbewußt hitzte, um mich plötzlich mit Frost zu übergießen, der mit seinem Ungestüm das eigene anstachelte, um dann plötzlich die Peitsche einer ironischen Bemerkung zu fassen — ja, ich hatte das grausame Gefühl, je mehr ich zu ihm drängte, desto härter, ja angstvoller stieß er mich zurück. Nichts sollte, nichts durfte an ihn heran, an sein Geheimnis.

Denn Geheimnis, immer brennender wards mir bewußt, Geheimnis hauste fremd und unheimlich in seiner magisch anziehenden Tiefe. Ich ahnte ein Verschwiegenes an seinem merkwürdig flüchtenden Blick, der glühend vordrang und scheu wegwich, wenn man ihm dankbar sich ergab; ich spürte es an den bitter gefältelten Lippen seiner Frau, an der merkwürdig kalten Zurückhaltung der Menschen in der Stadt, die beinahe indigniert blickten, wenn man ihn rühmte — an hundert Sonderbarkeiten und plötzlichen Verstörtheiten. Und welche Qual dabei, sich schon in dem innern Kreis eines solchen Lebens zu vermeinen und doch irr dort im Kreise zu gehen wie in einem Labyrinth, unwissend des Weges zu seinem Ursprung und Herzen!

Das Unerklärlichste, das Erregendste aber waren für mich seine Eskapaden. Eines Tages, als ich ins Kolleg kam, hing dort ein Zettel, die Vorlesung sei für zwei Tage unterbrochen. Die Studenten schienen nicht verwundert, ich aber, der noch gestern bei ihm gewesen, eilte nach Hause, von Angst getrieben, er möchte erkrankt sein. Seine Frau lächelte nur trocken, als mein Hereinstürmen solche Aufregung verriet. «Das kommt öfter vor», sagte sie merkwürdig kalt; «das kennen Sie nur noch nicht.» Und tatsächlich erfuhr ich von den Kollegen, daß er öfters so über Nacht verschwinde, manchmal nur telegraphisch sich entschuldigend: einmal hatte ihn ein Student um vier Uhr morgens in einer Berliner Straße getroffen, ein anderer in der Wirtsstube fremder Stadt. Er schnellte plötzlich fort wie ein Pfropf aus der

Flasche, kam wieder zurück, und niemand wußte, wo er gewesen.

Dieses plötzliche Ausbrechen erregte mich wie eine Krankheit: ich ging geistesabwesend, unruhig, fahrig diese zwei Tage herum. Unsinnig leer war mir plötzlich das Studium ohne seine gewohnte Gegenwart, ich verzehrte mich in wirren, eifersüchtigen Vermutungen, ja, etwas von Haß und Zorn gegen seine Verschlossenheit stieg in mir auf, daß er mich, den glühend Zudrängenden, so außen ließ von seinem wirklichen Leben wie einen Bettler im Frost. Vergebens beredete ich mich, daß mir, dem Knaben, dem Schüler, doch kein Recht zustünde, Rechenschaft und Auskunft zu fordern, da seine Güte mir hundertfach mehr Vertrauen gewährte, als einen akademischen Lehrer sein Amt verpflichtete. Aber Vernunft hatte keine Macht über die brennende Leidenschaft: zehnmal des Tages kam ich tölpischer Junge fragen, ob er schon zurückgekommen sei, bis ich schließlich an den immer brüsker werdenden Verneinungen seiner Frau schon Erbitterung spürte. Ich wachte die halbe Nacht und horchte nach seinem heimkehrenden Schritt, umschlich morgens unruhig die Tür, nun nicht mehr die Frage wagend. Und als er endlich am dritten Tage unvermutet in mein Zimmer trat, jappte ich auf: mein Erschrecken muß übermäßig gewesen sein, wenigstens merkte ichs am Widerschein seiner verlegenen Befremdung, die hastig ein paar gleichgültige Fragen übereinanderjagte. Sein Blick wich mir aus. Zum ersten Male ging unser Gespräch krumm im Kreise, ein Wort stolperte über das andere, und indes wir beide jede Anspielung auf sein Fernbleiben gewaltsam vermieden, sperrte eben dies Ungesprochene jeder Aussprache den Weg. Als er mich ließ, schlug die brennende Neugier wie eine Lohe auf: allmählich verzehrte sie mir Schlaf und Wachen.

*

Wochenlang währte dieser Kampf um Aufschluß und tieferes Erkennen: starrsinig schraubte ich mich gegen den feurigen Kern, den ich unter dem felsigen Schweigen vulkanisch zu fühlen meinte. Endlich, in glücklicher Stunde, gelang mir erster Einbruch in seine innere Welt. Ich hatte wieder einmal in seinem Zimmer bis zur Dämmerung gesessen, da holte er einige Shakespearesche Sonette aus verschlossener Lade, las erst in eigener Übertragung diese gleichsam in Bronze gegossenen knappen Gebilde, um dann ihre scheinbar undurchdringliche Chiffreschrift so magisch zu erleuchten, daß mich mitten in meiner Beglückung ein Bedauern ankam, all dies, was dieser strömende Mensch schenkte, sollte verloren sein im vergänglich fließenden Wort. Da — wo holte ich ihn nur her? — packte mich plötzlicher Mut, ihn zu fragen, warum er sein großes Werk «Die Geschichte des Globe-Theaters» nicht vollendet habe — kaum aber daß ich das Wort gewagt, wurde ich schon erschrocken gewahr, wider Willen eine geheime und offenbar schmerzhafte Wunde grob angefaßt zu haben. Er stand auf, wandte sich ab und schwieg lange. Das Zimmer schien plötzlich überfüllt von Dämmerung und Schweigen. Endlich kam er auf mich zu, sah mich ernst an, und die Lippen zuckten mehrmals, ehe sie schmal aufgingen; schmerzlich stieß dann ihr Geständnis vor: «Ich kann nichts Großes arbeiten. Das ist vorbei: nur die Jugend plant so verwegen. Jetzt habe ich keine Ausdauer mehr. Ich bin — warum es verbergen? — ein Mensch der kurzen Augenblicke geworden, ich kann nicht durchhalten. Früher hatte ich mehr Kraft, jetzt ist sie weg. Ich kann nur reden: da trägt michs manchmal, da reißt mich etwas über mich fort. Aber stillsitzend arbeiten, immer allein, immer allein, das gelingt mir nicht mehr.»

Seine resignierte Gebärde erschütterte mich. Und aus innerster Überzeugung drängte ich, er möchte doch, was er uns mit lockerer Hand täglich hinstreue, endlich in harter Faust festhalten, nicht immer bloß austeilen, sondern das Eigene gestaltend bewahren. «Ich kann nicht schreiben», wiederholte er müde, «ich bin nicht konzentriert genug.» «So diktieren Sie!» und hingerissen von dem Gedanken, fiel ich ihn beinahe flehend an: «So diktieren Sie mir. Versuchen Sie es einmal. Vielleicht nur den Beginn — dann werden Sie selbst nicht mehr zurückkönnen. Versuchen Sie das Diktat, ich bitte Sie darum, mir zuliebe!»

Er sah auf, verblüfft zuerst und dann nachdenklicher. Der Gedanke schien ihn irgendwie zu beschäftigen. «Ihnen zuliebe?» wiederholte er. «Meinen Sie wirklich, es könnte noch irgendeinem Menschen Freude machen, wenn ich alter Mann etwas unternehme?» Ich spürte, hier begann schon zögernd ein Nachgeben, an seinem Blick spürte ichs, der noch eben wolkig nach innen gehangen, nun aber, von warmer Hoffnung gelöst, allmählich vortrat und an ihr sich erhellend. «Meinen Sie wirklich?» wiederholte er; schon spürte ich innere Bereitschaft in seinen Willen strömen, und dann kam ein Ruck: «Also versuchen wirs! Die Jugend hat immer recht. Wer ihr nachgibt, ist klug.» Meine wild ausbrechende Freude, mein Triumph schien ihn zu beleben: er ging hastig auf und ab, beinahe jugendlich erregt, und wir vereinbarten: allabendlich um neun Uhr, unmittelbar nach dem Abendessen wollten wir es täglich eine Stunde zunächst versuchen. Und am nächsten Abend begannen wir mit dem Diktat.

Diese Stunden, wie soll ich sie schildern! Ich wartete ihnen entgegen den ganzen Tag. Schon nachmittags drückte eine schwüle, nervenauslaugende Unruhe elektrisch auf meine ungeduldigen Sinne, kaum konnte ich die Stunden ertragen, bis endlich der Abend kam. Wir gingen dann sofort von beendeter Mahlzeit in sein Arbeitszimmer, ich setzte mich an den Schreibtisch, den Rücken ihm zugekehrt, indes er unruhigen Schrittes im Raume auf und ab ging, bis der Rhythmus in ihm sich gleichsam gesammelt hatte und von erhobenem Wort der Auftakt absprang. Denn alles gestaltete dieser merkwürdige Mann aus einer Musikalität des Gefühls: er bedurfte immer eines Anschwunges, um seine Ideen in Bewegung zu bringen. Meist war es ein Bild, eine kühne Metapher, eine plastische Situation, die er, unwillkürlich am raschen Fortschreiten sich erregend, zu dramatischer Szene erweiterte. Etwas von dem großartig Naturhaften alles Schöpferischen wetterleuchtete dann oft aus dem stürzenden Geleucht dieser Improvisationen: ich erinnere mich an Zeilen, die Strophen schienen eines jambisch taktierten Gedichts, und an andere, die kataraktisch sich ergossen in großartig gedrängten Aufzählungen wie der Schiffskatalog Homers und die barbarischen Hymnen Walt Whitmans. Zum erstenmal war es mir jungem, werdendem Menschen gegeben, in das Geheimnis der Produktion einzudringen: ich sah, wie der Gedanke, farblos noch, nichts als eine reine flüssige Hitze, wie eine Glokkenspeise aus dem Kessel der impulsiven Erregung vorströmte, dann allmählich erkaltend seine Form fand, und wie diese Form sich dann machtvoll rundete und enthüllte, bis endlich klar das Wort aus ihr schlug und, wie der Klöppel die Glocke erst tönend macht, dem dichterisch Erfühlten die Sprache der Menschen gab. Und so wie jeder einzelne Absatz aus Rhythmus, jede Darstellung aus szenisch gestaltetem Bild, so erhob sich das ganze groß angelegte Werk vollkommen unphilologisch aus einem Hymnus, einem Hymnus an das Meer als die irdisch sichtbare, irdisch fühlbare Form des Unendlichen, wogend von Ferne zu Ferne, zu Höhen aufschauend und Tiefen verbergend, dazwischen sinnlos-sinnvoll spielend mit irdischem Geschick, den schwanken Kähnen der Menschen: diesem Bildnis des Meeres erwuchs in großartig gestaltetem Vergleich eine Darstellung des Tragischen als der elementaren Macht, die unser Blut rauschend und zerstörend durchwaltet. Dann rollte die bildnerische Woge einem einzelnen Lande zu: England stieg auf, die Insel, ewig umbrandet von dem unruhigen Element, das alle Ränder der Erde, alle Breiten und Zonen des Erdballs gefährlich umschließt. Dort, in England formt es den Staat: bis ins gläserne Gehäuse des Auges, das graue, das blaue, dringt dort der kalte und klare Blick des Elements; jeder einzelne ist Meermensch und Insel zugleich, wie sein Land, und von Stürmen und Gefahr sind starke stürmische Leidenschaften lufthaft gegenwärtig in diesem Geschlecht, das in Hunderten Jahren Wikingerfahrt unablässig seine Kräfte geprobt. Nun aber dünstet Friede über das wasserumbrandete Land: sie jedoch, an Stürme gewöhnt, wollen noch weiter das Meer, den harten Sturz des Geschehens mit seiner täglichen Gefahr, und so schaffen sie sich die aufpeitschende Spannung noch einmal im blutigen Spiel. Erst wird für Tierhatz und Zwiekampf das hölzerne Gerüst erstellt. Bären verbluten, Hahnenkämpfe reizen die Wollust des Grauens bestialisch vor; doch bald will gesteigerter Sinn reiner aufwühlende Spannung aus menschlich-heroischem Widerstreit. Und da ersteht aus frommen Schaubühnen, aus kirchlichen Mysterien jenes andere große wogende Spiel vom Menschen, Wiederkehr all jener Abenteuer und Fahrten, nun aber auf den innern Meeren des Herzens; neue Unendlichkeit, ein anderer Ozean mit Springfluten der Leidenschaft und Aufschwall des Geistes, den erregt zu durchsteuern, in dem atemlos umhergeschleudert zu sein die neue Lust ist dieses späten und noch immer starken angelsächsischen Geschlechts: es entsteht das Drama der englischen Nation, das Drama der Elisabethaner.

Und volltönig aufrauschte, da er sich fanatisch in die Schilderung dieses barbarisch urweltlichen Anfangs warf, das bildnerische Wort. Seine Stimme, die anfangs flüsternd hineilte, spannte sonore Muskeln und Bänder, wurde metallen schlimmerndes Flugzeug, das immer freier und höher forttrieb: zu eng ward ihr das Zimmer, die antwortend gedrängten Wände, so weit brauchte sie Raum. Ich fühlte Sturm über mir wehen, die brausende Lippe des Meeres schrie mächtig ihr dröhnendes Wort: hingeduckt an den Schreibtisch war mir, als stünde ich wieder in meiner Heimat an der Düne, und dies große Rauschen von tausend Wellen und sprühendem Wind käme atmend heran. Aller Schauer, der die Geburt so eines Menschen wie eines Wortes schmerzhaft umwittert, damals brach er zum erstenmal in mein staunend erschrecktes und schon beglücktes Gemüt.

Endete mein Lehrer dann in dem Diktate, wo mächtige Inspiration herrlich der wissenschaftlichen Absicht das

Wort entriß und Denken zur Dichtung wurde, so taumelte ich auf. Feurige Müdigkeit durchströmte mich schwer und stark, eine Ermattung sehr unähnlich der seinen, die eine Erschöpfung war, ein schon Entladensein, indes ich, der Überwogte, noch bebte von jener eingeströmten Fülle. Beide aber brauchten wir dann immer noch ein abklingendes Gespräch, um zu Schlaf oder Ruhe zurückzufinden: gewöhnlich wiederholte ich noch das Stenogramm; und seltsam, kaum die Zeichen sich zu Worten verwandelten, redete, atmete und hob sich aus meiner Stimme eine andere, als hätte mir ein Wesen die Sprache im Munde vertauscht. Und dann erkannte ichs: wiederholend skandierte und formte ich seine Intonierund derart hingegeben nach, so gleichartig, daß es war, als spräche er aus mir und nicht ich selbst — so sehr war ich schon Resonanz seines Wesens geworden, Widerklang seines Worts. Das alles ist vierzig Jahre her: und doch noch heute, mitten in einem Vortrag, wenn die Rede sich mir losreißt und schwingend wird, spüre ich plötzlich befangen, daß nicht ich selber spreche, sondern jemand anderer gleichsam aus meinem redenden Munde. Eines teuren Toten Stimme erkenne ich dann, eines Toten, der einzig noch Atem hat an meiner Lippe: immer wenn Enthusiasmus mich überflügelt, bin ich er. Und ich weiß: jene Stunden haben mich geprägt.

*

Die Arbeit wuchs, und sie wuchs um mich wie ein Wald, allmählich allen Ausblick in die äußere Welt verschattend; nur innen lebte ich im Dunkel des Hauses, im rauschenden, immer voller brausenden Geäst des sich verbreiternden Werkes, in der umfangenden, wärmenden Gegenwart dieses Menschen.

Außer den wenigen Lehrstunden an der Universität gehörte ihm mein ganzer Tag. Ich speiste an ihrem Tische, nachts und tags kletterte Botschaft von ihrer Wohnung die Treppe zu der meinen auf und nieder: ich hatte ihren Türschlüssel und er den meinen, so daß er zu jeder Stunde mich finden konnte, ohne die halbtaube alte Wirtsfrau heranzuschreien. Je mehr ich mich aber dieser neuen Gemeinschaft verband, um so vollkommener wurde ich der Außenwelt abwendig: mit der Wärme jener innern Sphäre teilte ich gleichzeitig die frostige Abgeschlossenheit ihrer ausgesperrten Existenz. Meine Kollegen kehrten einhellig eine gewisse Kälte und Verächtlichkeit gegen mich heraus: war es geheime Feme oder bloß gereizte Eifersucht über meine sichtliche Bevorzugung — jedenfalls isolierten sie mich von ihrem Umgang, und in den Diskussionen des Seminars vermied mich, scheinbar verabredet, Ansprache und Gruß. Selbst die Professoren verbargen nicht ihre feindselige Abneigung; einmal, als ich bei dem Dozenten der romanischen Philologie eine nichtige Auskunft erbat, fertigte er mich ironisch ab. «Sie als Intimus von Professor . . . sollten doch darüber Bescheid wissen.» Vergeblich suchte ich so unverschuldete Ächtung mir zu erklären. Aber Wort und Blick wichen jeder Erklärung aus. Seit ich ganz mit den beiden Einsamen lebte, war ich selbst vollkommen vereinsamt.

Diese gesellschaftliche Aussperrung hätte mich nun weiter nicht bekümmert, war doch meine Aufmerksamkeit ganz dem Geistigen verschworen; aber der steten Zerrung hielten allmählich die Nerven nicht stand. Man lebt nicht ungestraft wochenlang in einem unaufhörlichen geistigen Exzeß, zudem hatte ich wohl allzu plötzlich mein Leben umgestülpt, war zu wild von einem Extrem ins andere gefahren, um nicht jenes uns geheim zugewogene Gleichgewicht der Natur zu gefährden. Denn indes in Berlin das lockere Umschweifen meine Muskeln wohlig entspannte, Abenteuer mit Frauen alles unruhig Gestaute spielhaft lockerten, preßte hier eine föhnig niederdrückende Atmosphäre so unablässig die gereizten Sinne, daß sie nur zuckend, mit elektrisch springenden Spitzen in mir umfuhren; ich verlernte den tiefen gesunden Schlaf, obwohl oder vielleicht weil ich immer bis zur Morgenfrühe das Diktat jedes Abends zu meiner eigenen Lust kopierte (fiebernd vor eitler Ungeduld, meinem geliebten Lehrer die Blätter ehestens zu überbringen). Dann forderte mich die Universität, die hastig betriebene Lektüre, zu erhöhter Bereitwilligkeit, und nicht zum mindesten erregte mich die Art des Gesprächs mit meinem Lehrer, weil ja jeder Nerv spartanisch sich straffte, niemals anteillos mich vor ihm erscheinen zu lassen. Der beleidigte Leib zögerte für diese Übertreiblichkeiten nicht lange mit seiner Rache. Mehrmals überfielen mich kurze Ohnmachten, Warnungssignale der gefährdeten Natur, die ich tollwütig überrannte — aber die hypnotischen Müdigkeiten mehrten sich, jede Äußerung des Gefühls wurde vehement, und die geschärften Nerven wuchsen mit ihren Spitzen nach innen, den Schlaf zerreißend und bisher verhaltene wirre Gedanken aufstachelnd.

Die erste, die eine deutsame Gefährdung meines Zustandes bemerkte, war die Frau meines Lehrers. Oftmals schon hatte ich ihren beunruhigten Blick mich übertasten gefühlt, mit Absicht streute sie immer häufiger mahnende Bemerkungen in unsere Gespräche, wie etwa, ich möchte nicht in einem Semester die Welt erobern wollen. Schließlich wurde sie deutlich. «Genug jetzt», fuhr sie eines Sonntags auf mich zu, als ich bei schönstem Sonnenschein Grammatik büffelte, und riß mir das Buch weg; «wie kann man sich als junger lebendiger Mensch dermaßen vom Ehrgeiz versklaven lassen? Nehmen Sie sich nicht immer ein Vorbild an meinem Mann: er ist alt, und Sie sind jung, Sie müssen anders leben». Immer funkelte, wenn sie von ihm sprach, dieser Unterton von Verächtlichkeit vor, gegen den ich Hingegebener mich immer wieder entrüstet empörte. Mit Absicht, ich spürte es, ja vielleicht in einer Art fehlgängerischer Eifersucht, suchte sie mich immer mehr von ihm wegzuhalten und mit ironischen Paraden meine Übertreiblichkeiten zu queren; saßen wir abends zu lange beim Diktat, so klopfte sie energisch an die Tür und erzwang, gleichgültig gegen seine zornige Abwehr, den Abbruch der Arbeit. «Er wird Ihnen noch Ihre Nerven verderben, er wird Sie noch ganz zerstören», sagte sie mir einmal erbittert, als sie mich niedergebrochen fand. «Was hat er aus Ihnen schon gemacht in diesen paar Wochen! Ich kann es nicht länger mit ansehen, wie Sie gegen sich selber wüten. Und dabei ...» Sie stockte und redete den Satz nicht zu Ende. Aber die Lippe bebte ihr blaß von niedergepreßtem Zorn.

Und wirklich, mein Lehrer machte es mir nicht leicht: je leidenschaftlicher ich ihm diente, um so gleichgültiger schien er meine hilfsbereite Verehrung zu werten. Selten, daß er mir dankte; brachte ich ihm morgens die bis in die Nacht geförderte Arbeit, so äußerte er trocken abwehrend: «Es hätte Zeit bis morgen gehabt.» Überbot sich mein ehrgeiziger Eifer zu unerbetener Gefälligkeit, so wurde plötzlich mitten im Gespräch die Lippe schmal, und ein ironisches Wort drängte mich ab. Freilich, sah er mich dann gedemütigt und verwirrt zurückweichen, so strömte wieder jener warme umfangende Blick meiner Verzweiflung tröstend zu, aber wie selten geschah das, wie selten! Und dieses Heiß und Kalt, dieses bald Aufwühlend-Nahe, bald Ärgerlich-Rückstoßende seines Wesens verwirrte vollkommen mein unbändiges Gefühl, das sich sehnte — nein, nie vermochte ich jemals deutlich zu benennen, was ich eigentlich ersehnte, was ich wünschte, forderte, anstrebte, welches Zeichen seiner Teilnahme meine enthusiastische Hingabe sich erhoffte. Denn ist verehrende Leidenschaft selbst reiner Weise einer Frau zugewandt, so strebt sie doch unbewußt einer körperlichen Erfüllung zu, ihr hat die Natur eine höchste Vereinung im Besitz des Körpers bildnerisch zugeformt — Leidenschaft des Geistes aber, von Mann zu Mann dargeboten, wie will sie, die unerfüllbare, volle Erfüllung? Ruhelos umwandert sie die verehrte Gestalt, immer sich aufflackernd zur neuen Ekstase und nie noch beruhigt durch eine letzte Hingabe. Immer strömt sie und kann doch nie ganz sich entströmen, ewig ungenügsam wie immer der Geist. So wurde mir seine Nähe niemals nah genug, seine Gegenwart nie ganz sich enthüllend und erfüllend in den langen Gesprächen; selbst wenn er vertrauend alle Fremdheit von sich abwarf, wußte ich doch, der nächste Augenblick könne mit schneidender Geste diese atemnahe Gebundenheit zerteilen. Immer wieder verwirrte der Wetterwendische von neuem mein Gefühl, und ich übertreibe nicht, wenn ich sage, daß ich in meiner Überreiztheit oft unsinniger Tat schon nahe war, nur weil er mit lockerem Handgriff ein Buch, auf das ich ihn aufmerksam gemacht, gleichgültig beiseite geschoben oder plötzlich, wenn abends vertieftes Gespräch uns band und ich ganz eingeströmt in seine Gedanken atmete, mit einem Ruck — nachdem er noch eben zärtlich die Hand mir auf die Schultern gelehnt — aufstand und brüsk sagte: «Nun gehen Sie aber! Es ist spät. Gute Nacht.» Solche Nichtigkeiten genügten schon, um Stunden, um Tage mir zu verstören. Vielleicht sah, unablässig zur Erregung herausgefordert, mein überreiztes Gefühl auch Kränkungen, wo sie gar nicht beabsichtigt waren — doch was hilft alle nachdeutende Selbstbeschwichtigung gegen eine Verstörung des innern Gemüts? Nur dies erneute sich täglich: ich litt glühend an seiner Nähe und frostete an seiner Ferne, immer enttäuscht an seiner Verhaltenheit, von keinem Zeichen beruhigt, von jeder Zufälligkeit verwirrt.

Und seltsam: immer wenn meine Empfindlichkeit von ihm sich beleidigt fühlte, flüchtete ich hin zu seiner Frau. Unbewußter Drang vielleicht, da einen Menschen zu finden, der gleichfalls unter diesem wortlosen Weghalten litt, vielleicht Bedürfnis bloß, zu irgend jemandem sprechen zu können und wenn schon nicht Hilfe, so doch Verständnis zu finden — jedenfalls flüchtete ich ihr wie einem heimlichen Bundesgenossen zu. Gewöhnlich spöttelte sie mir meine Empfindlichkeit weg oder erklärte mit achselzuckender Kälte, ich sollte schon diese schmerzhaften Sonderlichkeiten gewöhnt sein. Manchmal aber sah sie mich merkwürdig ernst, geradezu mit verwundertem Blick an, wenn plötzliche Verzweiflung mit einem Ruck so ein ganzes zuckendes Bündel von Vorwürfen, gestammelten Tränen, verkrampften Worten vor sie hinschleuderte, aber sie sprach kein Wort; nur um ihre Lippen ging dann verhaltenes Wetterspiel, und ich spürte, sie bedurfte aller Kraft, nicht etwas Zorniges oder Unbedachtes vorzustoßen. Auch sie hatte, kein Zweifel, mir etwas zu sagen, auch sie verschloß ein Geheimnis, vielleicht das gleiche wie er; indes er aber in brüsker Abwehr mich zurückstieß, sobald mein Wort ihm zu nahe kam, übersprang sie meistens mit einem Scherz oder einer improvisierten Eulenspiegelei jede weitere Aussprache.

Nur ein einziges Mal war ich nahe, ihr das Wort zu entreißen. Ich hatte morgens, als ich das Diktat überbrachte, nicht umhin können, meinem Lehrer begeistert zu erzählen, wie sehr mich gerade diese Darstellung (es war Marlowes Bildnis) erschüttert habe. Und heiß noch von meinem Überschwang, fügte ich bewundernd hinzu, niemand schreibe ihm ein derart meisterliches Porträt nach; da biß er, schroff sich abkehrend, die Lippe, warf das Blatt hin und murrte verächtlich: «Reden Sie nicht solchen Unsinn! Was verstehen Sie denn schon von Meisterschaft.» Dies brüske Wort (hastig vorgeholte Maske wohl nur für eine ungeduldige Schamhaftigkeit) genügte, um mir den Tag zu zerschlagen. Und nachmittags, eine Stunde allein mit seiner Frau, fiel ich sie plötzlich in einer Art hysterischen Ausbruchs an, faßte sie bei den Händen: «Sagen Sie mir, warum haßt er mich so? Warum verachtet er mich so? Was habe ich ihm getan, warum reizt jedes Wort von mir ihn dermaßen auf? Was soll ich tun, helfen Sie mir! Warum kann er mich nicht leiden — sagen Sie es mir, ich bitte Sie darum.»

Da starrte, überfallen von diesem wilden Ausbruch, ein grelles Auge mich an. «Sie nicht leiden?» — und ein Lachen klirrte aus den Zähnen, ein Lachen, das in so böser schriller Spitze ausfuhr, daß ich unwillkürlich zurückwich. «Sie nicht leiden?» wiederholte sie noch einmal und sah mir zornvoll in die verwirrten Augen. Dann aber beugte sie sich näher heran — ihre Blicke wurden allmählich weich und weicher, beinahe mitleidig wurden sie — und plötzlich strich sie mir (zum erstenmal) über das Haar. «Sie sind wirklich ein Kind, ein dummes Kind, das nichts merkt und nichts sieht und nichts weiß. Aber es ist besser so — sonst würden Sie noch unruhiger sein.»

Und mit einem plötzlichen Ruck wandte sie sich um. Vergebens suchte ich Beruhigung: wie verschnürt in den schwarzen Sack eines unzerreißbaren Angsttraumes rang ich um eine Deutung, um ein Erwachen aus der geheimnisvollen Verwirrung dieser widerstreitenden Gefühle.

*

Vier Monate waren so vergangen, Wochen der ungeahntesten Selbststeigerung und Verwandlung. Das Semester sprang seinem Ende zu, mit Furchtgefühl sah ich den nahen Ferien entgegen, denn ich liebte mein Fegefeuer, und die nüchtern ungeistige Häuslichkeit meiner Heimat drohte mir wie Verbannung und Raub. Schon bosselte ich heimliche Pläne, meinen Eltern vorzutäuschen, wichtige Arbeit hielte mich hier zurück, schon flocht ich Lüge und Ausflucht geschickt ineinander, um die Dauer dieser verzehrenden Gegenwart zu verlängern. Aber längst war Zeit und Stunde in anderer Sphäre mir vorgezählt. Und diese Stunde stand über mir unsichtbar, wie der Glockenschlag des Mittags in dem Erze hängt, um dann unvermutet und ernst die müßig Weilenden zu Arbeit oder Abschied zu rufen.

Wie schön begann jener schicksalshafte Abend, wie verräterisch schön! Ich hatte mit beiden bei Tisch gesessen — die Fenster standen offen, und in ihren verdunkelten Rahmen trat allmählich dämmeriger Himmel mit weißen Wolken langsam herein: ein Lindes und Klares ging von ihrem majestätisch hinschwebenden Widerleuchten wesenhaft weiter, bis tief hinab mußte mans fühlen. Wir hatten lässiger, friedfertiger, geschäftiger geplaudert, die Frau und ich, als sonst. Mein Lehrer schwieg über unser Gespräch hinweg; aber sein Schweigen stand gleichsam mit stillgefalteten Flügeln über unserem Gespräch. Verstohlen sah ich ihn von der Seite an: etwas merkwürdig Erhelltes war heute in seinem Wesen, eine Unruhe, aber ohne alle Fahrigkeit, ganz wie in jenen Wolken, den sommerlichen. Manchmal hob er das Weinglas und hielt es gegen das Licht, sich der Farbe zu freuen; und als mein Blick diese Geste freudig begleitete, lächelte er leicht und wendete das Glas mir zum Gruß. Selten hatte ich sein Gesicht dermaßen klar gesehen, seine Bewegungen so rund und gefaßt: beinahe feierlich froh saß er da, als hörte er Musik von der Straße her oder lausche einem unsichtbaren Gespräch. Seine Lippen, sonst ständig umflattert von winzigen Wellen, lagen still und weich wie eine aufgeschälte Frucht, und die Stirne, nun da er sie sanft gegen die Fenster wandte, nahm jene gelinde Helligkeit spiegelnd an sich und dünkte mir schön wie nie. Wunderbar, ihn so befriedet zu sehen: war es Abglanz des reinen Sommerabends, drang von der Mildigkeit der abgetönten Luft ein Wohltätiges in ihn ein, oder leuchtete von innen ein Tröstliches ihm zu — ich wußte es nicht. Aber vertraut, in seinem Antlitz wie in aufgeschlagener Schrift zu lesen, spürte ich nur: heute hatte ein milder Gott ihm die Schrunden und Falten des Herzens geglättet.

Und seltsam feierlich auch, wie er nun aufstand und mit gewohnter Kopfwendung einlud, ihm in sein Studio zu folgen: er ging, der sonst Hastige, sonderbar ernst. Dann wandte er sich noch einmal um, holte — auch dies ungewohnterweise — eine geschlossene Flasche Wein aus dem Spind und trug sie bedächtig hinüber. Genau wie ich schien seine Frau ein Wunderliches in seiner Art zu bemerken, mit staunendem Blick blickte sie von ihrer Näharbeit auf und beobachtete stumm neugierig, da wir nun zur Arbeit hinübergingen, seine ungewohnt gemessene Haltung.

Das Zimmer, wie immer vollkommen abgedunkelt, erwartete uns mit vertrauter Dämmerung, nur die Lampe rundete goldenen Kreis um dies wartende Weiß der gehäuften Blätter. Ich setzte mich an meinen gewohnten Platz und wiederholte die letzten Sätze aus dem Manuskript; immer bedurfte er zur innern Abstimmung den Rhythmus als einer Stimmgabel, um das Wort weiterströmen zu lassen. Aber indes er sonst unmittelbar an den ausschwingenden Satz ansetzte, blieb diesmal der Fortklang aus. Das Schweigen stellte sich breit in den Raum, schon drückte es von den Wänden auf uns als Spannung zurück. Noch schien er nicht ganz gesammelt, denn ich hörte hinter meinem Rücken seinen nervös auf und nieder schreitenden Schritt. «Lesen Sie es noch einmal!» — seltsam, wie unruhig mit einmal die Stimme vibrierte. Ich wiederholte die letzten Absätze: nun setzte er unmittelbar an mein Wort an, ruckhaft, rascher und geschlossener diktierend als sonst. In fünf Sätzen war die Szene gebaut; was er bislang dargestellt, waren die kulturellen Vorbedingungen des Dramas gewesen, ein Fresko zur Zeit, ein Abriß der Geschichte. Nun wandte er mit plötzlichem Ruck sich dem Theater selbst zu, das aus Vagabundentum und Karrenfahrt endlich seßhaft wird und sich eine Heimstatt baut, verbrieft mit Recht und Privilegium, das «Rose-Theater» zuerst und die «Fortuna», hölzerne Bretterbuden für selbst hölzerne Spiele; dann aber zimmern, der weiteren Brust der mannhaft wachsenden Dichtung gemäß, die Werkleute ein neues bretternes Kleid: am Strand der Themse, eingepfählt dem feuchten, wertlosen Schlammgrund, ersteht der ungefüge Holzbau mit dem ungeschlachten sechseckigen Turm, das Globe-Theater, auf dessen Szene Shakespeare, der Meister, erscheint. Wie ausgeworfen vom Meere, ein seltsames Schiff, piratisch rote Flagge am obersten Mast, steht es dort fest angeankert im schlammigen Grund. Im Parterre drängt sich lärmend wie in einem Hafen das niedere Volk, von den Galerien lächelt und plaudert eitel die vornehme Welt herab zu den Schauspielern. Ungeduldig fordern sie den Beginn. Sie stampfen und poltern, klirren mit dem Degenknauf lärmend gegen die Bretter, bis endlich sich zum erstenmal an paar flackernd vorgetragenen Kerzen die niedere Szene erleuchtet, Gestalten, lässig kostümierte, vortreten zu scheinbar improvisierter Komödie. Und da, ich erinnere mich noch heute seiner Worte, «braust plötzlich der Sturm der Worte auf, jenes Meer, das unendliche der Leidenschaft, das von dieser bretternen Grenze zu allen Zeiten und allen Zonen des menschlichen Herzens seine bluthafte Welle hinschlägt, unerschöpflich, unergründlich, heiter und tragisch, aller Vielfalt voll und der Menschen ureigenstes Bild — das Theater Englands, das Drama Shakespeares.»

Bei diesen erhobenen Worten riß die Rede plötzlich durch. Ein langes dumpfes Schweigen kam. Beunruhigt wandte ich mich um: mein Lehrer stand, mit einer Hand den Tisch ankrampfend, in jener ausgeschöpften Gebärde da, die ich an ihm kannte. Aber diesmal hatte die Starre etwas Erschreckendes. Ich sprang auf in der Besorgnis, etwas sei ihm zugestoßen, und fragte ängstlich, ob ich aufhören sollte. Er sah mich nur an, atemlos, unverwandt, starr vorerst. Aber dann stieg der Stern seines Auges wieder blau leuchtend vor, entspannter Lippe trat er auf mich zu — «Nun, haben Sie nichts bemerkt?» — eindringlich sah er mich an. «Was denn?» stammelte ich unsicher. Da tat er einen tiefen Atemzug, lächelte ein wenig; seit Monaten spürte ich wieder jenen umfangenden, weichen, zärtlichen Blick: «Der erste Teil ist fertig.»

Ich hatte Mühe, einen Freudenschrei zu unterdrücken, so heiß durchfuhr mich die Überraschung. Wie hatte ichs übersehen können, ja, das war der ganze Bau, herrlich emporgestuft vom Urgrund der Vergangenheit bis zur Schwelle der Gestaltung: nun konnten sie kommen, Marlowe, Ben Jonson, Shakespeare, sie sieghaft zu überschreiten. Das Werk feierte seinen ersten Geburtstag: hastig eilte ich hin, zählte die Blätter. Hundertsiebzig enggeschriebene Seiten umfaßte dieser erste Teil, der schwerste; denn was nun kam, war freie nachbildende Gestaltung, indes bis nun die Darstellung an historisches Zeugnis eng gefesselt war. Kein Zweifel, er würde es vollenden, sein Werk, unser Werk!

Habe ich gelärmt, bin ich umhergetanzt vor Freude, vor Stolz, vor Glück — ich weiß es nicht. Aber meine Begeisterung muß unvorhergesehene Formen des Überschwangs angenommen haben, denn sein Blick wanderte mir lächelnd nach, indes ich bald die letzten Worte überlas, bald eilfertig die Blätter zählte, sie befaßte, wog und verliebt befühlte und schon in voreiligen Berechnungen phantasierte, wann wir das ganze Werk vollendet haben könnten. Sein gestauter, tief verborgener Stolz, in meiner Freude sah er sich gespiegelt: gerührt, lächelnd blickte er mir zu. Dann kam er langsam ganz, ganz nahe, beide Hände vorgestreckt, heran, faßte die meinen; unbewegt sah er mich an. Allmählich füllten sich seine Pupillen, die sonst nur ein zuckendes Blinkfeuer von Farbe hatten, mit jenem klaren beseelten Blau, das von allen Elementen nur die Tiefe des Wassers und die Tiefe menschlichen Gefühls zu bilden vermögen. Und dieses glanzhafte Blau stieg auf aus den Augensternen, trat vor, drang in mich ein; ich fühlte, wie diese warme Welle von ihnen weich bis in mein Innerstes ging, strömend sich dort verbreiternd und zu seltsamer Lust das Gefühl mir dehnend: die ganze Brust ward mit einmal weit von dieser wölbenden quellenden Gewalt, und ich spürte einen großen Mittag italisch in mir aufgehen. «Ich weiß», überflog nun seine Stimme diesen Glanz, «daß ich niemals diese Arbeit begonnen hätte ohne Sie, nie werde ich es Ihnen vergessen. Sie haben meiner Mattigkeit den rettenden Schwung gegeben, und was von meinem verstreuten verlorenen Leben nun zurückbleibt, das haben Sie gerettet, Sie allein! Niemand hat mehr für mich getan, keiner so treulich mir geholfen. Und darum sage ich nicht, *Ihnen* habe ich es zu danken, sondern ... *dir* habe ich es zu danken. Komm! Nun wollen wir eine Stunde ganz brüderlich sein!»

Er zog mich sanft zu dem Tisch und nahm die bereitgestellte Flasche. Auch zwei Gläser standen da: als offenkundigen Dank hatte er mir diesen symbolischen Trunk zugedacht. Ich zitterte vor Freude, nichts verwirrt ja gewalttätiger unsern innern Sinn als eines glühenden Wünschens plötzliche Erfüllung. Das Zeichen, dieses offenbarste des Vertrauens, jenes Zeichen, nach dem ich unbewußt mich sehnte, sein Dank hatte das schönste gefunden: das brüderliche Du, hingeboten über die Kluft der Jahre und siebenfach kostbar durch so schwierige Ferne. Schon klirrte die Flasche, die noch stumme Täuferin, die mein ängstliches Gefühl nun für immer im Glauben beschwichtigen wollte, schon klangs mir innen gleich hell wie dieser zitternde klare Ton — da hemmte noch ein kleines Hindernis verzögernd den festlichen Augenblick: die Flasche war verkorkt und kein Pfropfenzieher zur Stelle. Er wollte auf, ihn zu holen, aber seine Absicht erratend, stürmte ich ungeduldig ins Eßzimmer voraus — brannte ich doch dieser Sekunde entgegen als der endlichen Beruhigung meines Herzens, als der offensichtlichsten Beglaubigung seiner Zuneigung.

Wie ich so stürmisch durch die Tür in den unbeleuchteten Gang hinüberfuhr, stieß ich im Dunkel mit etwas Weichem zusammen, das hastig nachgab: es war die Frau meines Lehrers, die offenbar an der Tür gelauscht hatte. Aber sonderbar: so wuchtig ich auch gegen sie angerannt, sie gab keinen Ton, sie wich nur stumm zurück, und auch ich, unfähig einer Bewegung, schwieg erschrokken. Das dauerte einen Augenblick; beide standen wir stumm, einer vor dem andern beschämt, sie im Lauschen ertappt, ich starr vor der zu unvermuteten Entdeckung. Aber dann ging leiser Schritt im Dunkel, Licht flammte auf, und ich sah sie blaß und herausfordernd mit dem Rücken an den Schrank gelehnt; ihr Blick maß mich ernst, und ein Dunkles, Mahnendes und Drohendes war in ihrer unbeweglichen Haltung. Aber sie sprach kein Wort.

Meine Hände zitterten, als ich nach längerem nervösem, halbblindem Tasten endlich den Pfropfenzieher fand; zweimal mußte ich an ihr vorbei, und jedesmal, wenn ich aufsah, stieß ich an gegen diesen starren Blick, der hart und dunkel glänzte wie poliertes Holz. Nichts an ihr verriet Beschämung, bei dem heimlichen Lauschen an der Tür erspäht worden zu sein; im Gegenteil, schroff und entschlossen funkelte jetzt ihr Auge eine mir unverständliche Drohung zu, und ihre trotzige Gebärde zeigte, daß sie gesonnen sei, nicht von dieser unziemlichen Stelle zu weichen und weiter horchende Wacht zu halten. Und diese Überlegenheit des Willens verwirrte mich, unbewußt duckte ich mich unter diesem fest und warnend auf mich gehefteten Blick. Und als ich endlich mit unsicherem Schritt in das Zimmer zurückschlich, wo mein Lehrer schon ungeduldig die Flasche in Händen hielt, war die eben noch maßlose Freudigkeit ganz eingefrostet zu einer sonderbaren Angst.

Er aber, wie sorglos er mich erwartete, wie heiter sein Blick mir entgegenging: immer hatte ich geträumt, ihn einmal so sehen zu dürfen, die Wolke entwandert von der schwermütigen Stirn! Aber nun sie zum ersten Male so von Frieden leuchtete, innig mir zugewandt, stockte mir jedes Wort; wie durch geheime Poren rieselte die ganze geheime Freude aus. Verworren, ja beschämt vernahm ich, wie er mir nochmals dankte, nun mit dem vertrauten Du, silbern klangen die Gläser zusammen. Den Arm mir freundschaftlich umbreitend, führte er mich zu den Fauteuils, wir saßen einander gegenüber, locker lag seine Hand in der meinen: zum erstenmal fühlte ich ihn ganz offen und frei im Gefühl. Aber mir versagte das Wort; unwillkürlich tastete ich immer mit dem Blick an die

Tür, voll Angst, daß sie dort noch horchend stünde. Sie horcht, dachte ich unablässig, sie horcht auf jedes Wort, das er zu mir spricht, auf jedes, das ich sage: warum gerade heute, warum gerade heute? Und als er mit jenem warmen Blick mich umfangend, plötzlich sagte: «Ich möchte dir heute von mir, von meiner eigenen Jugend erzählen», da fuhr ich dermaßen erschreckt mit abwehrend bittender Hand gegen ihn auf, daß er verwundert emporsah. «Nicht heute», stammelte ich, «nicht heute ... verzeihen Sie». Der Gedanke war mir zu furchtbar, er könnte sich einem Lauscher verraten, dessen Gegenwart ich ihm verschweigen mußte.

Unsicher sah mein Lehrer mich an: «Was ist dir denn?» fragte er in leiser Verstimmung. «Ich bin müde... verzeihen Sie ... es hat mich irgendwie überwältigt ... ich glaube», und dabei stand ich zitternd auf — «ich glaube, es ist besser, daß ich gehe». Unwillkürlich bog mein Blick an ihm vorbei zur Tür, wo ich, verborgen im Gebälk, noch immer jene feindliche Neugier auf eifersüchtiger Lauer vermuten mußte.

Schwerfällig hob er sich nun gleichfalls aus dem Fauteuil. Ein Schatten flog über sein mit einmal müd gewordenes Gesicht. «Willst du wirklich schon gehen ... heute ... gerade heute?» Er hielt meine Hand: ein unmerklicher Zug machte sie schwer. Aber plötzlich ließ er sie brüsk wie einen Stein fallen: «Schade», stieß er enttäuscht heraus, «ich hatte mich so gefreut, einmal freimütig mit dir zu sprechen! Schade!» Einen Augenblick schwang der tiefe Seufzer wie ein dunkler Schmetterling durch das Zimmer. Ich war voll Scham und einer ratlos unerklärlichen Angst; unsicher trat ich zurück und schloß leise hinter mir die Tür.

Ich tastete mich mühsam hinauf in mein Zimmer und warf mich auf das Bett. Aber ich konnte nicht schlafen. Nie hatte ich so stark gespürt, daß nur mit dünner Mauerwand meine Wohnwelt über der ihren hing, einzig abgehoben durch das undurchlässige dunkle Gebälk. Und nun spürte ich magisch mit spitzgeschliffenen Sinnen sie beide jetzt unten wachen, ich sah ohne zu sehen, ich hörte ohne zu hören, wie er jetzt unten in seinem Zimmer unruhig auf und ab ging, indes sie irgendwo anders stumm saß oder horchend umhergeisterte. Aber ich spürte ihre beiden Augen offen, und ihr Wachsein ging grauenvoll in mich ein: ein Alp, lag plötzlich das ganze schwere schweigende Haus mit seinen Schatten und Schwärze auf mir.

Ich warf die Decke ab. Meine Hände glühten. Wohin war ich geraten? Ganz nahe hatte ich das Geheimnis gespürt, seinen heißen Atem schon hart im Gesicht, und nun war es wieder fern, aber sein Schatten, sein schweigender undurchsichtiger Schatten, noch ging er raunend um, ich fühlte ihn gefährlich im Haus, schleichend wie eine Katze auf leisen Pfoten, immer da, zuspringend und abspringend, immer mit seinem elektrischen Fell anstreifend und verwirrend, warm und doch gespensterhaft. Und immer spürte ich aus dem Dunkeln seinen umfangenden Blick, weich wie seine dargebotene Hand, und jenen andern, den scharfen, drohenden und erschreckten seiner Frau. Was sollte ich in ihrem Geheimnis, was stellten die beiden mich in die Mitte ihrer Leidenschaft mit verbundenen Augen, was jagten sie mich in ihren unfaßbaren Zwist und drängten mir jeder sein brennendes Bündel von Zorn und Haß in die Sinne?

Noch immer glühte mir die Stirn. Ich warf mich hoch und stieß das Fenster auf. Draußen lag friedlich unter sommerlichem Gewölk die Stadt; noch leuchteten Fenster vom Scheine der Lampe, aber die dort saßen, einte friedliches Gespräch, wärmte ein Buch oder häusliche Musik. Und wo hinter den weißen Fensterrahmen schon Dunkel stand, gewiß, dort atmete beruhigter Schlaf. Über allen diesen ruhenden Dächern schwebte wie der Mond in silbrigem Dunste ein mildes Ruhn, eine entlockerte, sanft niedergeschwebte Stille, und die elf Schläge der Turmuhr fielen ihnen allen ohne Wucht in das zufällig lauschende oder träumende Ohr. Nur ich hier im Haus spürte noch Wachsein, böse Umlagerung fremder Gedanken. Fiebernd mühte sich ein innerer Sinn, dies wirre Raunen zu verstehen.

Plötzlich schrak ich zurück. War das nicht Schritt auf der Treppe? Ich richtete mich lauschend auf. Und wirklich, es tappte da etwas wie blind, Stufen steigend, vorsichtigen, zögernden, unsicheren Schritts: ich kannte dies Ächzen und Stöhnen im ausgetretenen Holz. Nur zu mir konnte dieser Schritt kommen, nur zu mir, wohnte doch keiner sonst hier oben im Giebel außer der tauben alten Frau, die längst schlief und niemanden empfing. War es mein Lehrer? Nein, das war nicht sein stolprig hastiger Gang; dieser Schritt da zögerte und zottelte feig — jetzt wiederum! — bei jeder Stufe: ein Einschleicher, ein Verbrecher mochte so nahen, nicht aber ein Freund. Ich horchte dermaßen angespannt, daß mir die Ohren dröhnten. Und mit einmal fuhr es wie Frost mir die nackten Beine empor.

Da knackte leise das Schloß: schon mußte er bei der Tür sein, der unheimliche Gast. Ein dünner Luftzug auf meine nackten Zehen zeigte, daß die äußere Tür geöffnet war, den Schlüssel aber hatte er, nur er, mein Lehrer.

Doch wenn er — warum so zaghaft, so fremd? War er besorgt, wollte er nach mir sehen? Und warum zögerte dieser unheimliche Gast jetzt draußen im Vorraum, denn erstarrt war mit einmal der diebisch anschleichende Schritt. Und ebenso erstarrt stand ich selbst vor Grauen. Mir war, als müßte ich schreien, doch die Kehle klebte mir schleimig zu. Ich wollte aufschließen; die Füße staken starr mir im Boden. Nur eine dünne Wand war jetzt noch zwischen uns beiden, zwischen mir und dem unheimlichen Gast, aber nicht er tat einen Schritt und nicht ich einen, dem andern entgegen.

Da schlug die Glocke vom Turm: einen Schlag nur, Viertel zwölf. Aber er löste meine Starre. Ich riß die Tür auf.

Und wirklich, da stand mein Lehrer, die Kerze in der Hand. Der Luftzug der brüsk aufgeschwungenen Tür ließ die Flamme blau emporspringen, und hinter ihm taumelte, riesenhaft losgerissen von seinem starren Dastehen, der zuckende Schatten wie ein Trunkenbold quer über die Wand. Aber auch er selbst machte, als er mich sah, eine Bewegung; er zog sich zusammen wie ein Mensch, der, von einem jähen Luftzug aus dem Schlaf geschreckt, unwillkürlich die Decke fröstelnd an sich heranzieht. Dann erst wich er zurück, die Kerze schwankte tropfend in seiner Hand.

Ich zitterte, tödlich erschrocken: «Was ist Ihnen?» konnte ich nur stammeln. Er sah mich an, ohne zu sprechen, auch ihm würgte etwas das Wort. Endlich stellte er die Kerze auf die Kommode, und sofort beruhigte sich das fledermaushaft im Raum umflatternde Schattenspiel. Schließlich stammelte er: «Ich wollte ... ich wollte ...»

Wieder blieb die Stimme ihm stecken. Er stand und sah zu Boden wie ein ertappter Dieb. Unerträglich war diese Angst, dieses Dastehen, ich im Hemd, zitternd vor Frost, er, in sich hineingebückt, wirr vor Beschämung.

Plötzlich gab sich die schwache Gestalt einen Ruck. Er trat auf mich zu: ein Lächeln, böse, faunisch, ein Lächeln, das nur aus den Augen gefährlich glitzerte, indes die Lippen sich enge verpreßten, ein Lächeln grinste mich wie eine fremde Maske erst starr an einen Augenblick — dann stieß spitz wie gespaltene Schlangenzunge die Stimme vor: «Ich wollte Ihnen nur sagen... wir lassen lieber das Du... Das... das... paßt sich nicht zwischen einem Mulus und seinem Lehrer... verstehen Sie?... Man muß Distanz halten... Distanz... Distanz.»

Und dabei sah er mich an, so voll Haß, so voll beleidigender ohrfeigender Bosheit, daß seine Hand sich unwillkürlich krallte. Ich taumelte zurück. War er wahnsinnig? War er betrunken? Er stand da, die Faust geballt, als ob er sich auf mich werfen wollte oder mir ins Gesicht schlagen.

Aber eine Sekunde nur währte dies Grauen, dann stürzte dieser stoßhafte Blick in sich krumm zusammen. Er wandte sich um, murmelte etwas, das wie eine Entschuldigung klang, faßte die Kerze. Ein schwarzer, dienstfertiger Teufel, fuhr der schon zu Boden geduckte Schatten wieder auf und wirbelte ihm voraus zur Tür. Und dann ging er selbst, ehe ich die Kraft beisammen hatte, ein Wort zu erdenken. Die Tür fiel hart ins Schloß; und schwer und gequält knirschte die Treppe unter seinen gleichsam stürzenden Schritten.

*

Ich werde diese Nacht nicht vergessen; ein kalter Zorn wechselte wild mit einer ratlos glühenden Verzweiflung. Wie Raketen fuhren mir die Gedanken grell durcheinander. Warum martert er mich, fragte meine zerrende Qual sich hundertmal, warum haßt er mich so, daß er eigens des Nachts die Treppe sich emporschleicht, nur um mir dann feindselig solche Beleidigung ins Gesicht zu schlagen? Was hatte ich ihm getan, was sollte ich tun? Wie ihn versöhnen, ohne zu wissen, wie ich ihn gekränkt? Ich warf mich glühend ins Bett, stand auf, grub mich wieder unter die Decke: immer aber stand jenes gespenstige Bild vor mir, mein Lehrer, schleichend und von meiner Gegenwart verwirrt, und hinter ihm, rätselhaft fremd, dieser ungeheure Schatten, hintaumelnd an der Wand.

Als ich dann morgens nach kurzer schwacher Versunkenheit erwachte, beredete ich mich zuerst, geträumt zu haben. Aber auf der Kommode klebten noch rund und gelb die abgetropften Stearinflecken der Kerze. Und mitten in das strahlend helle Zimmer stellte immer wieder und wieder mein gräßliches Erinnern den diebisch emporgeschlichenen Gast dieser Nacht.

Ich ging den ganzen Vormittag nicht aus. Der Gedanke, ihm zu begegnen, zerknickte meine Kraft. Ich versuchte zu schreiben, zu lesen; nichts gelang. Meine Nerven waren unterminiert, jeden Augenblick konnten sie ausfahren in einen schütternden Krampf, ein Schluchzen, ein Brüllen — sah ich doch meine eigenen Finger zittern wie fremdes Geblätter an einem Baum, unfähig, ihnen Ruhe zu gebieten, und die Kniekehlen wankten, als seien ihre Sehnen durchschnitten. Was tun? Was tun? Ich durchfragte mich bis zur Erschöpfung; das Blut flirrte mir schon in den Schläfen und blau unter dem Blick. Aber nur nicht fort, nur nicht hinab, nur nicht plötzlich ihm gegenüberstehen, ohne sicher zu sein, ohne wieder Kraft in den Nerven zu haben. Von neuem warf ich mich auf das Bett, hungrig, verwirrt, ungewaschen, verstört, und wieder versuchten meine Sinne sich hindurchzudenken durch das dünne Mauerwerk: wo saß er jetzt, was tat er, war er wach wie ich, verzweifelt wie ich selbst?

Es wurde Mittag, und noch lag ich im Feuerbett meiner Verworrenheit, da hörte ich endlich einen Schritt auf der Treppe. Alle Nerven klirrten Alarm: dieser Schritt jedoch ging leicht, unbesorgt, nahm zwei Stufen auf einmal in fliegendem Sprung — jetzt rührte eine Hand schon pochend die Tür. Ich sprang auf, ohne zu öffnen: «Wer ist es?» fragte ich. «Warum kommen Sie denn nicht zum Essen?» antwortete etwas ärgerlich die Stimme seiner Frau. «Sind Sie krank?» — «Nein, nein», stotterte ich verwirrt, «ich komme schon, ich komme schon». Und nun blieb mir nichts übrig, als rasch in meine Kleider zu fahren und hinunterzugehen. Aber ich mußte mich an das Geländer der Treppe halten, so taumelten mir die Glieder.

Ich trat ins Speisezimmer. Vor dem einen der beiden Gedecke wartete die Frau meines Lehrers und grüßte mit leichtem Vorwurf, daß ich mich mahnen ließe. Sein eigener Platz war leer. Ich fühlte das Blut mir zu Kopf steigen. Was bedeutete dieses unvermutete Wegbleiben? Fürchtete er die Begegnung noch mehr als ich selbst? Schämte er sich oder wollte er hinfort nicht mehr den Tisch mit mir teilen? Endlich entschloß ich mich zu fragen, ob der Professor nicht käme.

Erstaunt blickte sie empor: «Wissen Sie denn nicht, daß er heute morgen weggefahren ist?» — «Weggefahren», stammelte ich, «wohin?» Sofort spannte sich ihr Gesicht: «Das hat mein Mann nicht geruht mir mitzuteilen, wahrscheinlich — wieder einer seiner üblichen Ausflüge.» Dann wandte sie sich plötzlich scharf und fragend mir zu. «Aber daß *Sie* das nicht wissen? Er ist doch gestern nachts noch eigens zu Ihnen hinaufgegangen — ich dachte, das sei, um Abschied zu nehmen... Seltsam, wirklich seltsam... daß er auch Ihnen nichts gesagt hat.»

«Mir» — nur einen Schrei konnte ich herausstoßen. Und dieser Schrei riß zu meiner Scham, zu meiner Schande alles mit, was die letzten Stunden so gefährlich aufgestaut. Plötzlich fuhr es aus mir heraus, ein Schluchzen, ein heulender tobender Krampf — ich erbrach einen gurgelnden Schwall von übereinanderstürzenden Worten und Schreien als eine einzige ineinandergequirlte Masse wirrer Verzweiflung, ich weinte, nein, ich schüttelte, ich schwemmte in hysterischem Schluchzen die ganze zurückgestaute Qual aus zuckendem Munde. Die Fäuste trommelten irr auf dem Tisch, ein reizbar rasendes Kind, tobte ich aus, das Gesicht von Tränen überströmt, was seit Wochen wie ein Gewitter über mir hing. Und indes ich Erleichterung empfand in diesem tobenden Vorsturz, spürte ich zugleich grenzenlose Scham, vor ihr dermaßen mich zu verraten.

«Was haben Sie! Um Gottes willen!» Sie war aufgesprungen, fassungslos. Dann aber eilte sie rasch herzu, führte mich vom Tisch zum Sofa. «Legen Sie sich hin! Beruhigen Sie sich.» Sie streichelte meine Hände, sie fuhr über mein Haar, indes nachwellende Stöße noch immer meinen zitternden Leib rüttelten. «Quälen Sie sich nicht, Roland — lassen Sie sich nicht quälen. Ich kenne das alles, ich habe es kommen gefühlt.» Sie strich noch immer mein Haar. Aber plötzlich wurde ihre Stimme hart. «Ich weiß es selbst, wie er einen verwirren kann, niemand weiß es besser. Aber glauben Sie mir, immer wollte ich Sie warnen, als ich sah, daß Sie sich ganz an ihn hielten, der selbst ohne Halt ist. — Sie kennen ihn nicht, Sie sind blind, Sie sind ein Kind — Sie ahnen nichts, ja heute, heute noch immer nichts. Oder vielleicht haben Sie heute zum erstenmal begonnen, etwas zu verstehen — um so besser dann für ihn und für Sie.»

Sie blieb warm über mich gebeugt, ich fühlte wie aus einer gläsernen Tiefe ihre Worte und den schmerzeinschläfernden Strich beruhigender Hände. Das tat wohl, endlich, endlich wieder einmal einen Hauch Mitleid zu fühlen, und dann auch dies, endlich wieder eine Frauenhand zärtlich nah zu spüren, beinahe mütterlich. Vielleicht auch das hatte ich allzulange entbehrt, und nun ich, durch den Schleier der Trübnis, Teilnahme einer zärtlich bemühten Frau empfing, überkam mich Wohliges mitten im Schmerz. Aber doch, wie schämte ich mich, wie schämte ich mich dieses verräterischen Anfalles, dieser preisgegebenen Verzweiflung! Und wider meinen Willen geschahs, daß ich, mühsam mich aufrichtend, nun in stürzender stockender Flut nochmals anklagend herausschrie, was er alles an mir getan — wie er mich zurückgestoßen und verfolgt und wieder angezogen, wie er sich hart stellte wider mich ohne Grund, ohne Ursache — ein Peiniger, an den ich doch liebend gebunden war, den ich liebend haßte und hassend liebte. Wieder begann ich dermaßen mich zu erregen, daß sie von neuem mich beruhigen mußte. Wieder drückten mich weiche Hände sachte auf die Ottomane zurück, von der ich eifernd aufgesprungen. Endlich ward ich ruhiger. Sie schwieg merkwürdig nachdenklich: ich spürte, daß sie alles verstand und vielleicht noch mehr als ich selbst...

Ein paar Minuten band uns dieses Schweigen. Dann stand die Frau auf. «So — jetzt waren Sie lang genug Kind, jetzt seien Sie wieder Mann. Setzen Sie sich her an den Tisch und essen Sie. Es ist nichts Tragisches geschehen — ein Mißverständnis, das sich klären wird», und als ich irgendwie abwehrte, fügte sie heftig hinzu: «Es wird sich klären, denn ich lasse Sie nicht länger so hinziehen und verwirren. Da muß ein Ende sein, er muß schließlich ein wenig sich beherrschen lernen. Sie sind zu gut für seine abenteuerlichen Spiele. Ich werde mit ihm sprechen, verlassen Sie sich auf mich. Jetzt aber kommen Sie zu Tisch.»

Beschämt und willenlos ließ ich mich zurückführen. Sie redete mit einer gewissen Hast und Eilfertigkeit von gleichgültigen Dingen, und ich war ihr innerlich dankbar dafür, daß sie meinen unbeherrschten Ausbruch gleichsam überhört und schon wieder vergessen zu haben schien. Morgen sei Sonntag, drängte sie, da mache sie gemeinsam mit dem Dozenten W. und seiner Braut einen Ausflug an einen nachbarlichen See, ich solle mitkommen, mich erheitern, mich von den Büchern befreien. All mein Unbehagen verrate nur Überarbeitung und Überreiztheit der Nerven; einmal im Wasser oder in Wanderschaft, würde mein Körper sofort wieder das Gleichgewicht finden.

Ich versprach, zu kommen. Alles, nur jetzt nicht Einsamkeit, nur nicht mein Zimmer, nur nicht diese im Dunkel umkreisenden Gedanken. «Und bleiben Sie auch nachmittags heute nicht zu Hause! Gehen Sie spazieren, rennen Sie sich aus, amüsieren Sie sich!» drängte sie nach.

«Seltsam», dachte ich, «wie sie meine innersten Gefühle errät, wie sie immer, die mir doch fremd ist, weiß, was mir not tut und weh tut, indes er, der Wissende, mich verkennt und zerschlägt.» Auch dies versprach ich ihr. Und dankbar aufsehend, fand ich ein neues Gesicht: das Spöttische, Übermütige, das ihr sonst etwas von einem frechen lockeren Jungen gab, war vergangen in einem weichen teilnehmenden Blick: niemals hatte ich sie derart ernst gesehen. «Warum blickt er mich nie so gütig an?» fragte sich sehnsüchtig in mir ein verworrenes Gefühl, «warum fühlt er niemals, wenn er mir weh tut? Warum hat er nicht so hilfreiche, so zärtliche Hände an mein Haar, an die meinen gelegt?» Dankbar küßte ich die ihre, die sie unruhig, fast heftig mir entzog. «Quälen Sie sich nicht», wiederholte sie noch einmal, und ihre Stimme beugte sich nah heran.

Aber dann kam wieder das Harte in ihre Lippen; schroff sich aufrichtend, stieß sie leise heraus: «Glauben Sie mir, er verdient es nicht.»

Und dieses Wort, kaum hörbar geflüstert, stieß wieder Schmerz in das beinahe schon beruhigte Herz.

*

Was ich an jenem Nachmittag und Abend zunächst begann, scheint derart lächerlich und kindisch, daß ich mich jahrelang geschämt habe, daran zu denken — ja daß eine innere Zensur mir jedes Erinnern daran sofort hastig abblendete. Nun, heute schäme ich mich jener ungeschickten Tölpeleien nicht mehr — im Gegenteil, wie sehr verstehe ich heute den unbändigen, wirr leidenschaftlichen Jungen, der sich gewaltsam hinüberturnen wollte über die eigene Unsicherheit seines Gefühls.

Wie vom Ende eines ungeheuer langen Ganges, wie durch ein Teleskop sehe ich mich selbst: den zerfahrenen, verzweifelten Jungen, der in sein Zimmer hinaufsteigt und nicht weiß, was er gegen sich selbst beginnen will. Und der plötzlich in den Rock fährt, sich einen andern Gang anstrafft, wild entschlossene Gesten aus sich holt und dann plötzlich mit gewaltsam energischem Schritt auf die Straße geht. Ja, das bin ich, ich erkenne mich, ich weiß jeden Gedanken dieses dummen, verquälten, armen Jungen von damals, ich weiß: plötzlich habe ich mich aufgestrafft, vor dem Spiegel sogar, und mir gesagt: «Ich pfeif auf ihn! Hol ihn der Teufel! Was quäle ich mich wegen des alten Narren! Sie hat recht: lustig sein, sich einmal amüsieren! Vorwärts!»

Wirklich, so bin ich damals auf die Straße gegangen. Es war ein Ruck, um mich zu befreien — und dann ein Rennen, ein einziges feiges Davonlaufen vor der Erkenntnis, daß diese fröhliche Festigkeit gar nicht so fröhlich sei und der Eisblock, der starre, mir noch ebenso schwer über dem Herzen hing. Ich weiß noch, wie ich ging, den schweren Stock fest in der Hand, scharf jeden Studenten fixierend; in mir wütete eine gefährliche Lust, mit irgend jemand Streit vom Zaun zu brechen, den ohne Ausweg umirrenden Zorn in den Erstbesten hineinzuprügeln, der mir gerade in den Weg kam. Aber günstigerweise würdigte mich niemand einer Aufmerksamkeit. So steuerte ich zu jenem Café, wo meist meine Kameraden aus dem Seminar beisammensaßen, bereit, mich unaufgefordert an ihren Tisch zu setzen und die geringste Stichelei zum Anlaß einer Provokation zu nehmen. Doch wiederum stieß meine rauferische Bereitschaft ins Leere — der schöne Tag hatte die meisten zu Ausflügen verlockt, und die zwei oder drei, die dort beisammensaßen, grüßten höflich und boten meiner fiebrigen Gereiztheit nicht den geringsten Vorwand. Verärgert stand ich bald auf und ging, nun in ein gar nicht mehr zweifelhaftes Lokal der Vorstadt, wo bei dröhnender Damenkapellenmusik der Abhub der amüsierlustigen Kleinstädter zwischen Bier und Qualm knollig beisammen drängte. Ich stürzte zwei, drei Gläser hastig hinunter, lud mir eine übelberüchtigte Weibsperson und ihre Freundin, gleichfalls eine geschminkte dürre Halbweltlerin, an meinen Tisch und hatte eine krankhafte Freude, mich recht auffallend zu benehmen. Jeder kannte mich in der kleinen Stadt, jeder wußte, daß ich der Schüler des Professors war; jene wiederum machten sich durch freche Tracht und ihr Benehmen unverkennbar — so genoß ich die läppische verlogene Lust, mich und (wie ich tölpisch meinte) damit auch ihn zu komprimittieren; mögen sie nur sehen, dachte ich, daß ich auf ihn pfeife, daß ich mich nicht kümmre um ihn — und vor allen Leuten hofierte ich diese dickbusige Weibsperson in der taktlosesten, schamlosesten Art. Es war ein Rausch wütiger Bosheit und bald auch ein wirklicher Rausch, denn wir tranken alles wild durcheinander, Wein, Schnaps, Bier, und stießen so wüst um uns, daß Sessel zu Boden fielen und die Nachbarn vorsichtig abrückten. Aber ich schämte mich nicht, im Gegenteil; er soll es nur erfahren, wütete ich Narr, er soll sehen, wie gleichgültig er mir ist, ah, ich bin nicht traurig, nicht gekränkt — im Gegenteil: «Wein her, Wein!» klirrte ich mit der Faust auf den Tisch, daß die Gläser zitterten. Schließlich zog ich mit beiden ab, rechts die eine am Arm, links die andere, quer durch die Hauptstraße, wo die gewohnte Korsostunde um neun Uhr Studenten und Mädchen, Bürger und Militär zu stillbehaglichem Bummel vereinte: ein schwankes, schmieriges Kleeblatt, randalierten wir drei auf dem Fahrdamm derart laut daher, daß endlich ein Schutzmann geärgert herantrat und uns energisch Ruhe gebot. Was dann weiter geschah, vermag ich nicht mehr genau zu schildern — ein blauer fuseliger Dunst verqualmt mir die Erinnerung, ich weiß nur, daß ich, angeekelt von den beiden betrunkenen Weibsbildern und selbst kaum mehr mächtig meiner Sinne, mich von ihnen loskaufte, noch irgendwo Kaffee und Kognak trank, vor dem Gebäude der Unversität zum Gaudium herbeigelaufener Burschen eine Philippika gegen die Professoren hielt. Dann wollte ich, aus dem dumpfen Instinkt, mich noch mehr zu besudeln und ihm — wahnwitziger Gedanke eines wirr-leidenschaftlichen Zornes! — einen Tort zu tun, in ein öffentliches Haus, aber ich fand nicht den Weg und torkelte schließlich verdrossen heim. Das Tor aufzuschließen bereitete meiner talperigen Hand Mühe, mit arger Not schleppte ich mich die ersten Stufen hinauf.

Aber dann, vor seiner Tür, fiel, als sei mir der Kopf plötzlich in eiskaltes Wasser getaucht, der ganze dumpfe Rausch ab. Mit einmal nüchtern, starrte ich meiner eigenen, ohnmächtig wütenden Narrheit ins verzerrte Gesicht. Scham duckte mich zusammen. Und ganz leise, ganz kriecherisch wie ein geprügelter Hund, nur daß niemand mich höre, schlich ich in mein Zimmer hinauf.

*

Wie ein Toter hatte ich geschlafen; als ich aufwachte, überschwemmte Sonne schon den Fußboden und stieg langsam bis zum Bettrand empor, mit einem Ruck stieß ich mich heraus. Im schmerzenden Kopf zuckte allmählich

Erinnerung an den gestrigen Abend auf; aber ich drückte die Scham zurück, ich wollte mich nicht mehr schämen. Seine Schuld war es doch, redete ich mir geflissentlich zu, seine Schuld allein, wenn ich so mich verluderte. Ich beruhigte mich, dies Gestrige sei nur ein rechter studentischer Spaß gewesen, wohl erlaubt einem, der seit Wochen und Wochen nichts als Arbeit und Arbeit gekannt; aber mir ward nicht wohl bei der eigenen Rechtfertigung, und ziemlich beklommen stieg ich in kleinmütiger Haltung hinab zu der Frau meines Lehrers, meines gestrigen Ausflugversprechens gedenkend.

Seltsam: kaum daß ich an die Klinke seiner Tür rührte, war Er wieder gegenwärtig in mir, damit aber auch schon jener brennende, unvernünftig wühlende Schmerz, jene wütige Verzweiflung. Ich klopfte leise, seine Frau kam mir entgegen mit seltsam weichem Blick: «Was treiben Sie für Unsinn, Roland?» sagte sie, doch eher mitleidig als vorwurfsvoll. «Warum quälen Sie sich so!» Ich stand bestürzt: so hatte auch sie bereits von meinem narrenhaften Treiben gehört. Doch sie munterte sofort meine Verlegenheit auf: «Heute aber wollen wir vernünftig sein. Um zehn Uhr kommt Dozent W. und seine Braut, dann fahren wir hinaus und rudern und schwimmen alle Dummheiten tot.» Noch wagte ich ganz ängstlich die unnötige Frage, ob der Professor zurückgekommen sei. Sie sah mich an, ohne zu antworten, wußte ich doch selbst, daß die Frage vergeblich war.

Pünktlich um zehn Uhr rückte der Dozent an, ein junger Physiker, der, als Jude in der akademischen Gesellschaft ziemlich isoliert, eigentlich der einzige verblieb, der mit uns Abgesonderten verkehrte; ihn begleitete seine Braut, wahrscheinlich wohl eher seine Geliebte, ein junges Mädel, der das Lachen unablässig vom Mund fuhr, einfältig und ein wenig dalbrig, aber darum die rechte Gesellschaft für solche improvisierte Eskapade. Wir fuhren zuerst, ununterbrochen essend, plaudernd und einander zulachend, mit der Bahn zu einem nahgelegenen winzigen See, und die Wochen angestrengten Ernstes hatten mich aller gesprächiger Heiterkeit dermaßen entwöhnt, daß schon diese eine Stunde mich wie ein leichter prikkelnder Wein berauschte. Wirklich, es gelang ihnen vollkommen mit ihrem kindisch übermütigen Treiben, meine Gedanken von der dunkel quellenden Wabe wegzulocken, die sie sonst immer summend umkreisten, und kaum daß ich, ins Freie tretend, bei einem zufälligen Wettrennen mit dem jungen Mädchen meine Muskeln wieder spürte, so war ich wieder der straffe, unbesorgte Bursche von ehedem.

Am See nahmen wir zwei Ruderboote, die Frau meines Lehrers steuerte das meine, in dem andern teilte der Dozent mit seiner Freundin den Ruderplatz. Und kaum abgestoßen, kam schon die sporthaft wetteifernde Lust über uns, einander zu überholen, wobei ich freilich im Nachteil war, denn indes jene zu zweit ruderten, mußte ich allein gegen beide ankämpfen; aber den Rock von mir werfend, legte ich mich, ein gelernter Athlet dieses Sports, so mächtig in die Riemen, daß ich immer wieder dem Nachbarboot mit wuchtigen Schlägen vorkam. Ununterbrochen hagelte es hinüber und herüber von anfeuernden Spottreden, einer reizte den andern, und achtlos der glühenden Julihitze, gleichgültig gegen den Schweiß, der uns schmählich überströmte, roboteten wir unbändige Galeerensträflinge unserer Sportlust hitzig gegeneinander. Endlich war das Ziel nahe, eine bewaldete kleine Landzunge am See: noch wütiger legten wir uns ins

Zeug, und zum Triumph meiner Mitfahrenden, die selbst von dem wetteifernden Spiel gepackt war, knirschte unser Kiel zuerst an den Strand.

Ich stieg aus, heiß, überströmt, berauscht von der ungewohnten Sonne, vom klingend erregten Blut, von der Freude des Erfolges: das Herz hämmerte mir aus der Brust, die Kleider klebten schwitzig eng am Körper. Dem Dozenten erging es nicht besser, und statt belobt, wurden wir verbissene Kämpen von den übermütigen Frauen wegen unseres Schnaubens und ziemlich pitoyablen Aussehens noch ausgiebig belacht. Endlich gewährten sie uns eine Frist, um uns abzukühlen; unter Scherzworten wurden zwei Abteilungen, ein Herren- und Damenbad, improvisiert — rechts und links vom Gebüsch. Wir zogen rasch die Schwimmkleider an, hinter dem Gebüsch blitzten blanke Wäsche und nackte Arme, und schon plätscherten, indes wir uns gleichfalls rüsteten, die beiden Frauen wohlig ins Wasser. Der Dozent, weniger ermattet als ich, der einer gegen sie beide gesiegt, sprang sofort ihnen nach, ich aber, der ein wenig zu scharf gerudert und das Herz noch vehement gegen die Rippen hämmern fühlte, legte mich vorerst gemächlich in den Schatten und ließ wohlig die Wolken über mich hinziehen, das summende süße Brausen der Müdigkeit wollüstig genießend im umrollenden Blut.

Doch schon nach wenigen Minuten begann ein stürmisches Rufen vom Wasser her: «Roland, vorwärts! Wettschwimmen! Preisschwimmen! Preistauchen!» Ich rührte mich nicht: mir war, als könnte ich tausend Jahre so liegen bleiben, die Haut sanft brennend von der einsickernden Sonne und gleichzeitig gekühlt von zart anstreifender Luft. Aber wieder flatterte Lachen her, die

Stimme des Dozenten: «Er streikt! Den haben wir gründlich abgekappt! Holen Sie den Faulenzer.» Und wirklich, schon hörte ich ein Näherplätschern und jetzt von ganz nah ihre Stimme: «Roland, vorwärts! Wettschwimmen! Wir müssens den beiden zeigen!» Ich antwortete nicht, mir machte es Spaß, mich suchen zu lassen. «Wo sind Sie denn?» Schon knirschte der Kies, ich hörte nackte Sohlen suchend den Strand ablaufen, und plötzlich stand sie vor mir, angestrafft das nasse Schwimmkleid um den knabenhaft schlanken Körper. «Da sind Sie. Ach, wie träge! Aber jetzt vorwärts, Faulenzer, die andern sind schon fast drüben bei der Insel.» Ich lag wohlig auf dem Rücken, dehnte mich faul: «Es ist viel schöner hier. Ich komme später nach.»

«Er will nicht», trompetete sie lachend durch die hohle Hand in die Richtung des Wassers hinüber. «Hinein mit dem Prahlhans!» hallte von weither die Stimme des Dozenten zurück. «Also kommen Sie», drängte sie ungeduldig, «blamieren Sie mich nicht». Aber ich gähnte nur träge. Da brach sie spaßend und geärgert zugleich eine Gerte vom Strauch. «Vorwärts!» wiederholte sie energisch und strich mir aufmunternden Hieb über den Arm. Ich fuhr auf: sie hatte zu scharf getroffen, ein dünner Strich wie von Blut lief rot über meinen Arm. «Jetzt erst recht nicht», sagte ich, gleichfalls spaßend und leicht erbittert zugleich. Aber nun, in wirklichem Zorn, befahl sie: «Kommen Sie! Sofort!» und als ich aus Trotz mich nicht rührte, schlug sie nochmals und jetzt heftiger einen scharfen brennenden Hieb. Mit einem Ruck sprang ich wütig auf, ihr die Gerte zu entreißen, sie wich zurück, aber ich packte ihren Arm. Unwillkürlich gerieten in dem Ringen um die Gerte unsere halbnackten Körper nah aneinander. Und als ich jetzt ihren Arm packte und das Gelenk drehte, um sie zu zwingen, die Gerte fallen zu lassen, und die Ausweichende sich weit zurückbog, da knackte es plötzlich — die haltende Achselspange ihres Schwimmkleids war gerissen, die linke Hülle fiel von ihrem entblößten Busen, starr und rot stach mir die Knospe ihrer Brust entgegen. Unwillkürlich blickte ich hin, eine Sekunde bloß, aber es verwirrte mich: zitternd und beschämt ließ ich ihre umklammerte Hand. Sie wandte sich errötend, mit einer Haarnadel die zerrissene Spange notdürftig zusammenzurichten. Ich stand dabei und wußte nichts zu sagen. Auch sie schwieg. Und von diesem Augenblick war eine würgende, erstickte Unruhe zwischen uns beiden.

*

«Hallo ... Hallo ... Wo seid ihr denn?» — schon vor der kleinen Insel hallten die Stimmen herüber. «Ja, ich komme schon», antwortete ich hastig und warf mich, froh, einer neuen Verwirrung zu entrinnen, mit einem Schwung hinein ins Wasser. Ein paar Tauchstöße, die begeisternde Lust des Sich-selber-Fortstoßens, Klarheit und Kälte des unfühlsamen Elements, und schon schien dieses gefährliche Rieseln und Zischen des Blutes wuchtig weggeschwemmt von stärkerer, hellerer Lust. Ich holte bald die beiden ein, forderte den schwächlichen Dozenten zu einer Reihe von Wettkämpfen, in denen ich obsiegte, wir schwammen zurück zur Landzunge, wo die Zurückgebliebene bereits angekleidet uns erwartete, um dann aus mitgebrachten Körben ein Picknick im Freien heiter zu veranstalten. Aber so übermütig die Scherzrede zwischen uns vieren die Runde ging, unwillkürlich hatten wir beide vermieden, das Wort aneinander zu richten: wir sprachen, wir lachten gleichsam über uns hinweg. Und wenn unsere Blicke sich begegneten, wichen sie in ungesprochener Gleichempfindung hastig aus: die Peinlichkeit jenes Zwischenfalls war noch nicht geglättet, und einer spürte des andern Erinnern mit beschämter Beunruhigung.

Der Nachmittag verging dann rasch mit erneuter Ruderpartie, aber die Hitzigkeit der sportlichen Leidenschaft gab immer mehr einer wohligen Ermüdung nach: der Wein, die Wärme, die eingesogene Sonne filterte sich mählich tiefer ins Blut und gab ihm röteren Gang. Schon erlaubten sich der Dozent und seine Freundin kleine Vertraulichkeiten, die wir beide mit einer gewissen Peinlichkeit dulden mußten, sie rückten immer näher zusammen, während wir um so ängstlicher Distanz bewahrten; aber das Paarhafte formte sich schon dadurch bewußter heraus, daß jene beiden Übermütigen im Waldweg gerne zurückblieben, offenbar um sich ungestörter zu küssen, und während dieses Alleingelassenseins hemmte immer ein Befangensein unser Gespräch. Schließlich waren wir alle vier zufrieden, wieder im Zuge zu sein, jene im Vorgefühl bräutlichen Abends, wir, endlich derart peinlichen Situationen zu entrinnen.

Der Dozent und seine Freundin begleiteten uns bis zur Wohnung. Die Treppe stiegen wir allein hinauf; kaum ins Haus getreten, spürte ich wieder die quälende, sehnsüchtig wirre Mahnung seiner Gegenwart. «Wäre er doch schon zurück!» dachte ich ungeduldig. Und gleichsam, als ob sie den ungesprochenen Seufzer mir von der Lippe gelesen, sagte sie: «Wir wollen doch sehen, ob er schon zurück ist.»

Wir traten ein. Die Wohnung lag still. In seinem Zimmer stand alles verlassen: unbewußt zeichnete mein erregtes Gefühl in den leeren Stuhl seine gedrückte, tragische Gestalt. Aber unberührt lagen die Blätter, wartend wie ich selbst. Und da kam wieder die Erbitterung: warum war er geflüchtet, warum ließ er mich allein? Immer grimmiger stieg mir der eifersüchtige Zorn in die Kehle, wieder wogte dumpf aus mir jenes töricht verworrene Gelüst, etwas Böses, etwas Haßvolles gegen ihn zu tun.

Die Frau war mir gefolgt. «Sie bleiben doch hier zum Abendessen? Sie sollten heute nicht allein sein.» Wieso wußte sies, daß ich mich fürchtete vor dem leeren Zimmer, vor dem Knirschen der Stiege, vor der grübelnden Erinnerung: alles erriet sie immer in mir, jeden ungesprochenen Gedanken, jedes böse Gelüst.

Irgendeine Angst kam mich an, eine Angst vor mir selbst und meinem wirr in mir umfahrenden Haß. Ich wollte ablehnen. Aber ich war feig und wagte kein Nein.

*

Ich habe von je den Ehebruch verabscheut, nicht aber um einer rechthaberischen Moral willen, aus Prüderie und Sittsamkeit, nicht so sehr, weil er Diebstahl im Dunkeln bedeutet, Besitznahme fremden Leibs, sondern weil fast jede Frau in solchen Augenblicken das Heimlichste ihres Gatten verrät — jede eine Delila, die dem Hintergangenen sein menschlichstes Geheimnis wegstiehlt und einem Fremden hinwirft, das Geheimnis seiner Kraft oder seiner Schwäche. Nicht daß Frauen selber sich geben, scheint mir Verrat, sondern daß sie fast immer dann, um sich zu rechtfertigen, das Schamtuch lüpfen von ihres

Mannes Scham und den Ahnungslosen gleichsam im Schlafe einer fremden Neugier, einem höhnisch genießenden Gelächter aufbreiten.

Nicht also, daß ich damals, von blindwütiger Verzweiflung verwirrt, in der anfangs bloß mitleidigen und dann erst zärtlichen Umarmung seiner Frau Zuflucht fand — verhängnisvoll rasch glitt ein Gefühl ins andere hinüber —, nicht dies empfinde ich noch heute als die erbärmlichste Niedrigkeit meines Lebens (denn es geschah ohne Willen, beide stürzten wir unwissend-unbewußt in diesen brennenden Abgrund), sondern daß ich auf gehitzten Kissen mir über ihn noch Vertraulichkeiten erzählen ließ, daß ich der gereizten Frau erlaubte, Geheimstes ihrer Ehe zu verraten. Warum duldete ich, ohne sie wegzustoßen, daß sie mir berichtete, seit Jahren meide er sie körperlich, und in dunklen Andeutungen sich erging: warum hieß ich sie nicht herrisch schweigen über dies Geheimste seines Geschlechts? Aber ich brannte so sehr nach seinem Geheimnis, ich dürstete dermaßen, ihn schuldig zu wissen gegen mich, gegen sie, gegen alle, daß ich taumlig dies zornige Bekenntnis ihrer Vernachlässigung aufnahm — war es doch so ähnlich meinem eigenen Gefühl des Zurückgestoßenseins! So geschah, daß wir beide aus wirrem, gemeinsamem Haß etwas taten, das wie Liebe sich gebärdete: aber indes unsere Körper sich suchten und ineinanderdrängten, dachten wir beide, sprachen wir beide immer wieder und immer nur von ihm. Manchmal tat mir ihr Wort weh, und ich schämte mich, daß ich verstrickt blieb, wo ich verabscheute. Aber der Körper unter mir gehorchte nicht mehr dem Willen, er wühlte wild in seiner eigenen Lust. Und schauernd küßte ich die Lippe, die meinen liebsten Menschen verriet.

Am nächsten Morgen schlich ich, die Zunge bitter von Ekel und Scham, hinauf in mein Zimmer. In der Minute, wo das Warme ihres Leibes nicht mehr mir die Sinne trübte, empfand ich die grelle Wirklichkeit und Widerlichkeit meines Verrats. Nie wieder, sofort wußte ichs, würde ich ihm vor Augen treten können, nie mehr seine Hand nehmen: nicht ihn, mich selbst hatte ich um mein Bestes bestohlen.

Jetzt gab es nur eine Rettung: Flucht. Im Fieber packte ich alle meine Sachen, schichtete meine Bücher, bezahlte meiner Wirtin: er durfte mich nicht mehr finden, auch ich sollte verschwunden sein, grundlos, und geheimnisvoll, genau wie er mir.

Aber inmitten des geschäftigten Tuns erstarrte mir plötzlich die Hand. Ich hatte das Knirschen der Holztreppe gehört, ein Schritt hastete die Stiege herauf — sein Schritt.

Ich muß leichenfahl geworden sein. Denn kaum eingetreten, schrak er schon auf. «Was ist dir, Junge? Bist du krank?»

Ich wich zurück. Ich bog ihm aus, als er jetzt näher wollte und mich helfend anfassen.

«Was hast du?» fragte er erschreckt. «Ist dir etwas zugestoßen? Oder ... oder ... bist du mir noch böse?»

Krampfhaft hielt ich mich zum Fenster hin. Ich konnte ihn nicht ansehen. Seine teilnehmende warme Stimme riß in mir etwas auf wie eine Wunde: einer Ohnmacht nahe, fühlte ich es aufströmen in mir, heiß, ganz heiß, brennend und verbrennend, einen glühenden Guß von Scham.

Aber auch er stand verwundert, verwirrt. Und plötzlich — ganz klein, ganz zaghaft duckte sich seine Stimme — flüsterte er eine sonderbare Frage: «Hat dir ... hat dir jemand ... etwas über mich gesagt?»

Ich machte, ohne mich ihm zuzuwenden, eine abwehrende Bewegung. Aber irgendein ängstlicher Gedanke schien ihn zu beherrschen, er wiederholte hartnäckig:

«Sag mirs ... gesteh mirs ... hat irgend jemand über mich etwas gesagt ... irgend jemand, ich frage nicht, wer.»

Ich verneinte wieder. Er stand ratlos. Aber mit einmal schien er bemerkt zu haben, daß meine Koffer gepackt, meine Bücher zusammengerafft waren und sein Kommen gerade meine letzten Reisevorbereitungen unterbrochen hatte. Erregt trat er heran: «Du willst fort, Roland, ich sehe es ... sag mir die Wahrheit.»

Da raffte ich mich auf. «Ich muß fort ... verzeihen Sie mir ... aber ich kann darüber nicht sprechen ... ich werde Ihnen schreiben.» Mehr würgte ich nicht aus der verklemmten Kehle, und in jedes Wort schlug mir das Herz.

Er blieb starr. Dann plötzlich kam wieder jene müde Art über ihn. «Es ist vielleicht besser so, Roland ... ja gewiß, es ist besser so ... für dich und für alle. Aber ehe du gehst, möchte ich dich noch einmal sprechen. Komm um sieben Uhr, zur gewohnten Stunde ... dann wollen wir Abschied nehmen, Mann zu Mann ... Nur keine Flucht vor sich selber, nur keine Briefe ... das wäre kindisch und unser nicht würdig ... und dann, was ich dir sagen möchte, will in keine Feder ... Also du kommst, nicht wahr?»

Ich nickte nur. Mein Blick wagte sich noch immer nicht vom Fenster weg. Aber ich sah nichts von der Helligkeit des Morgens mehr, ein dichter dunkler Schleier stand zwischen mir und der Welt.

*

Um sieben Uhr betrat ich zum letztenmal den geliebten Raum: verfrühtes Dunkel dämmerte durch die Portieren, kaum glänzte von der Tiefe noch der fließende Stein der Marmorgestalten, und die Bücher schliefen alle schwarz hinter ihren perlmuttern flimmernden Gläsern. Geheimnisort meiner Erinnerungen, wo das Wort mir magisch geworden und ich Rausch und Verzückung des Geistigen wie nirgends erlebt — immer sehe ich dich aus dieser Abschiedsstunde und immer die verehrte Gestalt, wie sie jetzt der Lehne des Sessels sich langsam, langsam enthebt und mir schattend entgegenkommt: bloß die Stirne glänzt rund wie eine alabasterne Lampe im Dunkel, und drüber wogt, ein wehender Rauch, das weiße Haar des alten Mannes. Jetzt steigt, mühsam gehoben, von unten eine Hand empor, sie sucht die meine, jetzt erkenne ich die Augen ernst mir zugewandt, und schon fühle ich sanft meinen Arm umfaßt und mich niedergeleitet zu einem Stuhl.

«Setz dich nieder, Roland, und sprechen wir klar. Wir sind Männer und müssen aufrichtig sein. Ich dränge dich nicht — aber wäre es nicht besser, die letzte Stunde schaffte auch volle Klarheit zwischen uns? Also sag, warum willst du weg? Bist du böse auf mich wegen jener unsinnigen Beleidigung?»

Ich verneinte mit einer Gebärde. Entsetzlich der Gedanke, daß er noch, er, der Betrogene, der Verratene, die Schuld auf sich nehmen wollte!

«Habe ich dir sonst bewußt oder unbewußt eine Kränkung zugefügt? Ich bin manchmal sonderbar, ich weiß es. Und ich habe dich gereizt, gequält wider meinen eigenen Willen. Ich habe dir nie genug gedankt für alle deine Anteilnahme — ich weiß es, ich weiß es, ich habe es immer gewußt, selbst in den Minuten, wo ich dir wehe tat. Ist das der Grund — sag es mir, Roland — denn ich möchte, daß wir ehrlich voneinander Abschied nehmen.»

Wieder schüttelte ich den Kopf: ich konnte nicht sprechen. Noch immer ging seine Stimme fest: jetzt begann sie sich leicht zu verwirren.

«Oder ... ich frage dich nochmals ... hat irgend jemand dir irgend etwas über mich zugetragen ... etwas, das du als niedrig, als ... abstoßend empfindest ... etwas, was dich ... was dich mich verachten läßt?»

«Nein! nein! ... nein! ...» Wie ein Schluchzen fuhr mir der Protest heraus: ich ihn verachten! Ich ihn!

Ungeduldig wurde jetzt seine Stimme. «Was ist es dann? ... Was kann es denn sonst sein? ... Bist du der Arbeit müde? ... Oder zieht dich sonst etwas fort? ... Eine Frau ... ist es eine Frau?»

Ich schwieg. Und dies Schweigen war wohl derart anders, daß er die Bejahung spürte. Er beugte sich näher heran und flüsterte ganz leise, aber ohne Erregung, ganz ohne Erregung und Zorn:

«Ist es eine Frau? ... *meine* Frau?»

Ich schwieg noch immer. Und er verstand. Ein Zittern lief mir über den Leib: jetzt, jetzt, jetzt würde er ausbrechen, mich anfallen, mich schlagen, mich züchtigen ... und ... ich sehnte mich beinahe danach, daß er mich peitschte, mich, den Dieb, den Verräter, daß er mich wie einen räudigen Hund wegpeitschte aus seinem geschändeten Haus.

Aber seltsam ... er blieb vollkommen still ... und beinahe wie eine Erleichterung klangs, als er zu sich selber sinnend murmelte: «Das hätte ich mir eigentlich denken können.» Zweimal ging er im Zimmer auf und ab. Dann blieb er vor mir stehen und sagte, fast schien mirs, verächtlich:

«Und das ... das nimmst du so schwer? Hat sie dir denn nicht gesagt, daß sie frei ist, zu tun, zu nehmen, was ihr beliebt, daß ich kein Recht habe über sie? ... Kein Recht, ihr etwas zu verbieten, und auch nicht die geringste Lust dazu ... Und warum hätte sie sich beherrschen sollen, wem zuliebe und gerade gegen dich ... Du bist jung, du bist hell und schön ... du warst uns nah ... wie sollte sie dich nicht lieben, du ... du Schöner, du Junger, wie sollte sie dich nicht lieben ... Ich ...» Plötzlich begann seine Stimme zu zittern. Und er beugte sich nahe, so nah, daß ich seinen Atem spürte. Wieder fühlte ich die warme Umfangung seiner Blicke, wieder dies seltsame Licht, so ... so wie in jenen seltenen sonderbaren Sekunden zwischen ihm und mir. Immer näher kam er heran.

Und dann flüsterte er leise, kaum regten sich die Lippen. «Ich ... ich liebe dich doch auch.»

*

War ich aufgefahren? Hatte mich es unwillkürlich zurückgeschreckt? Aber irgendeine Geste der Überraschung, der Flucht mußte aus meinem Körper vorgefahren sein, denn er taumelte weg wie ein Zurückgestoßener. Ein Schatten dunkelte über sein Gesicht. «Verachtest du mich jetzt?» fragte er ganz leise. «Bin ich dir jetzt widerlich?»

Warum fand ich damals kein Wort? Warum saß ich nur stumm da, lieblos, verlegen, betäubt, statt auf den Liebenden zuzutreten und ihm die irrige Sorge zu nehmen? Aber in mir wogten wild alle Erinnerungen; als hätte eine Chiffre mit einmal die Sprache all jener unfaßbaren Botschaften gelöst, so verstand ich alles jetzt in furchtbarer Klarheit, sein zärtliches Kommen und seine brüske Verteidigung, ich verstand erschüttert jenen Besuch in der Nacht und die verbissene Flucht vor meiner begeistert zudrängenden Leidenschaft. Liebe, ich hatte sie ja immer bei ihm gefühlt, zärtlich und scheu, bald anflutend, bald wieder übermächtig gehemmt, ich hatte sie geliebt und genossen in jedem flüchtig mir zugefallenen Strahl — aber doch, wie Liebe, das Wort, jetzt von bärtigem Munde kam, sinnlich-zärtlichen Klangs, da dröhnte mir ein Grauen süß und furchtbar zugleich in den Schläfen. Und so sehr ich brannte in Demut und Mitleid für ihn, ich fand, ich verwirrter, zitternder, überfallener Knabe, kein Wort für seine unvermutet mir aufgetane Leidenschaft.

Er saß zernichtet und starrte in mein Schweigen. «So furchtbar also ist dirs, so furchtbar», murmelte er, «auch du ... auch du verzeihst mirs also nicht, auch du, gegen den ich meine Lippen verpreßt, daß ich beinahe erstickte ... dem ich mich verborgen habe, wie ich mich keinem verbarg ... Aber besser, du weißt es jetzt, nun erdrückts mich nicht mehr ... Denn es war schon zuviel für mich ... oh, viel zuviel ... besser, besser ein Ende als dies Schweigen und Verschweigen ...»

Wie das voll Trauer war, voll Zärtlichkeit und Scham; bis ins Innerste drang mir der zuckende Ton. Ich schämte mich, dermaßen kalt, derart fühllos frostig vor dem Manne zu schweigen, von dem ich mehr empfangen als von irgendeinem Menschen und der so unsinnig vor mir sich erniedrigte. Die Seele brannte mir, ihm ein Tröstliches zu sagen, aber die Lippe, die zitternde, gehorchte nicht. Und so verlegen, so jämmerlich klein hockte ich da und bog mich im Sessel herum, daß er, beinahe unwillig, mich aufmunterte. «Sitz doch nicht so da, Roland, so grauenhaft stumm ... Faß dich doch ... Ist es dir wirklich so fürchterlich? Schämst du dich meiner so sehr?... Jetzt ist ja doch alles vorbei, ich habe dir alles gesagt ... laß uns doch wenigstens anständig Abschied nehmen, wie es zwei Männern, zwei Freunden geziemt.»

Aber ich hatte noch immer nicht Macht über mich. Da rührte er meinen Arm: «Komm, Roland, setz dich zu mir! ... Mir ist leichter, seitdem du es weißt, seit endlich Klarheit zwischen uns besteht ... Erst habe ich immer gefürchtet, du möchtest erraten, wie lieb du mir bist ... dann habe ich wieder gehofft, du selbst würdest es spüren, nur damit mir dies Geständnis erspart sei ... Aber nun ists geschehen, nun bin ich frei ... nun kann ich zu dir sprechen wie nie zu einem andern Menschen. Denn du warst mir näher als irgendeiner in all diesen Jahren ... wie keinen habe ich dich geliebt ... Wie keiner hast du, Kind, das Letzte meines Wesens mir wach gemacht ... So sollst du auch zum Abschied mehr wissen von mir als irgendein anderer Mensch, ich habe ja in all diesen Stunden dein Fragen, dein stummes, so deutlich gespürt ... Du allein sollst mein ganzes Leben kennen. Willst du, daß ich dirs erzähle?»

An meinen Blicken, an meinen verwirrten und erschütterten Blicken sah er mein Ja.

«So komm nahe ... hierher zu mir ... Ich kann diese Dinge nicht laut sagen.» Ich beugte mich — fromm, muß ichs nennen. Aber kaum daß ich wartend, lauschend ihm gegenübersaß, stand er wieder auf. «Nein, so geht es nicht ... Du darfst mich nicht ansehen dabei ... sonst ...

sonst kann ich nicht sprechen.» Und mit einem Griff löschte er das Licht.

Dunkel fiel über uns. Ich fühlte, daß er nahe war, fühlte es an seinem Atem, der schwer und wie röchelnd irgendwo im Unsichtbaren ging. Und plötzlich stand zwischen uns eine Stimme auf und erzählte mir sein ganzes Leben.

*

Seit jenem Abend, wo dieser verehrteste Mann mir sein Schicksal wie eine harte Muschel aufschloß, seit jenem Abend vor vierzig Jahren scheint mir noch immer alles spielhaft und belanglos, was unsere Schriftsteller und Dichter in Büchern als außerordentlich erzählen, was Schauspiele den Bühnen als tragisch maskieren. Ist es Bequemlichkeit, Feigheit oder ein zu kurzes Gesicht, daß sie alle immer nur den obern erhellten Lichtrand des Lebens zeichnen, wo die Sinne offen und gesetzhaft spielen, indes unten in den Kellergewölben, in den Wurzelhöhlen und Kloaken des Herzens phosphorhaft funkelnd die wahren, die gefährlichen Bestien der Leidenschaft umfahren, im Verborgenen sich paarend und zerfleischend in allen phantastischen Formen der Verstrickung? Schreckt sie der Atem, der heiße und zehrende der dämonischen Triebe, der Dunst des brennenden Blutes, fürchten sie die Hände zu schmutzen, die allzu zarten, an den Schwären der Menschheit, oder findet ihr Blick, an mattere Helligkeiten gewöhnt, nicht hinab diese glitschigen, gefährlichen, von Fäulnis triefenden Stufen? Und doch ist dem Wissenden keine Lust gleich als jene am Verborgenen, kein Schauer so urmächtig stark, als der das Gefährliche umfröstelt, und kein Leiden heiliger, als das sich aus Scham nicht zu entäußern vermag.

Hier aber schlug ein Mensch sich mir auf in äußerster Nacktheit, hier zerriß sich einer die innerste Brust, gierig bereit, das zerhämmerte, vergiftete, verbrannte, vereiterte Herz zu entblößen. Eine wilde Wollust folterte sich flagellantisch frei in diesem durch Jahre und Jahre verhaltenen Geständnis. Nur wer ein Leben lang sich geschämt, sich geduckt und verdeckt, nur der konnte so rauschhaft überwältigt ausfahren in die Unerbittlichkeit eines solchen Gestehens. Stück für Stück brach sich hier ein Mensch sein Leben aus der Brust, und in dieser Stunde starrte ich Knabe zum erstenmal hinab in die unausdenkbaren Tiefen des irdischen Gefühls.

Erst wogte seine Stimme nur körperlos im Raum, unklarer Qualm der Erregung, unsichere Andeutung geheimen Geschehens, und doch fühlte man gerade an dieser mühsamen Beherrschung der Leidenschaft ihre kommende Gewalt, so wie man an gewissen gewaltsam verlangsamten Takten, die einem jagenden Rhythmus vorausgehen, das Furioso schon in den Nerven voraus spürt. Dann aber begannen Bilder aufzuflackern, vom innern Sturm der Leidenschaft zuckend emporgerissen und allmählich erst sich erhellend. Einen Knaben sah ich zuerst, einen scheuen, in sich geduckten Knaben, der kein Wort zu den Kameraden wagt, den aber ein wirres, körperlich-forderndes Verlangen gerade den Schönsten der Schule leidenschaftlich zudrängt. Doch mit erbittertem Rückstoß hat der eine ihn bei allzu zärtlicher Annäherung von sich weggejagt, ein zweiter ihn mit gräßlich deutlichem Wort verspottet, und ärger noch: beide haben sie das abwegige Gelüst den andern verprangert. Und sofort schließt eine einhellige Feme von Hohn und Erniedrigung den Verwirrten wie einen Aussätzigen von ihrer heitern Gemeinschaft aus. Täglicher Kreuzgang wird der Weg zur Schule, und die Nächte von Selbstekel dem früh Gezeichneten verstört: als Wahnwitz und entehrendes Laster empfindet der Ausgestoßene sein abwegiges und doch vorerst nur in Träumen verdeutlichtes Gelüst.

Unsicher schwankt die erzählende Stimme: einen Augenblick ists, als wollte sie verlöschen im Dunkel. Aber ein Seufzer stößt sie wieder empor, und aus dem düstern Qualm flackern nun neue Bilder, schattenhaft und gespenstisch gereiht. Der Knabe ist Student in Berlin geworden, zum erstenmal gewährt ihm die untergründige Stadt Erfüllung der langbeherrschten Neigung, aber wie beschmutzt sind sie von Ekel, wie vergiftet von Angst, diese zwinkernden Begegnungen an dunklen Straßenecken, im Schatten von Bahnhöfen und Brücken, wie arm in ihrer zuckenden Lust und wie grauenhaft durch Gefahr, meist erbärmlich in Erpressungen endend und jede noch wochenlang eine schleimige Schneckenspur kalter Furcht hinter sich ziehend! Höllenwege zwischen Schatten und Licht: indes am hellen arbeitsamen Tag das kristallene Element des Geistigen den Forschenden durchläutert, stößt der Abend immer wieder den Leidenschaftlichen in den Abhub der Vorstädte hinab, in die Gemeinschaft fragwürdiger, vor der Pickelhaube jedes Schutzmannes wegflüchtender Gesellen, in dünstige Bierkeller, deren mißtrauische Tür nur einem gewissen Lächeln sich auftut. Und eisern muß der Wille sich straffen, diese Doppelschichtigkeit des täglichen Lebens vorsichtig zu verbergen, das medusische Geheimnis fremdem Blick zu verhüllen, tagsüber die ernst-würdehafte Haltung eines Dozenten untadelig bewahrend, um dann nachts die Unterwelt jener verschämten, im Schatten flackernder Laternen geschlossenen Abenteuer ungekannt zu durchwandern. Immer wieder spannt sich der Gequälte auf, mit der Peitsche der Selbstbeherrschung die von gewohnter Bahn ausbrechende Leidenschaft in die Hürde zurückzutreiben, immer wieder reißt ihn der Trieb zum Dunkel-Gefährlichen hin. Zehn, zwölf, fünfzehn Jahre nervenzerreißenden Ringens wider die unsichtbar magnetische Kraft unheilbarer Neigung spannen sich wie ein einziger Krampf, Genießen ohne Genuß, würgende Scham und allmählich der verdunkelte, in sich scheu verborgne Blick der Furcht vor der eignen Leidenschaft.

Endlich, spät schon, nach dem dreißigsten Lebensjahr, ein gewaltsamer Versuch, das Gespann auf die rechte Bahn zu reißen. Bei einer Verwandten lernt er seine spätere Frau kennen, ein junges Mädchen, die vom Geheimnisvollen seines Wesens unklar angezogen, ihm aufrichtige Neigung entgegenbringt. Und zum erstenmal vermag dieser knabenhafte Körper und ihr jungenhaft übermütiges Gebaren seine Leidenschaft für kurze Zeit zu täuschen. Ein flüchtiges Verhältnis bezwingt den Widerstand gegen das Weibliche, zum erstenmal ist er überwunden, und in der Hoffnung, dank dieser geraden Beziehung Herr seiner fehlgängerischen Neigung zu werden, ungeduldig, sich festzuketten, wo er erstmalig Halt gegen dies innere Ziehen ins Gefährliche gefunden, heiratet er rasch — nach vorherigem freiem Geständnis — das junge Mädchen. Nun meint er den Rückweg in die schreckhaften Zonen versperrt. Ein paar knappe Wochen lassen ihn sorglos sein; aber bald erweist sich der neue Reiz als wirkungslos, das urtümliche Verlangen wieder eigensinnig übermächtig. Und von nun ab dient die enttäuschende Enttäuschte nur mehr als Attrappe, um gesellschaftlich die rückfälligen Neigungen zu maskieren. Wieder geht der Weg halsbrecherisch am Rand des Gesetzes und der Gesellschaft hinab ins Dunkel der Gefährlichkeiten.

Und besondere Qual zu der inneren Verwirrung: eine Stellung ist ihm ausersehen, wo solche Neigung zum Fluche wird. Dem Dozenten und bald darauf dem wohlbestallten Professor wird der ständige Umgang mit jungen Menschen amtliche Pflicht, immer wieder schiebt ihm die Versuchung atemnah neue Blüte der Jugend her, Epheben eines unsichtbaren Gymnasions innerhalb der preußischen Paragraphenwelt. Und alle — neuer Fluch! neue Gefährdung! — lieben ihn leidenschaftlich, ohne das Antlitz des Eros hinter der Maske des Lehrenden zu erkennen, sie sind beglückt, wenn jovial seine Hand (die heimlich erzitternde) sie anstreift, sie verschwenden ihre Begeisterung an einen, der ständig wider sie sich bemeistern muß. Qualen des Tantalus: hart zu sein gegen zudrängende Neigung, unablässig mit der eigenen Schwäche in nie endendem Kampf! Und immer, wenn er einer Versuchung sich fast erliegen fühlte, dann ergriff er plötzlich die Flucht. Das waren jene Eskapaden, deren blitzhaftes Kommen und Wiederkommen mich damals so verwirrt: nun sah ich den grausigen Weg dieser Flucht vor sich selbst, Flucht in das Grauen der Winkelwege und Abgründe. Er reiste dann immer in eine Großstadt, wo er an abseitiger Stelle Vertraute fand, Menschen niederen Standes, deren Begegnung beschmutzte, hurenhafte Jugend statt der heilig hingegebenen, aber dieser Ekel, dieser Sumpf, diese Widrigkeit, diese giftige Beize der Enttäuschung tat ihm not, um dann daheim, im vertrauend gescharten Kreise der Studenten seiner Sinne wieder standhaft gewiß zu sein. Oh, was für Begegnungen — welche gespenstische und doch stinkend irdische Gestalten, die sein Geständnis mir beschwor! Denn dieser hohe geistige Mann, dem Schönheit der Formen ureingeboren und atemhaft notwendig war, dieser lautere Meister aller Gefühle, er mußte den letzten Erniedrigungen der Erde begegnen in jenen rauchigen, verschwelten Kaschemmen, die nur Eingeweihte einlassen: er kannte die frechen Forderungen geschminkter Promenadejungen, die süßliche Vertraulichkeit parfümierter Friseurgehilfen, das erregte Kichern der Transvestiten aus ihren Weiberröcken, die rabiate Geldgier vazierender Schauspieler, die plumpe Zärtlichkeit tabakkauender Matrosen — alle diese verkrümmten, verängstigten, verkehrten und phantastischen Formen, in denen das fehlwandernde Geschlecht sich am untersten Rande der Städte sucht und erkennt. Alle Erniedrigungen, alle Schmach und Gewaltsamkeit waren ihm auf diesen glitschigen Wegen begegnet: mehrmals war er vollkommen ausgestohlen worden (zu schwach, zu edel, sich mit einem Reitknecht zu balgen), ohne Uhr, ohne Mantel, und dazu noch ausgehöhnt von dem betrunkenen Kameraden jenes üblen Vorstadthotels heimgekehrt. Erpresser hatten sich an seine Fersen geheftet, Schritt für Schritt hatte ihn einer monatelang bis in die Universität verfolgt, frech sich in die erste Bank seiner Hörer gesetzt und mit schuftigem Lächeln zu dem stadtbekannten Professor aufgesehen, der, zitternd unter seinem vertraulichen Augenzwinkern, das Kolleg nur mit letzter Mühe vorwürgte. Einmal — das Herz stand mir still, da er auch dieses mir beichtete — war er mitternachts in Berlin mit einem ganzen Klüngel in einer anrüchigen Bar von der Polizei ausgehoben worden; mit jenem bauchblähenden höhnischen Lächeln des Subalternen, der sich einmal aufspielen kann über einen Intellektuellen, notierte ein feister, rotbackiger Wachtmeister des Zitternden Namen und Stand, schließlich ihm gnädig bedeutend, für diesmal sei er noch straflos entlassen, doch bleibe von nun ab sein Name auf der gewissen Liste. Und wie an eines Menschen Gewand, der lange in fuseligen Stuben gesessen, schließlich jener Geruch fühlbar anhaftet, so mußte allmählich hier in der eigenen Stadt, an irgendeiner unerfindlichen Stelle beginnend, schon munkelndes Gerede durchgesickert sein, denn genau wie damals in der Schulklasse, frostete jetzt im Kreise der Kollegen immer ostentativer Rede und Gruß, bis auch hier schließlich jener gläserne, durchsichtige Raum von Fremdheit den immer Einsamen von allen absonderte. Und in all seiner Verborgenheit im siebenfach verschlossenen Haus fühlte er sich noch immer bespäht und erkannt.

Nie aber war diesem gequälten, verängstigten Herzen die Gnade des reinen Freundes, des Edelgesinnten widerfahren, würdige Erwiderung männlich-übermächtiger Zärtlichkeit: immer mußte er sein Gefühl zerteilen in ein Unten und Oben, in den zart sehnsüchtigen Verkehr mit den jungen geistigen Gefährten der Universität und jenen im Dunkel geworbenen Genossen, deren er morgens sich nur mehr schauernd besann. Nie hatte dem schon Alternden das Erlebnis einer reinen Zuneigung, der seelenvollen eines Jünglings, sich geschenkt, und matt von Enttäuschung, die Nerven zermürbt von dieser Dornenjagd im Dickicht, hatte der Resignierte schon sich verschüttet gemeint — da trat noch einmal ein junger Mensch in sein Leben, leidenschaftlich auf ihn, den Gealterten, zu, brachte mit seinem Wort, seinem Wesen opferfreudig sich selber dar, ihm zuglühend, dem ahnungslos Übermannten, der erschreckt vor nicht mehr erhofftem Wunder stand, nicht mehr sich würdig fühlend so reinen, so unbewußt dargebotenen Geschenks. Noch einmal war ein Bote der Jugend gekommen, schöne Gestalt und leidenschaftlicher Sinn, glühend für ihn in geistigem Feuer, zärtlich an ihn gebunden durch sympathetisches Band, dürstend nach seiner Neigung und ohne Gefühl ihrer Gefahr. Die Fackel des Eros in der unwissenden Seele, kühn und ahnungslos wie Parzival, der Tor, beugte er sich nah über die vergiftete Wunde, unkund des Zaubers und daß schon sein Kommen die Heilung trug — der Langerwartete eines Lebens, zu spät, in der letzten sinkenden Abendstunde trat er ins Haus.

Und mit dieser geschilderten Gestalt stieg auch die Stimme aus dem Dunkel. Ein Helles schien sie zu durchläutern, eine tiefe mitschwingende Zärtlichkeit gab ihr Musik, da dieser sprachmächtige Mund von diesem jungen Menschen sprach, dem Spätgeliebten. Ich zitterte mit vor Erregung und mitfühlender Beglückung, aber plötzlich — da schlug es mir wie ein Hammer aufs Herz. Denn dieser junge glühende Mensch, von dem mein Lehrer sprach, das war ja — . . . das war ja . . . — Scham fuhr mir über die Wangen . . . das war ja ich selbst: wie aus brennendem Spiegel sah ich mich vortreten, gehüllt in einen solchen Glanz ungeahnter Liebe, daß ihr Widerschein mich noch versengte. Ja, das war ich — immer näher erkannte ich mich, meine andrängende, begeisterte Art, dies fanatische Ihm-nahe-sein-Wollen, die begehrliche Ekstase, der ein Geistiges nicht genügte, mich, den törichten, wilden Jungen, der unkund seiner Macht den quellenden Samen des Schöpferischen noch einmal in dem Verschlossenen erweckt, noch einmal die schon müd hingesunkene Fackel des Eros in seiner Seele entzündet. Staunend erkannte ichs nun, was ich, der Schüchterne, ihm bedeutet, dessen zudrängenden Überschwang er als heiligste Überraschung seines Alters liebte — und schauernd erkannte ich zugleich, wie übermächtig hier sein Wille mir entgegengerungen: denn gerade von mir, dem rein Geliebten, wollte er nicht Hohn und Rückstoß, den Schauer beleidigter Leiblichkeit erfahren, gerade diese letzte Gnade unwilligen Geschicks nicht den Sinnen zum lusthaften Spiele geben. Darum setzte er meinem Zudrängen so erbitterten Widerstand entgegen, scheuchte mein flutendes Gefühl mit jähem Guß eiskalter Ironie, spitzte das weichflutende Freundeswort zu konventioneller Härte, bändigte die zärtlich umfassende Hand — nur um meinetwillen erzwang er von sich all die Schroffheiten, die mich ernüchtern sollten und ihn bewahren, und die mir durch Wochen die Seele verstörten. Grauenhaft klar ward mir nun das wüste Wirrsal jener Nacht, da er, Traumwandler seiner übermächtigen Sinne, die knirschende Treppe emporgestiegen, um dann mit jenem beleidigenden Wort sich selbst und unsere Freundschaft zu retten. Und schauernd, ergriffen, erregt wie im Fieber, zergehend in Mitleid, verstand ich, wie sehr er um meinetwillen gelitten, wie heldisch er sich um meinetwillen bemeistert.

Diese Stimme im Dunkel, diese Stimme im Dunkel, wie fühlte ich sie eindringen bis in das innerste Gebälk meiner Brust! Es war ein Ton in ihr, wie ich ihn nie vordem vernommen, nie vordem, nie nachdem — ein Ton aus Tiefen, die mittleres Schicksal nie ertastet. So sprach ein Mensch nur einmal in seinem Leben zu einem Menschen, um dann für immer zu schweigen, so wie in der Sage vom Schwane gesagt ist, daß er bloß sterbend ein einziges Mal die rauhe Stimme aufheben könne zum Gesang. Und ich nahm diese heiß vorstoßende, diese glühend eindringende Stimme in mich auf, schauernd und schmerzhaft, wie ein Weib den Mann in sich empfängt . . .

*

Und mit einemmal schwieg diesc Stimme, und es war nur noch Dunkel zwischen uns. Ich wußte ihn nah. Nur die Hand mußte ich heben, und die ausgestreckte rührte ihn an. Und mächtig drangs aus mir, dem Leidenden tröstlich zu sein.

Aber da machte er eine Bewegung. Licht zuckte auf. Müde, alt, verquält raffte vom Sessel eine Gestalt sich empor — ein alter, ein erschöpfter Mann ging langsam auf mich zu.

«Leb wohl, Roland . . . jetzt kein Wort mehr zwischen uns! Es war gut, daß du gekommen bist . . . und es ist gut für uns beide, daß du gehst . . . Lebe wohl . . . Und laß . . . dich küssen zum Abschied!»

Wie von magischer Macht gerissen, schwankte ich ihm entgegen. Jenes schwelende, sonst wie von wirrem Rauch niedergehaltene Licht glomm jetzt offen in seinen Augen: brennende Flamme schlug aus ihnen hoch. Er zog mich nahe, seine Lippen preßten durstig die meinen, nervig, in einem zuckenden Krampf drängte er meinen Körper an sich.

Es war ein Kuß, wie ich ihn nie von einer Frau empfing, ein Kuß, wild und verzweifelt wie ein Todesschrei. Der zitternde Krampf seines Leibes ging in mich über. Ich schauerte von einem fremd-furchtbaren Empfinden zwiefältig gefaßt — hingegeben mit meiner Seele und doch zutiefst erschreckt von einem widrigen Wehren des männlich berührten Körpers — unheimliche Verwirrung des Gefühls, die mir verpreßte Sekunde zu betäubender Dauer zerdehnend.

Da ließ er mich los — es war ein Ruck, als risse gewaltsam ein Leib auseinander —, wandte sich mühsam um und warf sich in den Sessel, den Rücken mir zugewandt: ganz starr lehnte er einige Minuten vor sich ins Leere. Allmählich aber ward ihm der Kopf zu schwer, er beugte sich erst müder und matter, dann aber, so wie ein Übergewicht, ein lange schwankendes, plötzlich zur Tiefe stürzt, fiel mit einem dumpfen trockenen Ton die gebeugte Stirn schwer über den Schreibtisch hin.

Unendlich durchwogte mich Mitleid. Unwillkürlich trat ich nah. Aber da krampfte sich plötzlich der eingestürzte Rücken noch einmal auf, und sich rückwendend, heiser und dumpf aus der Höhle seiner verklammerten Hände stöhnte er drohend: «Weg! ... weg! ... Nicht! ... nicht. nahekommen! ... um Gottes willen ... um unser beider willen ... geh jetzt ... geh!»

Ich verstand. Und schauernd trat ich zurück: wie ein Flüchtender verließ ich den geliebten Raum.

*

Nie wieder habe ich ihn gesehen. Nie einen Brief empfangen oder eine Botschaft. Sein Werk ist nie erschienen, sein Name vergessen; niemand weiß mehr um ihn als ich allein. Aber noch heute, wie einstmals der ungewisse Knabe, fühl ich: Vater und Mutter vor ihm, Frau und Kindern nach ihm, keinem danke ich mehr. Keinen habe ich mehr geliebt.

LEPORELLA

Sie hieß mit ihrem bürgerlichen Namen Crescentia Anna Aloisia Finkenhuber, war neununddreißig Jahre alt, stammte aus unehelicher Geburt und einem kleinen Gebirgsdorf im Zillertal. In der Rubrik «Besondere Kennzeichen» ihres Dienstbotenbuches stand ein querer, verneinender Strich; wären aber Beamte zu charakterologischer Schilderung verpflichtet, so hätte ein bloß flüchtiger Aufblick an jener Stelle unbedingt vermerken müssen: ähnlich einem abgetriebenen, starkknochigen, dürren Gebirgspferd. Denn etwas unverkennbar Pferdhaftes lag in dem Ausdruck der schwerfallenden Unterlippe, dem zugleich länglichen und harten Oval des gebräunten Gesichtes, dem dumpfen, wimperlosen Blick und besonders dem filzigen, dicken, mit Fett an die Stirn angesträhnten Haar. Auch aus ihrem Gang stieß die Stützigkeit, die störrische Mauleselart eines älplerischen Paßgaules vor, wie sie dort über steinige Saumpfade Sommer und Winter die gleichen hölzernen Tragen mit dem gleichen holperigen Trott mürrisch bergauf und talab schaffen. Vom Halfter der Arbeit gelöst, pflegte Crescenz, die knochigen Hände lose ineinandergefaltet, mit abgeschrägten Ellbogen dumpf vor sich hinzudösen, wie Tiere im Stalle stehen, mit gleichsam eingezogenen Sinnen. Alles an ihr war hart, hölzern und schwer. Sie dachte mühselig und begriff langsam: jeder neue Gedanke troff nur dumpf wie durch ein dickes Sieb in ihren innern Sinn; hatte sie aber einmal etwas Neues endlich in sich gezogen, so hielt sie es zäh und habgierig fest. Sie las nie, weder Zeitungen noch im Gebetbuch, Schreiben bereitete ihr Mühe, und die ungelenken Buchstaben in ihrem Küchenbuch erinnerten merkwürdig an ihre eigene klobige, überallhin spitz ausfahrende Gestalt, die aller handgreiflichen Formen der Weiblichkeit sichtlich entbehrte. Ebenso hart wie Knochen, Stirn, Hüften und Hände war ihre Stimme, die trotz den dicken tirolischen Kehllauten immer eingerostet knarrte — dies eigentlich nicht verwunderlich, denn Crescenz sprach zu niemandem ein unnötiges Wort. Und niemand hatte sie jemals lachen sehen; auch darin war sie vollkommen tierhaft, denn, grausamer vielleicht als der Verlust der Sprache: den unbewußten Kreaturen Gottes ist das Lachen, dieser selig frei vorbrechende Ausdruck des Gefühls, nicht gegönnt.

Als uneheliches Kind zu Lasten der Gemeinde aufgezogen, mit zwölf Jahren bereits als Magd verdingt, späterhin Scheuerin in einer Gaststube, war sie endlich aus jener Fuhrwerkerkneipe, wo sie durch ihre zähe, stiernackige Arbeitswut auffiel, in ein angesehenes Touristengasthaus als Köchin vorgedrungen. Um fünf Uhr morgens stand die Crescenz dort tagtäglich auf, werkte, fegte, putzte, feuerte, bürstete, räumte, kochte, knetete, walkte, preßte, wusch und prasselte bis spät hinein in die Nacht. Niemals nahm sie Urlaub, nie betrat sie, außer für den Kirchgang, die Straße: das runde hitzende Stück Feuer im Herd war für sie Sonne, die Tausende und aber Tausende Holzscheite, die sie im Laufe der Jahre zerschlug, ihr Wald.

Die Männer ließen ihr Ruhe, sei es, weil dies Vierteljahrhundert verbissenen Robotens alles Weibliche von ihr weggeschunden, sei es, weil sie stockig und maulfaul jede Annäherung abwischte. Ihre einzige Freude fand sie im baren Geld, das sie mit dem hamsterhaften Instinkt der Bäurischen und Einschichtigen zäh zusammenraffte, um nicht, alt geworden, im Armenhaus noch einmal das bittere Brot der Gemeinde würgen zu müssen.

Einzig des Geldes halber hatte auch dies dumpfe Geschöpf mit siebenunddreißig Jahren seine tirolische Heimat zum erstenmal verlassen. Eine berufsmäßige Vermittlerin, die sie während der Sommerfrische von früh bis nachts in Küche und Stube berserkern gesehen, lockte sie mit der Verheißung doppelter Löhnung nach Wien. Während der Eisenbahnfahrt aß und sprach Crescenz keine Silbe zu keinem, hielt den schweren Strohkorb mit ihrer Habe trotz der freundlich angebotenen Hilfe der Mitreisenden, die ihn im Gepäcknetz verstauen wollten, waagrecht auf den schon schmerzenden Knien, denn Betrug und Diebstahl waren die einzigen Gedanken, die ihre klotzige Bauernstirn mit dem Begriff der Großstadt vermörtelten. In Wien mußte man sie dann während der ersten Tage auf den Markt begleiten, weil sie sich vor den Wagen fürchtete wie die Kuh vor dem Automobil. Sobald sie aber einmal die vier Straßen bis zum Markt hin kannte, brauchte sie niemanden mehr, trottete mit ihrem Korb, ohne den Blick zu heben, von der Haustüre zum Verkaufsstand und wieder heim, fegte, feuerte und räumte an dem neuen wie an dem früheren Herd, ohne eine Veränderung zu bemerken. Um neun Uhr, zur Stunde des Dorfes, ging sie zu Bett und schlief wie ein Tier mit offenem Mund, bis der Wecker sie morgens aufkrachte. Niemand wußte, ob sie sich wohlbefinde, vielleicht sie selber nicht, denn sie ging zu keinem, antwortete auf Befehle bloß mit dumpfem «Woll, woll» oder, wenn sie andern Sinnes war, mit einem stützigen Aufbocken der

Schultern. Nachbarn und Mägde im Hause beachtete sie nicht: die spöttelnden Blicke ihrer leichtlebigeren Gefährtinnen glitschten wie Wasser an dem ledernen Fell ihrer Gleichgültigkeit ab. Nur einmal, als ein Mädchen ihre tirolische Mundart nachspottete und nicht abließ, die Maulfaule zu hänseln, riß sie plötzlich ein brennendes Holzscheit aus dem Herd und fuhr damit auf die entsetzt Schreiende los. Von diesem Tage an wichen alle der Wütigen aus, und niemand wagte mehr, sie zu höhnen.

Jeden Sonntagmorgen aber ging Crescenz in ihrem gefältelten, weitgeplusterten Rock und der bäurischen Tellerhaube zur Kirche. Und ein einziges Mal, an ihrem ersten Wiener Ausgangstag, versuchte sie einen Spaziergang. Aber da sie die Trambahn nicht benutzen wollte und längs ihrer vorsichtigen Wanderung durch die wirblig sie umschütternden Straßen immer nur steinerne Wände sah, gelangte sie bloß bis zum Donaukanal; dort starrte sie das strömende Wasser an wie etwas Bekanntes, machte kehrt und stapfte auf demselben Wege, immer an den Häusern entlang und die Fahrstraße ängstlich vermeidend, wieder zurück. Dieser erste und einzige Erkundigungsgang mußte sie offenbar enttäuscht haben, denn seitdem verließ sie nie mehr das Haus, sondern saß sonntags lieber mit dem Nähzeug beschäftigt oder mit leeren Händen beim Fenster. So brachte die Großstadt keinerlei Veränderung in die alteingewerkelte Tretmühle ihrer Tage, außer daß sie nun an jedem Monatsende vier blaue Zettel statt vordem zwei in ihre verwitterten, zerkochten und zerstoßenen Hände bekam. Diese Banknoten prüfte sie jedesmal lange und mißtrauisch. Sie fältelte sie umständlich auseinander und glättete sie schließlich beinahe zärtlich flach, ehe sie die neuen Blätter zu den andern in das gelbe geschnitzte Holzkästchen legte, das sie vom Dorfe her mitgebracht. Diese ungefüge, klobige kleine Truhe war das ganze Geheimnis, der Sinn ihres Lebens. Nachts legte sie den Schlüssel unter ihr Kopfkissen. Wo sie ihn tagsüber verwahrte, erfuhr niemand im Hause.

So war dies sonderbare Menschenwesen beschaffen (wie sie genannt sein möge, obwohl eben das Menschliche nur in ganz abgedumpfter und verschütteter Weise aus ihrem Gehaben zutage trat) — aber vielleicht bedurfte es gerade eines Geschöpfes mit dermaßen scheuklappenhaft verschlossenen Sinnen, um den Dienst in dem gleichfalls höchst sonderbaren Haushalt des jungen Freiherrn von F... aushalten zu können. Denn im allgemeinen vermochten Dienstleute dort die zänkische Atmosphäre nicht länger zu ertragen als die gesetzlich bemessene Frist von Einstand und Kündigung. Der gereizte, bis zum Hysterischen hochgejagte Schreiton kam von der Hausfrau. Ältliche Tochter eines schwerreichen Essener Fabrikanten, hatte sie in einem Kurort den bedeutend jüngeren Freiherrn (von schlechtem Adel und noch schlechterer Geldsituation) kennengelernt und den bildhübschen, auf aristokratischen Charme zugespitzten Windhund hastig geheiratet. Aber kaum waren die Flitterwochen abgeklungen, so mußte die Neuvermählte schon die Berechtigung des Widerstandes zugeben, den ihre mehr auf Solidität und Tüchtigkeit drängenden Eltern der eiligen Eheschließung entgegengesetzt hatten. Denn nebst zahlreichen verschwiegenen Schulden trat bald zutage, daß der rasch lässig gewordene Ehemann seinen junggeselligen Schlendereien bedeutend mehr Interesse zuwandte als den ehelichen Pflichten; nicht gerade ungutmütig, im Innersten sogar jovial wie alle Leichtfertigen, aber durchaus laß und hemmungslos in seiner Welteinstellung, verachtete dieser hübsche Halbkavalier jede zinsrechnende Kapitalisierung des Geldes als eine knauserische Borniertheit plebejischer Herkunft. Er wollte ein leichtes Leben, sie eine solide ordentliche Häuslichkeit rheinisch-bürgerlicher Art: das stieg ihm in die Nerven. Und als er trotz ihrem Reichtum jede größere Summe erfeilschen mußte und die rechnerische Gattin ihm sogar seine liebste Forderung, einen Rennstall, verweigerte, sah er wenig Anlaß mehr, sich weiterhin um die breitnackige massive Norddeutsche ehelich zu bekümmern, deren lauter herrischer Ton ihm unangenehm in die Ohren fiel. So legte er sie, wie man zu sagen pflegt, still aufs Eis, schob ohne jede harte Gebärde, aber darum nicht minder gründlich die Enttäuschte von sich ab. Machte sie ihm Vorwürfe, so hörte er höflich und scheinbar teilnehmend zu, blies aber, sobald ihr Sermon zu Ende war, mit dem Dampf seiner Zigarette die leidenschaftlichen Ermahnungen weit von sich weg und tat ungehemmt, was ihm beliebte. Diese glatte, beinahe amtliche Liebenswürdigkeit erbitterte die enttäuschte Frau mehr als jeder Widerstand. Und da sie gegen seine guterzogene, niemals ausfällige, gegen seine geradezu penetrante Höflichkeit vollkommen ohnmächtig blieb, brach sich der gestaute Zorn in anderer Richtung gewaltsam Bahn: sie wetterte mit den Dienstboten, an den Unschuldigen ihre im Grunde gerechte, hier aber unangebrachte Empörung ungestüm entladend. Die Folgen blieben nicht aus: innerhalb zweier Jahre mußte sie nicht weniger als sechzehnmal ihre Mädchen wechseln, einmal sogar nach einer vorausgegangenen Handgreiflichkeit, die nur durch eine namhafte Entschädigung geregelt werden konnte.

Einzig Crescenz stand, wie ein Droschkengaul im Regen, unerschütterlich inmitten dieses stürmischen Tumults. Sie nahm niemandes Partei, kümmerte sich um keine Veränderung, schien nicht zu bemerken, daß die ihr zugesellten fremden Wesen, mit denen sie die Mägdekammer teilte, fortwährend Rufnamen, Haarfarbe, Körperdunst und Benehmen wechselten. Denn sie selbst sprach mit keiner, kümmerte sich nicht um die krachend zufallenden Türen, die unterbrochenen Mittagmahlzeiten, die ohnmächtigen und hysterischen Ausbrüche. Sie ging teilnahmslos geschäftig von ihrer Küche zum Markt, vom Markt wieder in ihre Küche: was jenseits dieses abgemauerten Kreises geschah, beschäftigte sie nicht. Wie ein Dreschflegel hart und fühllos werkend, schlug sie Tag um Tag entzwei, und derart flossen zwei Großstadtjahre ereignislos an ihr vorüber, keine Weiterung ihrer innern Welt bewirkend, es sei denn, daß die gehäuften blauen Banknoten in ihrem Kästchen um einen Zoll breit sich hoben und, wenn sie mit feuchtem Finger Zettel um Zettel am Jahresende durchzählte, die magische Tausendzahl nicht mehr ferne war.

Doch der Zufall hat diamantene Bohrer, und das Schicksal, gefährlich listenreich, weiß oft von unvermutetster Stelle sich Zugang und vollkommene Erschütterung auch in die felsigste Natur zu sprengen. Bei Crescenz kleidete sich der äußere Anlaß beinahe so banal wie sie selbst: nach zehnjähriger Pause hatte es dem Staat wieder einmal beliebt, eine Volkszählung zu verordnen, und in alle Wohnhäuser wurden wegen genauer Ausfüllung der Personalien äußerst komplizierte Bogen gesandt. Mißtrauisch gegen die kraxigen und nur phonetisch richtigen Schreibkünste der Dienstpersonen, zog der Baron vor, eigenhändig die Rubriken auszufüllen, und hatte zu diesem Behufe auch Crescenz in sein Zimmer beordert. Als er ihr nun Namen, Alter und Geburtsort abfragte, ergab sich, daß er, als passionierter Jäger und Freund des dortigen Revierbesitzers, gerade in ihrem älplerischen Winkel öfters Gemsen geschossen und ein Führer gerade aus ihrem Heimatsdorf ihn zwei Wochen lang begleitet hatte. Und da kurioserweise ebendieser Führer sich noch als Oheim der Crescenz und der Baron lockerer Laune erwies, wickelte sich vom zufälligen Anlaß ein längeres Gespräch los, bei dem eine abermalige Überraschung zutage trat, nämlich daß er damals in ebendemselben Wirtshaus, wo sie kochte, einen ausgezeichneten Hirschbraten gegessen hatte — Lappalien dies alles, aber doch sonderbar durch Zufälligkeit, und für Crescenz, die hier zum erstenmal einen Menschen sah, der etwas von ihrer Heimat wußte, geradezu wunderhaft. Sie stand vor ihm mit rotem, interessiertem Gesicht, bog sich unbeholfen und geschmeichelt, als er zu Späßen überging und, die Tiroler Mundart nachahmend, sie ausfragte, ob sie jodeln könne und dergleichen knabenhaften Unfug mehr. Schließlich, von sich selbst amüsiert, klatschte er ihr nach allumgänglicher Bauernart eine mit der flachen Hand auf den harten Hintern und entließ sie lachend: «Jetzt geh, brave Cenzi, und da hast du noch zwei Kronen dafür, weil du aus dem Zillertal bist.»

Gewiß: das war an und für sich kein pathetischer und bedeutsamer Anlaß. Aber auf das fischhaft unterirdische Gefühl dieses dumpfen Wesens wirkte dies Fünfminutengespräch wie ein Stein in einem Sumpf: erst allmählich und träge bilden sich bewegte Kreise, die schwermassig weiterwellend ganz langsam den Rand des Bewußtseins erreichen. Zum erstenmal seit Jahren hatte die hartnäckig Maulfaule mit irgendeinem Menschen wieder ein persönliches Gespräch geführt, und übernatürlich wollte ihr die Fügung erscheinen, daß gerade dieser erste Mensch, der zu ihr gesprochen, mitten hier im steinernen Gewirr von ihren Bergen wußte und sogar schon einmal einen von ihr zubereiteten Hirschbraten gegessen. Dazu kam noch jener burschikose Schlag auf den Hintern, der ja in der Bauernsprache eine Art lakonischer Anfrage und Werbung an das Weibsbild darstellt. Und wenn Crescenz auch nicht sich zu meinen erkühnte, dieser elegante, vornehme Herr habe damit tatsächlich ein derartiges Verlangen an sie gestellt — die körperliche Vertraulichkeit wirkte doch irgendwie aufrüttelnd in ihre schläfrigen Sinne.

So begann durch diesen zufälligen Anstoß nun Schicht um Schicht ein Ziehen und Bewegen in ihrem innern Erdreich, bis endlich, erst klotzhaft und dann immer deutlicher, ein neues Gefühl sich ablöste, jenem plötzlichen Erkennen gleich, mit dem ein Hund unter allen den zweibeinigen Gestalten, die ihn umgeben, eines unvermuteten Tages sich eine dieser Gestalten als Herrn zuerkennt: von dieser Stunde an läuft er ihm nach, grüßt schweifwedelnd oder mit Gebell den ihm vom Schicksal Übergeordneten, wird ihm freiwillig hörig und folgt seiner Spur gehorsam Schritt um Schritt. Genau so war in den abgestumpften Kreis der Crescenz, den bisher nur die fünf gewohnten Begriffe: Geld, Markt, Herd, Kirche und Bett restlos umgrenzten, ein neues Element gedrungen, das Raum forderte und mit brüsker Gewalt alles Frühere zur Seite drängte. Und mit jener bäurischen Habgier, die das einmal Ergriffene nie mehr aus den harten Händen läßt, zog sie dieses neue Element tief hinein unter die Haut, bis in die verworrene Triebwelt ihrer stumpfen Sinne. Es dauerte freilich einige Zeit, ehe die Verwandlung sichtlich zutage trat; auch diese ersten Zeichen waren durchaus unscheinbare, wie zum Beispiel diese: sie putzte die Kleider des Barons und seine Schuhe mit einer besonderen fanatischen Sorgfalt, während sie Kleider und Schuhwerk der Baronin weiterhin der Sorge des Stubenmädchens überließ. Oder sie war öfters in Gang und Zimmern zu sehen, hastete, kaum daß sie den Schlüssel an der äußern Tür knacken hörte, beflissen entgegen, um ihm Mantel und Stock abzunehmen. Der Küche wandte sie verdoppelte Aufmerksamkeit zu, fragte sich sogar mühsam den fremden Weg zur Großmarkthalle durch, eigens um einen Hirschbraten zu erstehen. Und auch an ihrer äußeren Gewandung waren Anzeichen verstärkter Sorgfalt zu bemerken.

Eine oder zwei Wochen hatte es gedauert, bis diese ersten Schößlinge ihres neuen Gefühls aus ihrer inneren Welt sich durchrangen. Und es bedurfte noch Wochen und Wochen, bis ein zweiter Gedanke diesem ersten Trieb zuwuchs und aus unsicherem Wachstum klare Farbe und Gestalt bekam. Dieses zweite Gefühl war nichts anderes als ein Komplementärgefühl des ersten: ein vorerst dumpfer, allmählich aber unverhüllt und nackt vorspringender Haß gegen die Gattin des Barons, gegen die Frau, die mit ihm wohnen, schlafen, sprechen durfte und dennoch nicht die gleiche hingegebene Ehrfurcht vor ihm hatte wie sie selbst. Sei es, daß sie — unwillkürlich jetzt achtsamer — einer jener beschämenden Szenen beigewohnt hatte, wobei der vergötterte Herr von seiner gereizten Frau in widerwärtiger Weise gedemütigt wurde, sei es, daß der Gegensatz seiner jovialen Vertraulichkeit sie die hochmütige Reserve der norddeutsch gehemmten Frau doppelt fühlen ließ — jedenfalls setzte sie mit einemmal der Ahnungslosen eine gewisse Bockigkeit entgegen, eine stachlige, mit tausend kleinen Spitzen und Bosheiten widerstrebende Feindseligkeit. So mußte die Baronin zumindest immer zweimal klingeln, ehe Crescenz mit absichtlicher Langsamkeit und deutlich vorgeschobener Unwilligkeit dem Rufe Folge leistete, und ihre hochgestemmten Schultern drückten dann immer schon von vornherein entschlossene Gegenwehr aus. Aufträge und Befehle nahm sie wortlos mürrisch entgegen, so daß die Baronin niemals wußte, ob sie richtig verstanden sei; fragte sie aber zur Vorsicht noch einmal, so bekam sie nur ein verdrossenes Nicken oder ein verächtliches «Hob jo scho ghört» zur Antwort. Oder es erwies sich knapp vor dem Theaterbesuch, wenn die Frau schon nervös durch die Zimmer fuhr, ein wichtiger Schlüssel als unauffindbar, um eine halbe Stunde später unvermutet in einem Winkel entdeckt zu werden. Botschaften und Telephonanrufe an die Baronin beliebte sie regelmäßig zu vergessen: ausgefragt, warf sie ihr dann, ohne das geringste Zeichen eines Bedauerns, nur ein hartes: «I hob holt vergess'n» vor die Füße. In die Augen blickte sie ihr nie, vielleicht aus Furcht, den Haß nicht verhalten zu können.

Unterdessen führten die häuslichen Mißhelligkeiten zu immer unerfreulicheren Szenen zwischen den Eheleuten: möglicherweise hatte auch die unbewußt aufreizende Mürrischkeit der Crescenz ihren Anteil an der Erregtheit der von Woche zu Woche mehr exaltierten Frau. Durch allzulangen Mädchenstand in ihren Nerven schwank, dazu noch erbittert durch die Gleichgültigkeit ihres Gatten, die frechen Feindseligkeiten der Dienstboten, verlor die Gepeinigte immer mehr das Gleichgewicht. Vergeblich wurde ihre Erregtheit mit Brom und Veronal gefüttert; um so heftiger riß dann in Diskussionen der überspannte Strang ihrer Nerven durch, sie bekam Weinkrämpfe und hysterische Zustände, ohne damit aber bei irgend jemandem den geringsten Anteil oder auch nur den Anschein einer gutmütige Hilfe zu erfahren. Schließlich empfahl der zugezogene Arzt einen zweimonatigen Aufenthalt in einem Sanatorium, ein Vorschlag, der von dem sonst höchst gleichgültigen Gatten mit so plötzlicher Besorgtheit gutgeheißen wurde, daß die Frau, von neuem mißtrauisch, sich zunächst dagegen wehrte. Aber zuletzt wurde die Reise dennoch beschlossen, die Kammerjungfer zur Begleitung bestimmt, indes Crescenz zur Bedienung des Herrn allein in der geräumigen Wohnung zurückbleiben sollte.

Diese Nachricht, daß ihr allein der gnädige Herr zur Behütung anvertraut sein solle, wirkte auf die schweren Sinne der Crescenz wie eine plötzliche Aufpulverung. Als hätte man all ihre Säfte und Kräfte, einer magischen Flasche gleich, wild durcheinandergeschüttelt, so kam jetzt vom Grunde ihres Wesens ein verborgener Bodensatz von Leidenschaft herauf und durchfärbte vollkommen ihr ganzes Gehaben. Das Benommene, Schwerfällige taute mit einemmal ab von ihren harten, eingefrorenen Gliedern; es schien, als hätte sie seit dieser elektrisierenden Nachricht plötzlich leichte Gelenke, einen raschen, geschwinden Gang bekommen. Sie lief durch Zimmer hin und her, Treppen auf und ab, kaum daß es galt, die Reisevorbereitungen zu treffen, packte unaufgefordert alle Koffer und schleppte sie mit eigener Hand zum Wagen. Und als dann spät abends der Baron von der Bahn zurückkam und der dienstfertig ihm Entgegeneilenden Stock und Mantel in die Hände gab und mit einem Seufzer der Erleichterung sagte: «Glücklich expediert!», da geschah etwas Merkwürdiges. Denn mit einemmal setzte um die verkniffenen Lippen der Crescenz, die sonst, wie alle Tiere, niemals lachte, ein gewaltsames Zerren und Dehnen ein. Der Mund wurde schief, schob sich breit in die Quere, und plötzlich quoll mitten aus ihrem idiotisch erhellten Gesicht ein Grinsen dermaßen offen und tierisch hemmungslos hervor, daß der Baron, von diesem Anblick peinlich überrascht, sich der übel angebrachten Vertraulichkeit schämte und wortlos in sein Zimmer trat.

Aber diese flüchtige Sekunde des Unbehagens ging rasch vorüber, und schon in den nächsten Tagen verband die beiden, Herrn und Magd, das einhellige Aufatmen einer köstlich empfundenen Stille und wohltuenden Ungebundenheit. Die Abwesenheit der Frau hatte die Atmosphäre gleichsam von überhängendem Gewölk entlüftet: der befreite Ehemann, glücklich entledigt des unablässigen Rechenschafterstattens, kam gleich am ersten Abend spät nach Hause, und die schweigsame Beflissenheit der Crescenz bot ihm wohltuenden Kontrast zu den allzu beredten Empfängen seiner Frau. Crescenz wieder stürzte sich mit begeisterter Leidenschaft in ihr Tagewerk, stand extrafrüh auf, putzte alles blitzblank, scheuerte Klinken und Schnallen wie eine Besessene, zauberte besonders leckere Menus hervor, und zu seiner Überraschung bemerkte der Baron bei dem ersten Mittagstisch, daß für ihn allein das kostbare Service gewählt war, das sonst nur zu besonderen Anlässen den Silberschrank verließ. Im allgemeinen unachtsam, konnte er doch nicht umhin, die wachsame, beinahe zartsinnige Sorge dieses sonderbaren Geschöpfes zu bemerken; und gutmütig, wie er im Grunde war, sparte er nicht mit dem Ausdruck seiner Zufriedenheit. Er rühmte ihre Speisen, warf ihr hie und da ein paar freundliche Worte hin, und als er am nächsten Morgen, es war sein Namenstag, eine Torte mit seinen Initialen und überzuckertem Wappen kunstvoll bereitet fand, lachte er ihr übermütig zu: «Du wirst mich noch verwöhnen, Cenzi! Und was fange ich dann an, wenn, Gott behüte, meine Frau wieder zurückkommt?»

Immerhin: einen gewissen Zwang legte er sich noch einige Tage auf, ehe er die letzten Rücksichten von sich warf. Dann aber, aus mehrfachen Anzeichen ihrer Verschwiegenheit gewiß, begann er, wieder ganz Junggeselle, sichs in seiner eigenen Wohnung bequem zu machen. Ohne weitere Erklärung rief er Crescenz am vierten Tage seiner Strohwitwerschaft zu sich herein und ordnete in gleichmütigstem Tonfall an, sie möge abends ein kaltes Nachtmahl für zwei Personen bereitstellen und sich dann zu Bett legen; alles andere werde er selbst besorgen. Stumm nahm Crescenz den Auftrag entgegen. Kein Blick, kein Blinzeln ließ durchschimmern, ob der eigentliche Sinn dieser Worte bis hinter ihre niedrige Stirn gedrungen sei. Aber wie gut sie seine eigentliche Absicht verstanden, bemerkte ihr Herr baldigst mit amüsierter Überraschung, denn nicht nur, daß er, spätabends mit einer kleinen Opernelevin nach dem Theater heraufkommend, den Tisch erlesen gerichtet und mit Blumen geschmückt fand: auch im Schlafzimmer erwies sich neben seinem eigenen Bett frech einladend das nachbarliche aufgeschlagen, und der seidene Schlafrock sowie die Pantoffel seiner Frau waren erwartungsvoll bereitgestellt.

Unwillkürlich mußte der freigelassene Ehemann über die weitgehende Sorge dieses Geschöpfes lachen. Und damit fiel von selbst die letzte Hemmung vor ihrer helfenden Mitwisserschaft. Morgens schon schellte er, daß sie dem galanten Eindringling beim Ankleiden behilflich sei; damit war das schweigende Einvernehmen zwischen beiden völlig besiegelt.

In diesen Tagen erhielt Crescenz auch ihren neuen Namen. Jene muntere Opernelevin, die gerade die Donna Elvira studierte und scherzhaft ihren zärtlichen Freund zum Don Juan zu erheben beliebte, hatte einmal lachend zu ihm gesagt: «Ruf doch deine Leporella herein!» Dieser Name machte ihm Spaß, eben weil er so grotesk die dürre Tirolerin parodierte, und von nun an rief er sie niemals mehr anders als Leporella. Crescenz, das erste Mal verwundert aufstarrend, dann aber verlockt von dem vokalischen Wohlklang dieses ihr unverständlichen Namens, genoß die Umtaufe geradezu als Nobilitierung: jedesmal, wenn der Übermütige sie so anrief, schoben sich ihre dünnen Lippen auseinander, die braunen Pferdezähne breit entblößend, und unterwürfig, gleichsam schweifwedelnd drückte sie sich heran, um die Befehle des gnädigen Gebieters entgegenzunehmen.

Als eine Parodie war der Name gedacht: aber in ungewollter Treffsicherheit hatte die angehende Operndiva mit diesem Namen dem eigenartigen Geschöpf ein geradezu zauberhaft passendes Wortkleid umgeworfen: denn ähnlich Dapontes mitgenießerischem Spießgesellen empfand diese liebesfremde verknöcherte alte Jungfer eine eigentümlich stolze Freude an den Abenteuern ihres Herrn. War es bloß die Genugtuung, das Bett der brennend gehaßten Frau jeden Morgen bald von diesem, bald von jenem jungen Körper umgewühlt und entehrt zu finden, oder knisterte ein geheimes Mitgenießen in ihren Sinnen — jedenfalls legte das bigotte, strenge alte Mädchen eine geradezu leidenschaftliche Beflissenheit an den Tag, allen Abenteuern ihres Herrn dienstbar zu sein. In ihrem eigenen abgerackerten, durch jahrzehntelange Arbeit geschlechtlos gewordenen Körper längst nicht mehr bedrängt, wärmte sie sich wohlig an der kupplerischen Lust, nach ein paar Tagen schon einer zweiten und bald auch der dritten Frau in den Schlafraum nachblinzeln zu können: wie eine Beize wirkte diese Mitwisserschaft und das prickelnde Parfüm der erotischen Atmosphäre auf ihre verschlafenen Sinne. Crescenz wurde wahrhaftig Leporella und wie jener muntere Bursche beweglich, zuspringig und frisch; seltsame Eigenschaften kamen, gleichsam emporgetrieben von der flutenden Hitze dieser brennenden Anteilnahme, in ihrem Wesen zum Vorschein, allerhand kleine Listen, Verschmitztheiten und Spitzfindigkeiten, etwas Horcherisches, Neugieriges, Lauerndes und Umtummlerisches. Sie horchte an der Tür, spähte durch die Schlüssellöcher, durchstöberte Zimmer und Betten, flog, von einer merkwürdigen Erregtheit gestoßen, treppauf und treppab, kaum daß sie eine neue Beute jagdhaft witterte, und allmählich formte diese Wachheit, diese neugierige, schaulustige Anteilnahme eine Art lebendigen Menschen aus der hölzernen Hülle ihrer früheren Dösigkeit. Zum allgemeinen Erstaunen der Nachbarn wurde Crescenz mit einmal umgänglich, sie schwatzte mit den Mädchen, scherzte in plumper Weise mit dem Briefträger, begann sich mit den Verkäuferinnen in Tratsch und Gerede einzulassen; und einmal abends, als die Lichter im Hofe gelöscht waren, hörten die Dienstmädchen gegenüber ihrem Zimmer ein merkwürdiges Summen aus dem sonst längst verstummten Fenster: ungefüge, mit halblauter, knarrender Stimme sang Crescenz eines jener älplerischen Lieder, wie sie die Sennerinnen auf den Weiden am Abend singen. Mit ganz zerbrochenem Ton, verbogen von den ungeübten Lippen, holperte die eintönige Melodie mühsam heraus; aber doch: es tönte merkwürdig ergreifend und fremd. Zum erstenmal seit ihrer Kinderzeit versuchte Crescenz wieder zu singen, und es war etwas Rührendes in diesen stolpernden Tönen, die aus der Finsternis verschütteter Jahre mühsam aufstiegen ins Licht.

Von dieser merkwürdigen Verwandlung der ihm Verfallenen nahm ihr unbewußter Urheber, der Baron, am wenigsten wahr, denn wer wendet sich je um nach seinem Schatten? Man spürt ihn treu nachschleichend und stumm hinter den eigenen Schritten, manchmal voreilend wie einen noch nicht bewußten Wunsch, aber wie selten müht man sich, seine parodistischen Formen zu beobachten und sein Ich in dieser Verzerrung zu erkennen! Der Baron bemerkte nichts anderes an Crescenz, als daß sie immer zum Dienst bereit war, vollkommen schweigsam, verläßlich und bis zur Aufopferung ergeben. Und gerade dieses Stummsein, diese selbstverständliche Distanz in allen diskreten Situationen wirkte auf ihn als besondere Wohltat; manchmal streifte er ihr lässig, wie man einen Hund streichelt, ein paar freundliche Worte über, ein oder das andere Mal scherzte er auch mit ihr, kniff sie großmütig ins Ohrläppchen, schenkte ihr eine Banknote oder ein Theaterbillett — Kleinigkeiten für ihn, die er gedankenlos aus der Westentasche griff, für sie aber Reliquien, die sie ehrfürchtig in ihrer Holzkassette aufbewahrte. Allmählich gewöhnte er sich daran, laut vor ihr zu denken und ihr sogar komplizierte Aufträge anzuvertrauen — und je höhere Zeichen seines Zutrauens er gab, desto dankbarer und beflissener spannte sie sich empor. Ein merkwürdig schnuppernder, suchender und spürender Instinkt trat allmählich bei ihr zutage, all seinen Wünschen jagdhaft nachspähend und ihnen sogar vorauslaufend; ihr ganzes Leben, Trachten und Wollen schien gleichsam heraus aus ihrem eigenen Leib in den seinen hinübergefahren; alles sah sie mit seinen Augen, horchte sie für seine Sinne, alle seine Freuden und Eroberungen genoß sie dank einer beinahe lasterhaften Begeisterung mit. Sie strahlte, wenn ein neues weibliches Wesen die Schwelle betrat, blickte enttäuscht und wie in einer Erwartung gekränkt, kehrte er abends ohne zärtliche Begleitung zurück — ihr früher so verschlafenes Denken arbeitete jetzt ebenso behende und ungestüm wie vordem nur ihre Hände, und aus ihren Augen funkelte und glänzte ein neues, wachsames Licht. Ein Mensch war erwacht in dem abgetriebenen, müden Arbeitstier — ein Mensch, dumpf, verschlossen, listig und gefährlich, nachsinnend und beschäftigt, unruhig und ränkevoll.

Einmal, als der Baron vorzeitig nach Hause kam, blieb er verwundert im Gange stehen: hatte da nicht hinter der Küchentür der sonst unweigerlich Stummen sonderbares Kichern und Lachen geknistert? Und schon schob sich, schief die Hände an der Schürze herumreibend, Leporella aus der halboffenen Tür, frech und verlegen zugleich. «Entschuldigen scho, gnä Herr», sagte sie, mit dem Blick auf dem Boden herumwischend. «Ober die Tochter vom Khonditor is drin ... ein hübsches Mäddel ... die hätt so gern den gnä Herrn kenneng'lernt». Der Baron sah überrascht auf, ungewiß, ob er an einer solchen unverschämten Vertraulichkeit sich erbittern oder über ihre kupplerische Dienstfertigkeit sich amüsieren sollte. Schließlich überwog seine männliche Neugier: «Laß sie einmal anschaun.»

Das Mädel, ein knusperiger, blonder sechzehnjähriger Fratz, den Leporella mit schmeichlerischem Zureden allmählich an sich herangelockt, kam errötend und mit verlegenem Kichern, von der Magd immer wieder dringlich vorgeschoben, aus der Tür und drehte sich ungeschickt vor dem eleganten Mann, den sie tatsächlich von dem gegenüberliegenden Geschäft oft mit halb kindhafter Bewunderung betrachtet hatte. Der Baron fand sie hübsch und schlug ihr vor, in seinem Zimmer mit ihm Tee zu trinken. Ungewiß, ob sie annehmen dürfe, wandte sich das Mädel nach Crescenz um. Die aber war mit auffälliger Hast bereits in der Küche verschwunden, und so blieb der ins Abenteuer Verlockten nichts übrig, als, errötend und neugierig erregt, der gefährlichen Einladung Folge zu leisten.

Aber die Natur macht keine Sprünge: war auch durch den Druck einer krausen und verkrümmten Leidenschaft aus diesem hartknochigen, verdumpften Wesen eine gewisse geistige Bewegung herausgetrieben worden, so reichte bei Crescenz dieses neuerlernte und engstirnige Denken doch nicht über den nächsten Anlaß hinaus, darin noch immer dem kurzfristigen Instinkt der Tiere verwandt. Ganz eingemauert in ihre Besessenheit, dem hündisch geliebten Herrn in allem zu dienen, vergaß Crescenz vollkommen die abwesende Frau. Um so furchtbarer wurde deshalb ihr Erwachen: wie Donner aus klarem Himmel fiel es über sie, als eines Morgens, unwirsch und verärgert, der Baron, einen Brief in der Hand, eintrat und ihr ankündigte, sie möge alles im Hause zurechtmachen, seine Frau komme morgen aus dem Sanatorium. Crescenz blieb fahl stehen, den Mund offen im Schreck: die Nachricht hatte in sie hineingestoßen wie ein Messer. Sie starrte und starrte nur, als ob sie nicht verstanden hätte. Und so maßlos, so erschreckend zerriß der Wetterschlag ihr Gesicht, daß der Baron meinte, sie mit einem lockern Wort ein wenig beruhigen zu müssen: «Mir scheint, dich freuts auch nicht, Cenzi. Aber da kann man halt nichts machen.»

Doch schon begann sich wieder etwas zu regen in dem steinstarren Gesicht. Es arbeitete sich von tief unten, gleichsam von den Eingeweiden, herauf, ein gewaltsamer Krampf, der allmählich die eben noch schlohweißen Wangen dunkelrot färbte. Ganz langsam, mit harten Herzstößen heraufgepumpt, quoll etwas empor: die Kehle zitterte unter der zwängenden Anstrengung. Und endlich war es oben und stieß dumpf aus den verknirschten Zähnen: «Da ... da ... khönnt ... da khönnt ma scho was machen ...»

Hart, wie ein tödlicher Schuß war das herausgefahren. Und so böse, so finster entschlossen verpreßte sich das verzerrte Gesicht nach dieser gewaltsamen Entladung, daß der Baron unwillkürlich aufschreckte und erstaunt zurückwich. Aber schon hatte Crescenz sich wieder abgewandt und begann mit derart krampfigem Eifer einen Kupfermörser zu scheuern, als wollte sie sich die Finger zerbrechen.

Mit der heimgekehrten Frau wetterte wieder Sturm ins Haus, schlug krachend die Türen, sauste unwirsch durch die Zimmer und fegte wie Zugluft die schwülbehagliche Atmosphäre aus der Wohnung weg. Mochte die Betrogene durch Zuträgereien der Nachbarschaft und anonyme Briefe erfahren haben, in wie unwürdiger Weise der Mann das Hausrecht mißbraucht hatte, oder verdroß sie sein nervöser, hemmungslos offenkundiger Mißmut beim Empfang — jedenfalls, die zwei Monate Sanatorium schienen ihren zum Reißen gespannten Nerven wenig gedient zu haben, denn Weinkrämpfe wechselten strichweise mit Drohungen und hysterischen Szenen. Die Beziehungen wurden unleidlicher von Tag zu Tag. Einige Wochen lang trotzte der Baron noch mannhaft dem Ansturm der Vorwürfe mittels seiner bislang bewährten Höflichkeit und erwiderte ausweichend und vertröstend, sobald sie mit Scheidung oder Briefen an ihre Eltern drohte. Aber gerade diese seine lieblos-kühle Indifferenz trieb die freundlose, rings von geheimer Feindseligkeit umstellte Frau immer tiefer hinein in immer nervösere Erregung.

Crescenz hatte sich ganz in ihr altes Schweigen verpanzert. Aber dies Schweigen war aggressiv und gefähr lich geworden. Bei der Ankunft ihrer Herrin blieb sie trotzig in der Küche und vermied, schließlich herausgerufen, die Heimgekehrte zu grüßen. Die Schultern bokkig vorgestemmt, stand sie hölzern da und beantwortete dermaßen unwirsch alle Fragen, daß sich die Ungeduldige bald von ihr abwandte: in den Rücken der Ahnungslosen aber stieß Crescenz mit einem einzigen Blick den ganzen aufgespeicherten Haß. Ihr habgieriges Gefühl empfand sich durch diese Rückkehr widerrechtlich bestohlen, aus der Freude leidenschaftlich genossener Dienstbarkeit war sie wieder zurückgestoßen in die Küche und an den Herd, der vertrauliche Leporellaname ihr genommen. Denn vorsichtig hütete sich der Baron vor seiner Frau, Crescenz irgendwelche Sympathie zu bezeigen. Aber manchmal, wenn er, erschöpft von den widerlichen Szenen und irgendeines Zuspruches bedürftig, sich Luft machen wollte, schlich er hinein in die Küche zu ihr, setzte sich auf einen der harten Holzsessel, nur um herausstöhnen zu können: «Ich halte es nicht mehr aus.»

Diese Augenblicke, da der vergötterte Herr aus übermäßiger Spannung bei ihr Zuflucht suchte, waren die seligsten Leporellas. Niemals wagte sie eine Antwort oder einen Trost; stumm in sich selbst gekehrt, saß sie da, blickte nur manchmal mit einem zuhörenden Blick mitleidig und gequält zu dem geknechteten Gotte auf, und diese wortlose Anteilnahme tat ihm wohl. Verließ er aber dann die Küche, so kroch jene rabiate Falte gleich wieder bis in die Stirn hinauf, und ihre schweren Hände schlugen den Zorn in wehrloses Fleisch hinein oder zerrieben ihn scheuernd an Schüsseln und Bestecken.

Endlich brach die dumpfgeballte Atmosphäre der Rückkehr in gewitterhafter Entladung los: bei einer der unwirtlichen Szenen hatte der Baron schließlich die Geduld verloren, war ruckhaft aus der demütig gleichgültigen Schuljungenstellung aufgesprungen und hatte knatternd die Tür hinter sich zugeschlagen. «Jetzt habe ich es satt», schrie er dermaßen wütig, daß die Fenster bis in das letzte Zimmer klirrten. Und noch ganz zornheiß, mit blutrotem Gesicht, fuhr er hinaus in die Küche zu der wie ein gespannter Bogen zitternden Crescenz: «Sofort richt mir meinen Koffer her und mein Gewehr! Ich fahr für eine Woche auf die Jagd. In dieser Hölle hält es selbst der Teufel nicht länger aus: da muß einmal ein Ende gemacht werden.»

Crescenz blickte ihn begeistert an: so war er wieder Herr! Und ein rauhes Lachen kollerte aus der Kehle herauf: «Recht hat der gnä Herr, da muß ein End gemacht werden.» Und zuckend vor Eifer, hinjagend von Zimmer zu Zimmer, raffte sie mit fliegender Hast aus Schränken und von Tischen alles zusammen, jeder Nerv des grobschlächtigen Geschöpfes zitterte vor Spannung und Gier. Eigenhändig trug sie dann den Koffer und das Gewehr zum Wagen hinab. Aber als er nun nach einem Worte suchte, um ihr für ihren Eifer zu danken, fuhr sein Blick erschreckt zurück. Denn über die verkniffenen Lippen war wieder dieses tückische Lachen breit aufgekrochen, das ihn immer von neuem erschreckte. Unwillkürlich mußte er an die zusammengekrallte Geste eines Tieres im Ansprung denken, als er sie so lauern sah. Aber da duckte sie sich schon wieder zusammen und flüsterte nur heiser, mit einer fast beleidigenden Vertraulichkeit: «Fahrn der gnä Herr nur guet, i wer scho alles mochn.»

Drei Tage später wurde der Baron durch ein dringendes Telegramm von der Jagd zurückgerufen. Am Bahnhof erwartete ihn sein Vetter. Und mit dem ersten Blick erkannte der Beunruhigte, daß irgend etwas Peinliches sich ereignet haben müsse, denn der Vetter blickte nervös und fahrig. Nach einigen Worten schonender Vorbereitung erfuhr er: seine Frau sei morgens tot in ihrem Bett aufgefunden worden, das ganze Zimmer mit Leuchtgas erfüllt. Ein unachtsamer Zufall sei leider ausgeschlossen, berichtete der Vetter, denn der Gasofen sei jetzt im Mai längst außer Gebrauch und die selbstmörderische Absicht schon daran erkenntlich, daß die Unglückliche abends Veronal zu sich genommen. Dazu käme noch die Aussage der Köchin Crescenz, die allein an diesem Abend daheim geblieben sei und gehört habe, wie die Unglückliche noch nachts in das Vorzimmer gegangen sei, anscheinend um den sorgfältig geschlossenen Gasometer absichtlich zu öffnen. Auf diese Mitteilung hin habe auch der beigezogene Polizeiarzt jeden Zufall für ausgeschlossen erklärt und den Selbstmord zu Protokoll genommen.

Der Baron begann zu zittern. Als sein Vetter das Zeugnis der Crescenz erwähnte, spürte er mit einemmal das Blut in den Händen kalt werden: ein unangenehmer, widerlicher Gedanke wogte wie eine Übelkeit in ihm auf. Aber er drückte dieses gärende, quälende Gefühl gewaltsam hinab und ließ sich willenlos von seinem Vetter in die Wohnung führen. Die Leiche war bereits fortgeschafft, im Empfangszimmer warteten seine Verwandten mit düster feindseligen Mienen: ihre Kondolenz war kalt wie ein Messer. Mit einer gewissen anklägerischen Nachdrücklichkeit meinten sie erwähnen zu müssen, bedauerlicherweise sei es nicht mehr möglich gewesen, den «Skandal» zu vertuschen, weil das Mädchen des Morgens grell schreiend auf die Stiege hinausgestürzt sei: «Die gnädige Frau hat sich umgebracht!» Und sie hätten ein stilles Begräbnis angeordnet, da — wieder kehrte sich die messerscharfe Schneide kalt gegen ihn — ja leider schon vordem durch allerhand Gerede die Neugier der Gesellschaft unangenehm gereizt worden sei. Der Verdüsterte hörte verworren zu, hob einmal unwillkürlich den Blick gegen die verschlossene Tür zum Schlafzimmer und duckte ihn feige wieder zurück. Er wollte irgend etwas zu Ende denken, das unablässig in ihm quälend wogte, aber diese leeren und gehässigen Reden verwirrten ihn. Noch eine halbe Stunde standen die Verwandten schwarz und schwatzend um ihn herum, dann empfahlen sie sich einer nach dem andern. Er blieb allein zurück in dem leeren halbdunklen Zimmer, zitternd wie unter einem dumpfen Schlag, mit schmerzender Stirn und müden Gelenken.

Da pochte es an die Tür. «Herein», schrak er auf. Und schon kam von hinten ein zögernder Schritt, ein harter, schleichender, schlurfender Schritt, den er kannte. Plötzlich überfiel ihn ein Grauen: er fühlte seinen Halswirbel wie festgeschraubt und gleichzeitig die Haut von den Schläfen herab bis in die Knie überrieselt von eiskalten Schauern. Er wollte sich umwenden, aber die Muskeln versagten. So blieb er mitten im Zimmer stehen, zitternd und ohne Laut, mit herabgefallenen steinstarren Händen, und fühlte dabei ganz genau, wie feige dieses schuldbewußte Dastehen wirken müsse. Aber vergebens, daß er alle Kraft aufbot: die Muskeln gehorchten ihm nicht. Da sagte ganz gleichmütig, in unbewegtester, trockenster Sachlichkeit die Stimme hinter ihm: «Ich wollt nur fragen, ob der gnä Herr zu Hause speist oder außer Haus.» Der Baron bebte immer heftiger, nun fuhr das Eiskalte schon bis in die Brust hinab. Und dreimal setzte er vergeblich an, ehe es ihm endlich gelang, herauszustoßen: «Nein, ich esse jetzt nichts.» Dann schlurfte der Schritt hinaus: er hatte nicht den Mut, sich umzuwenden. Und plötzlich brach die Starre: es schüttelte ihn durch und durch, ein Ekel oder ein Krampf. Mit einem Ruck sprang er hin gegen die Tür, drehte zuckend den Schlüssel um, damit dieser Schritt, dieser ihm gespenstisch nachfolgende verhaßte Schritt nicht noch einmal an ihn herankäme. Dann warf er sich in den Sessel, um einen Gedanken niederzuwürgen, den er nicht denken wollte und der doch immer wieder kalt und klebrig wie eine Schnecke in ihm aufkroch. Und dieser zwanghafte Gedanke, den anzufassen er sich ekelte, füllte sein ganzes Gefühl, unabwehrbar, schleimig und widerlich, und blieb bei ihm die ganze schlaflose Nacht und alle folgenden Stunden, selbst da er schwarz gekleidet und schweigend während des Begräbnisses zu Häupten des Sarges stand.

Am Tage nach dem Begräbnis verließ der Baron hastig die Stadt: zu unerträglich waren ihm jetzt alle Gesichter; mitten in ihrer Teilnahme hatten sie (oder dünkte es ihn nur so?) einen merkwürdig beobachtenden, einen quälend inquisitorischen Blick. Und selbst die toten Dinge sprachen böse und anklägerisch: jedes Möbelstück in der Wohnung, insbesondere aber des Schlafzimmers, wo noch der süßliche Geruch von Gas an allen Gegenständen zu haften schien, stieß ihn fort, wenn er unwillkürlich nur die Türe aufklinkte. Aber der unerträglichste Alp seines Schlafes und Wachens war die unbekümmerte, kalte Gleichgültigkeit seiner ehemaligen Vertrauten, die, als wäre nicht das mindeste vorgefallen, im leeren Hause umherging. Seit jener Sekunde auf dem Bahnhof, da der Vetter ihren Namen genannt, zitterte er vor jeder Begegnung mit ihr. Kaum daß er ihren Schritt hörte, bemächtigte sich seiner eine fluchthaft nervöse Unruhe: er konnte es nicht mehr sehen, nicht mehr ertragen, dieses schlürfende, gleichgültige Gehen, diese kalte, stumme Gelassenheit. Ekel faßte ihn schon, wenn er nur an sie dachte, an ihre knarrige Stimme, das fettige Haar, das dumpfe, tierische, unbarmherzige Fühllossein, und in seinem Zorn war Zorn gegen sich selbst, daß ihm die Kraft fehlte, dies Band, das ihn an der Kehle würgte, wie einen

Strick gewaltsam zu zerreißen. So sah er nur einen Ausweg: die Flucht. Er packte heimlich, ohne ihr ein Wort zu sagen, die Koffer, nichts als einen hastigen Zettel hinterlassend, daß er zu Freunden nach Kärnten gefahren sei.

Der Baron blieb den ganzen Sommer weg. Einmal zur Regelung der Verlassenschaft dringend nach Wien gerufen, zog er vor, heimlich zu kommen, im Hotel zu wohnen und den Totenvogel, der da harrend im Hause saß, gar nicht zu verständigen. Crescenz erfuhr nichts von seiner Anwesenheit, weil sie mit niemandem sprach. Unbeschäftigt, finster wie eine Eule, saß sie den ganzen Tag starr in der Küche, ging zweimal, statt wie vordem einmal, in die Kirche, empfing durch den Anwalt des Barons Aufträge und Geld zur Verrechnung: von ihm selbst hörte sie nichts. Er schrieb nicht und ließ ihr nichts sagen. So saß sie stumm und wartete: ihr Gesicht wurde härter und hagerer, ihre Bewegungen verholzten wieder, und so, wartend und wartend, verbrachte sie viele Wochen hindurch in einem geheimnisvollen Zustand von Starre.

Im Herbst aber erlaubten dringende Erledigungen dem Baron nicht länger, seinen Urlaub hinauszuziehen, er mußte in seine Wohnung zurück. An der Hausschwelle blieb er stehen und zögerte. Zwei Monate im Kreise vertrauter Freunde hatten ihn vieles beinahe vergessen lassen — aber nun, da er seinem Alp, seiner vielleicht Mitschuldigen körperlich wieder entgegentreten sollte, fühlte er genau denselben drückenden, Brechreiz verursachenden Krampf. Mit jeder Stufe, die er, immer langsamer, die Treppe hinaufstieg, griff auch die unsichtbare Hand höher hinauf an die Kehle. Schließlich benötigte er eine gewaltsame Zusammenfassung aller Willenskräfte, um die starren Finger zu zwingen, den Schlüssel im Schloß umzudrehen.

Überrascht fuhr Crescenz aus der Küche heraus, kaum daß sie den Schlüssel im Schlosse knacken hörte. Als sie ihn sah, stand sie einen Augenblick bleich, griff dann, gleichsam um sich zu ducken, nieder zur Handtasche, die er hingestellt hatte. Aber sie vergaß ein Wort des Grußes. Auch er sagte kein Wort. Stumm trug sie die Handtasche in sein Zimmer, stumm folgte er ihr nach. Stumm wartete er, zum Fenster hinausblickend, bis sie den Raum verlassen hatte. Dann drehte er hastig den Schlüssel der Zimmertür um.

Das war ihre erste Begrüßung nach Monaten.

Crescenz wartete. Und ebenso wartete der Baron, ob dieser gräßliche Krampf von Grauen bei ihrem Anblick weichen würde. Aber es wurde nicht besser. Noch ehe er sie sah, wenn er nur ihren Schritt vom Gang draußen hörte, fuhr schon das Unbehagen flattrig in ihm auf. Er rührte das Frühstück nicht an, entwich, ohne ein Wort an sie zu richten, allmorgendlich hastig dem Haus und blieb bis spät nachts fort, nur um ihre Gegenwart zu vermeiden. Die zwei, drei Aufträge, die er ihr zu erteilen genötigt war, gab er abgewandten Gesichts. Es würgte ihm die Kehle, die Luft desselben Raumes mit diesem Gespenst zu atmen.

Crescenz saß indes stumm den ganzen Tag auf ihrem Holzschemel. Für sich selber kochte sie nicht mehr. Jede Speise widerte sie, jedem Menschen wich sie aus. Sie saß nur und wartete mit scheuen Augen auf den ersten Pfiff ihres Herrn wie ein verprügelter Hund, der weiß, daß er Schlechtes getan hat. Ihr dumpfer Sinn verstand nicht genau, was geschehen war; nur daß ihr Gott und Herr ihr auswich und sie nicht mehr wollte, nur dies drang wuchtig in sie ein.

Am dritten Tage der Rückkehr des Barons ging die Klingel. Ein grauhaariger, ruhiger Mann mit gut rasiertem Gesicht, einen Koffer in der Hand, stand vor der Tür. Crescenz wollte ihn wegweisen. Aber der Eindringling beharrte darauf, er sei der neue Diener, der Herr habe ihn für zehn Uhr bestellt, sie solle ihn anmelden. Crescenz wurde kalkweiß, einen Augenblick lang blieb sie stehen, die weggespreizten Finger starr in der Luft. Dann fiel die Hand wie ein durchschossener Vogel herab. «Gehn S' selbst hinein», wirschte sie den Erstaunten an, drehte sich der Küche zu und schlug die Tür klirrend ins Schloß.

Der Diener blieb. Von diesem Tage an brauchte der Herr kein Wort mehr an sie zu richten, alle Botschaften an sie gingen durch den ruhigen, alten Herrschaftsdiener. Was im Hause geschah, erfuhr sie nicht, alles floß wie die Welle über einen Stein kalt über sie hinweg.

Dieser drückende Zustand dauerte zwei Wochen und zehrte an Crescenz wie eine Krankheit. Ihr Gesicht war spitz und kantig geworden, das Haar an den Schläfen plötzlich grau. Ihre Bewegungen versteinerten vollkommen. Fast immer saß sie wie ein hölzerner Klotz stumm auf ihrem Holzschemel und starrte leer gegen das leere Fenster; arbeitete sie aber, so geschah es in einer wütigen, einem Zornausbruch ähnlichen, gewalttätigen Art.

Nach diesen zwei Wochen trat einmal der Diener eigens in das Zimmer seines Herrn, und an seinem bescheidenen Warten erkannte der Baron, daß er ihm besondere Mitteilung zu machen wünsche. Schon einmal hatte der Diener Klage geführt über das mürrische Wesen des «Tiroler Trampels», wie er sie verächtlich nannte, und vorgeschlagen, ihr zu kündigen. Aber irgendwie peinlich berührt, schien der Baron seinen Vorschlag zunächst zu überhören. Doch während damals sich der Diener mit einer Verbeugung entfernte, blieb er diesmal hartnäckig bei seiner Meinung, zog ein merkwürdiges, beinahe verlegenes Gesicht und stammelte dann schließlich heraus, der gnädige Herr möge ihn nicht lächerlich finden, aber... er könne... ja, er könne es nicht anders sagen... er *fürchte* sich vor ihr. Dieses verschlossene, bösartige Ding sei unerträglich, und der Baron wisse gar nicht, eine wie gefährliche Person er da im Hause habe.

Unwillkürlich schrak der Gewarnte auf. Wie er das meine und was er damit sagen wolle? Da schwächte der Diener nun allerdings seine Behauptung ab, etwas Bestimmtes könne er ja nicht sagen, aber er habe so das Gefühl, diese Person sei ein wütiges Tier — die könne einem leicht irgendwas antun. Gestern, als er sich umwandte, um ihr eine Weisung zu geben, da habe er unvermutet einen Blick aufgefangen — nun, man könne ja nichts sagen über einen Blick, aber es sei so gewesen, als ob sie ihm an den Hals springen wolle. Und seitdem fürchte er sich vor ihr, ja er habe Angst, die Speisen anzurühren, die sie zubereite. «Herr Baron wissen gar nicht», schloß er seinen Bericht, «was für eine gefährliche Person das ist. Sie redt nichts, sie deut' nichts, aber ich mein halt, die wär einen Mord imstande.» Aufschrekkend warf der Baron einen jähen Blick auf den Ankläger. Hatte er etwas Bestimmtes gehört? War ihm ein Verdacht zugetragen worden? Er spürte, wie seine Finger zu zittern begannen, und hastig legte er die Zigarre weg, damit sie die Erregung seiner Hände nicht in der Luft nachzeichne. Aber das Gesicht des alten Mannes war vollkommen arglos — nein, er konnte nichts wissen. Der Baron zögerte. Dann plötzlich raffte er seinen eigenen Wunsch zusammen und entschloß sich: «Wart noch ab. Aber wenn sie dir noch einmal unfreundlich begegnet, dann kündige ihr einfach in meinem Auftrag.»

Der Diener verbeugte sich, und erlöst wich der Baron zurück. Jede Erinnerung an dieses geheimnisvoll gefährliche Geschöpf verdüsterte ihm den Tag. Am besten, es geschah, überlegte er, während er weg war, zu Weihnachten vielleicht — schon der Gedanke an die erhoffte Befreiung tat ihm innerlich wohl. Ja, so ist es am besten, zu Weihnachten, bekräftigte er sich, wenn ich fort bin.

Aber am nächsten Tage schon, kaum daß er nach Tisch in sein Zimmer getreten war, klopfte es an die Tür. Gedankenlos von der Zeitung aufblickend, murrte er «Herein!» Und da schlurfte schon dieser verhaßte, harte Schritt, der immer in seinen Träumen umging, herzu. Er schrak auf: wie ein Totenschädel, bleich und käsig, schlotterte das verknöcherte Gesicht über der hagern, schwarzen Gestalt. Etwas von Mitleid mengte sich in sein Grauen, als er sah, wie der geängstigte Schritt dieses ganz in sich zertretenen Wesens am Rande des Teppichs demütig stehenblieb. Und um diese Benommenheit zu verbergen, bemühte er sich, arglos zu erscheinen. «Nun, was ist denn, Crescenz?» fragte er. Aber es kam nicht, wie beabsichtigt, jovial und herzlich heraus; wider seinen Willen klang die Frage wegstoßend und böse.

Crescenz rührte sich nicht. Sie starrte in den Teppich hinein. Endlich stieß sie, wie man mit dem Fuß etwas wegpoltert, heraus: «Der Diener hot mir aufgsogt. Er hat gsogt, daß der gnä Herr mir khündigt.»

Peinlich berührt, stand der Baron auf. Daß es so rasch kommen würde, hatte er nicht erwartet. So begann er stotterig herumzureden, es werde nicht so scharf gemeint sein, sie solle doch trachten, sich mit dem andern Personal zu verständigen, und derlei zufällige Dinge mehr, wie sie ihm gerade vom Munde fielen.

Aber Crescenz blieb stehen, unbeweglich den Blick in den Teppich gebohrt, die Schultern hochgezogen. Mit erbitterter Beharrlichkeit hielt sie stierhaft den Kopf gesenkt, hörte an allen seinen verbindlichen Reden vorbei, einzig ein Wort erwartend, das nicht kam. Und als er endlich, leicht angewidert von der verächtlichen Rolle des Beschwätzers, die er hier vor einem Dienstboten spielen mußte, ermüdet schwieg, blieb sie bockig und stumm. Dann rang sie ungefüg heraus: «Nur das wollt ich wissen, ob der Herr Baron selber dem Anton Auftrag gebn hat, er soll mir khündigen?»

Sie stieß es heraus, hart, unwillig, gewalttätig. Und wie einen Stoß empfand es der in seinen Nerven schon Gereizte. War das eine Drohung? Forderte sie ihn heraus? Und mit einemmal verflog alle Feigheit, alles Mitleid in ihm. Der ganze, in Wochen aufgestaute Haß und Ekel schoß brennend zusammen mit dem Wunsch, endlich ein Ende zu machen. Und plötzlich, völlig umschlagend im Ton, mit jener im Ministerium erlernten kühlen Sachlichkeit, bestätigte er gleichgültig, ja, ja, es sei richtig, er habe in der Tat dem Diener freie Hand gelassen, in allen Dingen des Haushalts zu verfügen. Er persönlich wolle ja ihr Bestes und sich auch bemühen, die Kündigung rückgängig zu machen. Wenn sie aber weiterhin darauf bestehe, sich mit dem Diener nicht freundschaftlich zu stellen, ja, dann müsse er allerdings auf ihre Dienste verzichten.

Und stark den ganzen Willen zusammenfassend, fest entschlossen, nicht zurückzuschrecken vor irgendeiner heimlichen Andeutung oder Vertraulichkeit, stemmte er bei den letzten Worten den Blick gegen die vermeintlich Drohende und sah sie entschlossen an.

Aber der Blick, den Crescenz jetzt scheu vom Boden hob, war nur der eines weidwunden Tieres, das knapp vor sich aus dem Gebüsch die Meute herausbrechen sieht. «Ich dankhe...», rang sie noch ganz schwach hervor. «Ich geh schon... ich will dem gnä Herrn nicht mehr lästig sein...»

Und langsam, ohne sich umzuwenden, schlurfte sie mit sinkenden Schultern und steifen, hölzernen Schritten zur Türe hinaus.

Abends, als der Baron aus der Oper kam und auf dem Schreibtisch nach den eingelangten Briefen griff, bemerkte er dort etwas Fremdes und Viereckiges. Im aufgeflammten Licht erkannte er eine holzgeschnittene Kassette bäurischer Arbeit. Sie war nicht verschlossen: in säuberlicher Ordnung lagen darin alle Kleinigkeiten, die Crescenz jemals von ihm erhalten, die paar Karten von der Jagd, zwei Theaterbillette, ein Silberring, das ganze gehäufte Rechteck ihrer Banknoten und zwischendurch noch eine Momentphotographie, vor zwanzig Jahren in Tirol aufgenommen, auf der ihre Augen, offenbar vom Blitzlicht erschreckt, mit demselben getroffenen und verprügelten Ausdruck starrten wie vor wenigen Stunden bei ihrem Abschied.

Etwas ratlos schob der Baron die Kassette beiseite und ging hinaus, den Diener zu fragen, was denn diese Sachen der Crescenz auf seinem Schreibtisch zu schaffen hätten. Der Diener erbot sich sofort, seine Feindin zur Rechenschaftslegung hereinzuholen. Aber Crescenz war weder in der Küche noch in irgendeinem der anderen Zimmer zu finden. Und erst als der Polizeibericht am nächsten Tage den selbstmörderischen Sturz einer etwa vierzigjährigen Frau von der Brücke des Donaukanals meldete, mußten die beiden nicht länger fragen, wohin Leporella geflohen sei.

DIE UNSICHTBARE SAMMLUNG

Eine Episode aus der deutschen Inflation

Zwei Stationen hinter Dresden stieg ein älterer Herr in unser Abteil, grüßte höflich und nickte mir dann, aufblickend, noch einmal ausdrücklich zu wie einem guten Bekannten. Ich vermochte mich seiner im ersten Augenblick nicht zu entsinnen; kaum nannte er dann aber mit einem leichten Lächeln seinen Namen, erinnerte ich mich sofort: es war einer der angesehensten Kunstantiquare Berlins, bei dem ich in Friedenszeit öfters alte Bücher und Autographen besehen und gekauft. Wir plauderten zunächst von gleichgültigen Dingen. Plötzlich sagte er unvermittelt:

«Ich muß Ihnen doch erzählen, woher ich gerade komme. Denn diese Episode ist so ziemlich das Sonderbarste, was mir altem Kunstkrämer in den siebenunddreißig Jahren meiner Tätigkeit begegnet ist. Sie wissen wahrscheinlich selbst, wie es im Kunsthandel jetzt zugeht, seit sich der Wert des Geldes wie Gas verflüchtigt: die neuen Reichen haben plötzlich ihr Herz entdeckt für gotische Madonnen und Inkunabeln und alte Stiche und Bilder; man kann ihnen gar nicht genug herzaubern, ja wehren muß man sich sogar, daß einem nicht Haus und Stube kahl ausgeräumt wird. Am liebsten kauften sie einem noch den Manschettenknopf vom Ärmel weg und die Lampe vom Schreibtisch. Da wird es nun eine immer härtere Not, stets neue Ware herbeizuschaffen — verzeihen Sie, daß ich für diese Dinge, die unsereinem sonst etwas Ehrfürchtiges bedeuteten, plötzlich Ware sage —, aber diese üble Rasse hat einen ja selbst daran gewöhnt, einen wunderbaren Venezianer Wiegendruck nur als Überzug von soundso viel Dollars zu betrachten und eine Handzeichnung des Guercino als Inkarnation von ein paar Hundertfrankenscheinen. Gegen die penetrante Eindringlichkeit dieser plötzlich Kaufwütigen hilft kein Widerstand. Und so war ich über Nacht wieder einmal ganz ausgepowert und hätte am liebsten die Rolladen heruntergelassen, so schämte ich mich, in unserem alten Geschäft, das schon mein Vater vom Großvater übernommen, nur noch erbärmlichen Schund herumkümmeln zu sehen, den früher kein Straßentrödler im Norden sich auf den Karren gelegt hätte.

In dieser Verlegenheit kam ich auf den Gedanken, unsere alten Geschäftsbücher durchzusehen, um einstige Kunden aufzustöbern, denen ich vielleicht ein paar Dubletten wieder abluchsen könnte. Eine solche alte Kundenliste ist immer eine Art Leichenfeld, besonders in jetziger Zeit, und sie lehrte mich eigentlich nicht viel: die meisten unserer früheren Käufer hatten längst ihren Besitz in Auktionen abgeben müssen oder waren gestorben, und von den wenigen Aufrechten war nichts zu erhoffen. Aber da stieß ich plötzlich auf ein ganzes Bündel Briefe von unserem wohl ältesten Kunden, der mir nur darum aus dem Gedächtnis gekommen war, weil er seit Anbruch des Weltkrieges, seit 1914, sich nie mehr mit irgendeiner Bestellung oder Anfrage an uns gewandt hatte. Die Korrespondenz reichte — wahrhaftig keine Übertreibung! — auf beinahe sechzig Jahre zurück; er hatte schon von meinem Vater und Großvater gekauft, dennoch konnte ich mich nicht entsinnen, daß er in den siebenunddreißig Jahren meiner persönlichen Tätigkeit jemals unser Geschäft betreten hätte. Alles deutete darauf hin, daß er ein sonderbarer, altväterischer, skurriler Mensch gewesen sein mußte, einer jener verschollenen Menzel- oder Spitzweg-Deutschen, wie sie sich noch knapp bis in unsere Zeit hinein in kleinen Provinzstädten als seltene Unika hier und da erhalten haben. Seine Schriftstücke waren Kalligraphika, säuberlich geschrieben, die Beträge mit dem Lineal und roter Tinte unterstrichen, auch wiederholte er immer zweimal die Ziffer, um ja keinen Irrtum zu erwecken: dies sowie die ausschließliche Verwendung von abgelösten Respektblättern und Sparkuverts deuteten auf die Kleinlichkeit und fanatische Sparwut eines rettungslosen Provinzlers. Unterzeichnet waren diese sonderbaren Dokumente außer mit seinem Namen stets noch mit dem umständlichen Titel: Forst- und Ökonomierat a. D., Leutnant a. D., Inhaber des Eisernen Kreuzes erster Klasse. Als Veteran aus dem siebenziger Jahr mußte er also, wenn er noch lebte, zumindest seine guten achtzig Jahre auf dem Rücken haben. Aber dieser skurrile, lächerliche Sparmensch zeigte als Sammler alter Graphiken eine ganz ungewöhnliche Klugheit, vorzügliche Kenntnis und feinsten Geschmack: als ich mir so langsam seine Bestellungen aus beinahe sechzig Jahren zusammenlegte, deren erste noch auf Silbergroschen lautete, wurde ich gewahr, daß sich dieser kleine Provinzmann in den Zeiten, da man für einen Taler noch ein Schock schönster deutscher Holzschnitte kaufen konnte, ganz im stillen eine Kupferstichsammlung zusammengetragen haben mußte, die wohl neben den lärmend genannten der neuen Reichen in höchsten Ehren bestehen konnte. Denn schon was er bei uns allein in kleinen Mark- und Pfennigbeträgen im Laufe eines halben Jahrhunderts erstanden hatte, stellte heute einen erstaunlichen Wert dar, und außerdem ließ sichs erwarten, daß er auch bei Auktionen und anderen Händlern nicht minder wohlfeil gescheffelt. Seit 1914 war allerdings keine Bestellung mehr von ihm gekommen, ich jedoch wiederum zu vertraut mit allen Vorgängen im Kunsthandel, als daß mir die Versteigerung oder der geschlossene Verkauf eines solchen Stapels hätte entgehen können: so mußte dieser sonderbare Mann wohl noch am Leben oder die Sammlung in den Händen seiner Erben sein.

Die Sache interessierte mich und ich fuhr sofort am nächsten Tage, gestern abend, direkt drauflos, geradewegs in eine der unmöglichsten Provinzstädte, die es in Sachsen gibt; und als ich so vom kleinen Bahnhof durch die Hauptstraße schlenderte, schien es mir fast unmöglich, daß da, inmitten dieser banalen Kitschhäuser mit ihrem Kleinbürgerplunder, in irgendeiner dieser Stuben ein Mensch wohnen sollte, der die herrlichsten Blätter Rembrandts neben Stichen Dürers und Mantegnas in tadelloser Vollständigkeit besitzen könnte. Zu meinem Erstaunen erfuhr ich aber im Postamt auf die Frage, ob hier ein Forst- oder Ökonomierat dieses Namens wohne, daß tatsächlich der alte Herr noch lebe, und machte mich — offen gestanden, nicht ohne etwas Herzklopfen — noch vor Mittag auf den Weg zu ihm.

Ich hatte keine Mühe, seine Wohnung zu finden. Sie war im zweiten Stock eines jener sparsamen Provinzhäuser, die irgendein spekulativer Maurerarchitekt in den sechziger Jahren hastig aufgekellert haben mochte. Den ersten Stock bewohnte ein biederer Schneidermeister, links glänzte im zweiten Stock das Schild eines

Postverwalters, rechts endlich das Porzellantäfelchen mit dem Namen des Forst- und Ökonomierates. Auf mein zaghaftes Läuten tat sofort eine ganz alte, weißhaarige Frau mit sauberem schwarzem Häubchen auf. Ich überreichte ihr meine Karte und fragte, ob Herr Forstrat zu sprechen sei. Erstaunt und mit einem gewissen Mißtrauen sah sie zuerst mich und dann die Karte an: in diesem weltverlorenen Städtchen, in diesem altväterischen Haus schien ein Besuch von außen her ein Ereignis zu sein. Aber sie bat mich freundlich, zu warten, nahm die Karte, ging hinein ins Zimmer; leise hörte ich sie flüstern und dann plötzlich eine laute, polternde Männerstimme: ‚Ah, der Herr R... aus Berlin, von dem großen Antiquariat... soll nur kommen, soll nur kommen ... freue mich sehr!' Und schon trippelte das alte Mütterchen wieder heran und bat mich in die gute Stube.

Ich legte ab und trat ein. In der Mitte des bescheidenen Zimmers stand hochaufgerichtet ein alter, aber noch markiger Mann mit buschigem Schnurrbart in verschnürtem, halb militärischem Hausrock und hielt mir herzlich beide Hände entgegen. Doch dieser offenen Geste unverkennbar freudiger und spontaner Begrüßung widersprach eine merkwürdige Starre in seinem Dastehen. Er kam mir nicht einen Schritt entgegen, und ich mußte — ein wenig befremdet — bis an ihn heran, um seine Hand zu fassen. Doch als ich sie fassen wollte, merkte ich an der waagerecht unbeweglichen Haltung dieser Hände, daß sie die meinen nicht suchten, sondern erwarteten. Und im nächsten Augenblick wußte ich alles: dieser Mann war blind.

Schon von Kindheit an, immer war es mir unbehaglich, einem Blinden gegenüberzustehen, niemals konnte ich mich einer gewissen Scham und Verlegenheit erwehren, einen Menschen ganz als lebendig zu fühlen und gleichzeitig zu wissen, daß er mich nicht so fühlte wie ich ihn. Auch jetzt hatte ich ein erstes Erschrecken zu überwinden, als ich diese toten, starr ins Leere hineingestellten Augen unter den aufgesträubten weißbuschigen Brauen sah. Aber der Blinde ließ mir nicht lang Zeit zu solcher Befremdung, denn kaum daß meine Hand die seine berührte, schüttelte er sie auf das kräftigste und erneute den Gruß mit stürmischer, behaglich-polternder Art. ‚Ein seltener Besuch', lachte er mir breit entgegen, ‚wirklich ein Wunder, daß sich einmal einer der Berliner großen Herren in unser Nest verirrt ... Aber da heißt es vorsichtig sein, wenn sich einer der Herren Händler auf die Bahn setzt ... Bei uns zu Hause sagt man immer: Tore und Taschen zu, wenn die Zigeuner kommen ... Ja, ich kann mirs schon denken, warum Sie mich aufsuchen ... Die Geschäfte gehen jetzt schlecht in unserem armen, heruntergekommenen Deutschland, es gibt keine Käufer mehr, und da besinnen sich die großen Herren wieder einmal auf ihre alten Kunden und suchen ihre Schäflein auf ... Aber bei mir, fürchte ich, werden Sie kein Glück haben, wir armen, alten Pensionisten sind froh, wenn wir unser Stück Brot auf dem Tische haben. Wir können nicht mehr mittun bei den irrsinnigen Preisen, die ihr jetzt macht ... unsereins ist ausgeschaltet für immer.'

Ich berichtigte sofort, er habe mich mißverstanden, ich sei nicht gekommen, ihm etwas zu verkaufen, ich sei nur gerade hier in der Nähe gewesen und hätte die Gelegenheit nicht versäumen wollen, ihm als vieljährigem Kunden unseres Hauses und einem der größten Sammler Deutschlands meine Aufwartung zu machen. Kaum hatte ich das Wort ‚einer der größten Sammler Deutschlands' ausgesprochen, so ging eine seltsame Verwandlung im Gesichte des alten Mannes vor. Noch immer stand er aufrecht und starr inmitten des Zimmers, aber jetzt kam ein Ausdruck plötzlicher Helligkeit und innersten Stolzes in seine Haltung, er wandte sich in die Richtung, wo er seine Frau vermutete, als wollte er sagen: ‚Hörst du', und voll Freudigkeit in der Stimme, ohne eine Spur jenes militärisch barschen Tones, in dem er sich noch eben gefallen, sondern weich, geradezu zärtlich, wandte er sich zu mir:

‚Das ist wirklich sehr, sehr schön von Ihnen ... Aber Sie sollen auch nicht umsonst gekommen sein. Sie sollen etwas sehen, was Sie nicht jeden Tag zu sehen bekommen, selbst nicht in Ihrem protzigen Berlin ... ein paar Stücke, wie sie nicht schöner in der ‚Albertina' und in dem gottverfluchten Paris zu finden sind ... Ja, wenn man sechzig Jahre sammelt, da kommen allerhand Dinge zustande, die sonst nicht gerade auf der Straße liegen. Luise, gib mir mal den Schlüssel zum Schrank!'

Jetzt aber geschah etwas Unerwartetes. Das alte Mütterchen, das neben ihm stand und höflich, mit einer lächelnden, leise lauschenden Freundlichkeit an unserem Gespräch teilgenommen, hob plötzlich zu mir bittend beide Hände auf, und gleichzeitig machte sie mit dem Kopfe eine heftig verneinende Bewegung, ein Zeichen, das ich zunächst nicht verstand. Dann erst ging sie auf ihren Mann zu und legte ihm leicht beide Hände auf die Schulter: ‚Aber Hermann', mahnte sie, ‚du fragst ja den Herrn gar nicht, ob er jetzt Zeit hat, die Sammlung zu besehen, es geht doch schon auf Mittag. Und nach Tisch mußt du eine Stunde ruhen, das hat der Arzt ausdrücklich verlangt. Ist es nicht besser, du zeigst dem Herrn alle die Sachen nach Tisch, und wir trinken dann gemeinsam Kaffee? Dann ist auch Annemarie hier, die versteht ja alles viel besser und kann dir helfen!‘

Und nochmals, kaum daß sie die Worte ausgesprochen hatte, wiederholte sie gleichsam über den Ahnungslosen hinweg jene bittend eindringliche Gebärde. Nun verstand ich sie. Ich wußte, daß sie wünschte, ich solle eine sofortige Besichtigung ablehnen, und erfand schnell eine Verabredung zu Tisch. Es wäre mir ein Vergnügen und eine Ehre, seine Sammlung besehen zu dürfen, aber dies sei mir kaum vor drei Uhr möglich, dann aber würde ich mich gern einfinden.

Ärgerlich wie ein Kind, dem man sein liebstes Spielzeug genommen, wandte sich der alte Mann herum. ‚Natürlich‘, brummte er, ‚die Herren Berliner, die haben nie für etwas Zeit. Aber diesmal werden Sie sich schon Zeit nehmen müssen, denn das sind nicht drei oder fünf Stücke, das sind siebenundzwanzig Mappen, jede für einen andern Meister, und keine davon halb leer. Also um drei Uhr; aber pünktlich sein, wir werden sonst nicht fertig.‘

Wieder streckte er mir die Hand ins Leere entgegen. ‚Passen Sie auf, Sie dürfen sich freuen — oder ärgern. Und je mehr Sie sich ärgern, desto mehr freue ich mich. So sind wir Sammler ja schon: alles für uns selbst und nichts für die andern!‘ Und nochmals schüttelte er mir kräftig die Hand.

Das alte Frauchen begleitete mich zur Tür. Ich hatte ihr schon die ganze Zeit eine gewisse Unbehaglichkeit angemerkt, einen Ausdruck verlegener Ängstlichkeit. Nun aber, schon knapp am Ausgang, stotterte sie mit einer ganz niedergedrückten Stimme: ‚Dürfte Sie ... dürfte Sie ... meine Tochter Annemarie abholen, ehe Sie zu uns kommen? ... Es ist besser aus ... aus mehreren Gründen ... Sie speisen doch wohl im Hotel?'

‚Gewiß, ich werde mich freuen, es wird mir ein Vergnügen sein', sagte ich.

Und tatsächlich, eine Stunde später, als ich in der kleinen Gaststube des Hotels am Marktplatz die Mittagsmahlzeit gerade beendet hatte, trat ein ältliches Mädchen, einfach gekleidet, mit suchendem Blick ein. Ich ging auf sie zu, stellte mich vor und erklärte mich bereit, gleich mitzugehen, um die Sammlung zu besichtigen. Aber mit einem plötzlichen Erröten und der gleichen wirren Verlegenheit, die ihre Mutter gezeigt hatte, bat sie mich, ob sie nicht zuvor noch einige Worte mit mir sprechen könnte. Und ich sah sofort, es wurde ihr schwer. Immer, wenn sie sich einen Ruck gab und zu sprechen versuchte, stieg diese unruhige, diese flatternde Röte ihr bis zur Stirn empor, und die Hand verbastelte sich im Kleid. Endlich begann sie, stockend und immer wieder von neuem verwirrt:

‚Meine Mutter hat mich zu Ihnen geschickt ... Sie hat mir alles erzählt, und ... wir haben eine große Bitte an Sie ... Wir möchten Sie nämlich informieren, ehe Sie zu Vater kommen ... Vater wird Ihnen natürlich seine Sammlung zeigen wollen, und die Sammlung ... die Sammlung ... ist nicht mehr ganz vollständig ... es fehlen eine Reihe Stücke daraus ... leider sogar ziemlich viele ...'

Wieder mußte sie Atem holen, dann sah sie mich plötzlich an und sagte hastig:

‚Ich muß ganz aufrichtig zu Ihnen reden ... Sie kennen die Zeit, Sie werden alles verstehen... Vater ist nach dem Ausbruch des Krieges vollkommen erblindet. Schon vorher war seine Sehkraft öfters gestört, die Aufregung hat ihn dann gänzlich des Lichtes beraubt — er wollte nämlich durchaus, trotz seinen sechsundsiebzig Jahren, noch nach Frankreich mit, und als die Armee nicht gleich wie 1870 vorwärtskam, da hat er sich entsetzlich aufgeregt, und da ging es furchtbar rasch abwärts mit seiner Sehkraft. Sonst ist er ja noch vollkommen rüstig, er konnte bis vor kurzem noch stundenlang gehen, sogar auf seine geliebte Jagd. Jetzt ist es aber mit seinen Spaziergängen aus, und da blieb ihm als einzige Freude die Sammlung, die sieht er sich jeden Tag an... das heißt, er sieht sie ja nicht, er sieht ja nichts mehr, aber er holt sich doch jeden Nachmittag alle Mappen hervor, um wenigstens die Stücke anzutasten, eins nach dem andern, in der immer gleichen Reihenfolge, die er seit Jahrzehnten auswendig kennt... Nichts anderes interessiert ihn heute mehr, und ich muß ihm immer aus der Zeitung vorlesen von allen Versteigerungen, und je höhere Preise er hört, desto glücklicher ist er... denn... das ist ja das Furchtbare, Vater versteht nichts mehr von den Preisen und von der Zeit... er weiß nicht, daß wir alles verloren haben und daß man von seiner Pension nicht mehr zwei Tage im Monat leben kann... dazu kam noch, daß der Mann meiner Schwester gefallen ist und sie mit vier kleinen Kindern zurückblieb... Doch Vater weiß nichts von allen unseren materiellen Schwierigkeiten. Zuerst haben wir gespart, noch mehr gespart als früher, aber das half nichts. Dann begannen wir zu verkaufen — wir rührten natürlich nicht an seine geliebte Sammlung... Man verkaufte das bißchen Schmuck, das man hatte, doch, mein Gott, was war das, hatte doch Vater seit sechzig Jahren jeden Pfennig, den er erübrigen konnte, einzig für seine Blätter ausgegeben. Und eines Tages war nichts mehr da ... wir wußten nicht weiter ... und da ... da ... haben Mutter und ich ein Stück verkauft. Vater hätte es nie erlaubt, er weiß ja nicht, wie schlecht es geht, er ahnt nicht, wie schwer es ist, im Schleichhandel das bißchen Nahrung aufzutreiben, er weiß auch nicht, daß wir den Krieg verloren haben und daß Elsaß und Lothringen abgetreten sind, wir lesen ihm aus der Zeitung alle diese Dinge nicht mehr vor, damit er sich nicht aufregt.

Es war ein sehr kostbares Stück, das wir verkauften, eine Rembrandt-Radierung. Der Händler bot uns viele, viele tausend Mark dafür, und wir hofften, damit auf Jahre versorgt zu sein. Aber Sie wissen ja, wie das Geld einschmilzt ... Wir hatten den ganzen Rest auf die Bank gelegt, doch nach zwei Monaten war alles weg. So mußten wir noch ein Stück verkaufen und noch eins, und der Händler sandte das Geld immer so spät, daß es schon entwertet war. Dann versuchten wir es bei Auktionen, aber auch da betrog man uns trotz den Millionenpreisen ... Bis die Millionen zu uns kamen, waren sie immer schon wertloses Papier. So ist allmählich das Beste seiner Sammlung bis auf ein paar gute Stücke weggewandert, nur um das nackte, kärglichste Leben zu fristen, und Vater ahnt nichts davon.

Deshalb erschrak auch meine Mutter so, als Sie heute kamen ... denn wenn er Ihnen die Mappen aufmacht, so ist alles verraten ... wir haben ihm nämlich in die alten Passepartouts, deren jedes er beim Anfühlen kennt, Nachdrucke oder ähnliche Blätter statt der verkauften eingelegt, so daß er nichts merkt, wenn er sie antastet. Und wenn er sie nur antasten und nachzählen kann (er hat die Reihenfolge genau in Erinnerung), so hat er genau dieselbe Freude, wie wenn er sie früher mit seinen offenen Augen sah. Sonst ist ja niemand in diesem kleinen Städtchen, den Vater je für würdig gehalten hätte, ihm seine Schätze zu zeigen ... und er liebt jedes einzelne Blatt mit einer so fanatischen Liebe, ich glaube, das Herz würde ihm brechen, wenn er ahnte, daß alles das unter seinen Händen längst weggewandert ist. Sie sind der erste in all diesen Jahren, seit der frühere Vorstand des Dresdner Kupferstichkabinetts tot ist, dem er seine Mappen zu zeigen meint. Darum bitte ich Sie ...'

Und plötzlich hob das alternde Mädchen die Hände auf, und ihre Augen schimmerten feucht.

„... bitten wir Sie ... machen Sie ihn nicht unglücklich ... nicht uns unglücklich ... zerstören Sie ihm nicht diese letzte Illusion, helfen Sie uns, ihn glauben zu machen, daß alle diese Blätter, die er Ihnen beschreiben wird, noch vorhanden sind ... er würde es nicht überleben, wenn er es nur mutmaßte. Vielleicht haben wir ein Unrecht an ihm getan, aber wir konnten nicht anders: man mußte leben ... und Menschenleben, vier verwaiste Kinder, wie die meiner Schwester, sind doch wichtiger als bedruckte Blätter ... Bis zum heutigen Tage haben wir ihm ja auch keine Freude genommen damit; er ist glücklich, jeden Nachmittag drei Stunden seine Mappen durchblättern zu dürfen, mit jedem Stück wie mit einem Menschen zu sprechen. Und heute ... heute wäre vielleicht sein glücklichster Tag, wartet er doch seit Jahren darauf, einmal einem Kenner seine Lieblinge zeigen zu dürfen; bitte ... ich bitte Sie mit aufgehobenen Händen, zerstören Sie ihm diese Freude nicht!'

Das war alles so erschütternd gesagt, wie es mein Nacherzählen gar nicht ausdrücken kann. Mein Gott, als Händler hat man ja viele dieser niederträchtig ausgeplünderten, von der Inflation hundsföttisch betrogenen Menschen gesehen, denen kostbarster, jahrhundertealter Familienbesitz um ein Butterbrot weggegaunert war — aber hier schuf das Schicksal ein Besonderes, das mich besonders ergriff. Selbstverständlich versprach ich ihr, zu schweigen und mein Bestes zu tun.

Wir gingen nun zusammen hin — unterwegs erfuhr ich noch voll Erbitterung, mit welchen Kinkerlitzchen von Beträgen man diese armen, unwissenden Frauen betrogen hatte, aber das festigte nur meinen Entschluß, ihnen bis zum Letzten zu helfen. Wir gingen die Treppe hinauf, und kaum daß wir die Türe aufklinkten, hörten wir von der Stube drinnen schon die freudig-polternde Stimme des alten Mannes: ‚Herein! herein!‘ Mit der Feinhörigkeit eines Blinden mußte er unsere Schritte schon von der Treppe vernommen haben.

‚Herwarth hat heute gar nicht schlafen können vor Ungeduld, Ihnen seine Schätze zu zeigen‘, sagte lächelnd das alte Mütterchen. Ein einziger Blick ihrer Tochter hatte sie bereits über mein Einverständnis beruhigt. Auf dem Tische lagen ausgebreitet und wartend die Stöße der Mappen, und kaum daß der Blinde meine Hand fühlte, faßte er schon ohne weitere Begrüßung meinen Arm und drückte mich auf den Sessel.

‚So, und jetzt wollen wir gleich anfangen — es ist viel zu sehen, und die Herren aus Berlin haben ja niemals Zeit. Diese erste Mappe da ist Meister Dürer und, wie Sie sich überzeugen werden, ziemlich komplett — dabei ein Exemplar schöner als das andere. Na, Sie werden ja selber urteilen, da sehen Sie einmal!' — er schlug das erste Blatt der Mappe auf — ‚das große Pferd'.

Und nun entnahm er mit jener zärtlichen Vorsicht, wie man sonst etwas Zerbrechliches berührt, mit ganz behutsam anfassenden schonenden Fingerspitzen der Mappe ein Passepartout, in dem ein leeres vergilbtes Papierblatt eingerahmt lag, und hielt den wertlosen Wisch begeistert vor sich hin. Er sah es an, minutenlang, ohne doch wirklich zu sehen, aber er hielt ekstatisch das leere Blatt mit ausgespreizter Hand in Augenhöhe, sein ganzes Gesicht drückte magisch die angespannte Geste eines Schauenden aus. Und in seine Augen, die starren mit ihren toten Sternen, kam mit einemmal — schuf dies der Reflex des Papiers oder ein Glanz von innen her? — eine spiegelnde Helligkeit, ein wissendes Licht.

‚Nun', sagte er stolz, ‚haben Sie schon jemals einen schöneren Abzug gesehen? Wie scharf, wie klar da jedes Detail herauswächst — ich habe das Blatt verglichen mit dem Dresdner Exemplar, aber das wirkte ganz flau und stumpf dagegen. Und dazu das Pedigree! Da' — und er wandte das Blatt um und zeigte mit dem Fingernagel auf der Rückseite haargenau auf einzelne Stellen des leeren Blattes, so daß ich unwillkürlich hinsah, ob die Zeichen nicht doch noch da waren — ‚da haben Sie den Stempel der Sammlung Nagler, hier den von Remy und Esdaile; die haben auch nicht geahnt, diese illustren Vorbesitzer, daß ihr Blatt einmal hierher in die kleine Stube käme.'

Mir lief es kalt über den Rücken, als der Ahnungslose ein vollkommen leeres Blatt so begeistert rühmte, und es war gespenstisch mitanzusehen, wie er mit dem Fingernagel bis zum Millimeter genau auf alle die nur in seiner Phantasie noch vorhandenen unsichtbaren Sammlerzeichen hindeutete. Mir war die Kehle vor Grauen zugeschnürt, ich wußte nichts zu antworten; aber als ich verwirrt zu den beiden aufsah, begegnete ich wieder den flehentlich aufgehobenen Händen der zitternden und aufgeregten Frau. Da faßte ich mich und begann mit meiner Rolle.

‚Unerhört!‘ stammelte ich endlich heraus. ‚Ein herrlicher Abzug.‘ Und sofort erstrahlte sein ganzes Gesicht vor Stolz. ‚Das ist aber noch gar nichts‘, triumphierte er, ‚da müssen Sie erst die ‚Melancholia‘ sehen oder da die ‚Passion‘, ein illuminiertes Exemplar, wie es kaum ein zweites Mal vorkommt in gleicher Qualität. Da sehen Sie nur‘ — und wieder strichen zärtlich seine Finger über eine imaginäre Darstellung hin — ‚diese Frische, dieser körnige, warme Ton. Da würde Berlin kopfstehen mit allen seinen Herren Händlern und Museumsdoktoren.‘

Und so ging dieser rauschende, redende Triumph weiter, zwei ganze geschlagene Stunden lang. Nein, ich kann es Ihnen nicht schildern, wie gespenstisch das war, mit ihm diese hundert oder zweihundert leeren Papierfetzen oder schäbigen Reproduktionen anzusehen, die aber in der Erinnerung dieses tragisch Ahnungslosen so unerhört wirklich waren, daß er ohne Irrtum in fehlloser Aufeinanderfolge jedes einzelne mit den präzisesten Details rühmte und beschrieb: die unsichtbare Sammlung, die längst in alle Winde zerstreut sein mußte, sie war für diesen Blinden, für diesen rührend betrogenen Menschen noch unverstellt da und die Leidenschaft seiner Vision so überwältigend, daß beinahe auch ich schon an sie zu glauben begann. Nur einmal unterbrach schreckhaft die Gefahr eines Erwachens die somnambule Sicherheit seiner schauenden Begeisterung: er hatte bei der Rembrandtschen ‚Antiope‘ (einem Probeabzug, der tatsächlich einen unermeßlichen Wert gehabt haben mußte) wieder die Schärfe des Druckes gerühmt, und dabei war sein nervös hellsichtiger Finger, liebevoll nachzeichnend, die Linie des Eindruckes nachgefahren, ohne daß aber die geschärften Tastnerven jene Vertiefung auf dem fremden Blatte fanden. Da ging es plötzlich wie ein Schatten über seine Stirne hin, die Stimme verwirrte sich. ‚Das ist doch ... das ist doch die ‚Antiope?‘ murmelte er, ein wenig verlegen, worauf ich mich sofort ankurbelte, ihm eilig das gerahmte Blatt aus den Händen nahm und die auch mir gegenwärtige Radierung in allen möglichen Einzelheiten begeistert beschrieb. Da entspannte sich das verlegen gewordene Gesicht des Blinden wieder. Und je mehr ich rühmte, desto mehr blühte in diesem knorrigen, vermorschten Manne eine joviale Herzlichkeit, eine biederheitere Innigkeit auf. ‚Da ist einmal einer, der etwas versteht‘, jubelte er, triumphierend zu den Seinen hingewandt. ‚Endlich, endlich einmal einer, von dem auch ihr hört, was meine Blätter da wert sind. Da habt ihr mich immer mißtrauisch gescholten, weil ich alles Geld in meine Sammlung gesteckt: es ist ja wahr, in sechzig Jahren kein Bier, kein Wein, kein Tabak, keine Reise, kein Theater, kein Buch, nur immer gespart und gespart für diese Blätter. Aber ihr werdet einmal sehen, wenn ich nicht mehr da bin — dann seid ihr reich, reicher als alle in der Stadt, und so reich wie die Reichsten in Dresden, dann werdet ihr meiner Narrheit noch einmal froh sein. Doch solange ich lebe, kommt kein einziges Blatt aus dem Haus — erst müssen sie mich hinaustragen, dann erst meine Sammlung.‘

Und dabei strich seine Hand zärtlich, wie über etwas Lebendiges, über die längst geleerten Mappen — es war

INHALT

Der Amokläufer 7
Brief einer Unbekannten 81
Vierundzwanzig Stunden aus dem Leben einer Frau 135
Buchmendel 219
Episode am Genfer See 257
Phantastische Nacht 271
Die Mondscheingasse 353
Verwirrung der Gefühle 379
Leporella 489
Die unsichtbare Sammlung 525